Archivistique :
information, organisation,
mémoire

L'exemple du
Mouvement coopératif Desjardins,
1900-1990

Martine Cardin

Archivistique: information, organisation, mémoire

L'exemple du Mouvement coopératif Desjardins, 1900-1990

septentrion

Cet ouvrage a été publié grâce à une subvention de la Fédération canadienne des sciences sociales, dont les fonds proviennent du Conseil de
recherches en sciences humaines du Canada.

Les éditions du Septentrion reçoivent chaque année du Conseil des arts
du Canada et du ministère de la Culture et des Communications du
Québec une aide financière pour l'ensemble de leur programme de
publication.

Révision: Solange Deschênes

Photo de couverture: Anonyme, 1917. ANC, PA-42886

Si vous désirez être tenu au courant des publications
des ÉDITIONS DU SEPTENTRION,
vous pouvez nous écrire au
1300, av. Maguire, Sillery (Québec) G1T 1Z3
ou par télécopieur (418) 527-4978

Données de catalogage avant publication (Canada)

Cardin, Martine, 1958-

   Archivistique: information, organisation, mémoire: l'exemple du
Mouvement coopératif Desjardins, 1900-1990.

   Présenté à l'origine comme thèse (de doctorat de l'auteur – Université
Laval), 1992.

   Comprend des réf. bibliogr.

   ISBN 2-89448-034-2

   1. Archivistique. 2. Mouvement des caisses populaires et d'économie Desjardins – Archives. I. Titre.

CD953.C37 1995   025.17'14   C95-941015-5

Dépôt légal: 4e trimestre
Bibliothèque nationale du Québec
Bibliothèque nationale du Canada

ISBN 2-89448-034-2

© Les Éditions du Septentrion
1300, ave Maguire
Sillery (Québec)
G1T 1Z3

Diffusion Dimedia
539, boul. Lebeau
Saint-Laurent (Québec)
H4N 1S2

Les éditions Klincksieck
8, rue de la Sorbonne
75005 Paris

Introduction

L'organisation ne peut exister sans information. Celle-ci donne un sens aux connaissances fondamentales qui président aux destinées de l'institution ou de l'entreprise et auxquelles les agents, les membres de l'entreprise, se réfèrent pour médiatiser leur réflexion sur une situation, exprimer leurs décisions relatives au déroulement des opérations. À ce titre, la consignation de l'information permet d'accroître les capacités organisationnelles et assure à l'action un cadre référentiel cohérent.

Depuis les années 1950, le monde de l'information est en révolution. La diffusion des nouvelles technologies a modifié son espace et ses pratiques. La documentation croît en volume de façon exponentielle au fur et à mesure que se complexifient les administrations. Elle se présente sur des supports variés : papier, filmique, électronique, etc. La multiplication des moyens audio-visuels et de communication fait du papier un médium de moins en moins privilégié. La culture n'est plus qu'écrite et l'accès à l'information s'est généralisé et complexifié ; du coup, de nouveaux codes régissant la communication se sont créés. En somme, la galaxie Gutenberg a subi de profondes mutations. La disponibilité de l'information a été de plus en plus perçue comme une clef de succès et un instrument de pouvoir, en même temps qu'il est devenu plus difficile de répondre aux besoins. Des préoccupations de qualité de l'information, de rapidité d'accès, de coût de gestion, d'efficacité de fonctionnement ont vu le jour et se sont imposées en critères d'évaluation. Entre le document et la paperasse, entre le permanent et l'éphémère, entre l'essentiel et l'accessoire, entre

l'exemplaire principal et les copies, entre les supports électro-
niques, filmiques ou papiers, il faut de plus en plus choisir et
trancher. Les usages et les utilisations ont amené à concevoir
une vaste gamme d'instruments de référence, à préserver les
droits des producteurs autant que ceux des utilisateurs, à respecter des règles de protection des renseignements confiden-
tiels, à gérer la circulation de l'information et, partant, à concevoir des systèmes d'archives appropriés aux besoins.

Dans ce contexte, l'archivistique apparaît comme une discipline en plein essor. Fondement pour l'avenir, fiabilité dans
l'information, efficacité dans l'administration, elle est invitée à
donner des réponses scientifiquement valables aux questions
et aux préoccupations des administrateurs et des chercheurs
dans les organisations. Pour se tailler une place de qualité dans
les organisations, l'archivistique doit cependant développer
ses technologies sur des bases théoriques solides.

Notre recherche s'inscrit dans cette perspective. À partir
d'un cas témoin, le Mouvement des caisses populaires et d'économie Desjardins, et sur la base des théories de la mémoire, de
l'information et de l'organisation, elle vise à cerner les fondements conceptuels de l'archivistique. Dans un premier temps,
elle propose une réflexion théorique où, dans une approche
multidisciplinaire, elle explore certaines facettes des rapports
entre l'organisation et la constitution de ses archives. Retour-
nant aux disciplines à partir desquelles l'archivistique s'est
développée, elle cerne ses finalités et l'évolution de ses concepts, situe les archives au carrefour de la mémoire, de l'information et de l'organisation et conceptualise la notion de mémoire organique et consignée. Puis, elle observe dans la longue
durée les pratiques de gestion documentaire dans une grande
institution afin de vérifier empiriquement dans quelle mesure
les archives constituent une mémoire vivante, active et indispensable aux processus menant à l'affirmation des valeurs institutionnelles, à l'harmonisation des activités administratives
et à l'ordonnancement des ressources.

Les archives, une mémoire organique et consignée

La conservation de l'information organique créée dans le cours
des activités organisationnelles et consignée sur un support
durable fait partie des stratégies d'existence. En aménageant et

en sélectionnant ses documents, l'organisme assure la cohérence et la continuité de son identité; en conséquence, la culture devient un élément clé pour comprendre le processus de constitution d'un fonds d'archives. En effet, l'accès aux connaissances accumulées n'est possible que dans la mesure où le système anthropo-social, donc culturel de l'organisme, leur donne un sens. Ainsi, le processus d'archivage de l'information documentaire est vivant et dynamique, car il s'approprie continuellement les résultats présents afin d'assurer aux générations futures un cadre référentiel cohérent.

Par une telle vision, les archives deviennent mémoire: mémoire d'une institution pour sa gestion administrative, pour sa position sociale ou pour ses significations culturelles. Elles illustrent le vécu d'une institution, avec ses ruptures et ses permanences. Elles traduisent la production même de l'organisme, les relations entretenues à l'interne entre les divers services et ses échanges avec les «clientèles» qu'elle dessert. Toute l'information ainsi produite constitue une partie de sa mémoire, reflète ses finalités et consigne ses pratiques. Les nombreux témoignages des chercheurs en histoire appliquée rappellent l'importance de cette mémoire de l'organisation ou de l'institution pour définir ses choix et planifier son avenir.

La mémoire ne peut cependant être entendue isolément de l'information et de l'organisation. Ces deux niveaux participent individuellement dans leurs interactions, et globalement dans l'émergence, à la constitution de la mémoire organique et consignée. On devrait donc retrouver leur influence structurante dans le processus de constitution des fonds d'archives. En outre, dans la mesure où la mémoire n'est pas immuable, le consigné devrait évoluer avec l'identité et la refléter. Cette perspective d'analyse présume donc, un peu à la manière des chercheurs en histoire appliquée, que la mémoire organique et consignée d'une organisation traduit ses finalités, ses objectifs de production et les opérations de ses unités de production, autrement dit, sa personnalité, son personnage et sa personne.

Un cas témoin: le Mouvement Desjardins

Le Mouvement des caisses populaires et d'économie Desjardins constitue, à notre avis, un bon exemple pour l'évolution de la mémoire institutionnelle et un cas remarquable dans le développement et l'application des pratiques archivistiques. En tant qu'institution à vocation sociale et économique, l'œuvre d'Alphonse Desjardins doit constamment actualiser sa mission sise aux carrefours de deux champs traditionnellement distincts. Ne pouvant légitimer son autorité qu'en faisant la preuve de ses compétences naturelles, le Mouvement Desjardins a toujours abondamment fait référence à ses archives pour assurer une pleine force à sa philosophie fondatrice, à ses valeurs et à son idéologie. Nous sommes donc en présence d'une institution où les archives, même les plus anciennes, constituent visiblement une mémoire vivante, et où les pratiques archivistiques, de concert avec d'autres activités commémoratives, ont pour but d'affirmer son identité et de soutenir sa mission en établissant le mythe fondateur dans le temps et dans l'espace.

Par ailleurs, le cas de Desjardins permet de cerner comment le processus informationnel structure les archives afin qu'elles soient des instruments de communication fiables et économiques en accord avec son identité. Le Mouvement intègre les caractéristiques de la petite et de la grande entreprise. Sa structure de fonctionnement exige que ses stratégies informationnelles respectent l'autonomie de chacune de ses composantes tout en assurant la cohérence de l'ensemble coopératif. Au gré de l'évolution phénoménale du réseau confédératif, ses pratiques archivistiques se sont raffinées afin de répondre aux exigences inhérentes à sa configuration. C'est ainsi que dix fédérations, cinq institutions, deux corporations et plus de deux cents caisses ont adopté les mêmes principes de gestion documentaire.

Enfin, l'exemple du Mouvement Desjardins démontre que le processus organisationnel conditionne le corpus archivistique, afin qu'il soit un moyen efficace et efficient pour traduire les activités de production. Bien que l'institution coopérative soit du domaine de la propriété privée, on y retrouve les principes de transparence inhérents aux organisations publiques. Le Mouvement Desjardins doit pouvoir rendre des comptes à ses sociétaires. Pour ce faire, il a dû se préoccuper dès le départ de la gestion documentaire et mettre en place des mesures afin de détenir des preuves de ses actions et de l'état de ses ressources. Ces pratiques archivistiques sont d'autant plus intéressantes qu'elles peuvent encore être observées à «l'état sauvage». En effet, l'organisation coopérative est privée; c'est pourquoi elle n'a pas à se soumettre à la législation récente en matière de gestion des archives, d'accès à l'information et de protection des renseignements personnels.

À chaque étape de l'évolution du Mouvement Desjardins, des historiques et diverses analyses à caractère rétrospectif précèdent et justifient les changements. À cet égard, les histoires institutionnelles, les biographies du fondateur et de ses plus illustres successeurs, les documents de propagande ainsi que les dossiers concernant des activités commémoratives, telles que les fêtes du cinquantenaire, la publication des écrits de Desjardins, l'émission d'un timbre à son effigie, les témoignages des propagandistes, la création de la Société historique ou encore les campagnes de publicité, permettent de cerner les orientations mémorielles privilégiées par le Mouvement Desjardins tout au long de son évolution.

De même, des documents de nature juridique accompagnent les changements afin d'adapter le territoire physique et moral au sens des valeurs institutionnelles. À ce titre, les actes de fondation ainsi que tous les documents constitutifs, les livres comptables, les registres et les inventaires ainsi que les pièces justificatives constituent un ensemble de moyens matériels dont une institution dispose pour définir et caractériser ses éléments constitutifs. À cet égard, la législation et la réglementation ayant des incidences sur la conservation et l'accès à ces documents permettent de voir en quoi les archives ont permis de protéger l'existence physique, de faire valoir les droits tout en prouvant que les responsabilités institutionnelles étaient assumées.

Enfin, des documents issus des interventions des dirigeants expriment comment l'adaptation des pratiques se fait dans le respect des traditions. À ce sujet, les organigrammes, les répartitions des mandats et la définition des tâches traduisent les changements effectués dans le système fonctionnel pour atteindre les objectifs, alors que les bilans de production, les mesures d'évaluation ainsi que les normes et procédures mettent en relief les ressources utilisées pour y parvenir. Dans cette optique, l'évolution des mandats en matière de gestion de la mémoire consignée, l'identification de ses responsables, leur correspondance et leurs rapports d'activités, traduisant les méthodes dont ils usent, illustrent les orientations mémorielles privilégiées chez Desjardins. L'analyse de cet ensemble documentaire permet de voir le rôle des archives dans la formalisation des activités, la régulation de celles-ci et l'accroissement des capacités organisationnelles.

À travers cette information qui exprime et fonde les décisions, engendre des règles et des pratiques, se dégagent, en trame de fond, les motifs et les finalités, fondements des continuités et des permanences, et des modes d'opération qui traduisent, comme des réponses aux changements, des moyens de combler de nouvelles attentes, qu'elles soient d'ordre légal, administratif, culturel, voire publicitaire.

Les préoccupations archivistiques chez Desjardins sont-elles représentatives de l'ensemble des organisations? À partir du moment où l'organisation est définie comme un processus où des éléments constitutifs sont en interrelation dynamique entre eux et avec leur environnement, on ne peut plus penser à une structure idéale type, donc, par conséquent, à une mémoire organique et consignée type. Comme la culture des organisations se rejoint dans et par l'analyse de sa production documentaire, l'étude de la mémoire organique et consignée de Desjardins permet de cerner les processus de mémorisation dans une institution donnée et la place qu'y tient l'archivistique, et d'émettre des hypothèses quant aux processus généraux que l'on devrait retrouver dans d'autres types d'institutions et d'entreprises. Nous allons voir d'ailleurs que les sciences de l'organisation et les sciences de l'information énoncent des propositions générales qui, à quelques variantes près, s'appliquent à l'ensemble des organisations.

Par cet exemple, nous voulons donc montrer que la constitution de la mémoire organique et consignée de l'institution rassemble et combine les deux secteurs d'intervention en archivistique, soit les volets administratif et historique, en une seule opération où les finalités et les pratiques, procédant des mêmes principes et méthodes, paraissent étroitement fusionnées et indissociablement liées. Nous tentons ainsi d'établir les frontières et les points de rencontre des deux champs de spécialisation de l'archivistique moderne. En somme, nous voulons montrer comment une institution privée de premier rang a constitué, développé et adapté sa mémoire organique et consignée et comment elle a lié ou distingué les diverses facettes de ses opérations de gestion documentaire. Nous voulons également préciser comment les exigences administratives et communicationnelles de l'institution ont pu, au fil du temps et des courants scientifiques culturels extérieurs, modeler la constitution de cette mémoire. Il s'agit en somme de rechercher les cohérences et les paradoxes d'un processus culturel dynamique et fort complexe, un processus qui est propre au destin même de l'entreprise, mais qui s'inspire plus largement des évolutions et des tendances dans les sciences de l'information, de l'organisation et de la mémoire au cours du dernier siècle.

Structure de la démonstration

Cette recherche est divisée en deux parties et compte, en tout, huit chapitres. Le premier chapitre constitue une introduction méthodologique qui situe les approches théoriques de l'archivistique moderne dans leur contexte actuel et présente la problématique de la mémoire organique et consignée.

Les deux chapitres suivants ont pour but de concevoir les pratiques archivistiques dans une approche mémorielle. À partir des théories conceptualisées par les sciences de la culture, le deuxième chapitre précise le concept de mémoire consignée et constate comment les archives s'y insèrent. Cet exercice permet de mieux comprendre les fondements théoriques sur lesquels l'archivistique a construit son identité. Puis, dans une perspective historique, le troisième chapitre retourne au mythe fondateur afin de voir pourquoi les sociétés ont consigné de l'information et de préciser la raison d'être de l'archivistique à cet égard. Cette démarche permet de comprendre le sens de la discipline et de constater ses finalités mémorielles.

Le caractère organique des archives est analysé dans le quatrième chapitre. À cet effet, les notions conceptualisées par les sciences de l'information et de la communication permettent de comprendre le sens des pratiques informationnelles et de voir leur influence structurante sur les archives.

La perspective des sciences de l'organisation constitue l'angle d'observation du cinquième chapitre. Dans la mesure où la production organique d'informations consignées est métabolisée par le processus organisationnel et sert à fournir des références identitaires, à médiatiser la réflexion et l'analyse, et à exprimer la prise de décisions, ce chapitre vérifie comment les principes de fonctionnement d'une organisation interviennent dans la constitution de sa mémoire organique et, par ricochet, évalue au moins approximativement jusqu'à quel point les archives consignées reflètent les processus autant que les opérations.

Le sixième chapitre conclut la première partie en confrontant les théories et méthodes de l'archivistique aux notions de mémoire, d'information et d'organisation. Celles-ci servent de point de référence pour évaluer l'intérêt et la pertinence des premières. Ainsi, les concepts tels que le principe de respect des fonds, la théorie des trois âges, les notions de valeurs primaires et secondaires sont comparés à la finalité mémorielle de la discipline. En d'autres termes, il s'agit de voir comment s'adapte le corpus théorique de l'archivistique moderne au concept de mémoire organique et consignée.

L'analyse du cas témoin, le Mouvement des caisses populaires et d'économie Desjardins, permet d'effectuer une contre-vérification de la première partie. À cet effet, le septième chapitre met en contexte le processus de constitution du fonds d'archives du Mouvement Desjardins. Le but n'est pas de faire une histoire du Mouvement, mais de considérer l'évolution de sa personne, de son personnage et de sa personnalité face à sa mémoire organique et consignée et à ses pratiques de gestion documentaire, d'observer le partage des responsabilités entre les différents agents responsables et de préciser les mandats attribués à chacun, en insistant sur l'évolution du service des archives.

Le huitième et dernier chapitre piste dans toutes ses facettes la mémoire organique et consignée du Mouvement Desjardins. Cet exercice permet de mieux comprendre la finalité des archives et de voir pourquoi et comment les pratiques archivistiques s'inscrivent d'abord dans un processus mémoriel. En observant la valeur accordée aux documents qui établissent son identité et les pratiques archivistiques qui s'y rapportent, il est en effet possible de voir pourquoi et comment les archives assurent une pleine force à la philosophie fondatrice, aux valeurs et à l'idéologie de l'institution.

Cette recherche allie donc réflexion théorique et observation des pratiques. Tout au long de notre analyse, les sources consultées au Mouvement Desjardins ont servi de point de référence à la vérification des théories savantes. Les unes et les autres ont considérablement nourri notre réflexion sur la perception et la conception de l'archivistique, ses forces et son potentiel d'avenir, les rapports entre la théorie et la pratique, entre les finalités et les interventions effectuées.

Première partie

L'archivistique
au carrefour de la mémoire,
de l'information et de l'organisation

Chapitre I

Problématique de la mémoire organique et consignée

Depuis quelques années, les spécialistes s'interrogent sur la nature et l'identité même de l'archivistique. Certains l'apparentent aux sciences de l'information[1]; d'autres cherchent à la formaliser comme une science de l'administration[2]; un dernier groupe la situe plutôt parmi les sciences de la culture[3].

En fait, la question se posait indirectement depuis bien plus longtemps. Des transformations profondes dans les pratiques documentaires, en particulier aux États-Unis, ont eu pour effet de remettre en cause les traditions acquises, tant en regard des règles que des normes et des principes. Le *records management* américain a bousculé l'archivistique à l'européenne, le Québec se trouvant au centre de visions longtemps ou souvent divergentes.

Nous entendons pour notre part explorer ce qui semble être les trois éléments fondamentaux et constitutifs de l'archivistique: la mémoire, l'information et l'organisation, comme cela se vérifie autant dans le Mouvement Desjardins que dans tout autre organisme ou institution. À cet effet, ce chapitre tente d'établir les relations et l'articulation entre ces éléments pour dégager des paradigmes communs sur lesquels peuvent reposer la conception de l'archivistique et les pratiques qui s'ensuivent.

Une discipline en quête de son identité

La question majeure à laquelle ont été — et sont encore parfois — confrontés les praticiens et les théoriciens de l'archivistique s'articule autour des relations entre la gestion des documents administratifs et celle des documents historiques; en somme, la délimitation même du champ propre de l'archivistique est encore mal assurée. Les tenants d'une approche globale, s'appuyant sur la similitude des démarches, des principes et des méthodes, estiment que les deux champs sont si étroitement liés qu'ils ne forment qu'une seule science, qu'une seule discipline: l'archivistique. À l'opposé, les tenants d'une vision spécialisée définissent les objectifs de la gestion des documents administratifs par l'efficacité administrative, sans lien avec quelques finalités historiques que ce soient. Ils voient les *records managers* comme des gestionnaires travaillant dans les administrations afin d'améliorer l'efficacité des ressources documentaires actuelles, tandis que les archivistes se chargent de la conservation des témoignages du passé, c'est-à-dire des documents n'ayant plus d'utilité administrativement parlant.

Le *records management*, un champ de spécialisation formalisé de façon théorique et conceptuelle aux États-Unis dans les années 1950, est à l'origine de la question. Les pratiques qu'il a engendrées nourrissent un débat qui a rapidement pris de l'envergure, comme l'indiquent les actes des conférences internationales de la table ronde des archives tenues à Bucarest en 1969 et à Jérusalem en 1970, ainsi que les divergences d'opinions qui s'y sont manifestées:

> Dans l'espace d'une génération, il est évident que les choses ont beaucoup évolué. Il n'y a pas si longtemps, en effet, les archives de la plupart des pays européens, fidèles à la conception qui s'était lentement élaborée au cours du XIXe siècle étaient d'accord pour se voir avant tout, sinon exclusivement, historiens et pour voir dans leurs dépôts des centres de conservation de fonds d'archives de valeur permanente, mis à la disposition de la recherche historique. Les rapports avec les administrations étaient jugés secondaires; en bien des cas, l'initiative des versements et, parfois, celle des éliminations étaient laissées aux bureaux [...] D'un autre côté, certains États, qui ne bénéficiaient pas de fonds d'archives aussi anciens et aussi riches, constituaient de toutes pièces des services d'archives, chargés d'une vocation administrative beaucoup plus poussée. Leur personnel, sans véritable formation historique [...] était spécialement entraîné à assurer la

> documentation des autorités. [...] On insiste beaucoup au-jourd'hui sur la vocation des archives à faire corps avec l'admi-nistration et à se placer au cœur même de celle-ci pour gérer ses papiers, les organiser et assurer, en quelque sorte, la documenta-tion permanente des autorités publiques [...] les réticences sont très fortes contre cette conception qui semble à plus d'un comme une déviation du rôle des services d'archives[4].

Cette vision d'inspiration américaine contribue à élargir le territoire archivistique. Les conceptions de l'intervention diffè-rent encore, mais les théoriciens reconnaissent graduellement la nature administrative de la production documentaire et pré-cisent les concepts et la terminologie qui s'y rattachent. Ainsi, les Anglo-Américains considèrent les *records* comme des maté-riaux documentaires de toute nature produits ou reçus par un corps administratif public ou privé, et utilisés par celui-ci dans le cours de ses activités administratives, juridiques et autres. Pour eux, les *archives* sont des *records* qui, ayant perdu leur utilité administrative courante, sont jugés suffisamment révé-lateurs des activités de leur producteur pour mériter une con-servation permanente et servir à des fins de recherche histori-que[5]. La définition française, articulée autour du concept de «fonds d'archives», englobe les notions de *records* et d'*archives*[6] tout en définissant à un second niveau des états précis: les archives courantes, intermédiaires et historiques[7].

Au Québec, ces grandes distinctions théoriques s'accom-pagnent dans les faits de nombreuses positions intermédiaires et d'une série de ponts ou de rapprochements entre les deux, chez les uns comme chez les autres[8]. Soulignons en outre que certains ont traduit littéralement les termes américains sans les confronter aux notions traditionnelles et aux réalités qu'elles recouvraient. Le but était de moderniser la terminologie «sous prétexte que le mot archives présentait des difficultés de mise en marché[9]». Cela a causé une confusion terminologique qui a ajouté une complexité supplémentaire aux débats québécois.

Finalement, certains distinguent deux spécialités visant à conserver et à donner accès à l'information consignée: l'une intervient au moment où les documents sont encore dans les administrations et l'autre entre en action lorsqu'ils ne sont plus d'utilité courante. La première se charge de rationaliser la masse documentaire et de permettre le repérage des documents à des fins de recherche administrative. L'autre a pour but de préserver un patrimoine destiné à la recherche historique. En somme, par faiblesse du rapport à la philosophie administrative ou par refus de l'image accordée aux archives, les tenants de cette position se sont définis comme des gestionnaires de documents.

D'autres estiment, au contraire, que la production documentaire forme un tout parfaitement intégré, de la naissance du document à sa conservation permanente ou à sa destruction. Par ses principes, ses règles, ses normes pratiques, l'archivistique peut répondre à la fois aux besoins internes et externes, à ceux de l'administrateur comme à ceux du chercheur. Les mêmes opérations de classement, de sélection, de repérage et de circulation de l'information y sont effectuées.

Ces positions et conceptions diamétralement opposées ont eu tendance à se définir par leurs différences et à s'exclure mutuellement. Outre les chicanes de clocher que l'on peut deviner, ce débat a donné lieu à des approfondissements scientifiques, en même temps qu'il a servi d'assise à des théories ou à des concepts majeurs, comme la théorie des trois âges ou les notions de valeur secondaire et de documents essentiels.

Récemment, les archivistes et les gestionnaires de documents québécois se sont réunis autour d'un ensemble de valeurs communes[10]. Ils s'entendent sur le fait qu'ils traitent de l'information organique et consignée produite dans le cours des activités organisationnelles. Ils reconnaissent également que cette information constitue un élément physique distinct et qu'à ce titre elle réclame une intervention spécialisée au sein des organisations. Enfin, il y a eu consensus sur le fait que la gestion doit porter sur toute la chaîne documentaire. Si des échanges sur les pratiques et les méthodes, sur les fonctions même de l'archivistique, ont eu des effets unificateurs, les positions demeurent cependant distinctes quant aux objectifs visés et, partant, quant aux finalités de cette intervention. Les perspectives changent selon que l'on envisage l'information organique et consignée comme un contenu, un contenant ou un contexte.

Les programmes d'enseignement universitaire québécois reflètent bien ces divergences. Ainsi, les certificats de premier cycle se fondent sur les mêmes opérations considérées comme fondamentales dans la praxis archivistique. Toutefois les philosophies sont différentes d'une institution à l'autre. L'École de bibliothéconomie et des sciences de l'information de l'Université de Montréal s'oriente vers les sciences de l'information, l'Université du Québec à Montréal s'inscrit dans la perspective des sciences de l'administration, tandis que l'Université Laval articule sa problématique autour des sciences de la culture[11]. Même si les titres des cours et la conception des programmes, en fait la structure d'encadrement de la formation, sont semblables, les positionnements différents influencent le sens des interventions et celui de la discipline.

Il importe donc d'approfondir la connaissance des finalités de la discipline. Point de départ d'une recherche fondamentale, cet exercice de conceptualisation[12] préside à toute la chaîne des interventions. Il situe le rôle de l'archiviste dans une institution. Il éclaire la nature des systèmes d'archives les plus souhaitables. Il précise les avantages et les désavantages des options retenues et, en conséquence, les palliatifs nécessaires pour parer aux inconvénients[13]. Il permet de savoir comment relever le défi des choix des applications technologiques les plus adéquates. En corollaire, il remet en cause des notions archivistiques jugées acquises, parfois depuis le milieu du XIXe siècle, comme celle du fonds ou, plus tard, celle de cycles de vie des documents, notions d'inspiration positiviste par leur contexte d'élaboration et qu'il conviendrait d'adapter aux progrès des recherches en sciences humaines. D'où l'intérêt de revoir les finalités de l'archivistique en particulier dans les perspectives relativement nouvelles des sciences de la culture, de l'information et de l'organisation.

Une information économique et fiable

La perception de l'archivistique recouvrant les documents administratifs et les documents historiques comme science de l'information ne date pas d'hier. Dès 1960, LeRoy dePuy estime que *records management* et archives sont étroitement liés dans un objectif de conservation et de diffusion[14]. Au Québec et au Canada, ce sont les bibliothécaires qui ont le plus cherché à préciser ces relations. Mais les archivistes en quête de démarcation et d'identité ont longtemps refusé toute association. Ils s'appuyaient sur le caractère unique du document en regard du nombre d'exemplaires des livres déposés en bibliothèque et sur les systèmes de classification, opposant le respect des fonds aux classifications thématiques de Dewey ou de la bibliothèque du Congrès de Washington. La célèbre «affaire des manuscrits» qui a opposé les Archives nationales du Québec et la Bibliothèque nationale du Québec en 1973 a cristallisé ces oppositions[15]. Depuis ce temps, les besoins sociaux, les technologies de classement et les objectifs des interventions professionnelles ont favorisé des rapprochements. Selon les tenants de l'approche de l'archivistique par les sciences de l'information, «la finalité d'une bibliothèque, d'un service d'archives ou d'information est de servir et de satisfaire ses utilisateurs[16]». Dans cette optique, l'archivistique doit se ranger au côté de ses disciplines sœurs dans le champ de la science de l'information.

> Les professions documentaires ont leurs spécialités propres; c'est une réalité dont on doit tenir compte, et il n'est pas souhaitable, ni même possible, de les fondre en un tout artificiel. Pourtant, les trois domaines des sciences de l'information, de la bibliothéconomie et de l'archivistique ont le même objet, l'information enregistrée sur tout support, l'information différée. Tant les services de l'information que la bibliothéconomie et l'archivistique poursuivent l'étude scientifique du comportement humain dans sa manière de rechercher de l'information, de la traiter, de l'organiser et de la rendre disponible à des utilisateurs. Cette affirmation d'un objet commun, l'étude de l'information comme phénomène, est à la base même d'une harmonisation des formations et favorise la convergence des sciences documentaires. Elle évite, enfin, d'accorder une importance exagérée à des institutions sociales (bibliothèque, service d'archives, centre de documentation) ou à des professions (bibliothécaire, archiviste, spécialiste de l'information)[17].

Pour fournir une réponse satisfaisante aux besoins d'information du chercheur et de l'administrateur, l'archiviste doit faire en sorte qu'elle soit fiable et livrée de la façon la plus économique possible. Il doit répondre aux besoins des administrateurs en permettant un gain d'espace de conservation et de temps de recherche. Il tient également compte des besoins des chercheurs en assurant la conservation et le repérage de l'information pertinente.

L'objectif de fiabilité vise à assurer la qualité de l'émission-réception par l'élimination du bruit[18]. Cela implique la constitution d'un système de communication pour acheminer les messages entre les utilisateurs, c'est-à-dire entre toutes les personnes qui émettent ou recherchent de l'information. Le réseau doit tenir compte des agents et de l'environnement dans lequel l'information circule. Des mesures de contrôle intellectuel (classification, description, diffusion) permettent de repérer rapidement l'information pertinente et de la rendre facilement accessible.

L'objectif d'économie vise à obtenir un degré de redondance[19] optimal. Ainsi, au fur et à mesure de la production documentaire, des mesures de contrôle administratif filtrent la masse de papier afin de la rendre moins volumineuse, donc moins dispendieuse à exploiter. Les informations qui constituent des répétitions ou des précisions inutiles sont éliminées. Par exemple, la conservation d'un bilan récapitulatif permettra l'élimination des états hebdomadaires. De la même façon, un échantillonnage de pièces justificatives peut être effectué pour conserver la trace d'un processus.

L'approche informationnelle définit l'objet archivistique par son contenu. Elle part du principe que les documents sont conservés avant tout pour être consultés et considère que le but de l'intervention archivistique est d'assurer l'accès intellectuel et physique à l'objet informationnel. Ainsi, les recherches peuvent avoir des finalités diverses, mais dans tous les cas le succès dépendra de la disponibilité intellectuelle et physique des sources[20]. L'accès à l'information et ce, quels que soient l'identité et l'objectif du chercheur, devient l'aboutissement sans lequel le reste des opérations perd son sens. La rationalisation du volume de la masse documentaire ne saurait en effet ignorer l'objectif ultime qu'est la communication des informations qu'elle renferme; sinon, aussi bien tout éliminer.

Une ressource efficace et efficiente

Si la rentabilité administrative de la gestion des archives historiques a été très tôt reconnue[21], les tenants de la vision administrative ont rapidement pris de la distance. Insistant sur le fait que l'information est la quatrième ressource constitutive des organisations, ils situent leur intervention dans une perspective de management. Selon l'archiviste Richard H. Lytle, si historiquement l'archivistique a engendré la gestion des documents administratifs et que cette dernière a développé des liens étroits avec les archives, elle doit être considérée comme une discipline à part entière, donc distincte[22]. «The Records Managers is basically a business administrator and the Archivist is basically a historian[23]» affirme le *records manager* Gerald Brown. Au Québec, selon Murielle Doyle,

> Les spécialistes de la gestion des documents ne dépendent pas, dans l'accomplissement strict de leur tâche, du bon vouloir des archivistes. Avec l'aide de ces derniers, ils peuvent sélectionner les documents à valeur permanente en ayant soin de préserver ceux pouvant être utiles aux historiens. Mais tel n'est pas l'objectif de leur travail qui en est un d'efficacité administrative. Par contre les archivistes, eux sont grandement tributaires de la qualité du travail des «records managers»[24].

Dans cette foulée, les tenants d'une vision intégrée dite systémique et systématique définissent l'information organique et consignée au moyen de la théorie des ensembles. L'intervention professionnelle a pour but d'assurer la gestion de «l'objet administratif», de la façon la plus efficace et efficiente possible, ainsi que la sauvegarde et la diffusion de «l'objet culturel», devenue inutile au producteur. Cette approche se réclame d'une approche globale, parce qu'elle replace l'information organique et consignée dans un processus de production systémique.

Chaque organisation constitue en soi un système et développe différents sous-systèmes qui lui permettent de mener à bien ses activités. [...] Le système de GDAA [gestion des documents administratifs et des archives] est un sous-système qui découle du système de la gestion de l'information, tout comme le système de gestion des imprimés et celui de la gestion des données. Le système de la GDAA se subdivise lui-aussi en sous-systèmes : celui de la gestion des documents administratifs et celui de la gestion des archives. [...] le sous-système de la *gestion des archives* et celui de la *gestion des documents administratifs* sont inter-reliés et inter-actifs ; et en même temps ils sont tous deux dépendants du système englobant de la GDAA. [...] Le rôle des professionnels-les de la GDAA est de concevoir, de développer et de mettre en œuvre le processus, c'est-à-dire la «manière de faire» qui va permettre de répondre aux besoins d'organisation, de description, de conservation et d'accessibilité des documents administratifs et des archives[25].

Cette approche considère les documents comme des agents de communication qui véhiculent l'information dans la structure administrative. Le but premier du gestionnaire est de rendre rentable l'utilisation du médium documentaire. Son intervention doit faciliter la réalisation des activités administratives tout en réduisant les coûts consacrés à l'exploitation des ressources informationnelles.

Ces objectifs d'efficience et d'efficacité[26] se traduisent par et dans la rationalisation de la masse documentaire. Ils incitent à prendre en charge la production des documents en appliquant une série de procédés qui mènent à leur identification et à leur organisation : contrôle de la création afin de freiner la multiplication, délais de conservation, classification, classement, contrôle de la circulation, entreposage des semi-actifs et élimination des inactifs, etc. Ainsi le gestionnaire facilite-t-il l'accès rapide aux documents indispensables à la prise de décision éclairée, tout en prévenant les accumulations coûteuses en temps et en espace.

La perspective administrative mise sur la gestion du contenant plus que sur le contenu. Elle entend agir sur les documents plutôt que sur l'information qu'ils consignent afin que l'accès intellectuel et physique à cette information consignée soit une résultante directe du travail du gestionnaire de documents[27]. Dans cette optique, l'intervention professionnelle est avant tout guidée par des objectifs de rentabilité des ressources informationnelles.

Une mémoire intègre et signifiante

Le positionnement de l'archivistique dans le champ des sciences de la culture repose sur une longue tradition associant les archives au domaine de l'histoire. Dans un contexte scientifique positiviste, les archivistes-historiens s'appuient sur le caractère authentique des témoignages pour affirmer qu'ils travaillent à l'établissement des faits significatifs de l'histoire de la nation. En Europe, dès le milieu du XIXe siècle, les dépôts nationaux d'archives «deviennent les laboratoires de la science historique[28]». Ces rapports interdisciplinaires sont revus dans les décennies 1950 et 1960 avec l'émergence de préoccupations fonctionnalistes et l'évolution des administrations bureaucratiques. Les archivistes définissent alors leurs pratiques dans le giron d'une histoire renouvelée où, comme science auxiliaire, l'archivistique a pour but d'assurer l'intégrité des matériaux indispensables à l'opération historique. Robert-Henri Bautier écrit à ce sujet: «On ne peut [...] nier l'intérêt de ce rôle nouveau des archives qu'on peut qualifier en une phrase: concentration maximum du potentiel documentaire de la nation dans l'intérêt du public et dans celui des études historiques[29]». La révolution de l'information remet cependant en question cette vision traditionnelle. Graduellement, elle démontre le rôle administratif de l'information consignée. Les tenants d'une vision humaniste insistent alors sur le fait que ce développement traduit des mutations sociales et confirme le fait que les archives constituent un patrimoine culturel lié aux développements des sociétés qui les engendrent. W. I. Smith, des Archives publiques du Canada, estime que, de par «leur existence même et leur nature, [les archives] témoignent du niveau de développement d'une communauté, de sa richesse et de sa spécificité[30]». Pour sa part, André Jacques affirme «que, peut-être, les archives n'ont-elles d'autre existence que celle que l'époque leur prête, dans les réminiscences de la précédente, à une place toujours variable, dans un domaine toujours changeant[31] ». En somme, alors que pour certains les sciences de l'information ou de l'organisation constituent les nouvelles voies de définition de l'archivistique, pour plusieurs, la discipline reste dans le champ des sciences de l'homme.

Pour notre part, nous avons déjà esquissé, avec Jacques Mathieu, un point de vue en réaction aux insuffisances théoriques des approches informationnelle et administrative[32]. Nous croyons que l'information organique et consignée s'inscrit dans un processus global qui ne peut isoler son contenu ou sa fonction de son contexte culturel :

> Avant que d'être des documents dont se servent les historiens (entre autres) pour reconstituer le vécu des sociétés passées, les archives constituent la mémoire que se donne une organisation, que ce soit la société, une collectivité, une entreprise ou une institution, pour harmoniser son fonctionnement et gérer son devenir. Elles existent parce qu'il y a nécessité d'une mémoire consignée, non pas indépendamment de ses utilisateurs (administratifs ou scientifiques), mais quels que soient leur identité et les motifs de leur consultation. Elles s'inscrivent, légalement ou institutionnellement, comme un processus culturel en action indispensable au fonctionnement de l'organisme. Si l'information contenue dans le document est très utile pour sa valeur de preuve et de témoignage, la présence ou l'absence du document est encore plus significative. Elle traduit la vie et les traits même de l'organisme. Cela s'inscrit dans la mémoire de l'institution ou de l'organisme[33].

La richesse des contenus et la pertinence des contenants s'évaluent d'abord en fonction du sens qu'ils revêtent pour leurs producteurs. La question dépasse la simple utilisation primaire ou secondaire d'un ensemble documentaire pour s'attacher aux finalités poursuivies par le groupe[34]. Celui-ci consigne des connaissances qu'il juge culturellement importante pour sa survie et son développement. Il conserve les souvenirs consignés qui lui permettront de s'affirmer comme personne physique et morale, comme structure de fonctionnement administratif, comme regroupement institutionnel. Bref, l'organisme constitue une mémoire intègre et signifiante aux plans matériel, fonctionnel ou symbolique. Les archives jouent un

30   ARCHIVISTIQUE: INFORMATION, ORGANISATION, MÉMOIRE

rôle considérable dans le fonctionnement et le devenir d'une institution. Elles réunissent patrimoine et administration, gestion et culture, passé et présent dans une même pratique tournée vers l'avenir.

En définitive, l'archivistique est-elle une science de l'information, une science de l'organisation ou une science de l'homme? Nous postulons qu'elle se situe au confluent de ces trois champs disciplinaires[35]. À tout le moins, c'est ce qu'indique très clairement l'observation du fonctionnement d'une institution comme le Mouvement des caisses populaires et d'économie Desjardins, et plus largement les préoccupations des organisations. L'information organique et consignée est non seulement le reflet d'une connaissance objective et d'un contexte culturel de production, mais elle intègre aussi le système de référence à ce contenu et à ce contexte.

À l'inverse, il paraît inadmissible de limiter l'archivistique à seulement l'un ou l'autre de ces champs. De tels positionnements sont simplificateurs de la dynamique culturelle animant la création, le traitement, l'exploitation et la conservation de l'information consignée:

> Souscrire à l'idée qu'un service d'archives se définit par le service aux utilisateurs, ce serait renier leur finalité fondamentale, leur essence même. À ce compte, on peut se demander ce qui resterait du patrimoine québécois, comme des actes notariés ou des annales des communautés religieuses qui ont dormi sur les tablettes pendant un siècle ou deux. On pourrait aussi bien dire que l'Église existe parce que des gens se rendent aux offices religieux[36].

Ainsi, il ne faut pas confondre les moyens utilisés pour rendre accessibles les connaissances avec la raison d'être de cette communication. Admettre cela reviendrait à concevoir l'information organique et consignée comme un message conscient et volontaire entre un émetteur et un récepteur. Or, on ne peut réduire la connaissance à sa simple expression objective. Comme le souligne le sociologue Edgar Morin:

> Toute connaissance, quelle qu'elle soit suppose un esprit connaissant dont les possibilités et les limites sont celles du cerveau

humain, et dont le support logique, linguistique, informationnel vient d'une culture, donc d'une société *hic et nunc*[37].

L'information organique et consignée s'inscrit toujours dans une dimension symbolique qui lui procure un sens. Un organigramme, par exemple, traduit concrètement une structure hiérarchique et y ordonne les relations. Il faut toutefois prendre garde d'en ignorer les sens cachés. L'administrateur réagit à une missive en fonction des destinataires officiels et officieux, mais plus encore en fonction des significations et de la portée des messages qu'elle contient.

Par ailleurs, la mission archivistique ne peut se résumer à exécuter des opérations sur la masse documentaire. Une telle perspective se traduit dans les pratiques par diverses interventions ayant pour but de recenser, de classifier, de sélectionner, bref, de contrôler et de normaliser les documents. Elle privilégie la mise en marché d'un système de gestion. On comprend dès lors aisément pourquoi l'un des débats entre les archivistes s'est articulé autour de la question du marketing. Plus que l'objet, plus que la valeur légale ou patrimoniale, on proposait un contenant, un système qu'il suffisait d'adapter à des besoins particuliers. C'est dans cette perspective que l'on a préféré définir l'archiviste comme gestionnaire de documents, estimant que le terme «archives» se vendait mal.

En faisant de l'utilisation des contenus ou des contenants, le but ultime de l'archivistique, les théoriciens dévalorisent les archives et, partant, réduisent son champ d'intervention. En dirigeant leurs interventions sur ce qui est utilisé ou utilisable, les archivistes ignorent de larges pans de la mémoire organique et consignée. Ils se cantonnent dans un rôle de fonctionnaire, de gestionnaire de l'usuel et négligent les dimensions culturelles inhérentes à leur mission. Certes, les archives sont des ressources à exploiter de façon rentable. Elles sont également des instruments d'information devant être fiables. Toutefois, elles constituent avant tout une mémoire qui affirme l'identité d'un organisme en lui assurant un cadre référentiel cohérent.

Pour devenir des mémorialistes, les archivistes doivent revoir leurs pratiques afin de tenir compte de la dynamique culturelle des producteurs d'archives. Ce n'est qu'à ce prix qu'ils permettront aux agents de l'organisme de produire de façon efficace et efficiente des informations fiables et économiques.

Entre le doux et le dur: le choix du paradigme

L'évolution des pratiques et des tendances en archivistique a fini par remettre en cause, du moins implicitement, les fondements paradigmatiques de la discipline, c'est-à-dire les postulats de départ à partir desquels s'enchaînent les orientations et les actions. Au Québec, ces distinctions se sont surtout exprimées par des images et dans des appellations: l'archiviste versus le gestionnaire de documents. Conduit à ce niveau, le débat risquait de demeurer stérile, les oppositions, irréductibles, les solutions, une question d'opinion ou de pouvoir. Sur un plan conceptuel, ces tendances traduisaient en fait les différences qui ont longtemps opposé les sciences dites exactes et les sciences douces, les sciences de la nature et les sciences de la culture.

Dans les perceptions traditionnelles, les sciences de la nature se fondent sur des principes et des lois universelles. De l'application d'un principe découle un résultat objectif mesurable et constant. Les sciences humaines et sociales s'appuient quant à elles sur les symboles ou les idéologies. Leur objet d'étude comporte des impondérables qui nécessitent l'interprétation de la part de l'observateur scientifique, d'où une subjectivité. À ce titre, malgré une application rigoureuse de principes et de méthodes scientifiques, les sciences douces sont qualifiées d'inexactes et ne sont pas considérées comme objectives.

En se situant dans le champ historique, l'archivistique s'est d'abord définie parmi les sciences douces. Les impératifs issus de la révolution de l'information ont cependant révélé un aspect dur et exact des documents. Dès lors, l'archivistique se retrouvait coincée entre le doux et le dur. Comme discipline douce, ses pratiques ne pouvaient pas donner lieu à des résultats quantifiables, mesurables. Les archives étaient subjectives. Témoignages du passé, leur existence demeurait soumise aux aléas de l'interprétation historique.

En découvrant que leur intervention était en relation étroite avec les ressources constitutives et les modes de communication d'un organisme, les archivistes, et en particulier les gestionnaires de documents, ont eu tendance à se définir dans le champ des sciences plus dures. Pour positionner leur savoir-faire, le partage classique ne leur donnait pas d'autres choix; il fallait rejeter le caractère historique, incompatible avec le domaine de l'exactitude. Ainsi, l'archivistique devenait science de l'information ou encore science de l'administration, gérant des contenus ou des contenants objectivés. Le discours archivistique pouvait alors se formuler autour de lois, de règles et de normes.

Depuis quelques décennies cependant, les distinctions traditionnelles se sont considérablement atténuées. Les rapprochements ont été d'autant plus conséquents qu'ils n'étaient pas nécessairement recherchés au départ. Les sciences exactes ont introduit l'inconnu comme variable indispensable; les sciences de la culture ont souvent prouvé leur capacité à saisir les comportements aussi remarquables que spectaculaires et diffusés de l'humain. Les succès des théories de la physique quantique ont beaucoup contribué à établir de nouvelles bases dans l'analyse des rapports entre les sciences.

Les travaux du sociologue Edgar Morin ont été fort éclairants sur le rapport objectivité/subjectivité. En analysant la cosmogenèse, objet des sciences de la nature, Morin a constaté que les découvertes scientifiques au cours des dernières décennies ont graduellement contraint les sciences de la nature à intégrer les notions d'inexactitude, de déséquilibre et d'hétérogénéité, le désordre étant inhérent à la physis universelle.

Selon Edgar Morin, il est impossible de départager les champs disciplinaires selon le degré d'objectivité/subjectivité qu'ils ont vis-à-vis de leur objet d'étude. Il rejette donc le paradigme classique où l'ordre universel règne en roi et maître et propose plutôt une méthode articulée autour du concept de l'organisation complexe où «tout objet doit être conçu dans sa relation avec un sujet connaissant, lui-même enraciné dans une culture».

La grande coupure entre les sciences de la nature et les sciences de l'homme occulte à la fois la réalité physique des secondes, la réalité sociale des premières. Nous nous heurtons à la toute-puissance d'un principe de disjonction: il condamne les sciences humaines à l'inconsistance extra-physique, et il condamne les sciences naturelles à l'inconscience de leur réalité sociale. Comme le dit très justement von Fœster, «l'existence de sciences dites sociales indique le refus de permettre aux autres sciences d'être sociales» (j'ajoute: et de permettre aux sciences sociales d'être physiques)...[38]

Cette association des concepts d'ordre et de désordre a une résonance incontestable pour l'archivistique. Son idéal est l'ordre et sa problématique s'est articulée autour de ce concept. Les théoriciens ont cherché à formuler des principes universels par lesquels l'information organique et consignée pouvait être contrôlée. Ils ont objectivé un créateur et ont estimé qu'il s'agissait de respecter son ordre pour obtenir des informations scientifiquement objectives. De même, ils ont postulé d'une subjectivité historique désincarnée de ses réalités administratives. Mais le producteur n'est pas un démiurge fonctionnant à partir de vérités absolues. Son entendement évolue au gré de ses propres perceptions du réel, son ordre n'est pas neutre. Il évolue dans une dialogique constante et sa mémoire organique et consignée reflète cette dualité.

De par leur caractère tangible, les archives obéissent à un ordre naturel: celui des lois et des principes qui gouvernent l'organisation. Dans une certaine mesure, les archives appartiennent donc au monde de l'exact, du probable. Il est possible d'évaluer leur accroissement, de chiffrer leur coût de production, de connaître les effets qu'ont la chaleur ou l'humidité sur leur conservation. De même, le principe de l'entropie[39] fait en sorte que leur production requiert des investissements qui ne pourront jamais être totalement récupérés par leurs producteurs.

Les archives appartiennent aussi au monde de l'intangible. Si elles semblent constituer une banque de connaissances authentiques, leur objectivité est toute relative. Elles reflètent toujours les consensus subjectifs par lesquels le producteur se définit dans le présent. Elles s'inscrivent dans un système de

représentation qui respecte l'ordre établi par la culture organisationnelle. Tout passe par ce cadre référentiel et les agents de
l'organisation utilisent les ressources documentaires à travers
ce prisme. Pour circuler dans l'organisme, ces archives doivent
parler la langue de leurs producteurs. À cet effet, leurs contenus se conforment aux règles propres à la structure administrative qui les formalise. Liées les unes aux autres dans un tout
organique en accord avec la culture organisationnelle, les informations consignées n'utilisent que les codes linguistiques pouvant livrer des messages compréhensibles. Ainsi, les contenus
traduisent des significations que les contenants formalisent
dans un contexte culturel constamment actualisé[40].

L'archivistique doit procéder à une relecture de ses bases
scientifiques afin de dégager un cadre théorique pouvant tenir
compte de la nature relationnelle des archives. Dans ce contexte, une approche liant l'objectivité et la subjectivité dans un
polysystème complexe pose les bases d'un nouveau paradigme
scientifique et apparaît une orientation à privilégier. Elle permet à l'archivistique d'harmoniser des réalités qui, à première
vue, semblent divergentes mais oblige cependant la discipline,
comme toutes les autres, à repréciser son identité.

Les doutes épistémologiques formulés par les sciences
douces envers le paradigme classique offrent une place à l'archivistique dans le champ complexe des sciences de la culture.
Lors d'une conférence inaugurale sur les dynamismes de la
recherche au Québec, Joseph Melançon questionnait l'objectivité de la science[41]. En présentant l'inadéquation des paradigmes scientifiques voulant qu'une chose soit ou réelle ou fictive
ou encore qu'une réalité soit empirique ou cognitive, il a démontré que ces postulats cherchaient à appréhender un savoir
objectif. Melançon répondait par une troisième proposition
voulant qu'il n'y a pas d'objet sans sujet. Le savoir est subjectif,
car l'entendement d'une chose s'inscrit dans les schèmes de
l'intelligence et c'est à travers les structures sociales que le
savoir se médiatise. Lorsque l'on comprend la force idéologique des structures sociales, on obtient une compréhension du
réel et de la fiction. À ce sujet, il conclut que, si les sciences de
la nature cherchent à définir un savoir objectif et procèdent

d'une logique de causalité, les sciences de la culture sont finalistes, car elles cherchent à comprendre la signification. Voilà qui situe fort bien les problèmes qui ont divisé les archivistes, tout en fournissant des voies prometteuses de définition de son identité. En somme, pour bien saisir et situer les éléments constitutifs de l'archivistique, les uns en regard des autres, il paraît essentiel de s'attacher à ses finalités. Il s'agit alors d'agencer les spécificités de l'archivistique, qu'elles soient contenu, contenant ou contexte, information, organisation ou mémoire, en un système dynamique faisant ressortir le sens, les fins et une certaine hiérarchie des rapports entre les éléments.

Les systèmes constitutifs de l'archivistique

Une telle mise en contexte peut utiliser, en un premier temps, un modèle simplificateur de l'identité proposé par le sociopoliticologue E.-M. Lipiansky. Ce dernier formule trois niveaux principaux de définition de l'identité: la personne, le personnage et la personnalité[42].

— la personne. Elle correspond aux faits réels, objectifs. Une personne a tel âge, telle grandeur, tel poids, telle couleur de cheveux, etc. Ce modèle de définition est descriptif [...] Cette approche produit une identité de fait.

— le personnage. Il correspond au comportement, à l'habillement dont une personne se revêt. Chacun adapte ses façons de faire ou d'agir en fonction du groupe qu'il fréquente ou dont il veut faire partie. Ses comportements changent selon les situations, les circonstances et les groupes. Cela traduit l'influence de l'autre sur soi, sur son comportement, sur l'image que l'on veut projeter [...] Cela correspond à une identité de rôle.

— la personnalité. Elle découle des valeurs, des engagements, des idéologies, qu'ils soient d'ordre politique, religieux ou professionnel, [...] elle correspond aux finalités, à l'être, à l'essence même. Elle traduit un engagement, une appartenance. Elle fournit une identité symbolique, celle par laquelle quelqu'un peut se définir dans sa totalité et selon son principe moteur. Elle est représentation de soi[43].

Dans la perspective épistémologique d'Edgar Morin, une organisation est un polysystème ouvert sur un environnement, une entité matérielle faite de masse, d'énergie et d'informa-tion[44]. Par sa nature, elle est fondamentalement relationnelle et ne peut agir que dans l'interaction de ses éléments. Pour la comprendre dans sa plénitude, il faut donc considérer sa réa-lité physique simultanément avec les dimensions biologiques et anthropo-sociales qu'elle suppose et sur lesquelles elle se fonde. Elle forme donc un tout complexe caractérisé par les interactions entre les trois sphères qui la composent.

Si on applique la problématique des niveaux d'identité au concept d'Edgar Morin, on peut voir que chaque système élé-mentaire d'un polysystème organisationnel correspond à une facette identitaire. La personnalité se rapporte au système sym-bolique qui appréhende l'événement et lui donne un sens, c'est-à-dire à son caractère anthropo-sociologique. Le person-nage sert à désigner le système fonctionnel qui acquiert, traite et diffuse la connaissance pour permettre l'adaptation: il cor-respond à la sphère biologique. La personne se retrouve dans le système matériel présent dans la dimension physique. À l'égard d'un organisme, la personne serait associée aux réalités physiques: capital, employés, services, production, etc. Le per-sonnage correspondrait aux fonctions et aux relations entre les services et avec l'extérieur, soit sa dimension informationnelle. La personnalité résiderait pour sa part dans sa mission, son mandat, ses engagements, soit ses finalités culturelles et mé-morielles. Cela correspond bien à la nature et au fonctionne-ment d'une institution comme le Mouvement Desjardins, aussi bien qu'à tout autre organisme.

La personne, le personnage et la personnalité sont trois systèmes particuliers qu'on ne saurait cependant isoler ou su-bordonner les uns aux autres[45]. Il faut bien comprendre la complexité des liens qui les relient. Une caisse populaire ne peut se définir uniquement que par son aspect matériel: un édifice, un gérant, un guichet automatique ou un livret de caisse. Elle ne se limite pas à être un service bancaire, car sa réalité dépasse ses fonctions relatives à l'épargne, au crédit ou à l'assurance. On ne peut non plus limiter sa compréhension à sa vocation, soit celle d'une institution financière de type coopératif. Il est impossible de l'amputer d'une de ces dimensions. Une caisse populaire, c'est tout cela et plus que cela.

Ce bref aperçu permet de dégager trois constats principaux. Les trois niveaux d'identité que sont la personne, le personnage ou la personnalité forment un tout complexe, un ensemble interrelationnel, autant de systèmes spécifiques.

Comme tout complexe, ces systèmes concourent à une même finalité: la constitution et la régénération du polysystème, une réalité multidimensionnelle aux facettes simultanément matérielle, fonctionnelle et symbolique. Au surplus, leurs interrelations sont complexes, simultanées et rétroagissantes, subordonnées ou enchaînées. Cette conceptualisation fournit en somme une appréciation générale du poids relatif de chacune des composantes identitaires d'un organisme complexe. Mais il arrive que le plus bas niveau ait des effets majeurs sur le plus haut niveau. Dans une entreprise, une injection de capital, le déplacement du siège social, l'addition d'employés peuvent influencer la définition de son mandat et de sa mission. Chaque système particulier est donc étroitement relié aux autres.

Les systèmes particuliers que ces niveaux forment peuvent être précisés par la problématique des contextes, qui rejoint celles des sciences de la culture et des niveaux d'identité. Cette conceptualisation permet de cerner les éléments constitutifs de l'archivistique dans la mesure où elle éclaire le rôle et la place de l'organisation, de l'information et de la mémoire dans le système global.

D'une part, le système que nous appellerons l'Organisation[46] sous-tend la personne. S'il est subjectif et soumis au contexte culturel, le polysystème est une entité, une personne physique ou morale, qui possède les propriétés de tous les corps physiques. L'organisation est composée d'éléments (ressources) qui s'agencent entre eux de façon systémique (lieu de production), pour produire un résultat probable et tangible (un bien ou un service). Le processus qui régit sa physis possède une finalité essentiellement matérielle. Il veille sur le métabolisme du polysystème en lui procurant les moyens nécessaires à son existence phénoménale. Il intègre les processus d'allocation des ressources, d'évaluation et de contrôle de la production, etc. À l'égard des archives, il intervient dans la consignation des connaissances et produit des contenants informationnels compatibles avec les autres ressources constitutives du polysystème.

Par ailleurs, le système que nous appellerons Information anime le personnage. Le polysystème est un appareil qui établit des priorités, élabore des stratégies, entreprend des activités en conséquence, bref, qui mène des opérations de façon systémique afin de réaliser sa mission dans le présent. Cette structure est effective grâce à l'action du système informationnel qui possède une raison d'être prioritairement fonctionnelle. Il est l'agent de liaison qui permet aux connaissances consignées de se «métaboliser» dans un tout organique. Il joue un rôle cognitif dans le développement de l'organisme en fournissant à ses acteurs les éléments à prendre en compte dans le cours des activités et en indiquant les comportements pouvant être adoptés. Au niveau des archives, il insère les connaissances consignées dans le processus organique du polysystème et formalise les contenus informationnels afin qu'ils soient utilisables et utilisés.

Enfin, le système que nous appellerons Mémoire traduit la personnalité. En plus des systèmes spécifiques à sa nature et à ses fonctions, le polysystème possède un processus qui établit ses croyances, son essence. La mémoire précise la raison d'être du système global. Gardienne des principes immanents et des forces vives, elle est «cette expérience du passé qui [...] permet, à chaque instant de nous adapter au présent et d'anticiper l'avenir[47]». Vivante et sélective, elle aménage et actualise les principes fondateurs afin qu'ils soient toujours confortants et puissent se traduire de façon opérationnelle et phénoménale. Tout au cours de la croissance de l'organisme, elle veille à garantir une identité forte en précisant le sens des valeurs qui sous-tendent les systèmes organisation et information. Elle permet d'appréhender les événements en rendant les faits et les gestes signifiants. Les archives s'arriment directement dans le système mémoriel. Celui-ci donne un sens aux connaissances organiques et consignées. En leur donnant une valeur, il permet de distinguer les archives de la paperasse éphémère.

Le polysystème n'est pas la somme des systèmes mémoire, information et organisation. Les additionner serait simplificateur de la réalité. En fait, son identité se situe au point de convergence de ses processus générateurs. Elle résulte de leurs interactions polysystémiques (voir figure 1).

Leurs interactions fondent un organisme vivant qui possède des propriétés appelées émergences. Celles-ci rétroagissent sur chacun des systèmes constitutifs afin de les enrichir tout en les contrôlant. Cela veut dire que l'organisation ne peut pas croître n'importe comment, que l'information ne peut pas utiliser n'importe quoi, que la mémoire ne peut pas interpréter ses valeurs selon n'importe quel sens. Les émergences traduisent une culture qui donne le pouvoir de se réaliser, mais qui comporte aussi ses contraintes.

C'est en tant que totalités organisatrices que l'atome ou la cellule rétroagissent sur les constituants qui les forment et que tout le discours rétroagit sur les éléments qui la constituent. Ainsi, pour que les mots prennent un sens défini dans la phrase qu'ils forment, il ne suffit pas que leurs significations soient recensées parmi d'autres dans le dictionnaire, il ne suffit pas qu'ils soient

Figure 1
Les systèmes constitutifs de l'identité

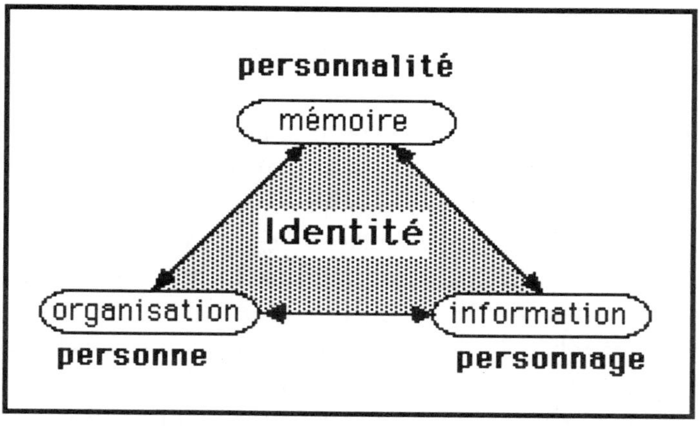

organisés selon la grammaire et la syntaxe, il faut encore qu'il y ait rétroaction de la phrase sur le mot, au fur et à mesure de sa formation, jusqu'à la cristallisation définitive des mots par la phrase et de la phrase par les mots.

C'est donc parce que le tout est hégémonique sur les parties, parce que sa rétroaction organisationnelle peut être conçue très justement comme *surdétermination*, que le tout est beaucoup plus que le tout.

Mais le tout ne saurait être hypostasié. Le tout seul n'est qu'un trou (*whole is a hole*). Le tout ne fonctionne en tant que tout que si les parties fonctionnent en tant que parties. Le tout doit être relationné à l'organisation. Le tout, enfin et surtout, porte en lui scissions, ombres et conflits[48].

En fait, le Mouvement des caisses populaires et d'économie Desjardins constitue une «totalité organisatrice» qui rétroagit sur ses constituantes. Sa culture donne un sens aux fondations, aux actions coopératives ainsi qu'à l'image que les composantes projettent. Sans cette rétroaction constante sur leurs systèmes d'organisation, d'information et de mémoire, les caisses, les institutions et même les sociétaires n'auraient aucune appartenance réelle à la famille Desjardins. Bref, ce n'est pas le carnet d'épargne qui fait le sociétaire, mais la philosophie coopérative, les valeurs communautaires et les méthodes institutionnelles qu'il exprime et qu'il porte en lui. Cette même culture émergente intervient sur les connaissances organiques et consignées du Mouvement. Elle donne un sens à ses déclarations de fondation, aux politiques et aux règles administratives communes ainsi qu'aux discours que les composantes tiennent sur leur mission.

Les trois niveaux d'identité sont omniprésents, mais ils ne sont pas statiques. Ils évoluent selon ce que Jacques Mathieu appelle un processus culturel en action. Au gré des événements, la culture issue de leurs interactions fait évoluer l'identité du polysystème, qui rétroagit sur eux et les transforme à son tour. Ainsi, l'organisation, l'information et la mémoire évoluent dans le temps et dans l'espace au gré des générations et des changements qui ponctuent la vie d'un organisme.

Une identité polysystémique

Et encore, la réalité n'est-elle pas aussi simple. Si les niveaux d'identité forment un tout complexe, chacun d'eux constitue à son tour un polysystème complexe[49]. Les disciplines de l'organisation, de l'information et de la mémoire ont d'ailleurs graduellement reconnu les différentes facettes de leur objet d'étude. Les théoriciens de l'organisation admettent qu'un organisme ne peut pas être coupé de ses dynamismes fonctionnels ou encore de ses réalités anthropo-sociales. À cet effet, les théories systémiques intégratives situent le processus organisationnel dans un espace de gravitation articulé autour de trois pôles constitutifs: l'ontologique, le fonctionnel et le génétique. De même, l'information ne peut se concevoir en dehors de ses codes physiques ou des significations qu'elle véhicule. Les théoriciens des sciences de l'information ont défini son identité propre par ses dimensions technique, pragmatique et sémantique. Enfin, la mémoire construit ses représentations en liant les réalités matérielles, les structures de l'entendement et les croyances fondatrices en un tout cohérent. Ces trois aspects se retrouvent assez bien en archivistique où l'on retrouve des documents de type essentiel, administratif et historique.

Dans la dynamique polysystémique complexe, des systèmes ontologique, technique et essentiel sont autant de manifestions qui établissent physiquement chacun des niveaux de l'organisme. De même, les systèmes fonctionnel, pragmatique et administratif les structurent. Quant aux systèmes génétique, sémantique et historique, ils leur donnent une profondeur symbolique. L'identité polysystémique naît dans l'interaction complexe de tous ces systèmes (voir figure 2).

Cette mise en contexte permet de mieux comprendre comment les archives peuvent, tout en étant mémoire, être directement influencées par les dimensions informationnelles ou organisationnelles. En fait, la mémoire organique et consignée intervient sur tous les niveaux de l'identité en fournissant les représentations matérielles, fonctionnelles et symboliques indispensables à leur existence et à leur fonctionnement. Elle leur permet d'évoluer au gré des mutations de l'identité polysystémique.

Figure 2
Les systèmes engendrant l'identité polysystémique

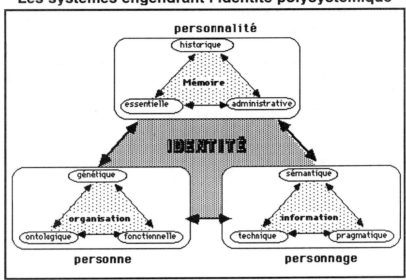

Ce sont ces systèmes complexes dans leurs interrelations polysystémiques avec la mémoire que nous étudierons dans les premiers chapitres, nous attachant moins à leur réalité statique ou typologique qu'à leur processus dynamique. Autrement dit, l'identité fondée sur des éléments tangibles se définirait plutôt dans le mouvement qui les anime. C'est en considérant la complexité des relations physiques, biologiques et anthropo-sociologiques que l'on préciserait les directions, les finalités, le sens de l'archivistique, en somme, son identité.

Notre étude ne représente qu'une partie de la question. Pour apporter une réponse plus complète, il faudrait aussi approfondir les programmes culturels par lesquels les docu-ments sont produits et l'information est utilisée. Ces questions vaudraient cependant des études à elles seules. Questionner la physis documentaire permettrait de comprendre les propriétés physiques des archives et déboucherait sur une étude socio-technique de la consignation de la mémoire organique. De même, l'étude des pratiques menant à l'acquisition, à l'assimilation et à la diffusion des connaissances éclairerait les traditions de consignation de la mémoire et conduirait à une analyse des médias et des stratégies de circulation du consigné.

Étudier la mémoire organique consignée est une entreprise difficile parce que complexe. Cette démarche oblige à puiser dans de larges corpus scientifiques afin de toucher à toutes ses dimensions. Elle s'inspire des résultats scientifiques acquis dans de vastes champs disciplinaires, mais elle ne saurait approfondir ces champs, ni même en faire valoir toutes les nuances. Forcément panoramique, le regard que nous posons demeure flou ou fragmentaire à l'occasion. Mais à cette étape de mise en forme synthétique, il importe de s'attacher à l'essentiel, de préciser la nature des éléments constitutifs fondamentaux de l'archivistique et de vérifier comment ils s'agencent les uns aux autres.

Notes

1. Voir dans *Actes du symposium en archivistique: La place de l'archivistique dans la gestion de l'information: perspectives de recherche*, Montréal, GIRA et ANQ-M, 1990, l'article de Gilles Deschâtelet, «L'archivistique et la bibliothéconomie: deux disciplines sœurs dans l'arbre généalogique des sciences de l'information», p. 207-230, celui de Carol Couture, «Les différentes facettes de la gestion de l'information», p. 29-37 et celui de Marcel Lajeunesse, «La bibliothéconomie et l'archivistique: deux disciplines autonomes des sciences de l'information», p. 246-258.
2. Voir les travaux de Michel Roberge, dont son article «Archivistique ou gestion des documents administratifs et des archives: la recherche d'une identité professionnelle», *Actes du symposium en archivistique [...]*, p. 41-58.
3. Voir Jacques Mathieu et Martine Cardin, «Jalons pour le positionnement de l'archivistique», *Actes du symposium en archivistique [...]*, p. 101-126.
4. Robert-Henri Bautier, «La mission des archives et les tâches des archivistes», *Actes des onzième et douzième Conférences internationales de la Table Ronde des Archives, Bucarest, 1969, Jérusalem, 1970*, dans *Techniques modernes d'administration des archives et de gestion*

des documents: recueil de textes, Paris, Programme général d'information et UNISIST, UNESCO, 1985, p. 5-7.

5. Frank B. Evans *et al.*, «A Basic Glossary for Archivists, Manuscript Curators, and Records Managers», *American Archivist*, vol. 37, July 1974, p. 417.

6. La notion de fonds d'archives s'applique aussi aux documents non institutionnels, alors que la pratique anglo-américaine réserve le terme *manuscript* à ces derniers.

7. Association des archivistes français, *Manuel d'archivistique: théorie et pratiques des Archives publiques en France*, Paris, S.E.V.P.E.N., 1970, 805 p.

8. Par exemple, afin de concilier les diverses tendances théoriques, les Québécois préfèrent utiliser les termes de documents actifs, semi-actifs et historiques pour désigner les étapes de vie documentaire. Voir à ce sujet les propositions de Jacques Ducharme et Jean-Yves Rousseau dans «L'interdépendance des archives et de la gestion des documents: une approche globale de l'archivistique», *Archives*, 1980, vol. 12, n° 1, p. 5-28, ainsi que la réponse de Murielle Doyle, dans «Peut-on sérieusement croire à l'interdépendance des archives et de la gestion des documents en Amérique du Nord?», *Archives*, vol. 12, n° 4, mars 1981, p. 77-82.

9. Carol Couture, Jacques Ducharme et Jean-Yves Rousseau, «L'archivistique a-t-elle trouvé son identité? *Argus*, vol. 17, n° 2, juin 1988, p. 56.

10. Au Québec, le consensus est réel car, après des années de querelle, les membres de l'Association des archivistes du Québec adoptaient une définition commune lors de leur congrès de 1989. Voir Association des archivistes du Québec, *Actes du XVIIIᵉ congrès*, Sainte-Adèle, juin 1989. La situation est cependant moins claire dans les milieux anglo-américains, comme en témoignent les difficultés qu'ont les associations d'archivistes à se doter d'un code d'éthique.

11. Voir *Archives*, vol. 20, n° 3, hiver 1983, numéro consacré à la question de la formation en archivistique, ainsi que les *Actes du symposium en archivistique [...]*.

12. Par conceptualisation, nous entendons l'opération intellectuelle qui consiste à dégager des principes par l'observation et l'analyse des faits et des pratiques. La conceptualisation s'oppose à la théorisation qui part des lois présumées pour déduire des applications.

13. Il n'y a pas de système idéal. L'exemple du cadre de classification uniforme illustre très bien cela. En principe, cet outil permet d'organiser les documents de toutes les unités administratives d'une organisation selon un même système d'ordonnancement intellectuel et physique. En pratique, si les documents devant répondre à des exigences légales et administratives sont généralement suffisamment normalisés pour se prêter à un tel exercice, les documents générés par des activités spécifiques à la mission organisationnelle ne se systématisent pas aussi facilement. Ce faisant, la classification doit être adaptée pour permettre l'expression des spécificités culturelles de chacun.

14. LeRoy dePuy, «Archivists and Records Managers — A Partnership», *The American Archivist*, vol. 23, janvier 1960, p. 49-55.

15. Voir «Affaires des manuscrits: opinions», *Archives*, vol. 73.2, 1973, p. 42-106.

16. Marcel Lajeunesse, «L'archivistique: une science de l'information à la recherche d'un milieu de formation», *Archives*, vol. 18, n° 3, décembre 1986, p. 44.

17. *Ibid.*, p. 43-44.

18. Le bruit est une mesure issue de la théorie de l'information de Shannon. Paul Attalah le définit comme étant: «tout signal extérieur au système et qui empêche le signal interne d'arriver rapidement ou efficacement à son but. Le bruit peut être le brouillage électro-magnétique d'une ligne téléphonique comme il peut être des mouvements de contestation sociale.» *Théorie de la communication, histoire, contexte, pouvoir*, Sillery, Presses de l'Université du Québec, Télé-Université, 1989, p. 178. Les documents sont nécessairement exposés au bruit, c'est-à-dire à un ensemble d'interférences qui altèrent leur qualité de réception lorsqu'ils circulent à travers les divers échelons d'une administration complexe.

19. La redondance est également une notion issue de la théorie mathématique de l'information qui se rapporte à la mesure d'information. Selon Robert Escarpit, «un signal redondant fournit une information déjà donnée par ailleurs. Ainsi, dans j'arriverai, le j est redondant puisqu'il fournit une information qui se trouve dans la terminaison ai (première personne du singulier). On peut aisément l'éliminer dans un télégramme où l'économie du nombre de signes est un souci majeur. [...] La seule utilité qu'il présente, grâce au redoublement, est d'éviter une erreur éventuelle.» *L'écrit et la communication*, Paris, P.U.F., 1973, p. 24. La multiplication de l'information consignée suit la même logi-

que. Ainsi bon nombre de documents reproduisent des informations déjà consignées ailleurs.

20.   Voir le texte de Michel Lalonde «Archivistique et histoire; quelques idées pour une approche systémique», *Archives*, vol.12, n° 4, 1981, p. 33-37.

21.   Voir à ce propos Jacques Mathieu, «Les archives du Québec», *Annuaire du Québec*, 1970, p. 311-321.

22.   Richard H. Lytle, «The Relationship between Archives and Records Management: an Archivist's View», *ARMA Quartely*, avril 1968, p. 5.

23.   Gerald F. Brown, «The Archivist and the Records Manager: A Records Manager's Viewpoint», *ARMA Quartely*, vol. 5, janvier 1971, p. 21.

24.   M. Doyle, «Peut-on sérieusement croire [...]», *Archives*, vol. 12, n° 4, mars 1981, p. 79.

25.   Michel Roberge, «L'expertise québécoise en gestion des documents administratifs, bibliographie thématique et chronologique», Saint-Augustin, Les éditions GESTAR, 1987, p. 2-3. Voir aussi Guylaine Éthier, *Introduction à la gestion des documents*, Ottawa, Éditions G. Vermette inc., 1989, p. 3.

26.   L'efficience est une mesure qui se rapporte au potentiel des ressources dont une organisation dispose pour atteindre ses buts. L'efficacité se calcule, quant à elle, selon le degré optimal d'utilisation de ces ressources dans l'atteinte des objectifs. Laurent Picard souligne que «ce qui est efficient [est] ce qui produit un effet. Ce qui est efficace [est] ce qui produit l'effet attendu». L. Picard, «La gestion dans les secteurs public et privé: une analyse critique des similarités et des différences», dans Jean M. Guiot et Alain Beaufils, *Théories de l'organisation*, Montréal, Gaëtan Morin éditeur, p. 11, note 1.

27.   M. Roberge, *L'expertise québécoise [...]*, section A1 300.

28.   Les écoles de formation historique en viennent à imposer leurs élèves dans le recrutement des archivistes des institutions nationales. L'École des Chartes de Paris obtient ce monopole en 1850. De telles écoles se créent également en Allemagne (1854), en Espagne (1856), en Italie (1857). Robert-Henri Bautier, «Les archives», dans Charles Samaran (sous la direction de), *L'histoire et ses méthodes. Recherche, conservation et critique des témoignages*, Paris, Gallimard, 1961, p. 1134-1135.

29.   Robert-Henri Bautier, «Les archives» [...], p. 1161.

30. W.I. Smith, «Les archives et la culture, *Culture*, vol. IV, n° 2, 1977, p. 56-66, reproduit dans *Techniques modernes d'administration des archives et de gestion des documents: recueil de textes*. Paris, Programme général d'information et UNISIST, Unesco, 1985, p. 474.

31. André Jacques, «De la preuve à l'histoire», *Traverses*, n° 36, janvier 1986, p. 27.

32. J. Mathieu et M. Cardin, «Jalons pour le positionnement [...]».

33. *Ibid.*, p. 110.

34. Quelqu'un peut conserver une photographie de son enfance ou encore de vieilles lettres d'amour sans pour autant vouloir les utiliser ou les communiquer à autrui. Ces documents possèdent une valeur symbolique qui justifie en elle-même leur conservation. Il en va de même dans les organisations où certains documents sont conservés parce qu'ils permettent avant tout d'établir des représentations du passé qui soient en accord avec les images du présent.

35. Ce positionnement de l'archivistique peut être comparé avec la situation des relations industrielles qui se situent au carrefour du droit, de l'économie et de la sociologie. J. Mathieu et M. Cardin, «Jalons pour le positionnement [...]», note 21, p. 120.

36. *Ibid.*, note 10, p. 109.

37. Edgar Morin, *La méthode*, t. 1, *La Nature de la Nature*, Paris, Seuil, 1977, p. 88.

38. E. Morin, *La méthode*, t. 1, p. 11.

39. L'entropie est le deuxième principe de la thermodynamique. Edgar Morin le définit ainsi: «Alors que toutes les autres formes d'énergie peuvent se retransformer intégralement de l'une en l'autre, l'énergie qui prend forme calorifique ne peut se reconvertir entièrement, et perd donc une partie de son aptitude à effectuer un travail. Or toute transformation, tout travail dégagent de la chaleur, donc contribuent à cette dégradation. Cette diminution irréversible de l'aptitude à se transformer et à effectuer un travail, propre à la chaleur, a été désignée par Clausius [1850] du nom d'*entropie*.» *La méthode*, t. 1, p. 35.

40. Ainsi, au Mouvement Desjardins, le terme «directeur de caisse populaire» s'est substitué à celui de «gérant». De même, les maisons de réadaptation, anciennement appelées centres médicaux, ne dispensent plus des soins aux handicapés mais réalisent des interventions auprès des mal-entendants, des non-voyants, etc. Selon Jacques Mathieu, les appellations changent au gré de l'évolution des représentations identitaires. Au Québec, par

exemple, les immigrants sont graduellement devenus des néo-Québécois, les vieux sont devenus des aînés, etc. Plus qu'une question de mode, ces appellations font référence à des représentations de soi jugées plus conformes aux réalités du présent. En fait, «la façon dont on se nomme, où dont on est nommé, traduit des sentiments d'appartenance inhérents à la notion d'identité. Elle a valeur symbolique et idéologique tournée vers l'avenir». Jacques Mathieu et Jacques Lacoursière, *Les mémoires québécoises*, Sainte-Foy, Presses de l'Université Laval, 1991, p. 102.

41. Voir «Les seuils et les statuts de l'objectivité dans les sciences de la culture», dans Jacques Mathieu (sous la direction de), *Les dynamismes de la recherche au Québec*, Sainte-Foy, Presses de l'Université Laval, 1991, 1-21.

42. Edmond-Marc Lipiansky, «Identité, communication et rencontres interculturelles», *Cahiers de sociologie économique et culturelle*, vol. 5, juin 1986, p. 7-49. On retrouve cette même idée dans les sciences de la culture. Par son exemple de l'armoire à pointes de diamant, Jacques Mathieu a démontré que l'on pouvait définir un objet selon divers degrés de lecture. Voir «L'objet et ses contextes», *Bulletin d'histoire de la culture matérielle*, vol. 26, automne 1987, p. 7-18. Pour une présentation plus détaillée de cette approche, voir: J. Mathieu et J. Lacoursière, *Les mémoires québécoises*, p. 15-19.

43. J. Mathieu et M. Cardin, «Jalons [...]», p. 106-107.

44. Nous avons conscience que cet usage des termes d'organisation complexe risque de prêter à confusion et qu'il faut éviter de l'assimiler directement au champ des sciences de l'organisation. On pourrait dire, par analogie, qu'il y a entre eux des différences aussi profondes qu'entre «le politique» au sens de toutes les composantes qui président aux destinées d'un État ou de collectivités, et «la politique» au sens de domaine d'action particulier dans un État. Dans cette optique, afin d'éviter toute confusion, nous utiliserons dans la mesure du possible les termes système global, «polysystème» ou organisme pour désigner l'organisation complexe.

45. Un exemple analogique appliqué à l'être humain peut aider à comprendre la hiérarchie et l'articulation des éléments identitaires. La taille, le sexe, la couleur des cheveux ont moins de significations identitaires que la profession, le statut social ou le groupe professionnel dont une personne fait partie; à leur tour, ces dernières ont moins de poids que les engagements idéologi-

ques ou religieux. Mais, que la personne soit touchée par un cancer, une défaillance cardiaque, un accident qui en ferait un cul-de-jatte, son personnage et sa personnalité se modifieraient substantiellement.

46.   Il faudra donc éviter de confondre le système spécifique Organisation, régissant les aspects physiques, avec le système global, le polysystème, dont il est une composante.

47.   J.-L. Signoret, dans Hervé Ponchelet, «Les Secrets de la mémoire», *Le Point*, n° 811, 4 avril 1988, p. 43.

48.   E. Morin, *La méthode*, t. 1, p. 126.

49.   Encore une fois, l'analogie avec l'être humain peut être éclairante. Les sens, comme la vue et le toucher, s'expriment dans des réalités physiques complexes: les yeux, l'iris, la pupille, la cornée, etc. ou les nerfs sensibles, la peau, les doigts, les mains, etc. Ils captent des faits recherchés ou inattendus auxquels ils réagissent — noirceur, brûlure. Leurs capacités sont latentes et potentielles ou développées et entraînées. De même, des jambes atrophiées ou athlétiques forment un système complexe autonome et interrelié.

Chapitre II

La mémoire

Les archives ont été et sont encore définies comme la mémoire. Dès la fin du XIXe siècle, on les présentait comme la mémoire de la nation. Si, plus récemment, elles ont plutôt été présentées comme la mémoire de l'État, puis la mémoire des Québécois, le sens du vocable, lui, s'est peu détaché de son contexte positiviste. Il se rapporte alors à un patrimoine à préserver, une dimension légitime, mais passéiste, étriquée et figée. La mémoire entrepose, mais elle aménage encore plus. En ce sens, le rôle médiateur que jouent les traces du vécu est tourné vers l'avenir. On garde des documents pour s'en servir, c'est-à-dire pour évaluer et prendre une décision dans le présent en vue d'affirmer ses droits ou ses mandats dans le futur. La notion de mémoire a également contribué à élargir le sens des avoirs et des savoirs reçus. La mémoire collective loge aussi bien dans l'oral que dans le film, la toponymie, les objets, les données informatisées, etc. D'où un questionnement nouveau qui s'est posé à l'archiviste: jusqu'à quel point les archives couvraient-elles l'ensemble de la mémoire. Cet élargissement a enrichi la réflexion et rendu plus évidents les multiples usages des archives. Les cartes routières et les dictionnaires, voire les pratiques langagières sont aussi des mémoires. Et si elles évoluent dans le temps, nul ne saurait s'en passer ou douter de leur utilité.

Dans les organismes, la mémoire est également polymorphe. Si les archives en sont les dépositaires par excellence, elles ne la couvrent pas nécessairement au complet. En effet, le destin d'un organisme est largement influencé par l'extérieur, qu'il s'agisse des lois ou des sensibilités de la clientèle, des progrès scientifiques ou des découvertes technologiques. Faudrait-il garder la mémoire des contextes, et si oui, comment? La question est moins simple que les apparences peuvent le laisser croire au départ. Tout organisme est soumis à des lois. Mais en même temps, il intervient comme un participant actif à leur mise en œuvre et à leur respect[1]. Les niveaux d'intervention sur la mémoire diffèrent: dans un cas, les archives appliquent des décisions administratives ou législatives; dans l'autre cas, elles concourent à la poursuite des finalités institutionnelles. Nous postulons que, dans tous les cas, la mémoire d'une institution est dynamique, large et aménagiste du présent pour l'avenir. En somme, de tout temps, l'archivistique s'est inscrite dans des perspectives mémorielles globales.

Ce chapitre vise à préciser le concept de mémoire et à en reconnaître les formes et les natures différentes sous lesquelles elle se constitue, se présente et s'organise. Puis, il précise comment l'information organique et consignée s'y insère et conclut sur les objectifs mémoriels de l'archivistique.

La mémoire, une perception à renouveler

Dans la mesure où elle est perçue comme une représentation statique du passé, la mémoire paraît souvent n'avoir aucune utilité pour les organismes. Certains archivistes sursautent donc lorsqu'on affirme que la finalité des archives est mémorielle. Ils voient dans une telle approche une tentative de ramener une image dont ils tentent de se dissocier, celle du vieux et du poussiéreux.

En fait, ce n'est pas la notion d'archives qui est interprétée ici de façon réductrice, mais celle de la mémoire. Les recherches scientifiques effectuées sur la mémoire démontrent qu'elle est plus qu'une conscience vitaliste, qu'une référence à un mode d'exécution ou qu'une construction de l'imaginaire. Il s'agit d'un processus complexe ayant comme finalité de garantir la continuité d'une entité en lui fournissant des représentations cohérentes sur elle-même et son environnement. Par là, il est possible de prendre des décisions éclairées, de concevoir ou de comprendre la structure organisationnelle et ses aménagements possibles ou souhaitables. Elle permet d'évaluer la pertinence des processus et des stratégies d'information, même s'ils prennent la forme de publicité à l'extérieur. Elle permet de pressentir les effets des changements sur l'ensemble de la structure de fonctionnement. Elle rappelle le rôle prioritaire et prépondérant que les archives peuvent jouer à l'égard de la mémoire d'un organisme et, partant, de ses dynamismes et de son devenir. La mémoire situe la personnalité, la personne, le personnage dans la sphère anthropo-sociale. Elle légitime le pouvoir organisationnel, le matérialise et en permet l'exercice. Elle relie l'être et le faire au devenir. Elle détermine la valeur des messages, la qualité de la circulation de l'information, tant au plan organisationnel interne que dans une perspective promotionnelle.

La mémoire physico-sociale

Dans les années 1950, le sociologue Maurice Halbwachs fut parmi les premiers à étudier la mémoire des organismes sous l'angle sociologique. Selon lui, en marge d'une mémoire individuelle «engrammant» les données physiologiques essentielles à la régénération corporelle, il existe une mémoire collective qui retient les événements nécessaires à la reproduction sociale. Cette mémoire est un phénomène vivant qui se rattache à la conscience sociale. Elle harmonise ce qui des traditions anciennes est toujours signifiant dans l'appréhension des événements actuels. Elle est constituée de faits tangibles et irréfutables, porteurs de certitudes et d'ordre dans le temps présent.

Une telle représentation procède d'une approche traditionnelle, propre à une époque où les sciences sociales se voulaient une réponse aux insuffisances des sciences de la nature. La sociologie, telle que Halbwachs la pratique, est une science qui s'attache à insérer objectivement les faits sociaux dans l'évolution naturelle du cosmos. En conséquence, le sociologue fonde sa définition de la mémoire sur deux pôles naturels: le physiologique et le sociologique.

Les travaux de Halbwachs s'inscrivent dans le courant durkheimien mettant en opposition «l'homme individuel (corporel) de l'homme social créé, imposé, et inséré dans l'homme individuel par la collectivité[2]». L'univers, tel qu'il le conçoit, est constitué d'objets matériels en constante évolution. Ses composantes ne peuvent se soustraire aux déterminismes des lois universelles qui orchestrent leur renouvellement selon un temps linéaire et dans un espace neutre. À ce titre, l'individu est un objet universel, c'est-à-dire «une entité close et distincte, qui se définit en isolation dans son existence, ses caractères et ses propriétés, indépendamment de son environnement[3]». Il suit le cours de sa destinée en entrant individuellement en relation avec les autres éléments constitutifs de l'univers. Il est un être corporel dont les réactions sont physiologiques.

Par ailleurs, pour saisir l'être humain dans sa plénitude ontologique, il considère également la réalité sociologique. Par sa pensée, l'homme peut envisager son devenir probable et élaborer des stratégies qui assureront en conséquence sa survivance. S'il peut être un observateur du monde, son appréhension n'est cependant pas subjective. La capacité de reconnaître et de mettre en œuvre les idées humaines ne relève pas du niveau individuel. Elle réside dans une «conscience collective extérieure et supérieure aux individus, et dans laquelle viennent se fondre, pour n'être que l'émanation lorsqu'ils prennent conscience d'eux-mêmes, les individus[4]». En conséquence, les êtres humains se regroupent autour de valeurs fondamentales à leur épanouissement. Ils fondent naturellement des organisations sociales qui transcendent leurs idées innées ou acquises sur le monde. Ainsi, l'homme corporel est-il aussi un être social qui se réalise sous l'influence de divers groupes tels que la famille, la nation, l'Église, etc.

La mémoire sociologique possède une nature nécessairement collective. L'homme peut croire à sa singularité, parce que ses représentations sont différentes de celles de son voisin. Néanmoins cette apparente individualité n'est qu'un effet d'optique dû à la diversité des sociétés auxquelles chacun participe. À ce propos, Halbwachs affirme que

> la mémoire individuelle est un point de vue sur la mémoire collective, que l'on ne souvient jamais qu'en tant que membres d'un groupe et que dès lors l'illusion de souvenirs qui n'appartiendraient qu'à nous ne peut être vue que comme l'effet de plusieurs séries de pensées collectives enchevêtrées[5].

Pour Halbwachs, les organisations sociales sont les uniques dépositaires de la mémoire. Elles établissent un ordre social naturel qui seul permet de prendre conscience de soi, de se situer dans l'univers, bref, d'établir son identité. Aucune représentation individuelle ne peut exister en dehors d'elles. Ce n'est pas l'individu qui marque la société et la définit, mais l'inverse.

Cette notion de mémoire collective naturelle a été remise en question avec le développement des sciences de la communication qui s'est intensifié au cours des décennies 1960 et 1970. Les théories contingentes ne considèrent plus l'homme comme une entité isolée de son milieu de vie, mais comme un acteur d'un système de communication ouvert sur son environnement. L'objet universel, ontologiquement autosuffisant, vivant dans un espace social naturel, disparaît au profit de l'agent actif intervenant dans le processus d'évolution des structures sociales auxquelles il participe. Dès lors, on ne pouvait plus prétendre à une mémoire universelle.

La mémoire bio-sociale

À partir de ses travaux sur les survivances religieuses africaines en Amérique, Roger Bastide constate que «l'individu n'est pas seulement lieu de rencontre de groupes, le groupe est aussi lieu d'échanges entre personnes[6]». Il affirme que les rapports inter-individuels prennent une part active dans les processus d'identification collective. Selon lui, les êtres humains ne communient pas entre eux grâce à une conscience sociale, mais ils communiquent à l'aide de codes culturels prenant sens dans un cadre social partagé. Ils échangent des messages signifiants qui suscitent des comportements conséquents. Ainsi, les individus se définissent non plus par une pensée extrinsèque, mais par les actions que leur univers communicationnel commande. Ils ne s'identifient plus par leur groupe d'appartenance en tant que tel, mais par les pratiques culturelles qui caractérisent ces groupes. À ce sujet, Bastide écrit: «C'est la structure du groupe qui fournit les cadres de la mémoire collective, définie non plus comme conscience collective, mais comme système d'interrelations de mémoires individuelles[7]».

Qu'ils parlent de *memoranda* (la mémoire comme l'ensemble de ce dont on se souvient) et *memorare* (la mémoire comme véhicule du souvenir)[8], de matériaux mémorisés et de schèmes[9], de données stockées et de règles combinatoires[10] ou, encore, de contenu et de forme[11], les théoriciens établissent désormais une distinction entre les connaissances individuelles mémorisées et les pratiques culturelles destinées à les transmettre.

Il y a consensus pour dire que la conscience de soi ne peut se réaliser qu'en se comparant et en se distinguant par rapport à un groupe de référence et qu'à ce titre la mémoire est un phénomène social. On s'entend également sur le fait que les mémoires individuelle et collective sont des réalités intimement liées, puisqu'elles se fondent dans un cadre référentiel commun. Enfin, nul ne conteste le caractère vivant de la mémoire où seuls les souvenirs en accord avec le présent peuvent être réactivés. Les nouvelles perspectives scientifiques amènent toutefois les théoriciens à considérer que le contenu de cette mémoire ne peut être désincarné de l'individu. Loin d'être distanciée des acteurs, la raison d'être des représentations collectives découle des actions inter-individuelles.

Dans cette optique, la mémoire possède deux dimensions. La mémoire matérielle regroupe l'ensemble des connaissances objectives essentielles à la praxis des individus engagés dans le présent. Par ailleurs, cette mémoire entre en relation avec une mémoire fonctionnelle qui rend opératoire son contenu. D'une conception physico-sociale, la mémoire passe à une définition fondée sur un fonctionnement bio-social. La vision positiviste de l'homme-objet naturel est réfutée. On lui oppose le concept structuraliste de l'homme-machine tributaire de ses interventions. La mémoire ne se rapporte plus à une conscience vitaliste, mais à une structure de fonctionnement destinée à produire des actions signifiantes. Cette nouvelle approche de la mémoire souscrit à la logique de causalité développée à partir des postulats de la cybernétique.

Une analogie avec la technologie issue de ces principes cybernétiques illustre d'ailleurs fort bien le concept d'une mémoire opérationnelle. Ainsi, un micro-ordinateur est composé d'une unité centrale et de périphériques externes[12]. L'unité centrale loge dans l'appareil et regroupe un microprocesseur, une mémoire morte aussi appelée ROM[13] et une mémoire vive ou RAM[14]. Ce sont les composantes fondamentales de la machine. Les périphériques sont les instruments qui relient l'unité centrale à l'usager. L'écran, le clavier, les mémoires externes, telles que les bandes magnétiques, les disques durs et les disquettes, l'imprimante et le modem, etc., sont les plus connus d'entre eux[15].

Si l'on comparait la mémoire d'une société à la configuration d'un micro-ordinateur, le plan collectif se retrouverait dans la mémoire morte ou ROM. Ce système a pour but de garder de façon permanente les programmes routiniers nécessaires au fonctionnement courant: lecture des informations sur un support, affichage des informations à l'écran, etc. Établie à partir d'un langage machine commun à tous les appareils, la mémoire morte est pourtant un élément qui distingue une famille d'ordinateurs d'une autre. En fait, les spécificités d'un ordinateur lui viennent en grande partie de la configuration de son ROM. Cette configuration structure et codifie les modes d'exécution permettant de répondre aux commandes d'un utilisateur. Elle est par exemple à la base des différences existant entre des appareils de type IBM et Macintosh.

De même, chaque organisation sociale possède une mémoire collective. Elle correspond à ce qu'Albert E. Scheflen nomme la carte des programmes culturels intériorisés[16]. Elle se manifeste par les coutumes et les traditions et vise à conditionner la manière dont les individus agissent et réagissent; ils se vêtent, se parlent, se fréquentent, etc., selon un plan spécifique à leur groupe d'appartenance. Les schèmes sociaux se construisent à partir de connaissances et de pratiques mémorisées par le système social auquel un groupe appartient. Cependant, à l'instar du ROM, le profil d'ensemble des programmes intériorisés permet à chacun de se distinguer culturellement des autres. Ainsi, les coutumes et les traditions d'un groupe précisent son identité en commandant des comportements particuliers pour répondre à certains contextes[17]. Les structures traditionnelles constituent le substrat de la mémoire collective en traduisant formellement le potentiel de réalisation ainsi que les modes d'exécution propres à un groupe.

En corollaire, la mémoire individuelle se comparerait à la mémoire vive ou RAM. Le système RAM détient une capacité de computation variable et ne possède pas de données prédéfinies. Il s'agit d'un espace vierge destiné à recevoir temporairement des informations permettant l'exécution d'une action donnée, pour un besoin donné. Il ne peut cependant être utilisé qu'au moyen des périphériques qui permettent la création, le traitement, l'exploitation et la conservation de données.

La mémoire vive et ses périphériques sont des compléments indispensables à la mémoire morte. Le ROM permet en effet d'exécuter de l'édition de texte, du calcul matriciel, de la conception graphique, bref, du traitement de données. Cependant, le ROM ne fonctionne pas à vide. Il ne réagit qu'à ce que l'usager lui commande; c'est pourquoi l'ordinateur, même le plus perfectionné, ne peut pas se passer des sources informationnelles extérieures à sa mémoire morte[18]. Plus encore, les connaissances individuelles provenant de chaque usager sont des forces motrices sans qui la mémoire morte serait inutile.

La mémoire collective d'un système social agit de la même façon. Pour jouer un rôle effectif dans la praxis des individus engagés dans le présent, elle a besoin d'être constamment alimentée par les connaissances objectives que lui fournissent ses mémoires individuelles. Celles-ci représentent l'aspect virtuel de la culture. Elles peuvent être comparées à un dictionnaire des éléments de culture[19], car elles réunissent la somme des données stockées par l'ensemble des groupes qui composent une société. La mémoire collective rend ces connaissances opératoires. À ce sujet, les pratiques culturelles qui codifient et structurent les données stockées constituent la grammaire des éléments de culture[20]. Le processus mémoriel qui en résulte s'articule autour d'un système collectif encadrant les systèmes individuels[21]:

> Toute société ou groupe social relativement complexe se subdivise en sous-groupes: chaque sous-groupe n'utilisera pas toutes les données du système, mais sélectionnera une part, de même qu'il utilisera certaines règles combinatoires plutôt que d'autres

selon les situations appropriées; de cette manière se constituent plusieurs mémoires ponctuelles selon les sous-groupes: par exemple la mémoire des artisans, des paysans, des ouvriers, du clergé, des notables de la ville, des intellectuels, et ainsi de suite. Les groupes contribuent à la constitution de la mémoire collective, y apportent des éléments nouveaux, des changements et parfois même jusqu'à des règles combinatoires nouvelles, c'est-à-dire des procédés nouveaux. En ce sens la mémoire sociale ou mémoire collective est polymorphe et plurielle. Elle comprend en son sein les diverses mémoires de groupes et ces groupes peuvent utiliser des stratégies variées et différentes[22].

En définitive, la mémoire acquiert ainsi une part de subjectivité qui anime et met en relation ses caractères matériels. D'une part, parce qu'elle sert avant tout à communiquer, la mémoire collective n'existe que si elle est actualisée par et pour l'action individuelle[23]. En effet, la règle ne s'applique qu'au cas qu'on lui soumet; le logiciel ne traite que les données qu'on lui fournit; la tradition n'entre en jeu qu'en autant que les événements du présent le commandent. Bref, les schèmes stockés dans la mémoire collective traitent des situations individuelles et dictent des comportements conséquents. Les connaissances à partir desquelles ces mécanismes fonctionnent se situent dans le quotidien des individus qui les interrogent. D'autre part, les mémoires individuelles sont des matériaux essentiels à la reconnaissance sociale, mais elles n'ont de sens qu'à travers des pratiques culturelles inhérentes à la mémoire collective.

Les ressemblances entre l'ordinateur et la mémoire ne s'arrêtent pas là. Pour être exécutées par l'ordinateur, les données du RAM doivent être compatibles avec le ROM. Ainsi, les applications et fichiers Macintosh et IBM ne peuvent être lus par le même appareil sans la présence d'un interprète (interface) auprès de la mémoire morte. De même, les caractéristiques culturelles de chaque groupe social doivent s'harmoniser avec la mémoire du système social auquel il appartient. Par ailleurs, la configuration de l'unité centrale d'un ordinateur peut être adaptée au gré de l'évolution technologique. Sans changer la configuration originale du ROM, il est possible de mettre à jour certaines de ses variables. Dès lors, les données traitées dans le RAM sont automatiquement conditionnées dans le même sens. Ces mêmes caractéristiques se retrouvent encore dans la mémoire des sociétés qui, au gré des mutations sociales, adaptent leurs us et coutumes. Enfin, l'information retenue par le RAM s'efface aussitôt que l'utilisateur coupe l'alimentation de l'appareil. S'il tient à conserver certaines de ces informations de façon durable, l'usager doit les enregistrer sur un support extérieur à sa mémoire permanente. Là encore, les sociétés ont un comportement analogue lorsqu'elles consignent des informations en marge de leurs traditions. Elles créent ainsi des lieux de mémoire artificiels qui ne pourront redevenir vivants que si les traditions les revivifient.

La perspective cybernétique s'avère extrêmement riche pour analyser le processus mémoriel, mais elle a des limites. Elle dichotomise le contenu et la forme en plus de négliger la dimension symbolique de la mémoire. Elle focalise sur le scénario suivi pour accomplir des actions auto-justifiées.

> L'information, au sens ordinaire du mot, est la transmission à un être conscient d'une signification, d'une notion, par le moyen d'un message plus ou moins conventionnel et par un support spatio-temporel: imprimé, message téléphonique, onde sonore, etc. L'appréhension du sens est le but, la communication du support, le moyen. Éventuellement, nous avons besoin d'une information en vue d'un but utilitaire; l'information alors redevient moyen, l'action qu'elle déclenche ou contrôle devient le but. Depuis longtemps, le pragmatisme et le behaviorisme ont appris aux psychologues à mettre l'accent sur l'action plutôt que sur la conscience. La cybernétique adopte rigoureusement ce point de vue: le sens, la conscience dans l'information n'a rien d'essentiel; ou plus exactement, le sens d'une information n'est rien d'autre que l'ensemble des actions qu'elle déclenche et contrôle[24].

Un exemple simpliste peut démontrer les limites d'une approche exclusivement opérationnelle. Supposons que monsieur Loiseau se rende dans un restaurant où on lui propose un choix de gâteaux. Il choisit une pâtisserie qu'on lui sert avec un thé et qu'il mange aussitôt. Dans la perspective cybernétique, la mémoire réside non pas dans les détails de cet événement, mais dans les comportements adoptés par monsieur Loiseau pour atteindre son objectif, soit manger. Devant une situation

A, il a posé un geste *B* qui a produit l'effet *C*, et entraîné une nouvelle situation à laquelle il devra répondre. Son goûter terminé, monsieur Loiseau voudra partir; il demandera l'addition que le serveur lui présentera, etc. Sa démarche se poursuivra dans un perpétuel mouvement d'action-réaction où en aucun cas il ne sera tenu compte des motifs ou des émotions qui situent subjectivement l'événement. Monsieur Loiseau retiendra la séquence des opérations qui lui ont permis de manger. Qu'il soit question d'un éclair au chocolat plutôt que d'un gâteau au miel est un fait accessoire. Quelles que soient les pâtisseries, elles représentent, vis-à-vis de l'atteinte du but «manger», des options de même valeur. Tout au plus resteront-elles des repères objectifs que monsieur Loiseau évoquera en se souvenant de la faim qu'il désirait rassasier.

Pourtant, il n'est pas possible d'ignorer le pourquoi de la démarche de monsieur Loiseau, les sensibilités qui ont animé ses choix et les réminiscences que ces choix peuvent avoir provoquées[25]. Monsieur Loiseau peut avoir été dans cet endroit pour prendre le thé de cinq heures comme il le fait tous les jours. Au contraire, il peut être passé devant la pâtisserie au hasard d'une promenade et y être entré parce que l'odeur des brioches l'a attiré. Cet événement ne peut être réduit à l'action pourtant bien réelle de manger un gâteau, car prendre un goûter rituel ne correspond pas à la même réalité que satisfaire une gourmandise. Le temps, le lieu et les émotions en cause fournissent un contexte culturel qui donne un sens à l'objet. Ils situent l'acteur dans le réel en donnant une signification à ce qu'il y est et ce qu'il y fait, et c'est cette réalité dans toute sa subjectivité qui sera mémorisée.

Comme le souligne Edgar Morin, il existe une dialogique constante entre les réalités physiques auxquelles les membres d'une collectivité sont confrontés et l'entendement qu'ils peuvent en avoir. Leur objectivité n'est que le produit d'un consensus collectif[26]. Une chose n'est en effet réelle que parce qu'elle possède un sens partagé par tous. La reconnaissance des phénomènes s'effectue à travers ce prisme anthropo-social traduit par les paradigmes auxquels les sociétés souscrivent[27]. À partir du moment où l'on reconnaît le relatif de l'objet, la subjectivité devient un paramètre incontournable dans l'appréhension de la mémoire. Son introduction à la problématique mémorielle fait surgir de nouvelles questions:

> le problème du sujet qui s'impose à nous n'est pas un problème de «subjectivité» dans le sens dégradé où ce terme signifie contingence et affectivité, c'est l'interrogation fondamentale de soi sur soi, sur la réalité et la vérité. Et cette interrogation fait surgir, non seulement le problème de la détermination bio-anthropologique de la connaissance, mais aussi celui de la détermination socio-culturelle[28].

La conscience ne peut pas être dissociée de la mémoire car elle relie l'acteur d'un événement à la sphère anthropo-sociale sur laquelle il se fonde. Elle lui permet de reconnaître le monde et d'y poser des gestes effectifs. À ce sujet, la cohérence et la continuité des représentations de soi-même découlent d'un processus historique qui a spécifiquement pour but d'aménager les images du passé avec les exigences du présent. L'histoire rejoint ainsi la mémoire dans un large processus culturel permettant aux individus et aux sociétés de concevoir leur présent par la médiation de leur passé[29].

La mémoire anthropo-sociale

Maurice Halbwachs définit la mémoire et l'histoire par leurs caractéristiques physiques. La première est un donné se conjuguant exclusivement au présent, alors que la seconde est un construit évoquant le passé. Dès lors, pour lui, mémoire et histoire sont des objets qui ne se rejoignent en aucun temps.

> Pour Halbwachs, le temps des mémoires collectives et celui de l'histoire ne sont pas identiques. L'un est réel, ancré dans la vie des gens, enraciné dans une multiplicité de durées collectives, hétérogènes; l'autre est abstrait, arbitraire, construit délibérément hors du temps vécu. Le temps réel individuel ou social, et le temps abstrait d'une histoire universelle ne peuvent coïncider[30].

L'histoire serait un terminus où se gravent les faits en tant que traces distanciées de la réalité des individus engagés dans le présent. Ainsi l'histoire se distingue-t-elle de la mémoire:

elle intervient au moment où la tradition s'achève[31]. Elle construit des repères chronologiques servant aux sociétés à se loca-
liser dans le temps. Se situant en aval du processus d'évolution, l'opération historique ne peut jamais influencer le présent
et, partant, le devenir organisationnel.

Cette vision est réductrice de ce qu'est la médiation du
passé, car le sens des souvenirs évolue dans le temps. Le problème vient de la définition traditionnelle de l'histoire à l'époque de Halbwachs. Celle-ci se définissait comme un art plus
que comme une science. Les historiens privilégiaient une
histoire nationale institutionnelle et étudiaient peu les organisations autrement que par l'entremise de l'événementiel. La
production historique consigne des faits authentiques mais ne
rapporte que les événements d'un passé révolu. Elle ne paraît
donc d'aucune utilité pour expliquer les phénomènes universels.

Cette vision est battue en brèche par le développement
d'une histoire qui revendique le statut de science sociale à part
entière. Ce mouvement né dès les années 1950 prend sa force
dans les décennies suivantes. L'histoire délaisse la chronique
des événements et tente de comprendre les phénomènes sociaux. Les problématiques de cette nouvelle histoire attentive
aux structures sociales entendent apporter des réponses aux
besoins de la société. Elles se réalisent dans un cadre multidisciplinaire et adhèrent à l'approche fonctionnaliste cybernétique. Opposant forme et contenu, les historiens ne veulent plus
regarder les institutions comme des agrégats naturels. Ils s'interrogent plutôt sur la part active des individus qui les composent. Ils tentent de mesurer la participation de ceux-ci afin de
dégager les grands schèmes sociaux qui animent la sphère
institutionnelle. Comme leurs travaux veulent être significatifs
et utiles pour les besoins du présent, ils s'intéressent à des
questions et à des secteurs en fonction de leur audience sociale[32].

Repoussant la vision positiviste où le passé est dépourvu
d'utilité pour le présent, l'historien Pierre Nora réaffirme le fait
que les mémoires collective et historique ne sont pas synonymes:

La mémoire est la vie, toujours portée par des groupes vivants et à ce titre, elle est en évolution permanente, ouverte à la dialectique du souvenir et de l'amnésie, inconsciente de ses déformations successives de longues latences et de soudaines revitalisations. L'histoire est la reconstruction toujours problématique et incomplète de ce qui n'est plus. La mémoire est un phénomène toujours actuel, un lien avec le vécu au présent éternel; l'histoire, une représentation du passé. [...] La mémoire est un absolu et l'histoire ne connaît que le relatif[33].

Nora considère cependant la mémoire comme un problème récent. Il y revendique un rôle effectif pour la nouvelle histoire. Selon lui, avec l'éclatement et l'atomisation des cultures, les sociétés vivent une lente mais sure amnésie. Pour contrecarrer ce phénomène, elles mettent en place des lieux de mémoire qui reflètent intrinsèquement leurs structures. Selon Nora, les connaissances stockées dans ces lieux ne peuvent retrouver un caractère vivant qu'en autant qu'elles sont à nouveau décodées par la société. Dans cette optique, la nouvelle histoire peut jouer un rôle déterminant de par ses problématiques. Nora pose l'intervention historique comme trait d'union entre les structures mémorielles et les connaissances mémorisées des sociétés en errance. Il suggère une construction historico-mémorielle «à partir des lieux, au sens précis du terme, où une société quelle qu'elle soit, nation, famille, ethnie, parti, consigne volontairement ses souvenirs ou les retrouve comme une partie nécessaire de sa personnalité[34]».

Avec la problématique des lieux de mémoire, l'histoire acquiert ses lettres patentes au chapitre des disciplines contribuant au développement des collectivités. Elle devient utile, voire essentielle. Si elle réhabilite quelque peu l'histoire, cette approche reste néanmoins limitative. De façon générale, les objections précédemment émises à l'encontre de l'approche cybernétique peuvent être reformulées vis-à-vis de cette histoire sociale exclusivement fonctionnelle. Elle ignore les rapports que la démarche historique entretient avec le présent. La subjectivité de l'historien est mise à l'écart et ses problématiques se justifient d'elles-mêmes par la résolution des problèmes sociaux qu'elles suscitent. La position de Nora renverse la vapeur car la mémoire se situe désormais en aval du processus historique de construction de l'identité.

Un groupe de théoriciens refuse cette dichotomie entre la forme et le contenu. Ces chercheurs envisagent la question plutôt sous l'angle de la finalité symbolique. Dans leur perspective, le discours historique est issu d'une classe savante dominante et vise à résoudre les contradictions sociales par la construction d'une identité narrative[35]. Cette image devient active dans la conscience collective par la production d'études dites scientifiques et la diffusion par l'enseignement. Elle s'enracine ainsi dans l'imaginaire collectif et donne un sens à l'action sociale. Aucun acte individuel ou collectif n'aura de signification en dehors de ce cadre référentiel[36]. La démarche historique et la construction mémorielle qui en découle deviennent des interventions politiques par lesquelles la société manipule son passé pour établir et légitimer l'ordre social du présent[37].

> Le fait historique, ce fait vrai de la narration historique est construit par rapport à un sens de l'histoire, par rapport à une conception du temps et peut même être une pure conception. [...] Le discours historique est, quant à lui, le vrai passé (tel qu'il a effectivement été, libéré de la perception des acteurs) ramené au présent et, pour ce faire, il oppose le passé objectif du discours historique au présent subjectif. Il est insidieux puisqu'il est réputé ne parler que des faits, alors qu'il dit un ordre social légitime (l'intervention proprement politique). Pourtant, il ne peut être invalidé que par la preuve de non authenticité des faits qu'il dit reconstituer au présent.
>
> [...] je propose la distinction entre l'histoire et la mémoire collective, qui sont deux formes dominantes d'intervention de la connaissance du passé dans le présent. L'histoire est pratiquée par des clercs en fonction d'une institution et par rapport à elle, alors que la mémoire collective est une faculté des individus et des groupes sociaux. Ce qui les lie fondamentalement [histoire et mémoire collective] c'est l'effort de domestication de la durée. [...] Cette volonté de domestiquer la durée (donc de la dire) distingue l'histoire de la tradition. Cette dernière n'établit que le rapport fondamental à l'historicité et abolit la durée comme rapport structurant pour la remplacer par des rapports logiques

ou symboliques permettant de bâtir des patrimoines, ces collections de valeurs symboliques attachées aux faits sociaux allant de la production artistique ou de la cuisine aux accidents de paysage nommés et structurés par l'identité sociale à soutenir. [...] La mémoire collective est virtuellement un discours historique qui prend place dans une historiographie qui fait partie d'une épistémè [...]Ce n'est donc pas la forme du discours historique ni le médium de sa production (oral, écrit, etc.) qui déterminent ses critères de vérité mais l'épistémè, les conditions sociales de sa reproduction. La mémoire, par les pistes de lecture qu'elle offre, et l'histoire, par son enseignement, expliquent toutes les deux le passé pour le présent, analysent les traces du premier en les transformant en messages (c'est-à-dire en leur accordant un sens)[38].

Par cette approche, la mémoire et l'histoire permettent aux sociétés de se donner une identité qui repose fondamentalement sur une dimension symbolique. La mémoire se situe exclusivement dans le domaine de l'imaginaire. L'histoire comme la mémoire sont passées d'un extrême à un autre. Alors que pour Halbwachs elles étaient des données, elles deviennent fondamentalement des construits. Cette perception de la mémoire rejette l'objectivité pour souscrire à une subjectivité absolue. Malgré les apparences, il demeure donc très près des concepts positivistes formulés précédemment. En effet, comme le souligne Edgar Morin:

La connaissance du ciel ne tombe pas du ciel. La conception même de l'univers est en relation de dépendance avec le développement des moyens de production de la connaissance — aujourd'hui la science — elle-même en interdépendance avec les développements producteurs de la société. D'où la tendance socio-solipsiste, qui consiste à inverser — c'est-à-dire conserver son caractère unilatéral — l'ancien paradigme de la «science objective» et faire de celle-ci seulement une production sociale de caractère idéologique. Or une telle vision, qui conserve très précisément ce que l'ancien paradigme avait de réducteur et simplificateur, ôte tout intérêt au problème de la connaissance, non seulement de l'univers, mais de tout ce qui n'est pas social; en même temps elle prive la connaissance sociale de tout fondement; en isolant et absolutisant la sphère anthropo-sociale, elle s'enferme elle-même dans le solipsisme absolu, puisqu'elle cesse de disposer du moindre référent extérieur pour s'étayer[39].

La mémoire est un processus historique qui possède une dimension symbolique irréfutable. Elle assure la construction d'une représentation de soi-même qui atteste et justifie son pouvoir en l'assoyant dans le temps et dans l'espace. Elle situe l'entité au niveau de la sphère anthropo-sociale. Ceci ne veut cependant pas dire que les connaissances qu'elle engramme ne sont que constructions symboliques. Nier l'idée d'ordre et de lois universelles pouvant permettre l'observation du tangible équivaut à admettre une métaphysique subordonnant le physique; à concevoir un univers sans certitude. Or, s'il est vrai que le réel procède d'une démarche subjective, il n'en demeure pas moins un facteur d'ordre à partir duquel les hommes s'établissent, observent et nourrissent leurs réflexions. En conséquence, le concept de mémoire ne peut pas rejeter la dimension physique, car les cadres de référence symbolique se construisent en perpétuelle résonance avec les champs d'observation objective.

En définitive, toutes ces approches théoriques de la mémoire sont uni-dimensionnelles selon qu'elles s'axent sur la personne, le personnage ou la personnalité des organismes. La première constate les propriétés naturelles; la seconde justifie l'action; la troisième insiste sur une sémantique sociale. Si chacune de ces tendances soulève une facette constitutive de la mémoire, aucune ne l'appréhende dans sa globalité.

Dans cette optique, un autre groupe de chercheurs situe la mémoire dans un large processus culturel vivant où l'histoire intègre événement, fonction et symbole dans une même finalité: la médiation du passé. Comme le souligne Jacques Mathieu, l'historien «se définit davantage dans un rôle d'observateur et de participant. Il fait partie du rang plus qu'il ne s'en démarque[40]». Il est un agent dynamique dans un processus culturel en action. De même, l'archivistique prend place au côté des autres mnémopoles telles que la muséologie, l'archéologie, l'histoire de l'art, etc., comme sciences de la culture destinées à appréhender un savoir finaliste.

Une mémoire complexe

La mémoire possède non seulement trois dimensions mais celles-ci interagissent entre elles de façon complexe. On ne peut les poser que comme des phénomènes récursifs; on ne peut retenir que leur linéarité; on ne peut parler ou présumer de leur objectivité. Toutes sont liées dans un seul processus où une dimension donne un sens à l'autre.

En tant que système constitutif de la personnalité, la mémoire suit la dynamique de complexité du polysystème et possède trois niveaux d'interaction: l'historique, l'essentiel et l'administratif (voir figure 3).

D'une part, le processus mémoriel donne à l'organisme le pouvoir de se représenter symboliquement dans le temps et dans l'espace afin de légitimer son existence. À cet égard, la mémoire procède d'une démarche historique qui mène à l'élaboration d'un cadre de référence d'où émerge la conscience de soi.

Les images issues de cette mémoire historique sont subjectives dans la mesure où elles sont le produit d'un travail d'aménagement du souvenir. Elles s'inscrivent dans l'historiographie, ou encore dans l'épistémè, les thémata[41] ou les paradigmes[42], tous ces concepts rejoignant la même idée: l'expression du consensus subjectif qui pose les limites de l'entendement. Mais, en bout de ligne, la mémoire historique est bien réelle puisque c'est elle qui donne un sens aux réalités environnantes et aux gestes posés. Elle permet à l'entité d'ap-

Figure 3
Le polysystème mémoire

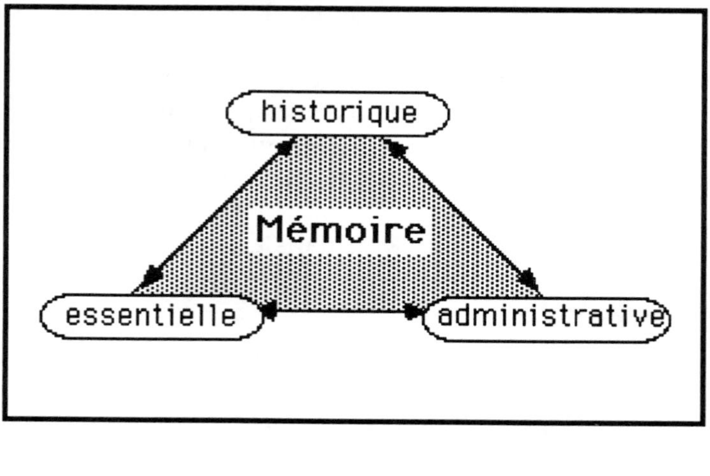

préhender les événements, assiste à la naissance et à la croissance matérielle et oriente les comportements de ses acteurs.
Ces derniers ne voient pas toujours concrètement ses effets, car
c'est à travers elle qu'ils perçoivent les choses. Ce processus
s'inscrit dans ce que les philosophes appellent «l'englobant»,
une trame de fond par laquelle tout objet devient sujet. «L'englobant c'est [...] ce qui à travers la pensée ne fait que s'annon-
cer. Nous ne le rencontrons jamais lui-même, mais tout ce que
nous rencontrons, nous le rencontrons en lui[43].»

D'autre part, connaître ses origines métaphysiques n'est
pas suffisant, l'organisme doit s'ancrer dans la dimension physique. Sans résonance dans le réel, elle serait dépourvue de
moyens et ne serait pas capable de prouver son existence et de
la protéger. À cet égard, le processus mémoriel crée un lieu
physique d'autorité. Il délimite le territoire de l'organisation en
établissant de façon rationnelle et admise par tous ce que sera
sa personne physique et morale. La mémoire procède à ce
niveau d'une démarche légale qui reconnaît et nomme les éléments constitutifs de l'univers organisationnel.

Cette mémoire essentielle fournit des représentations
physiques de l'organisme qui s'inscrivent toujours dans le
temps présent. Elle est relationnelle dans la mesure où elle
n'existe que dans et par le dialogue constant entre les niveaux
individuels et collectifs d'une société. Elle établit socialement
et fait valoir légalement le pouvoir d'une organisation. Lieu de
la preuve, du tangible, de l'incontestable, elle répond en écho à
la loi des hommes, qu'elle soit écrite ou tacite. Elle témoigne du
corps organisationnel en engrammant les connaissances jugées
fondamentales à la physis organisationnelle.

Enfin, le processus mémoriel fournit aux membres de l'organisme la capacité d'accéder intellectuellement et physiquement à de l'information structurée et significative. Cela permet
à l'organisme de réagir efficacement aux situations du présent
en adoptant le comportement qu'il sied. À cet égard, la mémoire procède d'une démarche systémique qui détermine les
rôles et les modes d'action dans la structure administrative.

Cette mémoire que l'on peut appeler administrative est
une mémoire traditionnelle. Elle soutient l'appareil de commu-

nication qui permet d'assembler en un tout cohérent les données, le code et la valeur d'une information. Elle est un instrument servant à appliquer les règles collectives. En rendant opératoires les connaissances essentielles, elle encadre l'action individuelle afin qu'elle soit en harmonie avec les croyances et la philosophie du groupe fondateur.

Ces trois niveaux mémoriels sont issus d'interrelations complexes, simultanées et rétroagissantes, subordonnées ou enchaînées entre la mémoire et les deux autres processus générateurs de l'organisme. Le processus informationnel structure la mémoire en influençant ses pratiques. Il impose des codes et des formes à la mémoire en ne véhiculant à travers l'organisme que des informations qui peuvent y être lues. Inversement, pour atteindre leurs objectifs, les réseaux de communication doivent toujours être en accord avec les traditions de l'organisme. Le processus organisationnel entre en interaction en délimitant l'espace mémoriel. Exprimant les caractères naturels de l'organisme, il oriente la mémoire sur des objets précis. Par ailleurs, pour rendre l'organisation efficace et efficiente, il rationalise la production et l'utilisation des ressources. Ce faisant, il impose des normes aux systèmes de communication mis en place par le processus informationnel, ce qui rétroagit sur la mémoire.

La mémoire n'est pas la somme de ses dimensions historique, essentielle et administrative. Celles-ci se renvoient l'une l'autre à l'infini. Ainsi, la mémoire administrative alimente de façon fiable et économique les diverses composantes matérielles procurant les informations nécessaires à la réalisation des activités organisationnelles. Elle ne peut toutefois diffuser que des connaissances contextualisées par la mémoire historique. De plus, la mémoire essentielle balise les possibilités de communication de la mémoire administrative en posant des limites rationnelles et juridiques à sa portée.

En définitive, il est impossible de limiter la compréhension de la mémoire à un de ses aspects. Comme ensemble complexe, les trois systèmes mémoriels permettent l'affirmation de l'organisme dans toutes ses dimensions. On ne saurait donc fragmenter la mémoire. Appréhendée de façon globale, elle est à la fois un pouvoir organique, un instrument informationnel et une réalité relationnelle.

Les voix de la mémoire

L'éventail mémoriel est large et varié quant à ses modes d'expression — verbal, écrit, kinésique, olfactif, tactile, etc. Chaque mode porte intrinsèquement les caractéristiques de l'ensemble, car, quel que soit le moyen d'expression, il devra être structuré selon des règles précises et soutenu par un système de codification, linguistique par exemple[44].

L'oral constitue un mode de communication fréquemment utilisé au plan collectif. «La formation de cette mémoire orale visera en priorité la survie immédiate du groupe d'appartenance; elle s'articulera autour de l'apprentissage des normes de comportement, des valeurs et des événements qui favorisent la cohésion du groupe[45].»

Dans un organisme, plusieurs informations se transmettent sous forme orale. Ce mode permet la communication instantanée et constitue un moyen avantageux lorsqu'une prise de décision rapide est requise[46]. Il a toutefois des limites spatio-temporelles puisqu'il ne rejoint pas nécessairement toutes les composantes d'un organisme et qu'il ne peut être mémorisé de façon permanente. En outre, il ne constitue pas un médium suffisamment objectif pour établir une preuve.

> Il est très difficile de maîtriser entièrement la fonction linguistique. Le langage et la pensée sont inextricablement solidaires. Dans la mesure où l'esprit prend conscience des messages qu'il transmet et qui transitent par lui, il ne peut s'empêcher de les «parler» et donc d'y introduire une part de l'information qu'il produit. Une répétition est toujours plus ou moins une interprétation. C'est là une cause d'erreur dont on peut constater les effets par l'expérience bien connue de la transmission en chaîne d'un message oral. [...] Pour éviter ces inconvénients, il n'est d'autre solution que de donner à la mémoire un support inerte[47].

Le médium documentaire est donc mieux adapté pour communiquer l'information, établir des fondements légaux et, en définitive, mémoriser à court, moyen ou long terme les activités organisationnelles.

Consigner de l'information consiste à se donner un lieu de mémoire. Les lieux de mémoire naissent du désir individuel ou collectif de renforcer son identité par un acte ou un objet particulier. Ils sont créés afin de garantir la régénération, lorsque l'on craint de perdre une connaissance estimée fondamentale à sa survie. Les lieux de mémoire sont l'expression concrète d'une affirmation de soi. Ils tirent leur source du besoin vital de conforter sa cohérence et d'asseoir son identité dans le temps. Ils peuvent faire appel au vécu réel — une photographie de sa jeunesse — comme au mythe — la statue d'un héros[48].

Le pouvoir se définissant par l'autorité (le droit du dirigeant) et par la capacité (le potentiel de réalisation), consigner sa mémoire est un geste de pouvoir. Il légitime l'autorité d'un organisme et multiplie les capacités de ses composantes tout en les asservissant à l'autorité organisationnelle. Ainsi, la mémoire consignée accroît les possibilités effectives de travail (transformations) des composantes organisationnelles, en même temps qu'elle permet l'évaluation et le contrôle de ces mêmes composantes en les soumettant aux règles et aux lois de l'organisation. Par ailleurs, la mémoire consignée sert d'outil de régulation externe, car le polysystème doit lui-même protéger son intégrité comme entité anthropo-sociale.

Dans les perspectives scientifiques où la mémoire est définie comme une conscience naturelle et immédiate du monde, un ensemble de structures sociales ou une construction de l'imaginaire collectif, le consigné ne saurait être une telle mémoire. Les hommes laissent des traces de leurs réalisations, mais cette information ne témoigne que de ce qui a été. Dans cette optique, les archives ne peuvent être que des témoignages inertes, car elles se situent toujours un pas derrière ce qui est considéré comme étant la mémoire. Ce n'est que par le prisme du paradigme du polysystème complexe que le caractère vivant des archives se révèle. Celles-ci deviennent à la fois un instrument de pouvoir, un outil de régulation et un moyen d'action. Ce n'est que par la dynamique de la complexité que les archives procèdent de trois systèmes mémoriels: l'historique, l'essentiel, l'administratif dont les interrelations donnent naissance à une large mémoire consignée émergente: le fonds d'archives.

La mémoire historique consignée

Maurice Halbwachs considère que l'histoire est un constat après que la mémoire est morte. Il pense que «tant qu'un souvenir subsiste il est inutile de le fixer par écrit, ni même de le fixer purement et simplement[49]». Dans cette perspective, l'idée d'une mémoire consignée est totalement exclue, tandis que la notion d'archives historiques devient un pléonasme. Les archives sont alors perçues comme des corps morts qui ne peuvent contribuer au présent. Cependant, la logique veut qu'elles contiennent des informations authentiques et soient des preuves d'une évolution naturelle. Cette authenticité explique le mythe archivistique. En effet, traditionnellement, les archives ont été définies comme des témoignages inédits, jugés crédibles et significatifs pour relater l'histoire de leur producteur. Comme le souligne Jacques André, l'imaginaire archivistique s'articule autour de cette qualité de témoin authentique, attribuée aux documents d'archives.

> Contrairement aux autres mnémopoles, les archives, aussi anciennes soient-elles, demeurent pour la plupart d'entre nous un ensemble flou constitué de documents jamais consultés, et de notions vagues rarement enseignées. Situées souvent hors de toute réalité, c'est un domaine propice aux rêveries, aux métaphores et aux a priori déclinés sur les deux thèmes principaux du secret et du poussiéreux, en contrepoint desquels se développe celui de l'authentique, celui-là constitutif même de l'institution. Explorer ces trois thèmes permet en partie de décrire l'imaginaire propre aux archives, d'où elles tirent leur puissance et leur attraction, et de situer la relation qu'y entretient celui qui en parle[50].

Le secret est un thème qui se fonde sur la cohérence des actions. Dans la mesure où elles constituent les conservatoires uniques et fidèles des actions passées, les archives permettent de retracer de façon cohérente les origines et, partant, l'identité de leurs créateurs. Toutefois, donner accès à ses archives, c'est livrer tous ses secrets, c'est faire connaître tous ses actes, les bons comme les mauvais. Cela conditionne trois attitudes face aux archives: la destruction, la protection et la sacralisation. Ainsi, l'idée que l'on puisse découvrir des preuves compromettantes dans des documents peut provoquer une tendance à les occulter sinon à les détruire. D'autre part, le caractère intime et confidentiel exige des précautions où la communication des informations consignées doit être encadrée par une politique de contrôle «suivant le délicat partage du dangereux et de l'inoffensif quant à la sécurité du pouvoir ou quant à la liberté de l'individu[51]». Enfin, les archives sont de précieux trésors qui permettent la mise au jour des vérités oubliées que seul l'expert initié, en l'occurrence l'historien, peut interpréter grâce au travail scientifique mené dans une certaine éthique.

Parallèlement, la notion de continuité a donné naissance au thème du poussiéreux. Celui-ci se calque «à rebours, et comme en miroir» sur les trois «modulations» du thème du secret[52]. Ainsi, les archives sont une masse atomisée qui s'est accumulée strate par strate, tels des dépôts d'alluvions administratifs. Cela accentue encore plus la complexité des traces du passé que seules une exploration et une démarche scientifiques rigoureuses peuvent faire émerger. Par ailleurs, étant associées à la longue durée, les archives sont perçues comme vieilles, rares et fragiles. Dans cette perspective, elles exigent la mise en place de programmes de conservation, précaution essentielle pour assurer leur sauvegarde. Enfin, parce que les archives attestent fondamentalement d'une réalité passée, elles sont inutiles et peuvent facilement être détruites sans entraver le cours des activités administratives.

Le mythe positiviste faisant des archives des objets authentiques secrets et poussiéreux rejoint en effet la perception de l'administrateur qui sous-estime souvent l'utilité de la mémoire historique consignée. Il a tendance à la dévaloriser, car il n'en voit pas les effets sur ses décisions quotidiennes. Il la cantonne dans l'événementiel et lui accorde un intérêt évanescent. Aussitôt les faits et leurs conséquences tangibles et objectives passés, la connaissance de ces faits devient périmée car elle est inutile aux fonctions administratives. Ces faits passent peut-être à l'histoire, mais cette dernière devient belle littérature, érudite et souvent encombrante, car elle ne traduit pas l'actuel. Au mieux, le pragmatique l'élève au rang des bonnes trouvailles publicitaires.

Pourtant, le processus de consignation à des fins historiques a des racines beaucoup plus profondes. Il correspond à la représentation symbolique qu'un organisme a de lui-même. Sans mémoire historique, une entité ne saurait se développer. En effet, pour être en mesure de déterminer sa place dans l'univers, d'évaluer ses forces et ses faiblesses, l'organisme doit connaître sa nature et ses zones de compétences «innées». Pour être capable d'exercer un contrôle sur sa destinée, il lui faut aussi comprendre comment l'univers agit sur lui. L'entité peut croire qu'elle est le résultat de l'expression de desseins divins, de forces cosmiques ou même d'un plan de reproduction extra-terrestre. Quelle que soit sa mystique, elle adhère à un récit fondateur où elle apprend que sa présence en ce monde découle d'un géniteur X qui l'a provoqué pour des raisons Y par un événement Z.

La connaissance de ses origines donne un sens à sa vie organisationnelle et permet de l'orienter. Qu'elle le veuille ou non, l'entité ne peut élaborer de plan d'avenir sans faire appel à ce passé pour garantir l'image qu'elle entend soutenir[53]. Il en va de sa cohérence existentielle, de son harmonisation avec l'univers auquel elle participe, de sa capacité à y poser des gestes signifiants. À cet égard, Michael Pollack souligne ceci:

> Toute organisation politique, par exemple, véhicule son propre passé et l'image qu'elle s'est elle-même forgée. On ne peut «changer de cap» et d'image brutalement qu'au risque de tensions difficiles à maîtriser, de scissions et même de sa disparition, si les adhérents ne peuvent plus se reconnaître dans la nouvelle image, dans les nouvelles interprétations de leur passé individuel autant que dans celui de leur organisation[54].

La mémoire historique assure la pérennité de la personnalité de l'organisme en consignant ses croyances et sa philosophie fondatrices. Elle retient ses propriétés distinctes, ses composantes élémentaires, ses principes moteurs, bref, les connaissances indispensables à l'expression de la personnalité.

L'organisme ne peut y déroger sans péril, car ses règles, ses normes et ses procédures, consignées ou non, y prennent sens.

Ce sont les valeurs fondatrices que l'on doit légitimer. Par conséquent, la mémoire historique consignée loge dans les documents qui fondent l'existence de l'organisme ou qui en déterminent l'évolution. Les chartes de fondation et les procès-verbaux des instances décisionnelles possèdent une valeur historique dès leur création. Les interventions effectuées par les gardiens des valeurs constituent aussi des traces indiscutables. On les retrouve dans leur correspondance ainsi que dans les discours, les prônes, les allocutions, les leçons, etc., qu'ils produisent. La mémoire historique consignée réside également dans les documents qui traduisent l'évaluation de l'environnement et l'énoncé de la place que doit y tenir l'organisme. Cela recouvre autant la production documentaire issue de la planification administrative que celle générée par les activités de type plus historique. Ainsi, les annales ou les chroniques, les albums souvenirs, les synthèses d'histoire ou encore les manuels constituent des instruments mémoriels, de même que les rapports annuels et les documents d'orientation tels que les schémas directeurs, les analyses expertes de «faisabilité», d'«opportunité», les projets publicitaires, etc.[55] Si, spécifiquement, la portée et l'usage de ces documents diffèrent, tous demeurent inscrits dans une même finalité, un même objectif général: fournir des représentations cohérentes à la personnalité de l'organisme.

Dans ce processus d'affirmation, l'archivistique se joint à d'autres disciplines mémorielles telles que l'histoire, la muséologie, l'ethnologie, etc., afin de mettre à jour la mémoire historique consignée. Les archives ne servent pas que de sources aux activités commémoratives. De par leur création, leur traitement, leur diffusion et leur conservation, elles participent directement à l'aménagement de la conscience institutionnelle. Les archivistes filtrent la masse documentaire produite dans le cours des activités administratives afin de conserver et de diffuser les documents qu'ils jugent significatifs pour l'histoire de l'organisme. Pour enrichir la mémoire consignée, ils acquièrent aussi des documents provenant de personnes physiques et morales ayant travaillé pour l'organisme ou ayant contribué de près à son développement.

En définitive, les archives s'inscrivent résolument dans le présent en tant que mémoire historique d'un organisme. Leur pouvoir se manifeste directement ou indirectement à travers un ensemble de pratiques commémoratives qui aménagent la connaissance afin d'établir la conscience qu'une organisation a d'elle-même[56].

La mémoire essentielle consignée

Si les hommes ont eu très tôt recours à l'écrit pour mémoriser les principaux événements de leur vie et établir leurs faits et gestes dans le réel, les théoriciens ont longtemps ignoré le caractère vivant de cette information organique et consignée. Ils n'accordent aucune qualité mémorielle à l'écrit et relèguent les documents au rang d'une paperasse pouvant éventuellement servir de preuve aux activités humaines. Le document devient ainsi un témoin sans influence sur ce qu'il atteste.

La dynamique de la mémoire essentielle consignée se révèle cependant beaucoup plus complexe. Le consigné témoigne de l'authentique, ce qui lui confère un caractère sacré. Les documents parlent d'autorité. Ils établissent la réalité et permettent de distinguer le vrai du faux. Bref, l'information consignée est une preuve incontestable grâce à laquelle les membres d'une société protègent leur existence physique et morale, et, partant, affirment leur identité de fait.

Concrètement, cette mémoire organique et consignée revêt un caractère juridique et est soumise aux lois divines, universelles ou morales qui régissent les organismes. Ces lois jouent un rôle considérable dans l'animation du processus de mémorisation de l'information essentielle. Elles cristallisent le sens des valeurs, encadrent les pratiques sociales, délimitent les espaces culturels. Pour ce faire, elles formalisent la production documentaire en lui imposant des normes. Les motifs invoqués par l'intendant de la Nouvelle-France pour justifier la réglementation concernant la tenue des registres de baptêmes, mariages et sépultures illustrent d'ailleurs bien ce rapport à l'autorité:

il n'y a rien de si important dans la société civile, pour l'ordre des successions, la paix des familles et la propriété des droits et des biens d'un chacun que d'avoir une preuve certaine, constante, assurée et suivie de l'État des personnes; que cependant l'expérience avait fait connaître qu'en cela toute autre preuve que celle appelée preuve par écrit était douteuse et même si dangereuse, qu'il n'était point de précautions que les Rois n'eussent établi par leurs ordonnances pour mettre cette preuve dans une forme démonstrative et incontestable et pour la rendre telle qu'elle ne fut point sujette à l'injure des temps non plus qu'à la négligence et la malice des hommes[57].

Il n'est donc pas faux d'affirmer que les archives sont des preuves qui attestent l'ordre établi. Les lois et les principes qui établissent cet ordre évoluent toutefois selon les consensus sociaux propres à chaque époque. Les archives expriment des objets de connaissance dont la signification varie continuellement en fonction du contexte culturel dans lequel l'organisation se situe. En conséquence, la preuve consignée n'est pas immuable, car elle s'adapte aux sens des valeurs du présent afin de permettre l'affirmation de la personne organisationnelle. À ce titre, les documents sont préservés non seulement parce qu'ils attestent l'existence d'une organisation et qu'ils assurent son bon fonctionnement, mais aussi parce qu'ils permettent de retracer l'évolution de la réalité[58].

Dans le lot des informations produites par l'organisme en tant que tel, celles qui mériteront la conservation permanente pour des raisons primordiales seront celles qui permettront à l'entrepreneur/entreprise, de se faire reconnaître comme entité morale et physique à part entière, de faire respecter ses droits et de prouver que ses responsabilités ont été assumées. Bref, il s'agit des documents qui renferment les informations descriptives qui délimitent l'entité aux plans matériel et juridique.

Comme témoins de la personne morale, on conservera tous les documents constitutifs ainsi que les conventions qui régissent les relations entre propriétaires: acte de constitution, charte, règlements d'entreprise, livres des actionnaires, procès-verbaux d'assemblées, rapports annuels et autres documents découlant des droits des actionnaires. Comme témoins de la personne matérielle, on conservera les documents afférents au capital, financier et physique, investi par l'entrepreneur : états financiers, obligations, prêts, titres de propriété, biens mobiliers, immobiliers et équipements, etc.

En guise de preuve relativement à ses obligations légales, dès que l'organisme sera contraint ou simplement lorsqu'il en sentira le besoin, il s'assurera de la préservation de documents attestant de ses gestes vis-à-vis d'un aspect particulier. On gardera donc les documents relatifs aux obligations de l'organisation : assurances, taxes et impôts, etc. Avec l'émergence des mouvements syndicaux, on y ajoutera les conventions collectives, les dossiers d'arbitrage et de règlements. Les régimes de rentes, les retraites, les programmes d'assurance chômage, la gamme d'avantages sociaux, etc., accordés aux employés exigent aussi la conservation de nombreux documents : dossiers de personnel, de sélection et d'embauche, de normes de sécurité au travail, etc. Au moment où les politiques d'égalité d'emploi face aux femmes, aux minorités, aux autochtones, etc., font surface, on se préoccupera d'en conserver les preuves. Actuellement, l'opinion publique accorde une grande importance à la pollution. Les dossiers relatifs aux incidences des activités sur la qualité de l'environnement deviennent primordiaux.

De tels impératifs juridiques et légaux sont à la base de la création des dépôts d'archives. En effet, pour légitimer l'autorité institutionnelle, tous les documents nécessaires à la protection des droits des individus doivent être conservés dans des endroits sécuritaires et accessibles à tous les ayants droit. Par ailleurs, pour ne pas affaiblir le pouvoir de l'organisme, la communication des informations consignées doit être contrôlée afin d'assurer leur confidentialité.

De par leurs pratiques normatives, les législateurs, les notaires, les avocats, les comptables, etc., furent longtemps chargés d'intervenir dans la création et la conservation de cette mémoire essentielle. C'est le cas dans les villes, par exemple, où l'on confie aux greffiers la responsabilité des archives[59]. De même, chez Desjardins, ce sont les inspecteurs qui se chargent non seulement de vérifier les pratiques comptables des caisses, mais aussi de voir à la production et à la conservation d'une documentation en accord avec les principes de la coopération.

De nos jours, dans le contexte de la révolution de l'information, l'archiviste détient une responsabilité plus grande et plus dynamique. Les récentes législations québécoises en matière d'accès et de conservation des archives sont venues d'ailleurs confirmer ce rôle. Ainsi, la Loi des archives du Québec oblige les organismes publics à se doter d'un calendrier de conservation approuvé par des archivistes professionnels. Le calendrier est un outil qui permet la sélection des informations consignées sur la base de leurs valeurs administrative, historique et essentielle. Dans cette opération, l'archiviste collabore étroitement avec ceux qui détiennent le pouvoir dans l'organisme. Il procède à l'élaboration des délais de conservation en tenant compte des producteurs/usagers des documents et en appliquant les lois auxquelles l'organisation est soumise en matière d'accès et de conservation des documents. La validation des délais se fait par un comité où l'archiviste siège en compagnie de ceux qui sont chargés de l'application et de la supervision des règles collectives dans l'organisme ainsi que ceux qui aménagent la conscience historique organisationnelle. L'archiviste devient ainsi une courroie de transmission indispensable entre l'institution et sa mémoire essentielle consignée. Il est un médiateur qui harmonise les mémoires individuelles et collective dans l'organisme en veillant à protéger les intérêts de chacun.

La mémoire administrative consignée

L'importance de la dimension fonctionnelle des archives s'est accrue avec l'avènement des États providences, le développement des technologies et l'accroissement des sensibilités en matière d'accès et de conservation des ressources informationnelles. L'information consignée sur un support durable est entrée dans les mœurs administratives. Le mythe archivistique contribue cependant à maintenir la vision théorique des archives comme étant un lieu de mémoire inerte.

Alors que Halbwachs était peu touché par la révolution du monde de l'information, un historien comme Pierre Nora y est très sensible. Sa problématique des lieux de mémoire se comprend en reprenant l'analogie avec l'ordinateur. Les lieux de mémoire de Pierre Nora se comparent aux extrants issus d'un traitement dans le RAM. Les informations qu'ils renferment possèdent des dimensions matérielle, fonctionnelle et symbolique. Ainsi, la disquette renfermant un texte tel que celui-ci est, à la fois, un ensemble de signaux matériels (code ASCII), une démonstration intellectuelle, une thèse dans un paradigme scientifique. Malgré tout, ces données n'ont pas de sens tant qu'elles ne sont pas lues dans un ordinateur par un programme compatible. Un coprocesseur permet à cet effet de relocaliser le texte dans la mémoire vive de l'appareil et de le mettre en contact avec la structure d'exécution du ROM; une fois réactualisé, le texte peut à nouveau revivre, être modifié, être utile. De même, quelles que soient leurs formes, les lieux de mémoire de Pierre Nora sont tridimensionnels:

> Ils sont lieux, en effet, dans les trois sens du mot, matériel, symbolique et fonctionnel, mais simultanément, à des degrés seulement divers. Même un lieu d'apparence purement matériel, comme un dépôt d'archives, n'est lieu de mémoire que si l'imagination l'investit d'une aura symbolique. Même un lieu purement fonctionnel, comme un manuel de classe, un testament, une association d'anciens combattants, n'entre dans la catégorie que s'il est l'objet d'un rituel. Même une minute de silence, qui paraît l'exemple extrême d'une signification symbolique, est en même temps comme le découpage matériel d'une unité temporelle et sert périodiquement à un rappel concentré du souvenir. Les trois aspects coexistent toujours[60].

Pour Nora, ces lieux ne sont toutefois pas effectifs en eux-mêmes. Dans sa perspective, l'histoire est une discipline qui ravive le souvenir et le met en relation avec les pratiques sociales. Selon lui, sans une intervention historique, la mémoire individuelle stockée dans les lieux de mémoire ne serait qu'un ensemble de traces objectives inactives.

S'il réinsère les archives dans un processus mémoriel, Nora dévalorise tout de même les qualités mémorielles des archives. Il est vrai que les documents expriment les réalités individuelles présentes dans l'organisme et alimentent les structures organisationnelles en données indispensables à leur action. Toutefois, on ne peut subordonner la production documentaire au système administratif qui la véhicule. Souscrire à une telle idée serait renier le caractère vivant de la mémoire consignée dans le polysystème. La conception des archives de Nora s'inscrit donc dans la même logique causaliste qui sous-tend la vision de certains gestionnaires qui considèrent que l'information consignée n'est mémoire que par ses fonctions. Selon eux, l'information organique et consignée est réputée fournir des données utiles tant et aussi longtemps que les documents qui la consignent circulent dans le système administratif. À la fin du cycle, elle est considérée comme caduque et les documents administratifs, devenus archives, deviennent des témoignages authentiques mais inertes qui ne peuvent être utiles qu'aux spécialistes du passé. On revient dès lors au mythe archivistique du secret et du poussiéreux.

Pourtant, les archives ont un rôle fonctionnel implicite. Elles sont l'expression d'une tradition dont les multiples interventions des historiens d'entreprises ont mis en relief l'importance:

> Toute entreprise, même nouvelle, possède un héritage et un ensemble de traditions. Si l'héritage d'une entreprise représente la totalité de son histoire apparente, alors on peut définir la tradition comme la transmission sélective de cet héritage. [...] Les traditions de l'entreprise sont transmises de façon formelle par ses programmes à long terme, ses histoires écrites, ses symboles tangibles, ses politiques. Elles sont aussi transmises de façon informelle par les anecdotes et les routines que les gens trouvent normales. Toutes les traditions sont gravées dans le passé, mais continuent à vivre dans le présent. D'où leur importance capitale[61].

À chaque phase de son évolution, l'organisme se restructure. Il est à certains égards inexpérimenté face à son environnement[62]. Sans l'acquis des générations précédentes, il s'expose, à chaque étape de croissance, à être aussi dépourvu qu'un nouveau-né. Pour pallier ses lacunes, l'organisme a donc besoin de façons de faire qui lui assurent un comportement adéquat. À ce titre, la consignation d'information permet la constitution du cadre de référence indispensable au fonctionnement de l'organisme. Les documents produits sont autant de manifestations vivantes des compétences de l'organisme.

Cette mémoire administrative réside dans la documentation produite par les instances administratives politiques, stratégiques et tactiques. Les procès-verbaux, les politiques, les schémas directeurs, etc., attestent du sens de l'actualisation de la mission. Les organigrammes et les définitions de tâches documentent le système administratif mis en place pour réaliser cette mission. Les rapports d'activités, les bilans de production, ainsi que les manuels de normes et de procédures consignent les méthodes choisies pour y parvenir. Les nombreux dossiers de réalisations résultant des activités spécifiques précisent les savoir-faire nécessaires à la mise en œuvre de la mission du polysystème complexe.

Les archives ne servent donc pas que de supports aux activités de l'organisme. Elles s'inscrivent directement dans le processus fonctionnel en assurant la constitution d'une mémoire administrative qui consigne les traditions d'un organisme. Cette mémoire confirme l'autorité des politiques administratives, légitimise des programmes d'activités, protège l'existence de l'appareil de production, assure la supervision et l'évaluation de ses réalisations.

Mémoire consignée et processus culturel

La richesse du concept de mémoire polysystémique fait découvrir sous un angle neuf la valeur et l'ampleur de la discipline archivistique. D'une perception figée, passéiste et étriquée, elle fait passer la conception des archives dans un contexte dynamique, globalisant et tourné vers l'avenir. Elle en fait ressortir à la fois la complexité, les interactions constantes et les différentes natures. Loin de consigner les archives à un passé révolu, à une distraction culturelle, la notion de mémoire en montre les aspects essentiel, fonctionnel et symbolique.

Les archives sont le fruit d'un processus culturel liant des objectifs de production, de communication et de commémoration. Le principe fondamental du respect de la provenance exprime d'ailleurs ce fait en définissant le fonds d'archives comme un ensemble complexe, multi-forme et multi-média qui recèle une valeur de témoignage émergente, tout en répondant à des finalités mémorielles concomitantes.

D'une part, les archives répondent à des impératifs primordiaux pour l'organisme qui a besoin de connaissances authentiques sur sa nature pour se définir et s'affirmer physiquement dans son environnement. À cet égard, la consignation de
l'information dans le cours des activités organisationnelles
permet de nommer, de quantifier et de qualifier l'état des ressources constitutives. Cette mémoire confère un caractère objectif à son identité matérielle et fournit des preuves qui attestent son existence, qui cautionnent son autorité dans un champ
de compétence donné, qui protègent ses droits et qui prouvent
à la collectivité que ses responsabilités ont été assumées dans le
respect des règles et des normes prescrites.

Par ailleurs, les archives répondent à des objectifs fonctionnels: elles médiatisent l'expérience en harmonisant les réalités matérielles et symboliques dans le polysystème. Cette mémoire administrative consignée fournit un cadre de référence
pour documenter les sujets de préoccupations des agents de
l'organisme, pour analyser les situations auxquelles ils doivent
faire face, pour leur indiquer les comportements à adopter, les
actions à poser, les orientations culturellement acceptables.

Enfin, les archives fournissent des représentations symboliques visant à doter l'organisme d'une conscience de lui-
même et des autres. Celui-ci doit définir et affirmer son pouvoir institutionnel dans le système social auquel il appartient.
Sa survie et son progrès dépendent de sa capacité à refléter une
image conforme aux réalités du présent. À cet égard, les archives sont des témoignages historiques attestant la légitimité de
sa mission, la permanence de sa tradition et la validité de ses
normes. De par leur existence même, elles établissent et perpétuent des croyances fondatrices, démontrent le bien-fondé des
valeurs et sacralisent des principes fondamentaux, dont le sens
varie selon les époques, selon l'image du moment, selon le
contexte.

Le mythe archivistique a toujours lié les archives à la
démarche de l'historien et le rôle de l'archiviste a évolué en
conséquence, au gré des visions physico, bio et anthropo-
sociales. Dans la perspective de la mémoire physico-sociale,
l'histoire des institutions et l'histoire individuelle se confon-

dent. L'histoire-nation est homogène et continue. Il s'agit d'un récit événementiel et la sélection des archives se fait en conséquence. On confie à l'historien le soin de préciser ce qui est archives, puisque c'est à lui qu'incombe prioritairement la responsabilité de la mémoire nationale. Dans une telle entreprise, l'archiviste est le gardien d'un temple dont l'historien est le grand prêtre.

La vision bio-sociale entraîne un changement de perspective. La «nouvelle histoire» vise à mieux comprendre la société en analysant le rôle des individus dans l'évolution des structures sociales et amène l'exploitation de corpus documentaires jusque-là ignorés. L'historien recense les sources qu'il juge indispensables à sa pratique scientifique et en réclame l'accès physique et intellectuel. Il intervient même parfois au niveau de l'acquisition de fonds d'archives et se voit souvent confier le soin de classer et de décrire ces documents historiques. Somme toute, alors que l'historien et le gestionnaire de documents se réclament un rôle de mémorialiste, l'archiviste continue à se définir comme un conservateur de matériau inerte.

Le concept de mémoire anthropo-sociale n'apporte pas plus de reconnaissance au caractère vivant des archives historiques. Certains historiens délaissent même les sources traditionnelles pour utiliser davantage les témoignages oraux et la documentation imprimée. À la recherche de l'identité narrative des sociétés, ils colligent des récits de vie et de pratique, ou encore analysent le discours consigné dans les manuels[63]. Même si elle nuance le caractère d'authenticité en inscrivant les réalités consignées dans la dimension symbolique, cette approche ne contribue pas à valoriser les archives. L'information consignée y est encore perçue comme un témoignage passif, conséquence du travail de l'historien. Cette tendance ne fait qu'accentuer l'écart théorique existant entre les aspects symboliques et fonctionnels du travail de l'archiviste.

L'observation des pratiques archivistiques nous montre cependant combien les archivistes sont peu à peu intervenus dans toutes les dimensions de la mémoire organique et consignée. De nos jours, l'archiviste se joint aux experts qui ont pour mandat d'encadrer la consignation de la mémoire afin de la rendre conforme aux normes matérielles, usuelles et légales établies par la culture organisationnelle. De même, en tant que gestionnaire, il veille à ce que la mémoire organique et consignée s'intègre à l'appareil de production. Enfin, avec les spécialistes du passé, il participe à la production d'une image institutionnelle cohérente dans le présent.

Notes

1. On n'a qu'à penser par exemple au rôle des services d'archives dans l'application des lois sur l'accès à l'information des organismes publics et sur la protection des renseignements personnels.

2. Roger Bastide, «Mémoire collective du bricolage», *L'année sociologique*, IIIᵉ série, 1970, p. 83.

3. E. Morin, *La méthode*, t. 1, *La Nature de la Nature*, Paris, Seuil, 1977, p. 96.

4. R. Bastide, «Mémoire collective [...]», p. 83. À la différence que Halbwachs ne nie pas cependant le fait que les consciences peuvent s'interpénétrer, mais en bout de compte cela revient au même car, lorsqu'elles s'influencent, cela donne naissance à une nouvelle conscience sociale donc encore extérieure.

5. Maurice Halbwachs, *La mémoire collective*, Paris, PUF, 1950, p. 33.

6. R. Bastide, «Mémoire collective [...]», p. 91.

7. *Ibid.*, p. 94.

8. Jean-Pierre Rioux, «La mémoire collective en France depuis 1945: propos d'étape sur l'activité d'un groupe de travail», *Bulletin de l'Institut d'histoire du temps présent*. nᵒ 6, 1981, p. 31. Cité par Diane Morin, «Quelques remarques sur le concept de mémoire collective», dans Jacques Mathieu (sous la direction de), *Étude de la construction de la mémoire collective des Québécois au XXᵉ siècle, approches multidisciplinaires*, Québec, Cahier du CELAT nᵒ 5, 1986, p. 116.

9. Yves Barel, «Mémoire collective et ruse sociale», dans Jean-Louis Le Moigne et Daniel Pascot, édit., *Les processus collectifs de mémorisation (Mémoire et organisation)*, Actes du colloque d'Aix-en-Provence, Aix-en-Provence, Librairie de l'Université, 1979, p. 9-29.

10. Lucille Guilbert, «Mémoires officielles, mémoires officieuses: construction d'une identité personnelle et collective», dans J. Mathieu (sous la direction de), *Étude de la construction de la mémoire collective [...]*, p. 65.

11. Jean Olivier Majastre, «Oublieuse mémoire», *Le monde alpin et rhodanien. Revue régionale d'ethnologie*, vol. 10, n° 1-4, 1982, p. 123-126, et R. Bastide «Mémoire collective [...]», p. 65-68.
12. Claire Guinchat et Yolande Skouri, *Guide pratique des techniques documentaires*, vol. 1, *Traitement et gestion des documents*, Paris, EDICEF, 1989, p. 220-221.
13. ROM: read only memory.
14. RAM: random access memory.
15. Signalons que la gamme des périphériques s'est accrue au gré du développement des technologies de l'information. On dispose maintenant de disques optiques, de scanners, de télécopieurs, etc.
16. Albert E. Scheflen, «Systèmes de la communication humaine», dans *La nouvelle communication*, textes recueillis et présentés par Yves Winkin, Paris, Seuil, 1981, p. 145.
17. Généralement, le cadre physique, l'occasion, la structure sociale et la structure culturelle déclenchent ces comportements «programmés». A. E. Scheflen», Systèmes de la communication [...]», p. 146.
18. Avec les développements technologiques, les capacités des microprocesseurs ont augmenté à un point tel que les logiciels les plus courants sont maintenant intégrés au ROM. Malgré tout, la question demeure entière, car ces machines à écrire ou calculettes sophistiquées ne peuvent se passer de texte à traiter ou de données numériques à calculer. Il en va de même dans le cas des programmes d'intelligence artificielle. Les planificateurs ne peuvent fonctionner sans recevoir les prémisses de base aux problèmes qu'ils ont à envisager.
19. L. Guilbert, «Mémoires officielles [...]», p. 65.
20. *Ibid.*
21. Michael Pollack, «Encadrement et silence: le travail de la mémoire», *Pénélope. Mémoires de femmes*, n° 12, 1985, p. 35.
22. L. Guilbert, «Mémoires officielles [...]», p. 65.
23. Il s'agit du même processus qui prévaut pour le langage. Adam Schaff, *Langage et connaissance*, Paris, Seuil, 1964, p. 232.
24. Raymond Ruyer, *La cybernétique et l'origine de l'information*, Paris, Flammarion, 1954, réed. 1968, coll. «Science de la nature», p. 9.
25. Le célèbre exemple des souvenirs évoqués par les madeleines dans *À la recherche du temps perdu* de Marcel Proust s'inscrit d'ailleurs dans cette optique.
26. Edgar Morin, *Science avec conscience*, Paris, Fayard, 1990, p. 41.

27. La véracité des témoignages de manifestations para-normales ou encore l'apparition d'OVNI dans le ciel constitue un bon exemple de cela.

28. E. Morin, *La Méthode*, t. 1. p. 89.

29. Jacques Mathieu, «Les médiations du passé. À la recherche d'un carrefour», dans J. Mathieu (sous la direction de), *Les dynamismes de la recherche au Québec*, Sainte-Foy, Presses de l'Université Laval, 1991, p. 45-61.

30. Suzanne Citron, *Enseigner l'histoire aujourd'hui. La mémoire perdue et retrouvée*, Paris, Les éditions ouvrières, 1984, p 33.

31. R. Bastide, «Mémoire collective [...]», p. 82.

32. Voir à ce sujet la collection dirigée par Jacques Le Goff et Pierre Nora, *Faire de l'histoire. Nouveaux problèmes; Nouvelles approches; Nouveaux objets*, Paris, Gallimard, NRF, 1974.

33. Pierre Nora, «Entre Mémoire et Histoire. La problématique des lieux», dans Pierre Nora (sous la direction de), *Les lieux de mémoire I-La République*, Paris, Gallimard, 1985, p. XIX.

34. S. Citron. *Enseigner l'histoire [...]*, p. 33.

35. Paul Ricoeur, *Temps et récit III. Le temps raconté*, Paris, Seuil, 1985.

36. Marisa Zavalloni et Christianne Louis-Guérin, *Identité sociale et conscience. Introduction à l'égo-écologie*, Toulouse, Privat, 1984; C. Castoriadis, *L'institution imaginaire de la société*, Paris, Seuil, 1975, p. 162.

37. Bronislaw Baczko, *Les imaginaires sociaux. Mémoires et espoirs collectifs*, Paris, Payot, 1984.

38. Bogumil Koss Jewsiewicki, «Le récit de la vie entre la mémoire collective et l'historiographie» dans J. Mathieu (sous la direction de) *Étude de la construction [...]*, p. 74-77.

39. E. Morin, *La méthode*, t. 1, p. 92.

40. Jacques Mathieu, «D'or, de diamant, et d'autres riches choses... Les habillements de Jacques Cartier dans l'histoire du Québec», communication, séminaire CEFAN: Construction d'une culture: le cas québécois, 14 mars 1991.

41. Le thémata est une notion qui se rapporte à l'imaginaire scientifique, conceptualisée par Holton. Il se rapporte à «une préconception fondamentale stable, largement répandue et qu'on ne peut réduire directement à l'observation ou au calcul analytique et qui n'en dérive pas. Cela veut dire que les thémata ont un caractère obsessionnel, pulsionnel qui anime la curiosité et l'investigation du chercheur». E. Morin, *Science avec conscience*, p. 43.

42.   Le concept de paradigme a été formulé par Thomas Kuhn. «C'est aussi quelque chose qui ne découle pas des observations. Le paradigme, en quelque sorte, c'est ce qui est au principe de la construction des théories, c'est le noyau dur qui oriente les discours théoriques dans tel ou tel sens.» E. Morin *Science avec conscience*, p. 44.

43.   Karl Jaspers, *Introduction à la philosophie*, Paris, Plon, 1965, p. 30.

44.   A. E. Scheflen, «Systèmes de la communication [...]», p. 145-151.

45.   L. Guilbert, «Mémoires officielles [...]», p. 66.

46.   Soulignons que l'oral est aussi une façon de cacher les ratés du système.

47.   R. Escarpit, *L'écrit et la communication*, p. 10-11.

48.   P. Nora, «Entre Mémoire et Histoire, [...]», p. XXIV.

49.   M. Halbwachs, *La mémoire collective*, p. 69.

50.   Jacques André, «De la preuve à l'histoire», *Traverses*, n° 36, 1986, p. 25-26.

51.   *Ibid.*, p. 26.

52.   *Ibid.*

53.   Michael Kammem, «La mémoire américaine et sa problématique», *Le Débat*, vol. 30, 1984, p. 112-127. Le manque d'harmonisation d'une organisation avec son milieu produit une crise inévitable; c'est pourquoi la restructuration est une mesure nécessaire, mais toujours plus ou moins éprouvante. Pour réussir à traverser cette situation et à rétablir l'équilibre, il ne suffit pas d'appliquer les théories scientifiques de pointe en management. La nouvelle image proposée doit être compatible avec la culture organisationnelle en place. Dans le cas contraire, l'organisation s'expose à des tensions difficiles à résoudre. Voir Taïeb Hafsi et Christiane Demers, *Le changement radical dans les organisations complexes. Le cas d'Hydro-Québec*, Boucherville, Gaëtan Morin éditeur, 1989, 310 p.

54.   M. Pollack, «Encadrement et silence [...]», p. 35.

55.   Généralement, ces documents comportent d'ailleurs un volet historique qui les situe dans le contexte organisationnel. Signalons que les gestionnaires de documents ont parfois tendance à isoler les documents rétrospectifs des dossiers qu'ils contextualisent. Un rapide coup d'œil sur un manuel type de classification uniforme des documents administratifs permet de constater la présence d'une série: «Histoire de l'organisation» où on les retrouve généralement. Voir Michel Roberge, *La classification des documents administratifs*, La Pocatière, Documentor, 1985, 247 p.

Nous avons pu constater une telle situation dans le cours de nos recherches aux archives du Mouvement Desjardins où les historiques accompagnant des organigrammes avaient été conservés dans des séries différentes de ces derniers.

56. Félix Torres remarque à ce sujet combien il est beaucoup plus juste de parler d'une histoire *dans* l'entreprise et non *de* l'entreprise. Félix Torres, «Retour vers l'avenir: l'Histoire dans l'entreprise», dans Maurice Hamon et Félix Torres, *Mémoire d'avenir. L'histoire dans l'entreprise*, Paris, Économica, 1987, p. 21-42.

57. «Règlement du Conseil supérieur de la Nouvelle-France au sujet des registres tenus par les curés pour les baptêmes, mariages, sépultures et autres actes que peuvent faire les d. curés comme fiançailles et publications de bans (juin 1727)», *BRH*, vol. 39, n° 7, juillet 1933, p. 415-416.

58. Une telle démarche se retrouve en jurisprudence où un antécédent permet de fonder un droit.

59. Cela reste vrai encore de nos jours. Ainsi, dans les petites organisations telles que les sociétés historiques, les personnes ayant la garde des procès-verbaux et des livres comptables reçoivent le titre d'archiviste.

60. P. Nora, «Entre Mémoire et Histoire. La problématique des lieux», p. xxxiv-xxxv.

61. George David Smith et Laurence E. Steadman, «L'histoire de votre entreprise un capital», *Havard-L'Expansion*, vol. 24, printemps 1982, p. 87.

62. L'apprentissage organisationnel se réalise selon un processus similaire aux individus Ainsi, l'organisation acquiert des connaissances vitales en intellectualisant les diverses situations auxquelles elle doit faire face continuellement. Pour ce faire, elle appréhende les événements à travers le prisme de sa matrice sociale, le système de valeurs qu'elle comporte lui servant d'outil de référence pour traiter les informations et constituer le savoir générateur que l'on appelle expérience. Voir Gregory Bateson et Jurgen Ruesch, *Communication et société*, Paris, Seuil, 1987, 346 p.

63. Pour un exemple, voir Bogumil Jewsiewicki (sous la direction de), *Récits de vie et mémoires, vers une anthropologie historique du souvenir*, Paris, L'Harmattan, SAFI, 344 p.

Chapitre III

Les archives et la finalité mémorielle

Avant la création des archives, la mythologie et le temple constituent les lieux de mémoire. Ils ont une valeur symbolique et ils se justifient naturellement. Ils parlent d'autorité — morale, civique, sociale et culturelle. Les objets sacrés symbolisent le pouvoir qui leur est accordé. Les montrer suffit à renforcer ce pouvoir. Ce n'est plus le cas aujourd'hui : les lieux privilégiés de la mémoire collective sont passés de l'Église ou de l'État à l'individu, l'ethnie, l'écologie. L'histoire de la mémoire consignée a suivi un cheminement assez semblable. De même, l'élaboration des principes archivistiques s'accroche à ce que l'on sait aujourd'hui de la mémoire.

Nous verrons donc à travers le temps que les archives se sont toujours inscrites dans une finalité mémorielle même si elles n'ont pas toujours revêtu une triple importance. Tout au cours des siècles, elles ont servi tantôt l'historique, tantôt l'essentiel, tantôt l'administratif se couplant avec d'autres types d'informations organiques et consignées.

Naissance de l'écriture et archives

La mémoire consignée naît au moment où l'homme grave dans la pierre ses premiers dessins. Il représente ainsi des croyances, des pratiques et des réalités du monde qui l'environne. Il consigne sur un support durable des signes, véhicules de sa pensée. Une telle démarche permet d'enrichir la banque de témoignages dans laquelle la collectivité puise pour affirmer son identité.

Si l'introduction de l'écriture a accru considérablement les capacités physiques de la mémoire humaine, le passage d'une tradition orale à une culture de l'écrit constitue un jalon important dans l'établissement des archives. Le processus de l'écrit est extrêmement dynamique. Il génère une accumulation du savoir où la valeur de l'information consignée se renouvelle et s'actualise sans cesse. Il agit en quelque sorte comme une «mémoire artificielle qui condense l'information, se prête à des compléments, à des rectifications voire à des réemplois après usage[1]».

Le contexte d'origine donne une forme et un support aux archives mais leur sens et leurs fonctions évoluent constamment à travers le temps. «L'écriture engendre l'écriture, les savoirs déjà archivés ne sont que le point de départ pour d'autres constructions, d'autres mises en ordre... qui assurent non seulement la perpétuation mais aussi le progrès des connaissances[2].» Cela explique pourquoi les archives, même les plus anciennes, demeurent toujours vivantes. Qu'elles s'expriment dans un langage cunéiforme, hiéroglyphique, alphabétique ou numérique; qu'elles soient faites d'argile, de papyrus, de bois, de cire, de papier ou de pellicule magnétisée; qu'elles concernent un traité de paix, un code de lois, une transaction financière, les archives reflètent aussi bien les sociétés qui les créent que celles qui les perpétuent.

La mémoire d'argile

L'archiviste Ernst Posner s'appuyant sur le support de l'écriture a identifié une première période dans l'histoire des archives: «The Clay Tablet Civilization». Cette période débutant avec l'invention de l'écriture par les Sumériens, 3000 avant notre ère, s'étend jusqu'à la veille des conquêtes de Darius de Perse vers 500 AC. Elle englobe les terres de l'Euphrate et du Tigre ainsi que les territoires voisins à l'ouest du bassin du Tigre, l'empire hittite, la Phénicie, l'empire crétois à l'époque du Minœn récent incluant les cultures égéennes. Elle couvre donc une grande part de l'«early civilized world[3]».

E. Posner analyse la question à partir des installations archivistiques retrouvées dans les principaux sites archéologiques du Proche-Orient. Bien des aspects de la pratique demeurent dans l'ombre, car les méthodes scientifiques au moment des premières découvertes se souciaient plus des tablettes elles-mêmes que du contexte dans lequel elles se trouvaient au moment de leur excavation. L'image qui en ressort semble toutefois suffisamment claire pour dégager certains constats.

Il semble que l'écriture ait été au départ abondamment utilisée à des fins administratives. Même si plusieurs des tablettes retrouvées consignent de la correspondance, des hymnes religieux, des formules divinatoires et diverses œuvres littéraires, une grande partie se rapporte à l'administration des temples et des cours impériales. Il s'agit généralement d'informations comptables et statistiques consignées parce que trop abondantes pour les capacités mnémoniques humaines. Dans ce contexte, plusieurs théoriciens ont affirmé que l'écrit avait d'abord eu une finalité fonctionnelle:

> Writing was invented to serve the administrator rather than man of learning. It did not originated «for the purpose of glorifying kings or praising the gods, but as a result of the economic everyday needs of an industrious and highly talented people, bent on gaining an existence in newly occupied territory»[4].

À leur suite, des gestionnaires de documents se sont même réclamés d'une tradition administrative plus ancienne que la tradition archivistique[5]. Pourtant, l'écrit a dès le départ une vocation mémorielle, car, comme le souligne Pierre Mœglin, spécialiste des sciences de la communication, avant d'être un outil de communication, le document est d'abord un pouvoir de représentation du réel:

> Le document écrit permet de garder le souvenir permanent d'un ensemble de faits ou d'actes; il tend du même coup à se substituer à la mémoire des témoins oculaires, moins précise, plus fragile et surtout moins efficace, mais sans que l'on puisse déjà véritablement parler de communication. La mission originelle de l'écriture semble être, par conséquent, de consigner des informations plus que de diffuser des messages, ce qui était aussi le cas précédemment, notons-le au passage, pour les peintures rupestres[6].

De fait, la mémoire d'argile a supporté largement des appareils bureaucratiques complexes affectés à l'administration religieuse et impériale. Elle facilite l'enregistrement des populations, la perception des taxes, le compte numérique et qualitatif des fonctions militaires (effectif, rations, engagements), ainsi que la réalisation des grands travaux publics (main-d'œuvre, fournitures, équipements, etc.). Elle est également un fondement de la pratique ou de la tradition de certaines activités privées. En effet, des familles de commerçants gardaient scrupuleusement des livres de comptes ainsi que d'autres informations concernant leurs affaires afin qu'elles servent de références méthodologiques à leurs enfants.

Que l'écrit ait plus largement consigné des informations de type administratif est cependant loin de contredire ses finalités mémorielles. La civilisation de la tablette d'argile fait référence à des sociétés ayant atteint un certain degré de maturité et d'homogénéité, notamment par la sédentarisation. La population majoritairement agricole est dominée par une élite réunissant des prêtres, des fonctionnaires impériaux et des marchands. Ce sont eux qui maîtrisent l'écriture et il ne faut donc pas s'étonner que les archives ont d'abord été mises au service de ce pouvoir en reflétant leurs réalités socio-économiques.

Parallèlement, les tablettes d'argile constituent une mémoire essentielle très importante, car la comptabilisation des ressources humaines, matérielles ou financières mène directement aux droits de propriété. Les usages administratifs ne peuvent se concevoir en dehors de cette dimension légale. Du reste, le concept même de civilisation de la tablette d'argile de Posner s'inscrit dans la foulée des travaux de deux juristes, Marian San Nicolò et Paul Koschaker, dont les recherches visent à démontrer l'importance de l'écrit cunéiforme dans l'affirmation de l'autorité institutionnelle au Proche-Orient ancien:

> They developed the concept of cuneiform law (Keilschriftrecht) to provide a common basis for understanding the legal institutions and pratices of vast area embracing Mesopotamia, Elam, Urartu (Armenia), Anatolia, and northern Syria[7].

Les actes de propriété, d'inventaires de grains ou de bétail, de listes d'instruments agraires, de livres de comptes, etc., constituent un moyen privilégié pour reconnaître et mesurer les éléments présents sur le territoire. De plus, dans la mesure où le patrimoine foncier a une grande valeur pour ces sociétés sédentaires, ils permettent l'établissement des droits et des responsabilités des individus qui en sont les propriétaires. À ce titre, les tablettes d'argile constituent des outils de régulation servant à faire respecter l'ordre établi. Par ailleurs, l'écrit permet d'investir un espace en justifiant la présence de ses occupants. Dans ces empires érigés à force de conquêtes, les archives du conquis nourrissent aussi la mémoire essentielle. Elles sont utiles pour dresser le tableau du nouveau territoire et pour y affirmer son hégémonie[8].

Certains documents revêtent également une importance symbolique. En effet, qui a jamais vu un acte d'alliance assurer la loyauté des partenaires ou un traité garantir la paix? Ces documents témoignent de l'honneur engagé et contribuent à rendre une action effective en scellant symboliquement un pacte. L'existence d'une mémoire historique consignée ne peut être niée. L'utilisation des archives en ce sens est d'ailleurs attestée par des inscriptions sur les murs de temples et sur des statues exhumées lors des fouilles archéologiques. Une stèle rapporte par exemple, en image et en texte, «l'acte de donation faite par le roi de Babylone, Marduck, qui régna de 852 à 828, à un prêtre Kalû, scribe du grand temple de l'Eanna d'Uruk, qui avait pour mission d'«apaiser le cœur des dieux»[9]». Voilà une mémoire historique bien vivante non destinée à une clientèle future mais inscrite dans les préoccupations du présent.

Ces fonctions n'ont pas nécessairement été simultanées dans le temps et l'espace et le rôle ou l'importance des archives a pu varier. Quoi qu'il en soit, le consigné se rapporte constamment à l'exercice du pouvoir dans les sociétés du Proche-Orient ancien si l'on en croit le statut social de l'archiviste:

> It stands to reason that a man before he could become useful as an archivist, had to master fully the difficult art of writing. It was taught in regular school, mostly attached to the temples, and since it was said of well-trained scribes that they would shine

brightly like the sun, many must have been anxious to obtain the training necessary for positions of such glory.

[...] If then a mere scribe was considered a person of high social standing [...] the trust placed in him as a custodian of archives must have conferred upon him a special mark of distinction, manifest also in terms of his salary.

Custody and control of the records could lead to administrative responsability and power, as it often did in later civilizations. An archivist in charge of the accounting records of the temple was likely to have an overview of the entire economy of the institution and, if he was a man of initiative, he could assume the administration of its business[10].

De toute évidence, les détenteurs du pouvoir dans les grands empires hittite, sumérien, phénicien ou autres ont produit et conservé de l'écrit pour légitimer, protéger et exercer leur hégémonie. À ce titre, les archives sont intervenues dans toutes les dimensions de leur vie: confirmant, ici, l'autorité des rois, et de leurs prêtres, attestant, là, des droits de propriété, supportant toujours les activités quotidiennes de l'élite.

La mémoire pharaonique

L'Égypte pharaonique est un bon exemple d'une civilisation productrice et consciente de l'importance de la conservation de l'écrit. Les recherches archéologiques ont démontré l'existence de dépôts d'archives dans tous les temples et les bureaux administratifs égyptiens. Comme en Mésopotamie, l'écriture est le privilège d'une classe dominante et l'archiviste possède une grande influence politique. À ce sujet, Ernst Posner rapporte ceci:

The place where every Egyptian was catalogued and inventoried was the office of the vizier. Cast in the role of a prime minister of modern time, he also was charged with records-keeping duties that prompted James H Brested to call him the chief archivist of the kingdom[11].

Les archives sont des instruments indispensables à la vie économique égyptienne où le roi occupe une place centrale. L'appareil administratif est très centralisé dans cette société basée sur l'économie d'échange où tout est objet de mesure et où toute décision se fonde sur les compilations écrites tant dans le secteur public que dans le secteur privé. La nécessité de contrôler les activités économiques exige en effet des comptabilisations et des mises à jour permanentes. Comme le roi est le seul propriétaire du sol, toute transaction mobilière doit recevoir la ratification royale. De même, l'administration pharaonique a besoin des «land records» et des rôles de taxes pour assurer le suivi des transactions. Enfin, le Nil inonde ponctuellement les terres et en bouleverse les bornes. Il s'ensuit que les cadastres et les autres documents établissant la propriété foncière sont essentiels pour assurer une stabilité au système.

Par ailleurs, le document revêt une importance culturelle primordiale dans la vie de l'Égyptien. Ce dernier a la conviction qu'à sa mort le jugement des dieux s'appuiera sur les témoignages écrits. À ce titre, les archives, qui s'articulent dans toutes leurs dimensions autour du pharaon et de ses prêtres, possèdent une puissance symbolique remarquable. Nous sommes en présence d'une société où la royauté est l'expression du divin et où les archives représentent l'autorité dans toute sa puissance. Elles constituent des conservatoires de preuves au plan spirituel comme au niveau matériel mis au service du pouvoir. Il ne pouvait en être autrement, car l'information consignée est liée à des enjeux de pouvoir:

> Pouvoir économique et administratif, pour qui, en ces périodes de pénurie de textes écrits, sait par exemple se prévaloir de titres de propriété rédigés et consignés en bonne et due forme; pouvoir religieux et politique, pour qui peut se présenter comme le gardien accrédité d'une Loi d'autant plus sacrée qu'un document — dont il est détenteur — vient la consacrer. Aussi voit-on apparaître, par exemple en Égypte pharaonique, des scribes, auxquels plus tard, en Occident, succéderont des copistes. Ce sont des professionnels de l'écriture, et cette compétence leur confère parfois d'importants privilèges. En échange les voilà cependant soumis à des obligations et à des contraintes qui les placent sous le contrôle plus ou moins direct des rois ou de la hiérarchie sacerdotale. Information et pouvoir ont, d'entrée de jeu, partie liée[12].

Les archives deviennent d'ailleurs des cibles privilégiées en période de tension et de contestation sociale. La destruction des documents a des effets concrets dans l'univers matériel, puisqu'elle efface toute trace légale. Un tel geste a également un effet libérateur sur les esprits, car il est chargé d'une force symbolique importante à l'encontre du pouvoir:

> If records could be tampered with to change the evidence, it was even easier to destroy them in order to supress their testimony completely — a likely event in a country in which the role of records as an instrument of social control was as fully understood by the people as it was in ancient Egypt[13].

Ernst Posner rapporte que lors d'une rébellion vers 2200 AC, c'est-à-dire vers la fin de la sixième dynastie, les insurgés détruisirent la capitale Memphis ainsi que les monuments des pharaons. Ils s'attaquèrent également au dépôt d'archives où l'on conservait les titres de propriété. Les documents furent détruits ou volés et certains archivistes furent tués.

Les archives reflètent donc le processus culturel qui anime la société égyptienne. Elles expriment le pouvoir du dieu-pharaon, permettent le fonctionnement économique et social et prouvent les faits et gestes des individus.

L'Arkhe ou la naissance du mythe

Des changements majeurs se font sentir avec l'expérience grecque. Celle-ci prend d'autant plus d'importance qu'elle laisse au monde occidental l'expression *Arkheion*, dénomination qui aurait été utilisée dans une vingtaine de cités grecques pour désigner le lieu de conservation des documents publics et privés[14].

Durant le second millénaire AC, des centres grecs tels que Mycène et Pylos étaient culturellement liés à la civilisation du Minœn. Ils partageaient avec elle l'écriture sur tablettes d'argile. Au moment de la chute de cette civilisation, provoquée par l'attaque de tribus barbares vers 1200 AC, ces centres furent détruits et l'on perdit l'art d'écrire. Une nouvelle culture s'établit en Grèce, au moment où les Doriens et, par la suite, des tribus grecques du nord-ouest viennent s'établir dans la péninsule. Cela poussa un grand nombre d'habitants de cette région à émigrer dans les îles de la mer Egée et sur la côte de l'Asie mineure. Le progrès de ces régions se fit avec celui des grands empires de l'est alors que la Grèce développa à l'opposé une civilisation distincte.

La démocratie grecque influença fortement l'accroissement des archives, car on assiste à l'institutionnalisation du consigné. L'évolution est importante, car elle procède d'un changement culturel où le *logos* en vient à s'opposer alors au *muthos* dans l'expression de la vérité:

> Dans et par la littérature écrite s'instaure ce type de discours [philosophique] où le logos n'est plus seulement la parole, où il a pris la valeur de rationalité démonstrative et s'oppose sur ce plan, tant pour la forme que pour le fond, à la parole du muthos. Il s'y oppose pour la forme par l'écart entre la démonstration argumentée et la texture narrative du récit mythique; il s'y oppose pour le fond par la distance entre les entités abstraites du philosophe et les puissances divines dont le mythe raconte les aventures dramatiques. [...] Par les possibilités qu'elle offre d'un retour au texte en vue de son analyse critique, la lecture suppose une autre attitude d'esprit, plus détachée et en même temps plus exigeante, que l'écoute de discours prononcés. Les Grecs en étaient eux-mêmes pleinement conscients: à la séduction que doit provoquer la parole pour tenir l'auditoire sous le charme ils ont opposé, souvent pour lui donner la préférence, le sérieux un peu austère mais plus rigoureux de l'écrit. D'un côté ils ont placé le plaisir inhérent à la parole: comme inclus dans le message oral, ce plaisir naît et meurt avec le discours qui l'a suscité; de l'autre, du côté de l'écrit, ils ont placé l'utile visé par un texte qu'on peut conserver sous les yeux et qui retient en lui un enseignement dont la valeur est durable. [...] En renonçant volontairement au dramatique et au merveilleux, le logos situe son action sur l'esprit à un autre niveau que celui de l'opération mimétique (*mimêsis*) et de la participation émotionnelle (*sumpatheia*). Il propose d'établir le vrai après enquête scrupuleuse et de l'énoncer suivant un mode d'exposition qui, au moins en droit, ne fait appel qu'à l'intelligence critique du lecteur. C'est seulement quand il a revêtu ainsi une forme d'écrit que le discours, dépouillé de son mystère en même temps que sa force de suggestion, perd le pouvoir de s'imposer à autrui par la contrainte, illusoire mais irrépressible de la mimêsis. Par là le discours

change de statut; il devient «chose commune» au sens que les Grecs donnaient à ce terme dans leur vocabulaire politique: il n'est plus le privilège exclusif de qui possède le don de la parole; il appartient également à tous les membres de la communauté. Écrire un texte, c'est déposer son message, es messon, au centre de la communauté, c'est-à-dire le mettre ouvertement à la disposition de l'ensemble du groupe. En tant qu'écrit, le logos est porté sur la place publique; il lui faut, au même titre que les magistrats au sortir de leur charge, rendre des comptes devant tous, se justifier lui-même des objections et des contestations que chacun est en droit de lui opposer. On peut dire alors que les règles du jeu politique, telles qu'elles fonctionnent dans une cité démocratique régie par l'isêgoria, le droit de parole égal pour chacun, est devenu aussi règle du jeu intellectuel[15].

Au plan symbolique, jusque-là, les archives avaient été un pouvoir, un outil et un moyen d'affirmation d'une autorité d'essence divine au service des prêtres-rois. Leur simple existence attestait des volontés divines et suffisait à établir l'ordre social. Tout cela change avec l'introduction du *logos* et la mise en place de la démocratie grecque. Les philosophes remplacent les prêtres dans l'explication naturelle du monde. L'autorité se déplace donc vers l'agora et devient plus rationnelle. Dans un tel contexte, le dépôt d'archives se substitue aux temples comme lieux de mémoire privilégiés par et pour la collectivité.

Il n'est donc pas surprenant qu'Aristote, qui «pense dans une langue qui est celle de l'écrit philosophique[16]», identifie les archives comme une institution indispensable à son État modèle[17]. Le rôle du secrétaire-archiviste tel que décrit par Aristote démontre aussi que «that is an institution of vital interest to the state, politically as well as ritually[18]»:

By lot is chosen also a secretary called Secretary of the Presidency. He has supreme powers over public records, keeps the texts of the decrees, keeps transcripts of all other business and sits in the meetings of Council. Formerly, he was elected by show of hands and most illustrious and trustworthy citizens were appointed to the office. In fact, his name is inscribed on pillars at the head of the texts of alliances and of decrees granting to aliens citizenship or the status of guest of honor. At present he has become an offical elected by lot[19].

Les premières utilisations des documents chez les Grecs se rapportent à la préparation des listes de citoyens par classes ou groupes sociaux, à l'émission de certificats de naissance et à l'enregistrement de transactions. Au départ, un *mnêmôn* ou «memory man» avait pour fonction de garder dans sa mémoire les transactions effectuées devant lui. Puis, avec le temps, cela ne suffit plus; il procède à l'enregistrement écrit et assume ainsi des fonctions archivistiques en ce qu'il crée et conserve des documents. Plus tard, le processus prend encore plus de poids, du fait qu'il en vient à assurer la validité d'une transaction, par exemple l'enregistrement des titres de propriété. Les archives privées en viennent, progressivement, à être considérées comme des documents publics.

Cette double fonction d'enregistrement de type notarial et de garde des papiers d'État est caractéristique en Grèce et se répandra dans les colonies grecques dans le sud de l'Italie, en Sicile et en Afrique. Certains historiens ont affirmé que cette pratique d'enregistrement avait été instaurée pour des raisons financières, les services étant payants. À l'opposé de cette théorie, d'autres ont fait valoir que les motifs financiers étaient secondaires et que cette pratique découlait plutôt du système démocratique. Cette dernière hypothèse est d'autant plus probable, à notre avis, que les archives sont conservées dans le vieux Bouleterion rebaptisé Metroon et que la mère des dieux se voit assigner le rôle de gardienne des archives de l'État[20].

Posner rapporte que l'on y conservait les lois et les décrets de l'Assemblée, les procès-verbaux et minutes des réunions du Conseil et de l'Assemblée, les archives des relations extérieures, les budgets et archives financières découlant de la supervision du Conseil, les procès publics, les contrats de l'État avec des particuliers, les listes des éphèbes[21], des copies ou des originaux des drames d'Eschyle, de Sophocle et d'Euripide s'y trouvaient aussi probablement, par suite d'une motion de l'orateur Lycurgus. Bref, les archives deviennent le siège de l'autorité étatique.

La culture grecque marquera donc le développement occidental de l'archivistique. En conséquence, ce que l'on peut désormais appeler archives sera vu comme l'expression de la vérité, de l'authentique. Cela demeure d'ailleurs toujours vrai, comme l'indique la mention «archives» sur les extraits de films projetés dans les nouvelles télévisées.

La mémoire civile

Si la mémoire démocratique des Grecs s'inscrit dans la perspective des droits collectifs, celle des Romains se développe autour des droits des individus dans la collectivité. Par ailleurs, la tradition orale a longtemps préséance sur l'écrit dans le monde romain, d'où le fait que les institutions archivistiques y sont moins rigoureusement implantées. Ces différences s'expliquent par le fait que la société demeure très attachée à ses valeurs ancestrales et qu'elle respecte les rites. À ce titre, les lois civiles promulguées par des hérauts ont une autorité incontestable:

> Les Romains avaient le sens de la loi, mais cette loi, elle était faite par eux, et par eux observée. En étudiant les principes de leurs lois, on s'aperçoit qu'ils renferment les vertus que les anciens Romains recherchaient et admiraient, vertus que le temps avait affinées et revêtues d'une apparence universelle. Ces vertus, ce sont: le respect des valeurs éternelles, de la volonté des dieux *(pietas)* et de leurs interventions, toujours «justes» dans les événements ordinaires de l'existence — le respect de la personne humaine et des liens *(humanitas)* de famille ou d'amitié tenant compte de la dignité et de la liberté de chacun *(libertas)* — le respect des traditions *(mores)*, qui représentent une longue sagesse à laquelle aucun homme ne saurait suppléer — le respect de l'autorité *(auctoritas)*, non pas en tant qu'obéissance à un pouvoir hiérarchiquement supérieur, mais par égard pour les conseils des hommes dignes de confiance — le respect du serment et de la parole donnée *(fides)*, de cette fidélité à laquelle ces Romains attachaient tant de prix et qui était pour eux «la chose la plus sacrée qui soit[22]».

L'expansion du monde romain et l'inévitable contact avec les cultures barbares entraînèrent des impératifs légaux et juridiques qui firent pencher la balance en faveur des archives. La société romaine se dote de codes civils afin de distinguer les droits des Romains de ceux des étrangers. Cela amène la mise au point de tout un système de références nécessitant une mémoire écrite accessible à tous. Cette pratique s'intensifiera d'ailleurs au Moyen Âge.

À Rome, les dépôts d'archives privées précèdent les dépôts publics. Les Romains y conservent les documents administratifs se rapportant à leurs affaires, tels que la correspondance, les livres de comptes et les pièces justificatives susceptibles d'être produites aux autorités.

L'établissement des dépôts publics est lent. Chaque corps public garde ses documents. De plus, les magistrats emportent chez eux les documents produits dans le cours de leurs activités lorsqu'ils quittent leurs fonctions. Un premier dépôt, l'*Aerarium*, est créé au tout début de la République. Il est administré par des questeurs dont les fonctions sont juridiques et administratives. Ceux-ci gèrent les trésors de l'État: fonds publics, métaux précieux, insignes et trésors, et les documents qui s'y rapportent. Parallèlement, on retrouve les archives des relations internationales au temple de Jupiter, tandis que les archives judiciaires se retrouvent au collège des Pontifes. Un deuxième dépôt remplace l'*Aerarium* en 78 AC. Le *Tabularium*, premier édifice dans l'histoire de l'homme destiné à des fonctions proprement archivistiques, est bâti au cœur même de la vie politique et administrative de Rome. Ses archives sont accessibles à toute personne «qualifiée». Il est administré par un questeur, poste qui se situe au premier échelon de la hiérarchie administrative. On y retrouve également des jeunes scribes, des copistes ainsi que des citoyens romains libres, employés comme simples fonctionnaires.

Le système change sous l'Empire. Au cours du Principat, les pouvoirs administratifs, judiciaires, législatifs et religieux se centralisent entre les mains de l'empereur. Cela provoque un démembrement du système archivistique et les archives du pouvoir passent au Palatin. Ce dépôt n'est toutefois pas centralisé et les archives publiques se dispersent au gré du développement des départements centraux de l'Empire. Inversement, les archives des provinces se formalisent peu à peu. On y conserve des données relatives aux recensements ou aux levées de taxes directes ou indirectes, les archives de la défense et, enfin, les archives municipales.

Sous la période du Dominat, le pouvoir n'est plus concentré dans la seule personne de l'empereur, mais partagé dans une structure hiérarchique. Le partage administratif de l'Empire en deux blocs (Orient et Occident) entraîne graduellement la désorganisation du pouvoir central et donne lieu à une déstructuration graduelle des archives. Parallèlement, le système provincial se renforce et les dépôts, qui y augmentent en nombre, se structurent.

Ainsi, la mémoire romaine possède une teinte légale qui établit le pouvoir politique. En fait, les aspects légaux et juridiques ont des résonances particulières dans le processus culturel sous-tendant l'évolution de cette société. Ils justifient le pouvoir, structurent les administrations et donnent des apparences matérielles à la mémoire consignée. Mais en définitive, l'évolution des institutions archivistiques démontre bien que les archives romaines reflètent toujours le pouvoir qui établit et affirme cette société.

Grandeurs et misères de la mémoire consignée

Avec la chute de l'Empire romain, on assiste à un changement radical quant à la relation avec l'écrit. De sociétés sédentaires, on passe à des sociétés dites barbares dont le passé nomade n'est pas si lointain.

Le Bas-Empire et le haut Moyen Âge ont laissé moins de traces archivistiques du fait que l'écrit paraît accessoire. Il a moins d'utilité administrative et juridique directe, preuves et revendications se basant désormais davantage sur le serment et sur la foi (confiance). De plus, l'unité linguistique est loin d'être faite, d'où une moins grande production littéraire. On peut facilement s'imaginer que la place de l'écrit dans ces sociétés sera très différente.

Avec le développement du christianisme, la mémoire consignée se concentre surtout entre les mains des institutions religieuses. À ce sujet, Ernst Posner souligne que le développement des archives des provinces romaines a une incidence énorme sur l'Église catholique qui en copie les structures et met au point des pratiques archivistiques semblables à celles de corps politiques provinciaux[23].

Pour affirmer son identité de fait, l'Église constitue des chartriers qui consignent les titres de propriété et les actes relatifs aux transactions foncières ainsi que tous les documents attestant des droits et privilèges de l'institution. Par ailleurs, pour attester de la légitimité de son pouvoir, l'Église renforce le mythe fondateur du christianisme en monopolisant la production historique :

> Durant tout le haut Moyen Âge, l'histoire, écrite en latin, est le privilège des clercs. Mises à part les vies de saints, genre particulièrement à l'honneur dans les couvents, elle se développe dans deux directions : ambitieux panorama des chroniques universelles, ou aridité des annales monastiques[24].

Si ces écrits constituent des récits auxquels on prête souvent un caractère livresque, ils s'inscrivent néanmoins dans la production documentaire organique de l'institution religieuse. Par ailleurs, étant donné le faible niveau d'alphabétisation des populations, la mémoire utilise la voie de l'art pour consigner des informations sous une forme visuelle. Il semble, en effet, que les grandes fresques et peintures murales exécutées dans les grands lieux comme Rome et dans les grandes abbayes avaient un but d'édification religieuse sur l'idéal de l'Église romaine tout en servant à légitimer l'autorité du pape et à affirmer des valeurs fondamentales telles que la présence divine dans l'Eucharistie[25].

Au XIIe siècle, on assiste à la renaissance du droit romain et à l'accroissement du rôle de l'écrit dans les systèmes de preuves et revendications. D'où la création et la conservation de fonds d'archives d'institutions, comme les Parlements ou chambres des comptes. La généralisation de la pratique de l'enregistrement favorise le développement de la notion d'authenticité. Graduellement, on cherche à s'assurer du caractère authentique des écrits invoqués en preuve. On leur fait apposer le sceau d'une autorité reconnue : administration royale ou seigneuriale. L'habitude se répand de faire enregistrer les transactions devant notaires ou greffiers de juridiction par exemple. Parallèlement, les transformations de la société féodale amènent une vulgarisation des écrits historiques. Le consigné se met au service du pouvoir de la cour et justifie ses entreprises guerrières par les épopées, les histoires nationales, les biographies et les notices nécrologiques[26].

Le XVIe et surtout le XVIIe siècles se caractérisent par la réaffirmation de la notion d'archives publiques. Jusque-là, voire jusqu'au seuil du XVIIIe siècle, les séries et fonds d'archives créés par une administration ou une juridiction donnée restent aux mains de ceux qui occupent les fonctions administratives. Ces archives ne sont pas considérées d'intérêt public et les producteurs d'archives gardent les pièces en quittant leur poste puis les cèdent à leurs héritiers légaux. Ils gardent ces archives parce qu'elles peuvent témoigner de leur performance administrative. Ainsi en France, un secrétaire d'État garde ses dossiers comme sa propriété personnelle lorsqu'il quitte ses fonctions. L'affirmation du pouvoir monarchique conduit lentement à penser que certains documents, notamment ceux produits par des grands commis à l'intérieur des activités de l'État, n'appartiennent pas à leur détenteur immédiat et créateur mais plutôt à l'État lui-même. De François Ier à Louis XIII, des tentatives sont faites pour amener les commis de l'État à laisser leurs archives à l'administration qu'ils quittent. En vain! À la fin du XVIIe siècle, la situation a changé. Vers 1670, en France, l'habitude est prise de saisir les archives des serviteurs de l'État à leur mort, puis à les conserver, advenant même le départ de l'administrateur. Vers 1740, les ambassadeurs seront tenus de ramener leurs archives au retour de missions. Tout cela amène la constitution de dépôts d'archives éparpillés relevant de l'État[27].

À la même époque, les archives de la Nouvelle-France connaissent une situation similaire. Les autorités coloniales réglementent et contrôlent la production des documents officiels afin d'assurer la constitution d'une mémoire publique consignée. Ainsi, au moment de la structuration de l'administration coloniale en 1663, la protection de la mémoire essentielle consignée se traduit par l'enregistrement des documents publics[28]. On s'assure de la consignation des informations essentielles par toute une série de mesures dans les institutions administratives et judiciaires. Ainsi, les documents officiels produits dans le cours des activités des fonctionnaires, des notaires, des arpenteurs et des curés, qui attestent des droits des individus et de l'État, sont soumis à un ensemble de règles et de procédures. On exige par exemple que les registres d'État civil soient tenus en double. Cette documentation reste toutefois dispersée, la majeure partie étant conservée chez les officiers[29].

Du Moyen Âge jusqu'à la fin du XIXe siècle, les archives semblent surtout répondre à des impératifs juridiques et légaux. Il ne faudrait cependant pas sous-estimer cette mémoire consignée, car elle reflète bien les sociétés qui les produisent. Tout au long de cette période, le consigné demeure associé au pouvoir. Dans un contexte de construction de vastes domaines fonciers et de privilèges octroyés, cette mémoire établit les institutions religieuses puis se met au service de la monarchie. À cet égard, l'écrit est indispensable pour affirmer les territoires physique et moral du pouvoir et permettre leur administration. La mémoire consignée investit par ailleurs d'autres médiums pour affirmer la personnalité institutionnelle. La production littéraire et historique ainsi que les œuvres d'art constituent des moyens privilégiés, notamment pour les papes et les rois, permettant de fournir des représentations symboliques qui réitèrent avec force les mythes fondateurs.

La mémoire démocratique

Les révolutions démocratiques marquent un tournant décisif dans les attitudes et les pratiques relatives aux archives. Elles amènent la création d'un corps administratif indépendant et responsable des archives produites par les institutions nationales. Elles proclament le principe de l'accessibilité de tout citoyen aux archives et elles reconnaissent la responsabilité de l'État en matière de conservation des documents d'intérêt historique pour la nation[30].

Dans la mesure où les Archives nationales de France ne se préoccupaient pas des documents administratifs du nouveau régime, certains historiens ont vu dans la volonté de rendre accessibles les documents d'Ancien Régime, un symbole et une source de justification de la Révolution. De là, ils ont conclu à un glissement des archives, d'une primauté jusque-là juridique vers une primauté historique[31]. Cette interprétation doit être nuancée, car des motifs d'ordre juridique furent à la base de la création des Archives nationales de France en 1790. En effet, si les plus radicaux préparaient la destruction des archives, la protection des droits des citoyens commandait leur conservation.

> What was to be done with the records of the past? [...] The more radical revolutionaries insisted on their destruction for them were embodied the rights and privileges of an old order. But the more conservative argued that the treasures were now public property, and therefore should be preserved. Since they were public should have opportunity of searching official records to protect its own interests, which were involved in the liquidation of feudal rights and property relationships[32].

Par ailleurs, la mise en place, en 1808, d'une structure hiérarchique décentralisée — Archives nationales (centrales), départementales et communales — fondée sur le principe de la territorialité, c'est-à-dire de l'appartenance à un environnement géo-culturel, témoigne là encore de la volonté de préserver les droits individuels des citoyens français[33].

La création des Archives nationales françaises découle d'un geste démocratique symbolisant les valeurs sociales nouvellement adoptées par la collectivité plutôt que d'une intention politico-historique. La motivation réside, comme Jacques Mathieu l'a observé dans le cas du Québec, dans «la sauvegarde des documents essentiels à chacun des citoyens[34]».

Le glissement vers une primauté historique s'effectue un peu plus tard dans le contexte du mouvement romantique et de l'effervescence des passions nationalistes qui caractérisent la période allant de la fin du XIXe siècle au début du XXe.

> La narration historique et la narration romanesque évoluent et prennent de l'ampleur avec le développement de la société bourgeoise; elles sont des productions symboliques importantes de ces sphères politique et sociale que l'imprimerie et l'alphabétisation permettent de diffuser indépendamment du contact personnel[35].

Ainsi l'écriture, l'imprimerie et l'apprentissage de la lecture par l'élite intellectuelle amènent celle-ci à réinterpréter la mémoire orale et à faire une construction savante de la mémoire collective, soit la mémoire historique[36]. Les rapports entre la mémoire des groupes s'inscrivant dans une dynamique culturelle, l'élite savante influence par le fait même la mémoire collective. Les archives suivent alors le même courant de pensée et elles deviennent la Mémoire de la nation. La mise en place ou la réorientation des dépôts d'archives se feront dans cette optique.

En Angleterre, dès le début du XVIIe siècle, les érudits et les historiens firent des pressions, qui s'accentuèrent au début du XIXe siècle, afin que la valeur historique des archives soit reconnue. En outre, l'importance quantitative de la masse documentaire produite par les diverses instances administratives et les mauvaises conditions de conservation amenèrent les autorités à se préoccuper, dès 1800, de la préservation des documents d'intérêt public. En effet, pendant des siècles, les archives avaient été conservées dans des locaux poussiéreux, humides, non protégés contre les incendies et le vol, et on comptait en 1802 une cinquantaine d'entrepôts de documents éparpillés à travers Londres[37]. Le *Public Record Office Act*, adopté en 1838, ne touchait pas cependant les archives des municipalités et des comtés. Ainsi, la création du Public Record Office, organisme autonome responsable des archives de l'administration centrale, relève de considérations politiques et culturelles.

> The preservation of evidence of newly won privileges was not one of the reasons. Quite the contrary, for basic rights and privileges of the English people, which had been established gradually through the centuries, were embodied in registers. From the 13th century on ward the contents of important documents, either in an abridged or in a complete form, had been entered on rolls of parchment. The entries, which were acceptable as legal evidence, made reference to the originals unnecessary[38].

Des raisons analogues amenèrent la création des Archives nationales américaines en 1934. Les propos de l'historien américain Charles M. Andrew sont d'ailleurs révélateurs à ce sujet:

> No people can be deemed masters of their own history until their records, gathered, cared for, and rendered accessible to the inves-

tigator, have been systematically studied and the importance of their contents determined. It has been well said that «the care which a nation devotes to the preservation of the monuments of its past may serve as a true measure of the degree of civilization to wich is has attained.» Among such monuments, and holding first place in value and importance, are public archives, national and local[39].

Dès 1810, on s'était rendu compte que «the publics papers [were] in a state of great desorder and exposure; and in a situation neither safe nor honorable to the nation[40]». Trois incendies, survenus entre 1814 et 1877, ayant détruit de grandes quantités de documents publics, et les pressions exercées par l'American Historical Association, créée en 1884, et un de ses comités, la Public Archives Commission, contribuèrent à démontrer l'intérêt historique des archives de l'État entre 1900 et 1912. Ces démarches aboutirent à la création d'un centre d'archives fédérales à Washington en 1934.

Ce sont toujours les mêmes raisons qui contribuèrent, au Québec, à la création, en 1867, du Bureau du secrétaire et registraire chargé des archives de la province, puis en 1920 à la création du Bureau des archives de la Province de Québec. Le nouvel organisme relevant du Secrétariat de la province se vit confier les vieilles archives françaises, ainsi que les archives constituées depuis 1760.

Au Canada, la naissance des Archives du Dominion, à Ottawa, en 1872, se situe dans la foulée du mouvement d'affirmation du nationalisme canadien et de l'évolution de la science historique. Elle résulte de la conviction partagée par les hommes politiques et les historiens qu'il était nécessaire, voire urgent, de doter le jeune Canada fédéral d'une mémoire qui permettrait d'écrire une histoire nationale. À cet effet, les premiers travaux vont s'attacher à repérer et à acquérir les documents essentiels à l'étude de l'histoire du Canada et les Archives du Dominion deviennent peu à peu un véritable foyer de recherches historiques nationales soutenu et fréquenté par les universitaires et les journalistes.

Dans ce large contexte de la mémoire physico-sociale, les documents expriment des vérités absolues. Le rôle de l'archiviste est donc de préserver les papiers officiels et de les rendre accessibles aux ayants droit. Il est un clerc qui enregistre et conserve des preuves qui demeureront immuables à travers le temps. Cette conception se traduit de façon évidente dans le concept du *Registratur*:

> Dans les pays de tradition administrative germanique (et, dans une bien moindre mesure, dans les pays de tradition anglo-saxonne), il existe dans les organismes administratifs des bureaux spéciaux appelés *Registratur* (en anglais *Registry)*, dont le rôle consiste à *enregistrer* tous les documents reçus ou produits par cet organisme et à les classer, autrement dit à les munir de moyens de référence (lettres, numéro, etc.) correspondant à un cadre ou schéma pré-établi[41].

Ainsi la constitution des grands dépôts d'archives publiques s'inscrit dans la perspective d'une histoire institutionnelle nationale destinée à renforcer le mythe fondateur des États modernes. Dans cette entreprise, les archives sont cependant plus que des matériaux auxiliaires. Elles sont sources de vérité et c'est en tant que telles qu'elles sont préservées et sacralisées. Elles revêtent à cet égard une dimension mémorielle incontestable. De plus, elles contribuent à affirmer le caractère démocratique de ces sociétés en préservant les documents essentiels à la protection des individus.

La mémoire bureaucratique

Le développement des États modernes et la mise en place d'un gigantesque appareil bureaucratique à l'époque de la seconde guerre mondiale favorisent l'émergence d'un nouvel ordre dont le caractère rationnel et légal implique une plus grande consignation. Ces changements culturels modifient la conception des archives:

> Une révolution s'est produite dans le traitement des documents à la suite de la prolifération des papiers nécessaires en temps de guerre, où l'économie et la vie quotidienne font l'objet de contrôles constants, et l'«État providence», dans lequel le citoyen se trouve de plus en plus souvent en contact direct avec l'administration «depuis le berceau jusqu'à la tombe», a pris le relais[42].

Avec l'émergence de «l'État providence», l'importance fonctionnelle de l'information consignée s'accroît. Devenu un moyen d'expression pour l'administration, l'écrit encadre et régularise les activités des organisations bureaucratiques. Par ailleurs, la multiplication des services publics et les technologies modernes de reproduction et de diffusion de l'information consignée contribuent à accroître et à complexifier le volume des masses documentaires. Il s'ensuit des difficultés de repérage conjuguées à une augmentation significative du coût d'exploitation des ressources mémorielles consignées. Alors que le caractère vivant du consigné devient plus visible, les administrations connaissent de sérieux problèmes mémoriels.

La solution apparaît du côté d'une planification et d'une gestion de l'élimination, de la création et de l'utilisation des documents. Une série de décisions sont alors prises pour arriver à un contrôle complet de l'information et de ses supports. C'est la naissance du *Records Management* américain et la mise sur pied de services de gestion spécifiquement destinés à l'optimisation de l'information organique et consignée. Parallèlement, des motifs de même ordre président à la création ou à la réorganisation d'archives d'États européens. La pratique de gestion documentaire se concrétise lentement au cours des décennies 1950 et 1960[43].

Le *Records management* se définit dans une perspective bio-sociale. Il vise avant tout l'efficacité et l'opérationnalité des ressources informationnelles comme élément constitutif d'un système administratif. Les documents supportent les données nécessaires au système organisationnel.

Si le rôle de la gestion documentaire s'inscrit dans un discours d'efficacité, sa finalité reste mémorielle. La gestion documentaire permet l'encadrement de la mémoire organique et consignée dans un contexte de bureaucratisation des activités, tant privées que publiques. Les documents administratifs comptent parmi les moyens privilégiés par les organismes pour articuler leurs actions les unes par rapport aux autres selon les règles culturellement préétablies. Formant un tout organique cohérent et signifiant, ces archives issues des activités administratives multiplient les capacités d'action des administrateurs en perpétuant les traditions organisationnelles.

Cette définition de l'archiviste comme gestionnaire de documents subit actuellement des modifications. Ainsi, l'Association des archivistes du Québec adoptait récemment un code d'éthique qui définissait l'archiviste comme un professionnel de l'information organique et consignée dont le rôle consistait à :

> organiser et [à] conserver à des fins d'utilisation administrative, juridique, scientifique ou culturelle, la mémoire collective. À ce titre, ils [les professionnels de l'information organique et consignée] sont impliqués dans la gestion de l'information organique et sont aussi appelés à fournir conseil, à diffuser l'information, à assurer la formation et à conduire des recherches sur toutes questions liées de près ou de loin à la gestion de l'information organique et consignée[44].

De toute évidence, les développements scientifiques en matière de saisie, de traitement et de stockage de l'information sont en grande partie responsables de cette redéfinition. Les nouvelles applications technologiques permettent de mieux maîtriser les ressources documentaires. L'ère de l'information donne lieu à une révolution culturelle qui modifie les croyances, les valeurs et les traditions en faisant voir sous un nouvel angle les objets consignés. Ce processus culturel a des répercussions sur la définition de la mémoire organique et consignée où archives et documents administratifs sont devenus indistinctement de l'information organique et consignée. On assiste ainsi à une redéfinition du rôle de l'archiviste face à une mémoire technologique.

Une finalité aux multiples visages

Tout au cours des siècles, les archives ont été un pouvoir de connaître les faits. Elles ont permis aux sociétés qui les généraient de se représenter concrètement dans le présent. Preuves d'une réalité authentique, elles permettent aux sociétés de se représenter dans leur environnement naturel. Elles ont ainsi affirmé le système normatif établissant ces sociétés.

Les archives ont également été un pouvoir d'agir et de réagir. En multipliant les capacités et en régularisant les pratiques culturelles, elles ont permis aux sociétés de se représenter dans l'action. Véhicules de la mémoire organique et consignée, elles encadrent l'activité et l'évaluation des comportements.

Les archives ont également été un pouvoir de comprendre. Elles permettent à leur producteur d'avoir conscience d'eux-mêmes. Témoins authentiques des expériences passées, elles fournissent des explications sur la raison d'être des choses, sur leur valeur, sur les principes moteurs qui les animent. Elles ont légitimé l'existence des sociétés en leur fournissant des représentations symboliques qui les situaient dans le temps et l'espace.

En définitive, les archives ont toujours donné un sens aux faits, aux actions, aux idéaux des sociétés qui les engendraient. Les archivistes ont, sous des fonctions différentes, poursuivi un même but: constituer un cadre de référence qui permettrait à leur propriétaires de se réaliser dans le présent et d'envisager leur avenir par la médiation de leur passé. Ainsi, le bureaucrate mésopotamien chargé des outils nécessaires à l'emprise impériale, le prêtre égyptien travaillant à établir son dieu Pharaon, le citoyen grec garant des preuves d'une démocratie, le questeur veillant au respect des traditions romaines, le moine dépositaire des titres établissant les territoires religieux, l'archiviste gardien de l'histoire-Nation, le gestionnaire de documents encadrant l'information consignée par les administrations modernes, tous, sont des mémorialistes. Chacun vise à constituer un cadre de référence riche et signifiant dans la logique culturelle de son époque.

La genèse des archives montre que, depuis des temps quasi immémoriaux, leur création et leur fondement se situent dans des perspectives dynamiques pour les entreprises comme pour les États. Elle a fondé les droits légitimes des uns et des autres, dans une direction qui s'est élargie au fil de l'emprise croissante de la sphère publique. Ce retour aux sources nous ramène finalement à un mythe fondateur, un mythe ou *logos* et *muthos* s'imbriquent indissociablement dans l'affirmation des finalités mémorielles de ces entreprises archivistiques.

Notes

1. Christian Jacob, «La mémoire graphique en Grèce ancienne», *Traverses*, vol. 36, janvier 1986, p. 62.
2. *Ibid.*, p. 66-69.
3. Ernst Posner, *Archives in the Ancient World*, Cambridge, Harvard University Press, 1972, p. 23-26.
4. Hartmut Schmökel, *Ur, Assur und Babylon: Drei Jahrtausende im Zweistromland*, Stuttgart, 1955, p. 12, cité dans E. Posner, *Archives in the Ancient World*, p. 23.
5. Pour un exemple, voir Michel Roberge, *La gestion des documents administratifs*, p. 60.
6. Pierre Mœglin, «Considérations sur la genèse et le développement des systèmes d'information et de communication», dans Dominique Carré (sous la direction de), *Info-Révolution. Usages des technologies de l'information*, série «Mutation», nº 113, mars 1990, p. 37. Soulignons que, si la finalité de l'écrit est d'abord mémorielle, cela n'exclut cependant pas le fait que la communication de cet écrit est interreliée à la mémoire dans le large processus culturel qui permet à une organisation de se régénérer.
7. En fait, E. Posner s'appuie sur le support et non sur l'écriture pour délimiter son étude. Il élargit ainsi géographiquement le concept en y ajoutant les sociétés qui n'utilisaient pas l'écriture cunéiforme mais utilisaient la tablette d'argile. E. Posner, *Archives in the Ancient World*, p. 18. À ce sujet, Posner renvoie aux travaux de V. Korosec, «Keilschriftrecht», in Berthold Spuler, ed., *Handbuch der Orientalistik*, I, supplement 3, Leinden and Cologne, 1964, p. 49-219, et l'article de Paul Koschaker sur la loi cunéiforme dans *Encyclopedia of the Social Sciences*, XI, p. 211-219.
8. On peut noter que ces pratiques ont traversé le temps. Jacques Mathieu rapporte qu'au Québec, après la Conquête de 1760, les autorités françaises ne laissent sur le territoire conquis que «les actes et papiers pouvant servir à justifier l'état et la fortune des citoyens». Ils rapportent avec eux la correspondance et les dossiers financiers. Les Anglais pour leur part procèdent à la collecte des papiers officiels demeurés au Canada et à la confection d'un inventaire. Vingt ans plus tard, ces documents seront partagés entre le secrétaire du Conseil exécutif, le registraire et le secrétaire de la province. À la Confédération en 1867, les autorités canadiennes procèdent à un nouveau partage des archives. Ottawa ne laisse alors au Québec que ses archives du Régime français

et les dossiers sur les questions de juridiction exclusivement provinciale. Jacques Mathieu, «Les archives du Québec», *Annuaire du Québec*, 1970, p. 312.

9. Georges Jean, *L'écriture, mémoire des hommes*, Paris, Gallimard, 1987, p. 19.

10. E. Posner, *Archives in the Ancient World*, p. 67-69.

11. James H. Breated, *A History of Egypt from the Earliest Time to Persian Conquest*, 2nd ed., New York, 1912, p. 82. Cité dans E. Posner, *Archives in the Ancient World*, p. 80.

12. P. Mœglin, «Considérations sur la genèse [...]», p. 37.

13. E. Posner, *Archives in the Ancient World*, p. 85.

14. *Ibid.*, p. 92.

15. Jean-Pierre Vernant, *Mythe et Société en Grèce ancienne*, Paris, LD/Fondations, 1988, p. 198-200.

16. *Ibid.*, p. 198.

17. Sir Ernest Barker, ed. and trans., *The Politics of Aristotle*, Oxford, 1952, p. 274, cité dans E. Posner, *Archives in the Ancient World*, p. 92.

18. Victor Ehrenberg, *Der Staat der Griechen*, I, Leipzig, 1957, p. 60, cité dans E. Posner, *Archives in the Ancient World*, p. 96.

19. Traduction de Livio C. Stecchini, «AJhnaiwu Politeia», p. 86, cité dans E. Posner, *Archives in the Ancient World*, p. 111.

20. Construit vers 600 AC, le Bouleterion était le bâtiment administratif qui abritait la boulê, siège de l'autorité athénienne. Vers 500 AC, il fut détruit et reconstruit sur le même emplacement afin de répondre à de nouveaux besoins. Un siècle plus tard, le développement de l'administration entraîne la construction d'un nouveau Bouleterion. Rebaptisé Metroon, l'ancien édifice servit alors de dépôt pour les archives de la boulê et de temple pour la mère des dieux, Mêtêr. Il remplaçait ainsi un premier Metroon construit vers 500 AC et probablement détruit 20 ans plus tard par les Perses. E. Posner rapporte que in 323 BC Deinarchos could say of the Mother of Gods that she is established as guardian for the city of all the rights recorded in the documents». Ce vieux Bouleterion devenu Metroon fut remplacé par un nouveau bâtiment, le Metroon hellinistique, après 150 AC. Il garda les mêmes fonctions que le précédent et fut détruit au moment des invasions romaines en 250 AC. E. Posner, *Archives in the Ancient World*, p. 104.

21. Hommes de 18 ans devant faire deux ans de service civil et militaire.

22. R.-H. Barrow, *Les Romains*, Paris, Petite bibliothèque Payot, 1962, p. 181-182. C'est dans cet esprit que le poète Virgile dénonce, dans les secondes Géorgiques, le caractère contre nature des institutions urbaines, dont les archives. Virgile, *Les Bucoliques, les Géorgiques*, traduction, introduction et notes par Maurice Rat, Paris, Garnier-Flammarion, 1967, p. 130.

23. E. Posner, *Archives in the Ancient World*, p. 213.

24. Jean Ehrard et Guy Palmade, *L'histoire*, New York, St. Louis, San Francisco, McGraw-Hill-Armand Collin, 1964, p. 9.

25. Hélène Tourbert, *L'art dirigé*, Les éditions du Cerf, 1990.

26. J. Ehrard et G. Palmade, *L'histoire*, p. 10.

27. L'Angleterre, l'Espagne et le Vatican possèdent des archives publiques centralisées. Cependant cela ne signifie pas que là aussi on n'a pas eu de difficultés à assurer la mainmise de l'État sur les archives de ses serviteurs.

28. J. Mathieu, «Les archives du Québec», *Annuaire du Québec*, p. 311-312.

29. Malgré des efforts répétés, l'intendant ne parviendra jamais à obtenir de la métropole les crédits nécessaires à la centralisation des archives et à la mise en place de moyens sécuritaires. Voir l'article de Rénald Lessard, «L'intendant Hocquart et la protection des archives en Nouvelle-France», *Cap-aux-Diamants*, vol. 2, n° 3, automne 1986, p. 47.

30. Theodore R. Schellenberg, *Modern Archives. Principles and Techniques*, Chicago, The University of Chicago Press, 1956, p. 5.

31. Voir Jacques Ducharme et Jean-Yves Rousseau, «L'interdépendance des archives et de la gestion des documents [...]» et Michel Lalonde, «Pour une approche prospective: quelques idées [...]».

32. T.R. Schellenberg, *Modern Archives. Principles and Techniques*, p. 4.

33. Il est intéressant de noter qu'à la même époque Napoléon n'applique pas ce principe aux archives des territoires conquis, celles-ci étant envoyées au dépôt central à Paris.

34. Jacques Mathieu, «Entre la sauvegarde et la diffusion, la place de la recherche dans les grandes entreprises du savoir relatives au passé», dans J. Mathieu (sous la direction de) *Étude de la construction de la mémoire collective [...]*, p. 51.

35. B. Koss Jewsiewicki, «Le récit de la vie [...]», p. 75.

36. L. Guilbert, «Mémoires officielles [...]», p. 68. et B. Koss Jewsiewicki. «Le récit de la vie [...]», p. 75.

37. T. R. Schellenberg, *Modern Archives. Principles and Techniques*, p. 6.

38. *Ibid.*, p. 5.
39. Charles M. Andrews (1863-1943) dans T. R. Schellenberg, *Modern Archives [...]*, p. 9.
40. T. R. Schellenberg. *Modern Archives. Principles and Techniques*, p. 7.
41. Michel Duchein, «Le respect des fonds en archivistique. Principes théoriques et problèmes pratiques», dans *Techniques modernes d'administration des archives et de gestion des documents: recueil de textes*, Paris, Programme général d'information et UNISIST, UNESCO, 1985, p. 106.
42. Wilfred I. Smith, «Les archives et la culture», dans *Techniques modernes d'administration des archives [...]*, p. 474.
43. Le *Records management* fait partie des préoccupations canadiennes au milieu des années cinquante. Les archives québécoises s'y intéresseront à partir du milieu des années soixante.
44. AAQ, «Code d'éthique», *La Chronique*, vol. XXI, n° 8, février 1992, p. 2.

Chapitre IV

Information et mémoire

Si l'information est, avec les finalités de l'organisation et de la mémoire, une composante essentielle de l'archivistique dans un système intégré, elle n'en constitue pas moins en elle-même un système complexe et distinct. L'archivistique, surtout dans les années récentes au Québec, a souvent eu tendance à s'associer aux sciences de l'information, parfois même à se définir dans son giron. De fait, la structure et les processus informationnels semblent, à bien des égards, au cœur même des fonctions et des pratiques archivistiques. Les objectifs de l'information engendrent des fonds documentaires particuliers, autant à des fins publicitaires externes que pour répondre à des objectifs de connaissance interne et de prise de décision dans une structure hiérarchisée. De façon corollaire, mais dans un processus inversé, les responsables de l'information précisent de façon privilégiée les éléments qui illustrent le mandat, le fonctionnement ou les réalisations de leur organisme. Ils font un usage prépondérant de la mémoire de l'institution, qu'elle se retrace dans les archives, le discours des autorités ou les savoir-faire traduits dans les organigrammes et les processus de gestion.

Un simple regard sur l'information dans un organisme ou dans une institution révèle rapidement ses multiples facettes en même temps que sa complexité intrinsèque. Les sciences de l'information donnent un sens à des pratiques de création, de consignation, de circulation et de diffusion intimement articulées entre elles. Elles peuvent servir à expliquer les comportements documentaires. Elles ont favorisé l'émergence et l'application de concepts comme l'âge ou le cycle de vie des documents, les valeurs primaire et secondaire, etc. Elles font appel à des stratégies variables de communication et de diffusion. Elles éclairent une série de choix de moyens, d'instruments et de façons de faire. Tous ces gestes projettent finalement une certaine image, une certaine identité de l'organisme ou de l'institution et de son système mémoriel.

Ce chapitre vise à dégager le sens des pratiques informationnelles, à les situer dans une logique d'ensemble. Il ne s'attache pas aux tâches concrètes de l'archiviste, aux réponses données aux besoins immédiatement ressentis, à la logique de détail. S'il explore les concepts fondamentaux des sciences de l'information, il ne tente pas de préciser la problématique de l'information consignée, qui serait une autre recherche à mener de façon approfondie. Il cherche plutôt à présenter, d'une façon générale, comment les stratégies d'information influencent le personnage et la personnalité de la mémoire consignée, donnent un sens à des pratiques de consignation, de recherche et de diffusion. Il s'agit de montrer, à partir des théories scientifiques, que les archives ne peuvent pas être considérées uniquement comme des objets de connaissance, un mode de communication ou simplement comme un contexte. Les sciences de l'information participent avec les sciences de l'organisation et celle de la mémoire à un processus culturel où l'un donne sens à l'autre, dans une incessante interaction.

Comme système distinct, les sciences de l'information ont connu un essor considérable depuis un demi-siècle et les développements conceptuels ont accompagné de près ces transformations. Comme la mémoire et comme l'organisation, les perceptions théoriques se sont multipliées, enrichies et complexifiées avec le temps. Notre survol rapide des notions des sciences de l'information et de la communication situe d'abord les dimensions principales du concept d'information. Il montre ensuite en quoi le processus informationnel a des effets structurants dans un système intégré, coiffé par les finalités d'une mémoire organique et consignée.

L'information: un objet ou un processus?

À partir du moment où l'on reconnaît que l'appareil informationnel est au cœur d'un organisme et, partant, qu'il occupe

une place de premier rang dans ses archives, son fonctionnement, son développement et son image, il est nécessaire de
préciser le concept d'information. L'information contenue dans
les documents garantit des droits, rappelle des juridictions ou
des mandats, définit des tâches et des responsabilités, dresse
des bilans d'exploitation et des rapports de planification, permet d'évaluer des tendances et des résultats, guide les décisions et les choix d'action en vue d'un mieux-être ou d'un
meilleur fonctionnement. Mais cette information stockée, fût-
elle riche, exhaustive et de première qualité, demeurerait peu
utile si elle était difficile d'accès, noyée dans un amas incom-
préhensible ou égarée dans la circulation entre les uns et les
autres. L'information n'a de valeur que si elle est vivante. Il ne
suffit pas qu'elle existe; elle doit rejoindre les personnes qui en
ont besoin. Elle crée entre ces personnes des liens signifiants.
Encore faut-il pour cela que l'information soit pertinente,
qu'elle ait du sens pour celui qui l'utilise ou la reçoit. Le concept n'est donc pas simple.

Dans la perspective du paradigme scientifique classique,
l'information est un objet qui se définit selon des caractéristiques dures ou douces. Une première approche la considère
comme un message conscient et volontaire échangé entre un
émetteur et un récepteur. Une deuxième école de pensée la
conçoit comme un acte communicationnel ayant pour but
de changer l'action en cours. Enfin, un troisième axe la voit
comme un ensemble de signaux chargés de sens.

Un peu comme le concept de mémoire, celui de l'information a beaucoup évolué. À partir de ses éléments constitutifs
matériels, les théoriciens en sont venus à s'attacher à ses dimensions formelles ou fonctionnelles. Finalement, les perspectives anthropo-sociales ont complété, intégré et unifié les différentes composantes du concept, donnant à ces pratiques le
rang de sciences de l'information.

Médiatrice de connaissances, l'information présuppose
l'existence simultanée d'un message, d'un mode intégré de
communication et d'un champ de significations partagées.
D'un autre côté, lorsqu'elle est articulée autour du paradigme
de la complexité, l'information devient un processus culturel
au même titre que la mémoire et l'organisation.

La communication de l'information: une science dure

Le concept d'information est apparu dans les années 1940 dans le contexte de la révolution technologique générée par les besoins militaro-industriels américains lors de la deuxième guerre mondiale. Le corpus scientifique qui se développe alors fait de l'information une entité physique naturelle et le monde de l'information s'aligne sur les sciences physiques.

Des recherches menées sur les systèmes de défense anti-aériens amènent le mathématicien Norbert Wiener, du Massachusetts Institute of Technology, à publier en 1948 *Cybernetics*[1], un ouvrage majeur qui ouvre la voie aux sciences de l'information. Jusque-là, les théories scientifiques excluaient toute idée d'information. L'organisation était un phénomène naturel objectif où la conscience des choses était une donnée immédiate et gratuite. En observant les similitudes entre le comportement animal et le fonctionnement des machines dites «intelligentes», Wiener définit plutôt l'organisation comme un système, c'est-à-dire un ensemble d'éléments interdépendants régis par des règles propres. Elle est une entité relationnelle qui possède des objectifs spécifiques et qui entre en interaction avec son milieu (contexte ou environnement)[2]. À cet égard, elle n'est pas passive, car elle possède, grâce à l'information, un pouvoir d'action pour maintenir son intégrité.

Dans cette approche systémique, l'information cybernétique possède trois caractéristiques: elle est un élément de régulation qui stabilise un système (homéostasie); elle retourne à ce même système (*feed-back*) et est contraignante (normalisation)[3]. L'information permet au système d'être homéostatique. Cela veut dire qu'elle assure sa stabilité en le renseignant sur les aspects subjectifs qui sont présents dans son environnement. Ces connaissances se réinsèrent dans le processus systémique par un phénomène de rétroaction ou *feed-back* où, dans un «processus circulaire, des informations sur l'action en cours nourrissent en retour le système et lui permettent d'atteindre son but[4]» (voir figure 4).

Cette information maintient constamment l'équilibre organisationnel face aux aléas de son environnement, en indiquant les actions qui pourraient nuire à son bon fonctionne-

Figure 4
Schéma de la rétroaction[5]

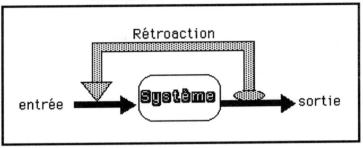

ment et entraver l'atteinte de ses objectifs. Contrairement à ce que l'on pourrait penser, «l'information cybernétique n'incite pas le système à bien agir mais l'empêche de mal agir. Elle n'est pas une incitation mais une contrainte[6]». En définitive, selon Wiener, «pour contrôler une action finalisée (c'est-à-dire orientée vers un but), la circulation de l'information nécessaire à ce contrôle doit former «une boucle fermée permettant d'évaluer les effets de ses actions et de s'adapter à une conduite future grâce aux performances passées[7].

L'appareil thermométrique est l'exemple le plus fréquemment utilisé pour illustrer ce processus circulaire. Un thermostat est un élément informationnel qui maintient l'équilibre dans un système thermique. Il enregistre les variations de température dans l'environnement systémique, puis retourne en informer les appareils de chauffage et de ventilation. Ainsi, le système «sait» si la température s'écarte ou non de son but (maintenir une température normale) et peut poser les actions nécessaires au rétablissement de son équilibre.

Le système de Wiener reste cependant une réalité autosuffisante, car la subjectivité ne dépasse jamais le niveau interne. À cet égard, l'information, telle qu'il la conceptualise, est une connaissance objective qui ne fait que constater des états de fait dans un environnement connu et évaluer leur effet sur des buts, somme toute, immuables:

L'information cybernétique [...] est purement interne au système. L'information cybernétique ne provient pas de l'extérieur et n'incarne aucun point de vue alterne. Au contraire, l'information cybernétique est produite par le système lui-même afin de lui permettre de régler son propre comportement, c'est-à-dire afin de se stabiliser et d'assurer sa survie. Le rôle ainsi dévolu à l'information est inévitable puisque l'information cybernétique correspond très précisément à la comparaison entre l'état idéal ou voulu du système (sa norme) et son état actuel (sa performance). Le but de l'information est d'amener le système à son état idéal et de l'y maintenir[8].

Les recherches sur la cybernétique trouvent un prolongement dans les travaux d'un ancien élève de Wiener, Claude E. Shannon. Ce dernier est ingénieur à la compagnie Bell Telephone et tente d'améliorer l'efficacité et l'efficience du télégraphe. Shannon cherche à construire un modèle théorique pour transmettre plus rapidement l'information tout en augmentant sa fiabilité par la réduction de l'interférence. En 1949, il publie avec Warren Weaver, la «théorie mathématique de la communication[9]».

Shannon propose un schéma du «système général de communication». Il entend par là une chaîne d'éléments: la *source d'information* qui produit un message (la parole au téléphone), *l'émetteur*, qui transforme le message en signaux (le téléphone transforme la voix en oscillations électriques), le *récepteur*, qui reconstruit le message à partir des signaux, et la *destination*, qui est la personne (ou la chose) à laquelle le message est envoyé. Durant la transmission, les signaux peuvent être perturbés par du *bruit* (grésillement sur la ligne)[10].

Avec la théorie de Shannon, l'information reçoit un statut physique. Elle en adopte toutes les propriétés fondamentales et se soumet aux lois de la nature. Cela veut dire, entre autres, que la transmission d'information suit le second principe de la thermodynamique et se paie en entropie. Ainsi, pour être communiqué à travers un canal de diffusion, un message traverse diverses phases de transformation (voir figure 5).

Chaque étape requiert de l'énergie dont une certaine quantité ne peut être totalement réutilisée. L'énergie nécessaire à la transmission se dégrade donc de manière irréversible tout au long du processus. Cela a des répercussions sur la qualité de

Figure 5

La chaîne de communication dans la théorie de l'information de Shannon et Weaver[11]

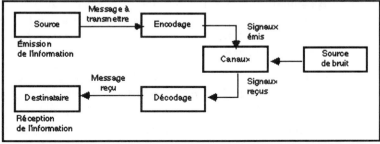

l'information transmise qui se dénature aussi graduellement et le message se perd peu à peu dans le bruit.

Au plan physique, pour qu'une transmission soit acceptable, il faut que l'information émise soit suffisamment solide en elle-même pour traverser le processus sans trop perdre de son intelligibilité. Par exemple, une note administrative qui ne préciserait pas l'unité du destinataire risquerait fort de se perdre dans le processus d'acheminement du courrier. Par ailleurs, il faut aussi que la quantité d'énergie soit suffisante pour amener le message à bon port. Ainsi, la même note administrative n'atteindra pas plus son destinataire, même s'il est clairement identifié, si le coursier ne la livre pas chez lui. Dans cette perspective, pour contrer les effets de l'entropie, Shannon propose de maximiser la circulation de l'information à l'intérieur du système en mesurant la quantité optimale requise pour qu'un message soit résistant tout en étant économique :

> Il s'agit d'une grandeur statistique abstraite qualifiant le message indépendamment de sa signification. Comme le dit le Petit Larousse : [Le bit] «La quantité d'information (est la) mesure quantitative de l'incertitude d'un message en fonction du degré de probabilité de chaque signal composant ce message.» Quand nous envoyons un télégramme, la fin de chaque mot est si prévisible que nous la supprimons : sa quantité d'information est trop faible. Seules les premières lettres sont nécessaires. Au départ, n'importe quel mot du lexique peut être envoyé sur les ondes. L'incertitude est totale. Mais dès que les premières lettres sont

formées, le nombre de messages encore possibles diminue. Pour le statisticien, il n'est pas nécessaire de recourir au sens pour compléter les mots inachevés: chaque langage possède une structure statistique telle que, si telle lettre est apparue, il n'est plus possible qu'elle se présente à nouveau avant n autres lettres; si tel groupe de lettres est apparu, il ne pourra pas être suivi de tel autre groupe, et ainsi de suite[12].

Comme c'est le cas dans la théorie de Wiener, l'information shannonienne est par définition une connaissance objective. En effet, la théorie mathématique de la communication ne considère pas les significations que peuvent receler les messages. Elle postule que le destinataire comprendra nécessairement le contenu et la portée du message qu'on lui envoie. Conséquemment, Shannon s'attache uniquement aux aspects physiques du problème. Il démontre mathématiquement qu'il existe une dimension technique incontestable dans l'émission-réception des connaissances. Ce faisant, il conceptualise une information qui obéit aux lois naturelles. Elle possède des propriétés physiques qu'il est techniquement possible de quantifier, de mesurer, de normer et d'observer «hors champ». Il est alors question d'architecture, de système de transmission, de redondance, de bruits, de bits, etc.

La conjugaison des travaux de Norbert Wiener et de ceux de Claude Shannon favorise un «modèle télégraphique» de transmission de l'information. Ces théories ouvrent la voie aux travaux sur l'informatique et l'intelligence artificielle. Durant les années 1950, elles sont appliquées en ingénierie sur des travaux en bionique et sur les robots industriels. Elles se développent aussi dans les sciences humaines et sociales, notamment dans les domaines de la linguistique, de la documentation, de la psychologie, etc.

Les applications du modèle shannonien dans le domaine des sciences humaines et sociales suscitent cependant des critiques. Pour plusieurs, elles formalisent dans un cadre exact une réalité qui est loin de l'être[13]. Cela amène un second courant de pensée dans lequel se définissent les sciences de la communication.

La communication des connaissances: une science douce

Les perceptions de l'information comme science dure rejoignent mal celles développées par les sciences de la communication. C'est ainsi que, dès les années 1950, un groupe de chercheurs rejette la théorie mathématique de la communication.

> Ces chercheurs viennent d'horizons divers. L'anthropologue Gregory Bateson et une équipe de psychiatres cherchent à formuler une théorie générale de la communication en s'appuyant sur des données apparemment aussi disparates que des dialogues entre un ventriloque et sa poupée, des observations de loutres en jeu ou des études du comportement schizophrénique. Ray Birdwhistell et Edward Hall sont deux anthropologues nourris de linguistique qui cherchent à étendre le domaine traditionnel de la communication en y introduisant la gestualité (kinésique) et l'espace interpersonnel (proxémique). Erving Goffman est un sociologue fasciné par la façon dont les faux pas, les coulisses ou les asiles révèlent, telles des déchirures, la trame du tissu social. Apparemment, rien de fort commun entre ces personnes et leurs préoccupations. Mais, si l'on examine leur biographie de plus près, on voit apparaître un réseau de trajectoires croisées, des universités et des centres de recherche communs et finalement une très grande interpénétration conceptuelle et méthodologique[14].

Pour les chercheurs de ce groupe informel et privé, connu sous le nom de «Collège invisible», la théorie de Shannon impose une conception erronée du processus informationnel. Elle donne à l'information une valeur absolue et exclut la notion de subjectivité propre au phénomène humain. Elle est un signal objectif, aveugle, c'est-à-dire dépourvu de sens. Selon eux, elle escamote la dimension anthropo-sociologique de l'information et introduit une fausse lecture de ce que sont les rapports entre les hommes et leur milieu. Dans cette optique, ils tentent de redéfinir, sur des nouvelles bases, l'étude de la communication entre les individus.

> Selon eux, la conception de la communication entre deux individus comme transmission d'un message successivement codé puis décodé ranime une tradition philosophique où l'homme est

conçu comme un esprit encagé dans un corps, émettant des pensées sous forme de chapelets de mots. Ces paroles sortent par un orifice *ad hoc* et sont recueillies par des entonnoirs également *ad hoc*, qui les envoient à l'esprit de l'interlocuteur. Celui-ci les dépouille et en saisit le sens. Dans cette tradition, la communication entre deux individus est donc verbale, consciente et volontaire. Pour nos chercheurs, si la recherche en communication interpersonnelle reprend à son compte ces positions philosophiques anciennes, elle ne pourra jamais sortir des apories auxquelles elles aboutissent. Il faut selon eux repartir de la vision «naïve» de l'historien naturel, comme on disait au XVIIIe siècle, c'est-à-dire du point de vue de l'observateur du comportement naturel. [...] Pour les membres du Collège invisible, la recherche sur la communication entre les hommes ne commence qu'à partir du moment où est posée la question: *parmi les milliers de comportements corporellement possibles, quels sont ceux retenus par la culture pour constituer des ensembles significatifs?* [...] En fait, il s'agit simplement d'une généralisation de la question fondamentale du linguiste qui, devant les milliers de sons que peut produire l'appareil phonateur, tâche de repérer les quelques dizaines de sons utilisés par une culture pour constituer une certaine langue. Poser cette question d'une sélection et d'une organisation des comportements entraîne l'adhésion à un postulat: l'existence de «codes» du comportement. Ces codes sélectionneraient et organiseraient le comportement personnel et interpersonnel, régleraient son appropriation au contexte et donc sa signification. Tout homme vivrait nécessairement (bien qu'inconsciemment) dans et par des codes, puisque tout comportement en entraîne l'usage[15].

Leur approche reconnaît le caractère systémique des organisations sociales. Par contre, l'information y est perçue non pas comme un acte technique d'émission-réception, mais comme un acte pragmatique de communication. Selon eux, la transmission d'un message procède d'une manière plus aléatoire, car le but de l'information est de susciter une réaction chez l'autre. Ce ne serait pas tant ce qui est dit ou fait qui compte, mais le contexte dans lequel cela se fait. Ainsi un individu disposerait de toute une gamme de moyens pour s'exprimer: il peut parler, crier, grimacer, gesticuler, jouer du regard, écrire, se rapprocher ou se distancer de son interlocuteur, etc. Toutefois, aucun de ces moyens ne posséderait de significations intrinsèques, car ce n'est que lorsqu'ils sont insérés dans une situation donnée, dans le but de provoquer un effet précis, qu'ils prennent un sens.

> Birdwhistell et Scheflen proposent ainsi une analyse de *contexte* par opposition à l'analyse de *contenu* que favorise le modèle de Shannon. Si la communication est conçue comme une activité verbale volontaire, la signification est enfermée dans les «bulles» que les interlocuteurs s'envoient. L'analyste n'a qu'à les ouvrir pour en extraire le sens. Si au contraire, la communication est conçue comme un processus permanent à plusieurs niveaux, l'analyste doit, pour saisir l'émergence de la signification, décrire le fonctionnement de différents modes de comportement dans un contexte donné. Démarche très complexe. [...] Selon eux, la complexité de la moindre situation d'interaction est telle qu'il est vain de vouloir la réduire à deux ou plusieurs «variables» travaillant de façon linéaire [exemple: corrélation entre la variation de l'âge ou du sexe avec les variations de distance à laquelle les interlocuteurs se tiennent]. C'est en termes de *niveaux de complexité*, de *contextes multiples* et de *systèmes circulaires* qu'il faut concevoir la recherche en communication. Par là ils rejoignent la cybernétique de Norbert Wiener, qu'ils estiment ne pas devoir laisser aux ingénieurs, contrairement à la théorie de Shannon[16].

À cet égard, un groupe de recherche américain, la Society for General Systems Research, fondée en 1954, approfondit les concepts cybernétiques en appliquant ses principes aux systèmes sociaux. Les travaux s'effectuent en sociologie, en psychiatrie, en anthropologie, en économie, en sciences politiques, etc. Le groupe est animé par le biologiste Ludwig von Bertalanffy, qui publie en 1968 la «théorie générale des systèmes[17]»:

> Partant de l'observation que de très nombreuses disciplines réfléchissent en termes de systèmes d'éléments plutôt qu'en termes d'éléments isolés (système solaire, système social, système écologique, etc.), ces chercheurs se proposent de «rechercher des principes qui s'emploient pour des systèmes en général, sans se préoccuper de leur nature physique, biologique ou sociologique» (von Bertalanffy, p. 32). Un système est défini comme un «complexe d'éléments en interaction, ces interactions étant de

nature non aléatoire». Théorie générale des systèmes et cybernétique vont progressivement s'interpénétrer pour donner ce
qu'on appelle aujourd'hui la «systémique[18]».

Dans les années 1960, cette approche est appliquée à l'entreprise, à la société et à l'écologie, et débouche, dans les années 1970, sur la dynamique des systèmes. Il faut souligner que
cette approche n'est pas seulement le fait d'une pratique scientifique américaine. On retrouve des propositions similaires en
Europe dès 1950 chez l'anthropologue français Claude Levi-
Strauss, de même qu'on les retrouve vingt-cinq ans plus tard
dans les travaux d'Umberto Eco, sur la sémiotique.

Nous avons déjà au chapitre précédent esquissé les forces
et les faiblesses d'une approche cybernétique. Rappelons que,
si une telle perspective met en lumière un aspect fonctionnel,
elle demeure réductrice de la complexité du processus informationnel. En rejetant ou en minimisant l'aspect technique, elle
effectue une coupure épistémologique importante et regretta-
ble entre sciences de l'esprit ou de l'idée et sciences de la
nature. Par ailleurs, même si elle parle de contexte, le terme
«contenant» semble davantage convenir pour caractériser
cette vision où le but devient avant tout de susciter des réactions par l'émission de stimuli appropriés à une situation. Les
messages s'animent à travers des codes, des schèmes culturellement partagés par les interlocuteurs, pour *véhiculer* des données subjectives. L'information n'est donc pas ici vraiment un
contexte explicatif mais une façon conséquente d'utiliser des
connaissances pour agir, dire, écrire, bouger dans des structures sociales, c'est-à-dire dans un système homéostatique soumis aux contraintes environnementales.

Information: un contenu, une fonction, un contexte

Dans la perspective d'Edgar Morin, l'information est non seulement un contenu et un contenant mais aussi un contexte dans
le sens anthropo-sociologique du terme, ces trois caractéristiques ne pouvant être dissociées. En effet, Morin précise que,
pour concevoir vraiment l'information dans sa plénitude physique, il faut la replacer dans la *physis* organisationnelle. Dans
la mesure où l'organisation est un processus communication-

nel entre divers éléments constitutifs, la nature relationnelle de l'information la distingue fondamentalement des autres ressources:

> Le concept d'organisation est le concept fondamental qui rend l'information intelligible, l'installe au cœur de la *physis*, brise son isolement, reconnaît sa relative autonomie. Les traits les plus remarquables et les plus étranges de l'information ne peuvent se comprendre physiquement qu'en passant par l'idée d'organisation: si l'information, à la différence de la masse et de l'énergie est de dimension zéro, c'est qu'elle est de nature relationnelle, et le caractère relationnel est un caractère fondamental de l'organisation qui, elle aussi, est de dimension zéro parce que multidimensionnelle[19].

À partir du moment où l'on admet cette pleine «citoyenneté physique de l'information», il faut revoir la conception du processus. D'une part, l'information n'est pas uniquement issue de la métaphysique; elle est un objet physique qui réagit selon des lois et des principes naturels. Elle se porte, s'échange et se paie physiquement. D'autre part, on ne peut la réduire aux concepts de la physique classique: l'information est partie intégrante d'un processus culturel dynamique où la sphère anthropo-sociologique ne peut être exclue, car elle donne un sens à des pratiques de consignation et de recherche de l'information. Bref, pour concevoir l'information, il faut la comprendre dans sa globalité multidimensionnelle constituée par un contenant, un contenu et un contexte en incessante interaction.

Dans une organisation, certaines fonctions administratives jouent un rôle homéostatique semblable à celui du thermostat. Par exemple, au Mouvement Desjardins, l'appareil administratif chargé de l'inspection et de la vérification des caisses est en quelque sorte une unité informationnelle qui maintient l'équilibre du système comptable de l'institution. L'inspecteur consulte les états financiers pour se renseigner sur la situation financière en cours. Il examine l'état du capital des caisses et vérifie si celui-ci répond ou non aux normes prescrites par l'institution. Son bilan est envoyé aux dirigeants de l'institution afin que des mesures de redressement soient adoptées au besoin. Il serait toutefois aberrant de réduire le rôle informationnel de l'inspecteur à l'obtention d'un bilan des ressources financières. En effet, il diffuse aussi des pratiques comptables admissibles dans la culture coopérative auprès des agents du système. De plus, en validant les livres, il renseigne les sociétaires sur l'intégrité de leur institution. Il serait possible de faire ce même exercice avec le service d'archives, le contentieux, ou encore avec une unité administrative chargée de la normalisation d'une ressource. En fait, plusieurs sous-systèmes organisationnels entrent en interaction et interviennent pour faire connaître à la fois l'état des ressources, leurs modes d'exploitation possibles et l'autorité institutionnelle sur elles. Le système informationnel est donc beaucoup plus complexe qu'il ne paraît à première vue.

Les dimensions de l'objet informationnel

Les dimensions de l'objet informationnel peuvent être plus facilement mises en lumière par la problématique des contextes ou des niveaux d'identité. Cette classification par niveaux ou zones d'identité permet de résoudre les ambiguïtés de la définition de ce qu'est l'information et d'en préciser la terminologie, même si elle a des effets simplificateurs.

Au niveau symbolique, le système informationnel véhicule des connaissances que le sociologue Edgar Morin qualifie d'«informations génériques», en ce sens qu'elles constituent des données nourricières indispensables pour le maintien et la reproduction de l'organisation. L'information représente la faculté de communiquer les connaissances fondamentales au maintien et à la régénérescence de tout organisme. Ainsi l'image et le discours livrés tant au grand public qu'aux sociétaires ou aux employés du Mouvement des caisses populaires et d'économie Desjardins rappellent constamment la mission que s'est donnée l'institution.

La dimension relationnelle, elle, est intrinsèquement liée à l'idée d'information, car si l'organisation accumule des connaissances c'est pour y faire éventuellement référence. Le processus informationnel sert d'outil d'apprentissage et de développement en provoquant un changement de comportement conséquent et dynamique. Au niveau fonctionnel, l'information est donc un moyen d'accéder à la connaissance. Cette approche propose une vision plus complexe en reconnaissant que l'information a non seulement un rôle de véhicule d'un message (signifié et signifiant), mais aussi une fonction processorielle dynamique par la notion de rétroaction. La correspondance, les rapports, les notes de services qui circulent entre les différents services d'une entreprise illustrent cette dynamique.

Au niveau physique, le système informationnel se présente comme un moyen d'action cognitif. À cet égard, l'information est appréhendée comme un ensemble de faits connus et de repères objectifs exprimés par un signal ou un code. Mais il faut bien comprendre qu'elle ne peut être réduite à cette seule dimension. Elle est aussi un ensemble de symboles autoproducteurs de formes et de sens et elle est également un ensemble de liens relationnels propres à la communication circulaire. Ainsi, la fondation d'une caisse populaire, le gérant et les membres du personnel, le bilan financier, l'inventaire des biens mobiliers, les placements et les hypothèques sont tous des faits connus qui se rationalisent, se mesurent. Toutefois, ils n'ont aucune valeur informationnelle s'ils ne sont précisés dans le temps et dans l'espace et s'ils ne sont pas issus d'une démarche de questionnement sur l'état des ressources, entrepreneuriales, humaines, financières, matérielles, technologiques de la caisse populaire.

Une telle définition de l'objet informationnel ne date pas d'hier. Dès 1947, Warren Weaver, l'un des pères de la théorie mathématique de la communication, présente le phénomène informationnel comme étant le résultat de trois actions archétypales:

> En distinguant, au sein de toute théorie générale de la communication, trois niveaux autonomes et en interaction mutuelle, il [Weaver] reformule dans des termes sans doute très généralement intelligibles, l'articulation complexe constitutive de la communication: définition désormais transportable! La communication est *l'action complexe résultant de l'interaction de trois actions archétypales: l'acte technique*, par lequel un signal devient transmissible (le niveau A, chez Weaver), *l'acte sémantique*, par lequel le signal émis devient signification (le niveau B), et *l'acte pragmatique*, par lequel le signal reçu induit un changement de

comportement du récepteur (le niveau C, chez Weaver, qui parle du problème de l'effectivité: l'effectivité du signal se définissant par le changement de comportement observable du récepteur). Weaver ignorait sans doute, en proposant cette articulation en trois niveaux, celle que venait d'introduire le philosophe Morris en 1946 (qui proposait de fonder ainsi la sémiotique instituée par Peirce au siècle dernier): le niveau *syntactique, le niveau sémantique* et *le niveau pragmatique*[20].

Ainsi, le polysystème information serait formé à partir d'une combinaison d'actes *sémantiques*, ayant une finalité cognitive, qui se manifestent par l'émission d'un signal chargé de sens, d'actes *pragmatiques*, ayant pour but d'animer l'action entre interlocuteurs par l'échange de signaux et, enfin, d'actes *techniques* qui permettent la communication par la création de stimuli objectifs. Comme c'est le cas pour tous les systèmes complexes, aucun de ces éléments constitutifs ne peut être isolé. Pour comprendre ce polysystème, il faut considérer les interactions existant entre ses trois pôles élémentaires, ainsi que les effets émergents produits par sa totalité systémique. En effet, le résultat des interactions complexes donne lieu à une réalité informationnelle qui possède ses qualités propres. Celles-ci rétroagissent sur les pratiques régissant chacun des sous-systèmes du polysystème information (voir figure 6).

Figure 6
Le polysystème information

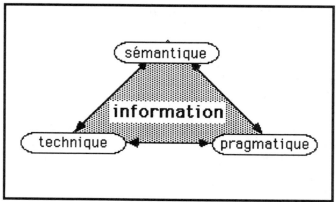

Ce processus constitue un système d'exploitation de l'information qui alimente le cadre culturel propre à la vie organisationnelle. Il débouche sur un système normatif qui a pour finalité de reconnaître les objets existant dans l'organisation, d'inciter ses agents à agir d'une façon plutôt que d'une autre, d'expliquer à ses membres le fondement des choses qui les environnent.

Chacun de ces sous-systèmes constitue un ensemble cohérent et interrelié qui donne un sens aux pratiques archivistiques de consignation, de circulation et de diffusion ou de recherche. À cet égard, les besoins informationnels sont variés dans une organisation. Chaque agent a ses préoccupations, ses motifs, ses sensibilités et ses contraintes particulières. L'un peut vouloir étayer un dossier administratif, l'autre veut faire valoir ses droits, un troisième entend documenter un questionnement scientifique ou encore satisfaire sa curiosité. En fait, les membres d'une organisation reçoivent de l'information selon trois modes.

Un premier acte communicationnel permet à un agent d'accéder au corpus documentaire à partir duquel il étaye sa réflexion. Le résultat de cette recherche est conséquent à la qualité et à la quantité de la mémoire historique et à l'usinage intellectuel sous-tendant ses méthodes d'appréhension. En effet, si la connaissance objective est le matériau de base, elle subit néanmoins un traitement intellectuel conditionné par des facteurs tels que l'époque ou l'école de pensée à laquelle le chercheur appartient[21]. Dans la mesure où l'information est cherchée et sélectionnée en vue d'une élaboration intellectuelle, l'utilisation des archives à cette fin est reliée à l'analyse et à la réflexion. La production qui en découle résulte d'une interprétation scientifique. La finalité de cette communication est donc sémantique.

Par ailleurs, l'agent peut faire référence aux documents afin d'obtenir de l'information sur laquelle il s'appuie pour prendre une décision. Les connaissances sont plus ou moins intellectualisées. La production résultant de cette démarche a pour but de mener une action qui permet la poursuite des activités. Ainsi l'information pragmatique est reliée à l'action afin de produire un résultat d'ordre pratique, donc une finalité opérationnelle.

Enfin, on peut avoir accès à de l'information technique pour réunir des données de base, essentielles à la formulation d'un problème. Ce type d'utilisation reliée à la connaissance «objective» concerne des sujets variés.

Si on peut identifier ces rapports au consigné, il faut cependant se garder de les comprendre isolément. Il faut en effet se rappeler que le processus informationnel procède d'une conjugaison constante entre ces trois démarches.

Connaissance « objective » et acte technique

Vue comme une connaissance objective, l'information correspond à des réalités matérielles, à un contenu, à des actes et à des recherches techniques, à la facette «personne» de son identité. La connaissance se réfère alors à un savoir empirique, c'est-à-dire à un ensemble de faits connus, de repères objectifs, même si elle peut être perçue de deux manières:

> on peut d'abord voir la connaissance comme l'opération par laquelle un objet est rendu présent à l'esprit comme on peut aussi voir la connaissance en tant que résultat de cette opération. La connaissance est sans but, elle est ce que l'on sait, sans préoccupation utilitaire: la connaissance est, un point c'est tout. Elle est de plus une opération passive qui ne doit pas être confondue avec les opérations actives de compréhension ou l'intellection: opérations par lesquelles une perception ou une idée acquiert un sens. De plus, lorsque quelqu'un porte un fait à notre connaissance, ce fait prend alors le nom de renseignement[22].

Cette connaissance objective est indispensable à tout organisme, car, pour évoluer dans son environnement, elle doit pouvoir en reconnaître concrètement ses éléments constitutifs, en connaître les contours, les propriétés, les caractéristiques. À ce titre, les connaissances objectives d'une organisation s'articulent autour de ses réalités entrepreneuriales, technologiques, financières, humaines et matérielles. Schématiquement, la chose se présente comme suit: un ensemble d'information organique précise la propriété (incorporation, actions, actionnaire, bénéficiaire, fondation, part sociale, législation, citoyen, ayants droit, etc.); un groupe d'information détaille les ressources technologiques (procédé, formule, concept, principe, norme, laboratoire, machinerie, équipement, spécialiste, technicien, etc.); un autre ensemble s'attache à préciser la question du capital financier et physique (investissement, profit, revenu, don, subvention, dépense, emprunt, banque, obligation, courtier, mobilier et immobilier, valeur, titre, etc.); une catégorie concerne le travail dans ses dimensions managériale et logistique (direction, exécution, supervision et contrôle, conseil d'administration, comité, atelier bureau, usine service, inspection, régie, etc.); une autre, s'attache plus spécifiquement à la dimension matérielle (stock, matière première, prototype, produit fini, prospection, extraction, usinage, réseau d'approvisionnement et de distribution, marché, clientèle, consommateur, etc.). L'organisation se renseigne et questionne régulièrement sa mémoire pour actualiser son savoir relatif à ces objets ou encore pour préciser de nouveaux objets de connaissance. Ce n'est que lorsqu'elle est informée sur leur réalité qu'elle peut développer un discours identitaire conséquent et réagir aux événements auxquels elle est confrontée.

Dans ses réalités matérielles, la connaissance objective se rapporterait à l'information consignée, aux supports de cette information. Elle inclurait les actes techniques de consignation, les modalités physiques ou technologiques d'accès. À cet égard, la représentation matérielle des connaissances peut se faire sous une forme textuelle ou non textuelle. En fait, l'information consignée est un ensemble complexe, multi-forme et multi-média. Manuscrite, photographique, cartographique, musicale, etc., elle exprime les objets de connaissance dans une large gamme de supports durables: papier, filmique, de toile, etc.

La forme et le médium adoptés structurent les pratiques informationelles dans la mesure où ils offrent des modalités spécifiques d'accès physique et intellectuel, eu égard aux technologies qu'ils requièrent:

> la précision et la rapidité de l'information tiennent surtout aux moyens intellectuels et matériels mis en œuvre pour transmettre les nouvelles. Elles n'ont cessé de s'accroître depuis les temps

préhistoriques; elles sont une des données objectives de l'action des hommes [...]. Les modalités intellectuelles et matérielles de la transmission de la nouvelle pèsent sur les événements que celles-ci déterminent. Aussi, l'historien doit-il, s'il veut donner l'explication la plus correcte possible des événements et de l'évolution des sociétés humaines, avoir constamment en tête les conditions techniques de l'information aux diverses périodes de l'histoire[23].

Inversement, si elles accroissent et assouplissent les possibilités de communication, les technologies de consignation ne peuvent être utilisées seulement par le fait qu'elles sont disponibles. Elles doivent obligatoirement s'intégrer au processus culturel présent dans l'organisation.

L'introduction de l'imprimerie comme mode d'expression scientifique illustre très bien cette dynamique. À l'époque où la consignation se faisait manuellement, la plupart des manuscrits reproduisaient des textes sacrés. La transcription exigeant un grand investissement en temps, la société accordait beaucoup d'importance à la légitimité des écrits reproduits. Parallèlement, la correspondance était le moyen privilégié par les savants pour contrer les effets de la distance. La diffusion du savoir scientifique entre le maître et son disciple était donc plutôt épistolaire. L'imprimerie change les perspectives en amenant graduellement une désacralisation des textes. Ce médium, qui permettait l'élargissement de l'éventail des publications, servit d'abord à faire connaître des connaissances anciennes auprès d'un nombre de lecteurs relativement restreint. C'est ainsi que la plupart des traités et manuels publiés au XVIe siècle diffusaient massivement le savoir antique. Une telle alimentation informationnelle eut cependant des répercussions directes au plan culturel. En diffusant les connaissances acquises, elle favorisait une plus grande institutionnalisation de la science. Les nombreuses découvertes, la mise au point de nouvelles méthodes, la création d'académies et la multiplication des chercheurs furent autant de facteurs qui contribuèrent à l'adaptation de moyens de diffusion appropriés aux besoins de la révolution scientifique. C'est dans ce contexte que la revue et le journal scientifiques émergèrent. Ces produits spécifiques à l'imprimerie constituent un bel exemple des effets rétroactifs d'une nouvelle technologie de l'information sur la mémoire d'une société. La galaxie Gutenberg influença la façon d'accéder au savoir et de l'appréhender. Elle joua un rôle considérable dans la normalisation de la terminologie et des procédés, et servit de voix aux idéologies scientifiques. Par ailleurs, elle atténua le rôle de la correspondance dans ce domaine.

De nos jours, les technologies de l'information sont en voie de changer de façon aussi importante la configuration de la mémoire consignée. L'informatique et sa progéniture en «tique» révolutionnent le monde bureaucratique. Ainsi, avec le courrier électronique et la communication par modem, «la distance n'a plus d'importance» et les agents organisationnels disposent d'outils variés avec lesquels il est possible de communiquer des informations à distance sans laisser de traces. En conséquence, la correspondance est à nouveau à se redéfinir. Ainsi, les nouvelles technologies engendrent des documents qui s'insèrent de façon particulière dans des corpus de données. Elles produisent des pratiques communicationnelles qui s'écartent des voies traditionnelles et donnent lieu à des pratiques propres à ces nouvelles techniques de consignation[24].

La quête d'une connaissance objective est la plus élémentaire de toutes les recherches. Elle concerne quiconque doit se renseigner sur quelque chose qui le concerne ou sur quelqu'un avec qui il est en rapport. À cet égard, l'acte technique de consignation permet d'appréhender les éléments constitutifs de l'environnement par la production d'une représentation matérielle du présent. Ce processus conduit à la normalisation du réel selon des exigences propres à la technologie de reproduction utilisée. La norme matérielle ainsi obtenue est un étalon qui délimite les choses sur lesquelles il est possible d'agir effectivement. Elle est un guide qui permet de distinguer ce qui est normal de ce qui ne l'est pas. Porteuse de certitude, la norme matérielle indique où et comment il faut intervenir. Par ailleurs, la science se développant dans la déviance, elle constitue le point de référence concret à partir duquel il est possible d'observer ces mêmes éléments constitutifs, de les remettre en question et de faire progresser les connaissances à leur sujet.

Dans une telle perspective, le document d'archives se définit comme un contenu. Il est un objet qui reproduit une connaissance objective. Quant à l'archivistique, elle devient une science devant permettre l'accès à l'objet documentaire. L'archiviste doit faire en sorte que ces connaissances existent et qu'elles soient connues de tous ceux qu'elles concernent. Pour ce faire, il tâche de faire connaître le potentiel informationnel et de rendre les documents fiables et rapidement accessibles. À cet égard, l'archiviste établit des normes et des procédures pour acquérir, décrire, classer ses archives. L'objectif est de mettre en valeur les richesses d'un fonds afin que le chercheur trouve ce qui pourrait nourrir sa recherche.

Pour ces raisons, certains théoriciens considèrent l'archivistique comme une science de l'information dont la finalité est l'accès à un contenu qui transcende le contenant. Une telle approche procède d'une vision traditionnelle où tout est objectivement mesuré, normé, identifié:

> La science de l'information devra s'intéresser davantage au contenu qu'au contenant. Déjà une bonne partie de la recherche en science de l'information s'attaque à ce problème d'analyse de texte et de technique de repérage d'unités d'information. La distinction actuelle entre l'information primaire (la source) et l'information secondaire (l'instrument de recherche) perdra progressivement son sens au fur et à mesure que grâce à des techniques d'accès «intelligentes», l'on pourra accéder directement à l'unité d'information (donnée, idée, mot, phrase, paragraphe) qui nous intéresse. La notion de «document» prend le sens tout à fait différent de «contexte», de référence à l'unité d'information[25].

L'archivistique vue uniquement comme une distributrice de connaissances objectives s'inscrit, à notre avis, dans un idéal espéranto. Elle fait de l'information organique et consignée un objet neutre dans le temps et dans l'espace. Le chercheur est avisé que des connaissances sont disponibles à tel ou tel endroit, et c'est l'archiviste qui effectue une identification et un mécanisme de repérage. Mais, en définitive, diffuser un contenu, c'est rendre un sujet et non un objet accessible. Il ne suffit pas de traduire mot à mot une langue pour la parler. De même, il ne suffit pas de découper le contenu d'un texte pour le comprendre et l'utiliser. Les chercheurs utilisent d'autres stratégies d'accès à l'information, comme l'indique le taux de «55% de succès des recherches d'information en bibliothèque[26]». La stratégie repose parfois sur des considérations purement subjectives. Ainsi le chercheur citera tel auteur reconnu plutôt que tel autre pour mieux cautionner sa propre thèse. Ici entre en jeu tout le processus de reconnaissance d'un savoir et de déviance à ce même savoir.

Connaissance subjective et acte pragmatique

Comme il a été précisé plus haut, on accumule des connaissances pour pouvoir y faire éventuellement référence et cette accessibilité n'implique pas nécessairement une recherche:

> Si je ne peux rechercher la connaissance, je peux chercher une détermination d'un objet connu. Le processus ou l'opération de déterminer l'existence d'une relation d'une chose à une autre s'appelle l'information et le résultat de cette opération s'appelle aussi, malencontreusement, information. On ne peut donc informer que quelqu'un qui cherche puisque l'information est une réponse à une question: parler de la diffusion de l'information est un non-sens, mais il y a un sens à parler de la diffusion des connaissances ou de l'accessibilité à l'information[27].

La recherche d'information implique la capacité de repérer un objet précis et d'évaluer sa pertinence en fonction de ses préoccupations. Pour constituer un renseignement valable, il faut donc qu'un objet de connaissance soit un sujet de questionnement et que sa recherche se fasse selon des règles admises par tous, dans un lieu de mémoire reconnu comme tel. Dans le cas contraire, il y a doute et critique sur la véracité des faits. Dès lors, il est impossible de réduire la recherche de connaissance à sa simple expression «objective», car la recherche en elle-même et la localisation des traces informationnelles comportent des dimensions nettement aléatoires et subjectives.

Vue comme une connaissance subjective, l'information se réfère à des modes d'exploitation communément admis, à un contenant culturellement accessible, à des actes et à des recherches pragmatiques, à la facette «personnage» de son identité.

À ce niveau, la connaissance se rapporte à la manière dont on se sert de l'information, c'est-à-dire à un ensemble de savoir-faire qui véhicule les connaissances objectives dans un champ de signification partagé.

Dans ses réalités fonctionnelles, la connaissance subjective serait intimement liée à la production, à l'utilisation et à la conservation de l'information organique et consignée. Ceci touche aussi bien les actes pragmatiques de création et de traitement que les modalités de recherche permettant son ex-ploitation et sa conservation.

Dans une organisation, la production et la recherche d'in-formation s'effectuent à travers les divers échelons administra-tifs chargés du maintien des activités et du développement organisationnel. D'une part, la gestion courante permet la poursuite des activités quotidiennes et la réponse aux contrain-tes légales. D'autre part, une gestion stratégique assure la pla-nification des activités, la coordination des efforts organisa-tionnels, l'évaluation et le contrôle de la production. Enfin, une intervention administrative de type plus politique a pour but de formuler les objectifs et les priorités organisationnelles en regard de la mission, de légiférer sur la définition des orienta-tions institutionnelles, de décider de l'allocation des ressources organisationnelles, etc.

Au niveau administratif courant, le processus informa-tionnel s'effectue dans un environnement connu où toutes les données sont contrôlées par l'organisation. Les tâches quoti-diennes se font à l'intérieur de ce que des théoriciens de l'orga-nisation ont nommé le «Design Physical and Abstract System» (DPAS)[28]. Le DPAS est un appareil de production fermé qui systématise les opérations qui ne requièrent aucune décision par les exécutants. Les activités relatives à l'expédition, la fac-turation, la mise à jour du solde bancaire, la vérification comp-table, etc., sont de bons exemples de ce type d'activité. Ainsi, dans le cours de leurs activités courantes, les agents reçoivent des informations qu'ils formalisent, normalisent et intègrent à leurs opérations selon une politique générale définie. Leurs sujets et méthodes de recherche s'articulent autour du DPAS qui permet facilement aux agents organisationnels de savoir quasi immédiatement ce qu'ils doivent produire, comment ils doivent le faire, quels sont les moyens et les ressources dont ils disposent, quelle place ils tiennent dans la hiérarchie, quels sont leurs interlocuteurs, etc. Dans cette optique, la production des connaissances et l'accès à celles-ci demeurent relativement objectives. De par le caractère normalisé de ces informations, la création, le traitement, l'exploitation et la conservation de l'information courante peuvent se faire dans un cadre systémique et systématique. À cet égard, l'informatique permet d'automatiser plus facilement les informations produites et recherchées.

Au niveau administratif stratégique, la production et la recherche d'information se réalisent dans un environnement qui n'est que partiellement connu. Les activités de planification et de contrôle se situent dans ce que les théoriciens de l'organisation nomment le «Human Activity System» (HAS). Dans le HAS, les agents organisationnels doivent avoir recours non seulement à la mémoire de leur organisation mais aussi à leur jugement et à leur expérience individuelle. Il s'agit d'établir et de mettre en œuvre des stratégies assurant l'atteinte des objectifs institutionnels tels que définis au niveau politique, de superviser et de contrôler l'efficience et l'efficacité du DPAS mis en place et de modifier ce système au besoin. Pour ce faire, les sujets et les méthodes de recherche procèdent d'une démarche scientifique appliquée afin de dresser des bilans et d'esquisser des programmes de développement. À ce sujet, le processus informationnel dans le HAS intègre les «informations génériques» de la mémoire organisationnelle et s'alimente aussi à partir d'«informations circulantes[29]» issues des champs scientifiques et professionnels dans lesquels l'organisation et ses agents évoluent. Les connaissances subjectives ainsi obtenues se retrouvent à travers un nombre considérable de dossiers de réalisation et de rapports d'activités plus ou moins normalisables. En fait, les objets de connaissances sont plus difficiles à repérer car la création, le traitement, l'exploitation et la conservation de l'information stratégique s'effectuent selon une structure qui ne peut être totalement systématique.

Le processus informationnel au niveau administratif politique fonctionne dans un environnement totalement inconnu.

L'agent organisationnel a la charge de définir la mission institutionnelle, d'actualiser le sens des valeurs et de préciser les
méthodes qui y auront cours. Ses activités se déroulent dans la
partie la plus subjective et la moins normalisable du HAS: «Il
s'agit de faciliter la prise de décision dans un univers incertain
et non plus d'automatiser un système défini[30].» À cet effet, les
administrateurs réalisent des études prospectives et rétrospectives sur lesquelles ils pourront orienter leurs décisions politiques[31]. Les modèles prospectifs font appel à des méthodes
prévisionnelles complexes. Ses concepteurs recherchent généralement l'information à l'extérieur de l'organisation. Les résultats obtenus étant reliés à une évolution théorique anticipée,
l'étude prospective peut cependant s'avérer inefficace si l'évolution réelle diffère. De fait, la prospective économique ayant
démontré des faiblesses au moment des crises économiques,
certaines organisations ont ajouté la rétrospective historique à
leurs outils de prise de décisions[32]. Cette dernière se fonde sur
le principe voulant que les succès antérieurs sont conséquents
à l'établissement et à l'évolution de l'organisation. Les études
rétrospectives utilisent des méthodes historiques appliquées
afin de cerner les temps forts de l'organisation. À partir de
connaissances puisées dans la mémoire organisationnelle, elles
cherchent à mettre en relief les forces, les faiblesses, les phases
d'expansion et de ralentissement pour proposer des comportements à adopter selon les contextes. Notons qu'il ne s'agit pas
ici d'une histoire narrative et événementielle. À ce sujet, Robert
Garon souligne que la *business history* peut s'adjoindre à la
prospective: «À l'époque de Toffler, où une décennie voit plus
de changements que le 18e siècle tout entier, l'histoire peut
donner un coup de pouce à la prospective[33]». Grâce à une
vision globale, complète et synthétique de leur environnement,
les agents organisationnels peuvent ainsi avoir des indices sur
les tendances et les cycles longs de leur entreprise. Le processus informationnel au niveau politique procède d'une démarche de recherche subjective; toutefois il génère des connaissances objectives dans la mesure où il mène à la définition de
l'environnement et à la production de directives et de règles
qui ont force de loi dans l'organisation.

Ainsi, celui qui produit et accède à des connaissances subjectives est quelqu'un qui doit prendre des décisions d'importance variable. Administrateur, praticien, professionnel et technicien, ce type d'intervenant se retrouve partout, dans les organisations tant privées que publiques. Selon ses fonctions, il interroge la mémoire de son organisme et s'informe parfois auprès des mémoires périphériques. Ses actes pragmatiques et sa recherche de connaissances subjectives sont directement reliés à la continuité des opérations organisationnelles. Ils engendrent des formes et des modes d'expression qui véhiculent adéquatement les messages. Ces contenants nécessitent une identification et un repérage rapide et efficace afin d'assurer une bonne alimentation en connaissance, sans pour autant encrasser les systèmes DPAS et HAS. Comme la référence aux connaissances subjectives est très fréquente, voire permanente, une partie de cette infrastructure informationnelle se développe à l'intérieur des unités de production. Les documents qu'on y retrouve sont gérés par un ensemble d'opérations techniques. Ainsi, l'inventaire, la classification, l'élaboration du calendrier de conservation sont autant d'opérations qui permettent une exploitation optimale des connaissances mémorisées par l'organisation.

Dans cette perspective, certains théoriciens considèrent que seule l'action administrative donne un sens à l'existence des contenus documentaires. Le rôle des *records managers* se concentre alors sur la gestion des structures de l'action documentaire dans le but de ne pas entraver le déroulement du processus administratif. L'objectif ultime est de rendre le réseau de communication efficace et efficient. Une masse documentaire bien exploitée devient ainsi une masse bien articulée autour des besoins des administrations. Quant aux archives, elles deviennent des rebuts du système, des ressources non reconvertibles pour et par les agents administratifs.

Selon une telle approche, le contenant transcende le contenu et la gestion des documents administratifs est comprise comme une science de la nature dans l'acception traditionnelle du terme. Faite d'applications rationnelles et normées, la gestion documentaire entend produire des résultats systématiquement prévisibles. Le processus d'information pragmatique ne peut cependant être vu que sous cet angle, car les fonctions sont intimement liées à la culture organisationnelle qui, elle, est aléatoire et hautement subjective. À ce propos, Jacques Boucher, doyen de la Faculté des études supérieures à l'Université de Montréal, affirme ceci:

> [L'administrateur] doit chercher à mesurer le poids d'une information en évaluant l'importance de la source (réelle ou fictive) du document, de son destinataire (théorique ou réel). Il doit prévoir la réaction attendue par l'expéditeur. Il doit décoder l'information non écrite et pourtant essentielle que le document suppose (ou cherche à cacher).

> En fait, les documents sont rarement tout à fait «en clair». Une partie plus ou moins importante en est habituellement camouflée; pour la décoder, l'administrateur doit connaître les parties en cause, leur place dans l'organisation, leurs motivations, leurs ambitions, leurs alliés, leurs faiblesses. Il doit également savoir qui est la cible véritable du message. Quelles conséquences sont prévisibles si l'information se rend jusqu'au véritable destinataire, tombe entre des mains étrangères ou concurrentes? Qui doit être absolument mis au courant de cette information? À qui faut-il la cacher? Quelle action faut-il prendre? Quand faut-il la prendre? Quelles sont les conséquences éventuelles de l'action ou de l'inaction du décideur sur l'institution, sur le service, sur lui-même? En somme, comment transcrire en action, en inaction, en changements ce qui n'est au départ qu'un bout de papier[34]?

Ainsi, un chercheur n'accède physiquement et intellectuellement qu'à la mémoire à laquelle il participe. Il doit nécessairement s'adresser aux interlocuteurs désignés pour recevoir et diriger ses interrogations. Dans un organisme, cet interlocuteur peut être une secrétaire, une réceptionniste, un archiviste ou encore un préposé au service à la clientèle. Chacun filtre et traite l'information selon ses propres règles et communique l'information selon les formes qu'il privilégie. Par ailleurs, même si théoriquement l'information se doit d'être la plus exacte, complète et précise possible, l'homme désinforme volontairement pour des raisons stratégiques. Comme le souligne Yves Renouard:

> La fausse nouvelle, si elle est la preuve de l'insuffisance du
> système de renseignement d'un acteur individuel ou collectif, est
> souvent créée et propagée sciemment par ses adversaires: elle
> est, de ce fait, une cause subjective des événements[35].

En définitive, la production et la recherche de connaissances subjectives ont pour but de faire fonctionner la mécanique
organisationnelle selon des processus établis: elles sont des
instruments d'affirmation de l'identité de rôle, du personnage,
de l'organisation. L'information apparaît alors comme un
moyen d'accéder à la connaissance non pas de façon exhaustive, mais à un niveau optimal pour prendre une décision, se
mouvoir dans son environnement et y progresser. Toutefois, cet
environnement est loin d'être objectif: il procède d'une démarche sémantique qui donne un sens aux activités administratives, explique les stratégies du présent, précise le pourquoi et le
comment des politiques institutionnelles.

Connaissance signifiante et acte sémantique

Un chercheur ne se préoccupe que de ce qui a un sens pour lui.
Or la signification des réalités change et la sensibilité à leur
égard se modifie selon les lieux et les époques. Ainsi, des
enfants, de la monnaie de carte, des substances toxiques ne
comptent pas parmi les ressources humaines, financières et
matérielles d'une entreprise moderne. De même, l'esclavage, le
bas de laine, la surconsommation énergétique ne sont pas des
modes d'exploitation jugés valables. Pourtant, dans un autre
temps et dans un autre lieu toutes ces réalités furent considérées comme acceptables. De nos jours, elles revêtent d'autres
significations. En définitive, la connaissance obtenue par une
démarche de recherche semble universelle; toutefois les objets
et les méthodes de recherche ne sont, elles, jamais neutres, car
la définition du réel est un processus complexe et vivant qui
évolue constamment selon le contexte culturel dans lequel l'organisation se situe. À ce titre, les ressources informationnelles
n'échappent pas à cette évolution constante. Rappelons que la
valeur d'information d'un microfilm ne fut pas toujours acceptée. De même, la classification thématique fut longtemps considérée comme la bonne façon de traiter les pièces d'archives.

Vue comme une connaissance signifiante, l'information se rapporte aux significations du présent, au contexte, à des actes et à des recherches sémantiques, à la facette «personnalité» de l'identité. La connaissance se réfère alors à un ensemble de croyances et d'idéologies, à un système de valeurs qui précisent l'essence même de la chose organisationnelle.

Dans ses réalités symboliques, cette connaissance signifiante correspond à la valeur accordée à l'information organique et consignée au moyen d'actes sémantiques de consignation et à l'élaboration de critères de sélection, de conservation et de diffusion de l'information consignée.

Schématiquement, on peut distinguer trois catégories de personnes dont les recherches mènent à la production de connaissances signifiantes: les chercheurs reliés à la recherche fondamentale, ceux qui sont employés par un organisme ou une entreprise et ceux qui effectuent des recherches pour leur propre compte. Les premiers constituent le groupe le plus visible. Les professeurs et les étudiants fréquentent depuis longtemps les archives. Ils peuvent travailler sur une base individuelle ou encore être agents de recherche. S'ils fréquentent plus facilement les dépôts publics, parce que les lois leur en facilitent l'accès, ils ont également accès au niveau privé en autant que l'entreprise en tire un bénéfice. Ils ont également accès à des sources inédites issues des milieux scientifiques auxquels ils appartiennent. Ainsi, le processus informationnel contribue-t-il à relier la mémoire organisationnelle à une plus large mémoire: celle du métasystème dont elle fait partie.

Il ne faudrait cependant pas croire que ce type de recherche ne s'effectue que dans les milieux universitaires. Les sciences humaines et sociales sont entrées de plain-pied dans le domaine des sciences appliquées et beaucoup d'entreprises et d'organismes, publics et privés, les ont intégrées à leur champ d'activité. Des questions relatives aux relations de l'entreprise avec ses employés ou avec sa clientèle, par exemple, requièrent souvent les services de spécialistes. De plus, elles peuvent générer des outils de planification pour le développement de l'entreprise. La *business history* s'inscrit dans ce courant. Enfin, il ne faudrait pas oublier que plusieurs sociétés ou organismes ont des programmes de recherche. Les chercheurs peuvent être des employés, des consultants, ou des contractuels indépendants. Dans le cas des organismes à but non lucratif, il peut s'agir de bénévoles. Ces chercheurs ont accès à la mémoire organisationnelle selon des politiques d'accès modelées à leurs besoins. Ainsi, les fonctionnaires gouvernementaux accèdent à des informations confidentielles pour les fins des recherches statistiques. Parce qu'ils font également partie d'un milieu scientifique, ils ont également accès à de l'information privilégiée.

Les actes sémantiques se retrouvent donc au cœur de l'activité organisationnelle. L'organisation s'appuie sur ces pratiques pour réitérer l'appartenance collective aux valeurs qui la sous-tendent et pour actualiser sa mission. À cet effet, elle produit ou encourage la production de monographies historiques sur des sujets qui la concernent ou de biographies sur ses fondateurs et ses dirigeants. Elle a aussi recours à des pratiques muséales afin de mémoriser l'évolution de ses valeurs institutionnelles. Ainsi, il n'est pas rare qu'un petit musée soit installé sur le site premier de l'entreprise ou encore dans la maison de la famille fondatrice. Outre les «reliques» ayant appartenues aux grandes figures de l'organisation, on y retrouve des spécimens de la production organisationnelle ou des objets la symbolisant tels que des épinglettes, des costumes, etc. On y met également en valeur les technologies utilisées. Des pratiques de type plus ethnologique se retrouvent également dans l'organisation afin de pouvoir comprendre l'évolution des méthodes, des pratiques, de la tradition. À cet égard, on procède souvent à la collecte de témoignages oraux auprès du fondateur et de sa famille, des dirigeants, des ouvriers; même des consommateurs témoignent de leur fidélité à l'entreprise et à ses produits. De telles interventions se font souvent à l'occasion des anniversaires de l'organisation ou lors de ses campagnes de promotion[36].

Ces pratiques commémoratives s'harmonisent les unes aux autres selon la culture propre à chaque organisation. Ainsi, la Société historique Alphonse-Desjardins est un véritable «centre d'information visant à témoigner de l'histoire d'Alphonse Desjardins et du Mouvement Desjardins[37] ». Elle met en valeur la maison du Commandeur et les objets qui lui ont appartenu, produit des textes relatant l'histoire institutionnelle, organise divers événements commémoratifs. Parallèlement à ces réalisations internes, le Mouvement encourage les études externes. Il ouvre ses archives aux chercheurs scientifiques et subventionne des projets de recherche sur la coopération[38]. Loin d'être de simples façades culturelles, la production issue de ces activités de type historique permet de renforcer le sentiment d'appartenance à l'organisation. De même, la Ville de Québec investit beaucoup dans des activités permettant la représentation de son territoire. Elle acquiert et met en valeur des œuvres d'art représentant la ville[39], subventionne des fouilles archéologiques et des recherches en ethnologie urbaine, produit des cahiers thématiques sur l'architecture de ses quartiers[40]. On retrouve la même dynamique dans bien des communautés religieuses où le tombeau du fondateur ou de la fondatrice, le dossier constitué en vue de sa béatification[41], l'exposition d'objets lui ayant appartenu, d'articles provenant des missions ou encore des costumes, la rédaction des annales et des notices nécrologiques des membres de la communauté, sont autant de moyens qui permettent de retracer l'histoire du groupe et de sa philosophie, de ses pratiques, de son espace social.

La production documentaire que ces activités génèrent est totalement intégrée aux activités administratives de l'organisation. Les chroniques, les synthèses d'histoire ou encore les manuels, qui en découlent, sont des conservatoires officiels de la mémoire institutionnelle. Ils servent abondamment de références aux textes historiques produits dans le cours des activités organisationnelles. Ils justifient la conservation des masses documentaires sur lesquelles ils reposent et recyclent les connaissances historiques archivées dans les dépôts. Ainsi sacralisés, ces documents n'ont plus besoin d'être nécessairement consultés par des chercheurs pour prendre une place vivante dans le processus informationnel.

En définitive, la démarche sémantique procure un cadre explicatif à l'environnement organisationnel; c'est pourquoi il est impossible d'appréhender le processus informationnel en faisant abstraction de ces cohérences. Tout passe par cette explication et les individus abordent les connaissances à travers ce cadre de référence. Les faits sont donc bien réels et objectifs au moment où ils les vivent, mais le sens qu'on leur donne varie selon les époques, selon les cohérences, selon les circonstances du moment.

Information normalisée et connaissance

L'évolution de l'organisme, individuel ou collectif, dépend de ses capacités d'adaptation à son milieu. S'adapter, c'est circonscrire son environnement dans toutes ses dimensions, biologique, sociale, politique, culturelle ou économique, afin de définir des stratégies d'existence qui assureront un développement harmonieux, compte tenu des possibilités offertes, des capacités d'action et des aspirations. Dans ces conditions, l'adaptation requiert que l'organisation soit bien informée sur son identité, car il faut non seulement que l'on soit conscient du cadre dans lequel on évolue, mais aussi de ce que l'on y représente.

Lorsque l'équilibre entre une organisation et son environnement se rompt, l'entité doit se renouveler pour éviter la dégénérescence. Si sa survie dépend de la cohérence de son identité avec les réalités mouvantes de son milieu, il serait cependant illusoire de croire que les diktats de l'environnement formulent à eux seuls les réorientations nécessaires à l'adaptation. En réalité, celles-ci sont issues du travail des trois processus générateurs.

Les mécanismes informationnels constamment en éveil permettent d'appréhender les événements internes et externes auxquels l'entité fait face, d'enregistrer les nouvelles connaissances et de renseigner l'entité sur les réorientations qui s'ensuivront. Ce processus permanent ne débouche pas toujours sur une remise en question en profondeur. Pour réagir de cette façon, il faut que l'analyse informationnelle mette en lumière une incohérence flagrante entre l'identité organisationnelle et les exigences de son milieu. Ainsi, le système informationnel se doit d'être en constante relation avec la mémoire.

Le cas échéant, les événements deviennent déstabilisateurs et générateurs. Ils bousculent l'ordre établi, provoquent une révolution et introduisent une nouvelle ère organisationnelle. On peut considérer ces événements comme des catastrophes au sens donné par René Thom à ce terme :

> Ce sens [...] signifie: changement/rupture de forme dans des conditions de singularité irréductible. L'idée fondamentalement complexe et riche qu'apporte Thom est de lier toute morphogénèse ou création de forme à une rupture de forme ou catastrophe. *Elle nous permet donc de lier dans les mêmes processus désintégration et genèse.* Idée métamorphique, la catastrophe ne s'identifie pas à un commencement absolu [...]. Elle porte en elle l'idée d'Événement et de cascades d'événements. Loin d'exclure, elle inclut l'idée de désordre et de façon génésique puisque la rupture et désintégration d'une ancienne forme est le processus constitutif même de la nouvelle. Elle contribue à faire comprendre que l'organisation et l'ordre du monde s'édifient dans et par le déséquilibre et l'instabilité[42].

Les diverses catastrophes de l'organisation nécessitent une reconsidération de ses valeurs, de ses comportements, de ses caractéristiques physiques, bref, de son identité. Chaque fois, le processus se conclut par une actualisation de l'image, une modification des structures de fonctionnement et une prise en compte de la croissance matérielle. Chaque fois, le processus informationnel hérite de nouvelles normes. L'enjeu est de permettre l'avènement d'un appareil homéostatique capable de rétablir l'équilibre avec le milieu.

Les réformes constituent des jalons importants de l'évolution de l'organisation. Elles correspondent à des cycles de vie qui, successivement, ont assuré sa survivance, sans dénier sa personnalité. À cet égard, le concept de génération conceptualisé par Edgar Morin s'applique bien à une telle situation :

> Ainsi l'être nouveau se forme dans le recommencement, le rebouclage onto-phylogénésique et une fois formé, il est la résurrection de l'ancêtre fondateur. Il a l'identité de l'ancêtre, c'est-à-dire pour nous l'identité de «son» espèce. Mais, même identique, il est autre parce que son patrimoine informationnel a subi, au cours de la reproduction, des variations aléatoires, et

que cet individu vit une expérience phénoménale singulière selon une logique auto-référente; par là il se distingue de son géniteur comme son géniteur s'est distingué de son géniteur[43].

Chaque temps morphogénésique donne lieu à une construction organisationnelle qui, tout en étant originale, est basée sur ses prémisses ancestrales. Ces constantes découlent du contexte de création originelle. Elles conditionnent les pratiques culturelles propres au fonctionnement de l'organisation et forment le canevas de ses manifestations phénoménales. C'est à l'intérieur de ce processus complexe que se développe et s'adapte le système normatif établi à trois niveaux: matériel, fonctionnel et symbolique.

La norme technique formalise le système d'étalons, à partir de quoi le processus informationnel pourra techniquement décrire des objets matériels, les décomposer et mettre en relief leurs éléments constitutifs. Cette connaissance objective lui permettra de répertorier les phénomènes présents dans l'organisation et dans l'environnement. L'objectivité n'est obtenue que par la comparaison avec cette norme qui distingue ce qui est normal de ce qui ne l'est pas, qui établit les certitudes.

La norme fonctionnelle établit pour sa part les règles, la procédure, les comportements qui seront culturellement admis dans l'organisation. Elle permet d'exploiter les ressources, de s'en servir de façon pragmatique, de les rendre vivantes et actives. Cette connaissance subjective permet de mener des opérations au gré des situations vécues dans l'organisation.

Enfin, la norme symbolique établit les croyances, les principes moteurs, à partir de quoi l'organisation pourra concevoir et comprendre les significations des objets, leur valeur, leur prix. Cette connaissance sémantique permet d'évaluer et de hiérarchiser les ressources et les opérations qui s'y rapportent. Elle mène à l'énoncé des connaissances objectives.

Mémoire et système informationnel

Aucun système constitutif de l'identité n'est indépendant; ce faisant on ne saurait nier les effets de l'information sur la mémoire d'un organisme. Le processus informationnel permet à un organisme de rester équilibré. Il a pour buts d'observer son environnement et de recueillir des données objectives; d'encadrer son fonctionnement administratif en filtrant et en organisant les connaissances pertinentes aux sujets de préoccupations du moment; d'orienter les réflexions en renseignant les gestionnaires sur les enjeux d'un contexte donné. Par son action, le processus informationnel structure la mémoire consignée en liant ses composantes dans un tout organique.

Techniquement réalisée par une entité matérielle, l'information organique et consignée hérite des caractéristiques propres à la physis de ses producteurs. Elle se présente sur divers supports matériels, adopte des supports linguistiques variés et consigne des objets reconnus. Elle renferme des connaissances objectives qui se plient aux lois naturelles gouvernant leur milieu de production. Elles subissent l'entropie, une tendance naturelle à se désorganiser[44], et sont affectées par la pollution.

L'entropie provoque l'érosion des connaissances objectives. Avec le temps, la résistance des supports s'amoindrit: le papier s'effrite, la pellicule se décolore, etc.[45] De même, les codes de transmission perdent peu à peu leurs capacités à traduire les réalités du présent et finissent par devenir caducs[46]. Enfin, au fur et à mesure que les normes présidant à leur définition perdent de leur autorité, les objets consignés deviennent archaïques. Pour contrer cette entropie, l'organisme améliore la performance de son système informationnel. Il donne une résistance naturelle à sa mémoire organique et consignée en synthétisant ses connaissances objectives. Celles-ci deviennent moins facilement altérables dans la mesure où leur accès requiert moins de travail. Ainsi, en éliminant les informations redondantes, un rapport ou un document récapitulatif permet de réaliser des «économies d'information»[47]. De même, un dossier sur une question filtre parmi les connaissances objectives disponibles celles qui sont pertinentes au sujet. Une telle rationalisation est plus ou moins prononcée selon le degré de complexité de l'appareil de production; c'est pourquoi les éléments constitutifs de la mémoire organique et consignée varient d'un producteur à l'autre. Alors que certains sont relativement homogènes, d'autres se répartissent en plusieurs niveaux hiérarchiques.

Des parasites de toutes sortes altèrent aussi les connaissances objectives. Cette pollution, que la théorie de l'information nomme «bruit», influence aussi les supports de la mémoire organique et consignée. Ils se détériorent au contact des insectes et des micro-organismes qui peuplent leur environnement physique. Les interférences inhérentes aux techniques de saisie, de traitement ou de stockage distordent ses codes. Le bruit affecte également les objets consignés. La censure peut, par exemple, les biaiser considérablement. Sans conditions propices à la création et à la conservation des connaissances objectives, le contenu de la mémoire organique et consignée est appelé à perdre de son intelligibilité. Afin d'éviter une telle situation, l'organisme investit des ressources dans le contrôle de sa production documentaire[48]. Pour combattre les effets de l'environnement, il encadre le plus possible les processus de création, de traitement, d'exploitation et de conservation de l'information. Dans la mesure où la dégradation des connaissances objectives est directement proportionnelle à leur degré de complexité, les canaux, les codes de transmission ainsi que les réalités consignées seront donc plus ou moins normalisés.

Si l'information consignée possède une nature physique, elle est aussi un phénomène relationnel. Plus qu'un contenu explicitement échangé entre un émetteur et un récepteur, elle s'inscrit dans une dynamique où les agents d'un organisme communiquent entre eux et avec l'extérieur en échangeant des points de vue. De par leurs actes techniques, pragmatiques et sémantiques, ils défendent leurs réalités, leurs pratiques et leurs croyances. Ils actualisent l'identité de l'organisme en y intégrant leur propre vision. La structure de la mémoire organique et consignée est nécessairement influencée par ces négociations inter-individuelles. Sa configuration varie selon les liens d'autorité existant entre les agents. Ainsi, la reconnaissance de l'autonomie de certaines composantes organisationnelles peut entraîner une subdivision de la mémoire organique et consignée, qui intégrera alors plusieurs groupes élémentaires. Le phénomène peut également jouer dans le sens inverse et mener à l'unification de certaines composantes[49].

Par ailleurs, dans la mesure où la communication utilise simultanément plusieurs niveaux de langage, l'information consignée ne constitue qu'une partie de la mémoire d'un organisme. Pour comprendre un phénomène, il faut considérer l'implicite propre à chaque culture. Au-delà des secrets se cachent une tradition, des rites, des systèmes de communication qui ne passent pas nécessairement par la consignation pour se perpétuer. Ces pratiques se reflètent dans les systèmes de réalisation des activités adoptés par les organismes. Elles se structurent à travers des formes documentaires adaptées aux divers contextes organisationnels. Les procès-verbaux, les politiques, les rapports, les factures, etc., seront autant de façons destinées à communiquer dans des situations données. De plus, dans la mesure où le silence est porteur de message, leurs absences ou omissions sont aussi importantes qu'une longue série de documents. En effet, les documents témoignent des processus qui les ont générés. Plusieurs chercheurs déplorent donc le fait que des fonds d'archives aient des lacunes. Ils pleurent les documents perdus alors qu'une analyse attentive du contexte leur indiquerait un silence révélateur sur les comportements organisationnels. Ce faisant, l'idée des archives totales devient un mythe à abattre.

Si beaucoup d'objets sont consignés, la communication de ceux-ci porte toujours sur des sujets précis. Le processus de transfert des connaissances actualise sans cesse la mémoire organique et consignée de l'organisme en fonction des préoccupations du moment. Il conduit à recycler les connaissances déjà consignées, à en créer de nouvelles et à rejeter celles qui ne possèdent plus de significations; bref, à régénérer les contenus et les contenants de la mémoire organique et consignée. La constitution de celle-ci se réalise dans une animation constante où la valeur d'une information se module en fonction des contextes culturels auxquels l'organisme doit répondre. Conséquemment, un document pourra être utilisé comme preuve, comme outil, comme témoignage ou les trois à la fois selon ses capacités à refléter les réalités du présent, selon sa valeur mémorielle.

Ainsi, la valeur de l'information ne découle pas seulement des connaissances objectives qu'elle consigne, pas plus qu'elle ne se réduit aux fonctions auxquelles elle est originalement destinée. Elle s'estime surtout par son intérêt pour l'organisme qui les produit ou les perpétue. Le potentiel des données découle donc du travail de la mémoire qui fait en sorte que les connaissances restent signifiantes. Pour être mémoire, ces informations organiquement consignées doivent fournir des représentations symbolique, fonctionnelle ou matérielle cohérentes avec l'identité de l'organisme. Pour se souvenir, il faut des arrimages tridimensionnels. Il faut qu'un objet prenne un sens dans un contexte donné et s'exprime selon des modes reconnus.

En définitive, le processus d'information s'inscrit en synergie avec le processus de mémoire. Alors que le premier opère l'appareil normatif qu'un organisme se donne pour survivre et progresser, le second assure l'intégrité du cadre de référence sous-tendant l'affirmation de cette identité.

Notes

1. Norbert Wiener, *Cybernetics, or Control and Communication in the Animal and the Machine*, Paris, Hermann, 1948.

2. Paul Attalah, *Théories de la communication. Histoire, contexte, pouvoir*, Sillery, Presses de l'Université du Québec, Télé-université, 1989, p. 169.

3. *Ibid.*, p. 151.

4. Yves Winkin (textes recueillis et présentés par), *La nouvelle communication*, Paris, Seuil, 1981, p. 16.

5. Reproduction du schéma de Joël de Rosnay, *Le Macroscope. Vers une vision globale.* Paris, Seuil, 1975, p. 101.

6. P. Attalah, *Théories de la communication [...]*, p. 154.

7. Y. Winkin (textes recueillis et présentés par), *La nouvelle communication*, p. 16.

8. P. Attalah, *Théories de la communication [...]*, p. 160.

9. Claude E. Shannon et Warren Weaver, *The Mathematical Theory of Communication*, Urbana-Champaign (Ill.), University of Illinois Press, 1949. Cet ouvrage reprend l'article publié par Shannon en

1947 ainsi qu'un texte de Weaver publié aussi en 1947 et «qui se présente comme une introduction et une contribution à la «récente théorie» de Shannon». Jean-Louis Le Moigne «Communication, information et culture: «le plus étrange des problèmes»...», *Technologies de l'information et société*, vol. 1, n° 2, 1989, p. 14.

10.   Y. Winkin (textes recueillis et présentés par), *La nouvelle communication*, p. 17-18.

11.   Reproduction du schéma de Louis Rigaud, *La mise en place des systèmes d'information pour la direction des organisations*, Paris, Dunod, 1982, p. 14, figure 1.

12.   Y. Winkin (textes recueillis et présentés par), *La nouvelle communication*, p. 18-19.

13.   Dans un article consacré à la question, Jean-Louis Le Moigne présente ce paradoxe. Voir «Communication, information et culture [...]», p. 14.

14.   Y. Winkin (textes recueillis et présentés par), *La nouvelle communication*, p. 20.

15.   *Ibid.*, p. 22-23.

16.   *Ibid.*, p. 24-25.

17.   Ludwig von Bertalanffy, *General System Theory*, New York, Braziller, 1968.

18.   Y. Winkin (textes recueillis et présentés par), *La nouvelle communication*, p. 17. Sur cette notion, voir aussi Joël de Rosnay, *Le Macroscope [...]*.

19.   Edgar Morin, *La méthode*, t. 1, *La Nature de la Nature*, Paris, Seuil, 1977, p. 307.

20.   Jean-Louis Le Moigne, «Communication, information et culture [...]», p. 14. À ce propos, Le Moigne fait remarquer combien la conjonction des travaux de Weaver et de ceux de Morris reflète la nature complexe de l'objet informationnel. «Weaver l'exprimait dans les termes nobles des sciences dures: la théorie de la communication est mathématique, au moins dans son intitulé. Morris l'exprimait dans les termes des sciences douces». *Ibid.*

21.   Michel de Certeau, «L'opération historique», dans J. Le Goff et P. Nora (sous la direction de), *Faire de l'histoire*, t. 1, *Nouveaux problèmes*, p. 19-68.

22.   Jean-Paul Rivard, «Un projet de réseau documentaire québécois», *Archives*, vol. 12, n° 3, décembre 1980, p. 16.

23. Yves Renouard, «Information et transmission des nouvelles», dans Charles Samaran (sous la direction de), *L'histoire et ses méthodes*, Paris, Gallimard, 1961, p. 97.

24. Voir à cet effet le numéro spécial de la revue *Sociologie et Société* intitulé «L'informatisation: mutation technique, changement de société?», Québec, Presses de l'Université Laval, vol. XVI, n° du 1er avril 1984, 155 p., ainsi que la revue *Technologies de l'information et société*, Montréal, Presses de l'Université du Québec, vol. 1, n° 2, 1989, 148 p., dont la majorité des articles sont consacrés à cette question.

25. Gilles Deschâtelet, «L'archivistique et la bibliothéconomie: deux disciplines sœurs dans l'arbre généalogique des sciences de l'information», dans *Symposium en archivistique. La place de l'archivistique dans la gestion de l'information: perspectives de recherche*, Montréal, GIRA, ANQ-M, 1990, p. 224.

26. *Ibid.*, p. 223-224.

27. Rivard, «Un projet de réseau [...]», p. 16-17.

28. Ehud Zuscovitch, «Organisation des entreprises: l'impact des technologies de l'information», dans Jean M. Guiot et Alain Beaufils, *Théories de l'organisation*, Montréal, Gaëtan Morin éditeur, 1987, p. 109.

29. Par opposition aux informations génériques: il s'agit des connaissances achetées ou acquises à l'extérieur de l'organisation et des informations traitées. E. Morin, *La méthode*, t. 1, p. 333-336.

30. E. Zuscovitch, «Organisation des entreprises [...]», p. 111.

31. Soulignons que les administrateurs confient souvent la réalisation de telles études à des consultants spécialisés.

32. Henri Rousso et Félix Torres, «Quand le business s'intéresse à l'histoire», *L'Histoire*, n° 55, avril 1983, p. 70-75.

33. Robert Garon, «Ce que la technique ne remplace pas: l'information», *Archives*, vol. 15, n° 4, 1984, p. 6.

34. Jacques Boucher, «L'administrateur et l'archiviste. Au-delà de l'accès, l'intelligibilité des documents», *Actes du symposium en archivistique [...]*, p. 145-146.

35. Yves Renouard, «Information et transmission [...]», p. 96-97.

36. Dominique Aron-Schnapper a démontré comment la constitution d'archives orales pouvait devenir un outil de gestion dans l'entreprise. D. Aron-Schnapper *et al.*, *Histoire orale ou archives orales? Rapport d'activité sur la constitution d'archives orales pour l'histoire de la Sécurité sociale*, Paris, Association pour l'étude de l'histoire de la Sécurité sociale, 1980, 114 p.

37. Roselyne Marquis, «Un communiqué de la Société historique Alphonse-Desjardins», *La Revue Desjardins*, n° 1, 1986, p. 36.

38. Les facilités d'accès aux archives et au centre de documentation, la participation directe du Mouvement à la chaire d'étude sur la coopération à l'Université du Québec ou encore les bourses Girardin-Vaillancourt attribuées annuellement constituent de bons exemples de cet engagement.

39. Certaines de ces œuvres sont exposées dans les bureaux municipaux alors que d'autres sont entreposées dans un centre de conservation relevant de la Division des archives. Voir Ginette Noël, *Les Archives de la Ville de Québec, Rapport annuel*, Québec, Division des archives, publication n° 34, 1988, p. 56.

40. Pour un exemple voir Ville de Québec, *Montcalm, Saint-Sacrement. Nature et architecture: complices dans la ville*, Québec, coll. «Les quartiers de Québec», 1988, 75 p.

41. Hélène Tremblay, Claire Laplante et Thérèse Frigon, «L'utilisation des archives dans les causes de béatification et de canonisation», *Archives*, vol. 17, n° 3, décembre 1985, p. 17-35.

42. E. Morin, *La méthode*, t. 1, p. 44.

43. *Ibid.*, p. 328.

44. Rappelons que l'entropie repose sur le principe voulant que tout travail ne peut se convertir entièrement en énergie. Ainsi, l'existence d'un objet requiert un travail constant qui produit toujours une certaine quantité de chaleur. Une part de l'énergie vitale se perd donc peu à peu en chaleur et on assiste alors à une dégradation naturelle de la qualité de l'objet. Ainsi, les investissements en ressources humaines, matérielles, financières et technologiques consacrés à la consignation de données ne peuvent jamais être entièrement affectés à ce travail. Une partie des ressources engagées se perd en chaleur, c'est-à dire qu'elle sert à créer des conditions propices à la réalisation des documents.

45. Voir à ce sujet: Conseil canadien des archives, *Manuel de conservation des documents d'archives*, Ottawa, 1990, 130 p.

46. Le géographe Claude Boudreau souligne, par exemple, que «l'examen attentif de la facture d'une carte permet ordinairement de l'associer à un type de production cartographique spécifique à une époque et un lieu». Claude Boudreau, «Comment analyser et commenter la carte ancienne», dans Jocelyn Létourneau, *Le coffre à outils du chercheur débutant*, Toronto, Oxford University Press, 1989, p. 103.

47. Cette dynamique se compare à celle de l'économie d'énergie. En rendant les ressources énergétiques plus efficientes, il est possible de remplacer la chaleur perdue sans qu'un surplus soit nécessaire pour répondre aux besoins fondamentaux. La production énergétique devient ainsi efficace et efficiente.

48. L'engagement de spécialistes, la construction d'une voûte, la mise en place de programmes de gestion documentaires constituent autant d'investissements à cet effet.

49. Les archivistes parleront alors de vision minimaliste ou maximaliste. Notons que la structuration interne de ces éléments s'articulera selon cette même logique culturelle.

Chapitre V

Organisation et mémoire

Dans toute entreprise, l'organisation constitue, elle aussi, un système à la fois distinct et intégré à l'ensemble des stratégies de réalisation de son mandat. C'est l'organisation qui produit et reçoit les documents, qui les conserve, les classe, les hiérarchise et les utilise au premier chef.

À bien des égards, les archives sont au service de l'organisation. Elles gardent les traces qui légitiment les droits. Elles fournissent la matière qui permet de dresser des bilans, de prendre des décisions éclairées, d'évaluer les tendances. Elles reflètent l'ensemble du fonctionnement de l'organisation: ses raisons d'être, sa structure de direction, ses savoir-faire technologiques, ses productions et leur mise en marché, ainsi que les rapports à leurs «clients».

Ce chapitre explore la dimension organisationnelle d'une institution et de sa mémoire. Il précise les pôles sur lesquels le concept d'organisation s'articule. Il présente succinctement l'évolution dans le temps des fondements identitaires des organisations. Il signale les éléments constitutifs sur lesquels les organisations ont tendance à s'appuyer. Il en souligne les effets sur leur nature, leurs fonctions et leurs finalités. Finalement, il en dégage les effets sur la mémoire de l'organisation et en particulier sur sa mémoire consignée.

L'organisation et ses pôles constitutifs

Il existe un grand nombre de théories pour définir cette «entité que l'on nomme indifféremment firme, entreprise, société, organisation, sous-système, etc., sans bien s'entendre sur une acceptation commune[1]». Elles se fondent pour la plupart sur une vision machiniste où la définition de la structure est tributaire d'une configuration idéale, de la coordination et de l'accord entre ses membres ou d'une relation causale «contingence-structure»:

> Dans la majorité des cas l'organisation est vue comme une entité physique et non pas comme une propriété de systèmes sociaux dont l'existence même dépend de ses actions humaines. Celles-ci sont nécessairement escamotées dans la conception toujours dominante de «la» structure, objet spatial dont la morphologie est semblable à celle d'une machine. La dimension temporelle des processus de structuration est de ce fait insaisissable et des mécanismes réifiés sont postulés[2].

À défaut de fournir une représentation complète de l'organisation, certains théoriciens estiment cependant que les diverses théories systémiques permettent de la situer dans «un espace de gravitation déterminé par trois pôles», l'ontologique, le fonctionnel et le génétique, se rapportant respectivement à l'être, au faire et au devenir[3]. Selon eux, les pôles traduisent des aspects fondamentaux de la vie organisationnelle mais ne peuvent fournir à eux seuls une vision globale du système:

> Chacun s'accorde aujourd'hui à convenir du caractère dialectique des représentations de l'organisation comprise comme un processus et non plus seulement comme un état, conjonction indissociable, récursive et conflictuelle des trois grandes fonctions constitutives[4].

Cette vision théorique s'inscrit dans la perspective de l'organisation complexe. C'est ainsi que des sous-systèmes ontologique, fonctionnel et génétique entrent en interaction afin de délimiter les espaces physique, administratif et symbolique de l'univers organisationnel (figure 7).

La problématique des contextes s'avère, une fois de plus, une image fort éclairante pour comprendre ce processus. Sans renier son caractère complexe, elle permet de saisir le relief de ses sous-systèmes. Ainsi, le pôle *ontologique* fait référence aux

Figure 7
Le polysystème organisation[5]

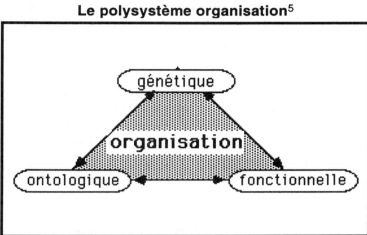

ressources et à la logistique organisationnelle. Cet espace délimite l'organisation comme une entité où se coordonnent les composantes du processus de production et les rapports humains (collaboration/compétition) existant entre ses membres. Il correspond à l'être, à la personne. Le pôle *fonctionnel* se rapporte, quant à lui, à la planification opérationnelle, au contrôle et à l'optimisation des processus de production constants qui doivent être adaptés en fonction des contraintes externes à l'organisation. C'est le faire, le personnage. Enfin, le pôle *génétique* correspond à la planification stratégique qui vient redéfinir la mission de l'organisation en reformulant ses objectifs selon son environnement. Il rejoint le devenir ou les finalités, la personnalité.

La personne ou le pôle ontologique

Le processus ontologique gère la personne, c'est-à-dire la réalité matérielle et objective de l'entreprise ou de l'institution. Les ressources naturelles, le travail et le capital constituent à cet égard les facteurs de production traditionnels. Plus concrètement, les ressources naturelles sont les matières premières essentielles à la production d'un bien ou d'un service. Cela se rapporte aussi bien aux minerais par exemple qu'aux forces naturelles comme l'hydroélectricité. Le travail est la contribution physique et intellectuelle nécessaire pour transformer les ressources naturelles et produire le bien ou le service. Cela rejoint aussi bien le personnel en place que les instances de réalisation dans leurs réalités matérielles. Quant au capital, il constitue un facteur, dit dérivé, dans la mesure où il requiert une accumulation de travail dans des biens de capitaux. Ce facteur, qui n'existe pas à l'état naturel, se définit ainsi: «tout bien qui n'est pas consommé pour soi, mais qui sert à produire d'autres biens[6]». Cela englobe le capital financier tel que les actions ou les obligations ainsi que les réalités mobilières et immobilières.

Avec le développement organisationnel, les facteurs «entrepreneur» et «technologie» furent considérés comme facteurs de production. En fait, le changement s'opéra lorsque les économistes les perçurent non plus comme des états de fait inhérents à l'entreprise mais comme des variables économiques influençant l'organisation. L'entrepreneur est un facteur-moteur qui se rapporte à la propriété responsable qui a pris l'initiative ou le risque de l'investissement. Il ne faut toutefois pas le confondre avec la fonction de direction et de supervision, qui elle découle du facteur travail. Il se matérialise à travers les actionnaires, sociétaires ou propriétaires d'une entreprise. La technologie concerne le *know-how*, c'est-à-dire la connaissance accumulée de la meilleure façon de produire une chose. Il s'agit d'un «bien gratuit», car c'est le seul facteur de production qui n'est pas économiquement rare, c'est-à-dire que «son usage n'en diminue pas la quantité[7]». Cela englobe l'ensemble des savoir-faire techniquement réalisés et appliqués dans l'entreprise.

Le processus ontologique précise le lieu physique où se coordonnent et s'agencent ces facteurs de production, c'est-à-dire les ressources organisationnelles. Cette coordination s'articule dans ce que nous avons appelé précédemment le DPAS[8]. Rappelons qu'il s'agit d'un système entièrement «programmé» dans le but de produire un objet réel où toutes les données sont normées et contrôlées par les dirigeants de l'organisation. Par exemple, on y retrouve des opérations régissant l'approvisionnement, la transformation ou la distribution des ressources naturelles, des activités relatives à la paye, à l'embauche du personnel, des opérations courantes telles que la tenue des livres ou encore la gestion du matériel et de l'équipement, des activités régissant l'achat-vente des titres de propriété de l'organisation, des interventions avec les organismes environnants, tels que la Commission des valeurs mobilières, les notaires, les banquiers, etc., ainsi qu'un ensemble d'applications fonctionnelles permettant le passage entre les ressources naturelles et le produit mis en marché. De telles activités génèrent des connaissances objectives qui se retrouvent consignées sous diverses formes dans toutes les organisations: inventaires du mobilier, carnet de commande, liste du personnel, états financiers, etc.

Le personnage ou pôle fonctionnel

Le processus fonctionnel réalise le lieu administratif en fonction d'une politique générale définie dans l'espace génétique. Ainsi, dans l'espace fonctionnel, l'organisation adapte sa structure de production à un environnement socioculturel, politique, économique, technologique et financier qu'elle connaît partiellement. Les dirigeants déterminent les objectifs à atteindre, fixent les priorités, élaborent des stratégies, répartissent les mandats de réalisation et distribuent les ressources entre les unités de production jugées les plus aptes à réaliser les objectifs de façon efficace et/ou efficiente[9], supervisent et contrôlent la réalisation de la production.

Des correctifs apportés à la structure organique de production s'effectuent ponctuellement et s'expriment concrètement par la conception d'un organigramme où l'on détermine les unités de direction (supérieures et inférieures) devant chapeauter les unités d'exécution (figure 8).

Pour cerner les caractéristiques de cette structure de fonctionnement organisationnelle, des chercheurs de l'Université d'Aston ont «dégagé cinq variables primaires soit: la spécialisation, la normalisation, le formalisme, la centralisation, la configuration[10]».

Figure 8

Schéma des structures organiques de production dans les organisations[11]

La configuration d'une organisation témoigne du type de relations autoritaires, exécutives ou hiérarchiques existant entre les différents agents dans une organisation. Par ailleurs, «administrer, c'est prévoir, organiser, commander, coordonner et contrôler. En accomplissant ces fonctions, les dirigeants doivent se conformer à certains principes, dont l'un est le «principe de centralisation [...] la question de la centralisation ou de la décentralisation est une simple question de proportions: il s'agit de trouver le degré optimum pour l'entreprise considérée[12]». La variable spécialisation se rapporte aux besoins de répartition des activités exécutives, représentatives et législatives entre un certain nombre de spécialistes dans une organisation[13]. Dans la mesure où l'on admet que toutes les organisations, quelle que soit leur configuration, sont plus ou moins bureaucratiques, la normalisation fait référence au degré d'uniformisation et de dépersonnalisation des méthodes de production. Elle se manifeste sous forme de règlements. Le formalisme se rapporte à l'établissement de règles et des procédures écrites encadrant cette production[14]. L'analyse d'une organisation à partir de ces dimensions permet de cerner des constantes dans la répartition des mandats et, par conséquent, d'esquisser la structure organique devant être prise en compte dans l'élaboration des organigrammes.

À la suite de l'évaluation organisationnelle, des modifications de la structure pourront être apportées. Les compétences d'une unité administrative pourront être abolies, modifiées ou partiellement transférées dans une autre unité afin d'améliorer le processus de production. Par ailleurs, des changements dans l'environnement spécifique, tels que la disponibilité et la qualité des matières premières requises, le marché pour ses produits et services, la disponibilité de la main-d'œuvre et les contraintes imposées par le système social, conditionnent aussi certaines modifications. Toutefois, tant et aussi longtemps que les éléments environnementaux spécifiques restent les mêmes, on ne parlera que de normalisation de la structure, puisque la politique générale de l'organisation reste essentiellement la même.

La personnalité ou pôle génétique

Le processus génétique anime le lieu institutionnel. Il met en scène une autorité désignée par un groupe pour accomplir une mission. Le pouvoir institutionnel repose sur un ensemble de valeurs partagées par les membres et reconnues comme valables dans l'environnement, c'est-à-dire les divers milieux où l'organisation se situe.

Ponctuellement, cette autorité est appelée à reconsidérer les objectifs fondamentaux, la «mission», et à énoncer des politiques de développement dans un contexte qui évolue sans cesse et pour lequel elle n'a aucune donnée préalable. Compte tenu de la taille de l'entreprise, des compétences de son personnel, de sa localisation et de sa structuration, en s'appuyant sur les fonctions qui y sont menées aux fins de production, et en rapport avec les contextes légal et socioculturel, les finalités traditionnelles sont adaptées aux besoins et aux volontés collectives.

À cet égard, le processus culturel animant l'organisation complexe précise le sens des valeurs, des idéologies et des objets concernés. Par exemple, au gré de son évolution, l'institution médicale s'est successivement donné pour mission de combattre la mort, de vaincre la maladie, d'éviter la souffrance. Cela a généré un réajustement des pratiques pour mettre en œuvre ces valeurs. Les traitements médicaux sont passés de la saignée à la cure et aux mesures de prévention, puis à l'homéo-pathie et à l'intervention sociale. De même, le malade est devenu un bénéficiaire et est désigné maintenant par des ter-mes spécifiques à ses maux. Il est un mal-entendant, un non-voyant, etc.

Pour comprendre rapidement les situations et apporter les réorientations nécessaires, les dirigeants doivent s'appuyer sur les fondements de l'identité organisationnelle. Les historiens d'entreprises ont constaté empiriquement combien il était pri-mordial pour une organisation de préserver cette intégrité, voire de la renforcer:

> Une entreprise, pour se développer, faire du profit, enrichir son pays d'origine et d'accueil, doit posséder une forte identité in-terne comme externe. Cette identité lui permet d'être reconnue par ses partenaires et concurrents, elle favorise la prise de risque sur les marchés nationaux et internationaux, et lui assure la loyauté de ses collaborateurs et la fidélité du public[15].

Une étude effectuée par des chercheurs de l'École des hautes études commerciales de Montréal sur le cas d'Hydro-Québec illustre combien le respect des valeurs fondatrices est primordial dans les organisations[16]. Au début des années 1980, la société d'État fut contrainte à se réajuster en fonction des modifications majeures qu'avait connues son environnement au cours des dix dernières années. Sous la direction de Guy Coulombe, les gestionnaires ont amorcé un processus de ré-orientation majeure. La philosophie changea: «Hydro-Québec devait devenir un «service d'utilité» efficace et dynamique et non nécessairement le porte-flambeau du développement du Québec[17].» À cet égard, la recherche et le développement pas-sèrent au second plan, au profit des activités de marketing et de contact avec la clientèle. Ce changement commandait la mise en place d'une structure beaucoup plus décentralisée, ce qui eut pour effet de rationaliser les ressources affectées aux postes décisionnels et de responsabiliser les administrateurs. Enfin, la réorganisation amena un changement stratégique et on se préoccupa davantage de la question de la concurrence. Tous ces changements modifiaient profondément l'identité d'Hydro-Québec tant au plan de son idéologie, de sa structure que de sa réalité matérielle, sans renforcer son identité. Au contraire, parce qu'ils ne tenaient pas compte de la culture organisationnelle déjà en place, ils furent des sources de tension importante. Une enquête menée auprès des employés révéla en effet que ces réaménagements furent les «plus dramatiques [...] depuis la nationalisation et l'intégration des entreprises nationalisées[18]». Le personnel en ressent encore les effets: perte du sentiment d'appartenance, désorientation et démotivation, agressivité, etc.[19] En outre, la réorientation a également eu des effets à l'externe. Celle-ci est devenue beaucoup plus sévère dans son évaluation des performances de la société d'État. Dans ce contexte, Hydro-Québec doit maintenant consolider son image, non seulement à l'interne mais aussi à l'externe.

En définitive, la totalité des activités du pôle génétique repose sur la décision des dirigeants et s'inscrit dans un contexte de continuité ou de rupture tenant compte de tous les éléments de contexte qui peuvent intervenir.

Processus organisationnel et organisation complexe

Le processus organisationnel situe l'organisation complexe dans un espace tridimensionnel. Grâce à lui, une personne physique ou morale se constitue légalement; une instance se structure pour réaliser une mission; une autorité est institutionnalisée pour mettre en œuvre des croyances et des valeurs. L'équilibre entre ces lieux physique, administratif et institutionnel est assuré par l'appareil informationnel qui renseigne les agents de l'organisation sur la nature, les formes et le sens des objectifs à atteindre. Cette harmonisation entre espace et pratiques est possible grâce à la mémoire qui dote l'organisation d'une conscience d'elle-même. Le système dispose alors d'un cadre de référence lui permettant de caractériser ses ressources, de comprendre son rôle et de se représenter dans le temps et dans l'espace.

Le processus organisationnel entre donc nécessairement en relation avec les systèmes mémoriel et informationnel de l'organisation complexe. De leurs interactions dynamiques naissent des émergences qui se métabolisent dans le système global et rétroagissent sur l'ensemble des éléments constitutifs du tout organisationnel. En conséquence, la mémoire s'adapte selon que l'organisation se base sur sa personne, sur son personnage ou sur sa personnalité pour se définir. Chaque formule commande un type de réseau de communication où l'importance du consigné varie en fonction des canaux privilégiés dans l'organisation.

Société et notion d'organisation

Les organisations héritent des valeurs de l'époque où elles naissent. Il s'ensuit que les prémisses du processus identitaire varient[20]. Certaines se voient avant tout comme des entités matérielles réagissant à des contraintes externes. D'autres focalisent sur leurs réalités fonctionnelles internes en se percevant davantage comme des organismes sociaux. Enfin, la tendance actuelle semble privilégier une organisation déterminée par des finalités systémiques contingentes. En fait, entre l'entreprise industrielle du XIXe siècle et le système complexe tel qu'on le conçoit aujourd'hui, le concept d'organisation a beaucoup évolué. Les transformations des mentalités, des systèmes de valeurs, des structures sociales et politiques que la société connaît au cours de cette période commandent une réaffirmation de l'identité organisationnelle. Face aux mutations, il fallait revoir la façon de s'harmoniser aux autres et les théoriciens ont cherché à formuler des représentations qui correspondaient mieux aux nouvelles réalités.

De nos jours, il existe une multitude d'organisations et les théoriciens divergent d'opinion sur les facteurs déterminant l'identité.

> L'abondance, la variété des théories ne s'expliquent-elles pas par l'évolution même de la firme, par l'apparition de différents types de firmes dans des environnements différents où la NASA cohabite avec l'artisan, voire avec des ethnies n'ayant pas encore découvert le feu? [...] C'est bien un changement de nature du phénomène entreprise que nous suivons avec les diverses théories. Celles-ci précèdent (ou accompagnent) le changement. Elles

devancent les firmes qui traînent, expliquent (ou éclairent) celles qui avancent, c'est-à-dire celles qui s'adaptent à leur environnement (au remodelage duquel elles participent dans leur intérêt... ou non). Elles apportent un jeu d'instruments qui permettent une nouvelle façon d'aborder de nouveaux problèmes. Elles proposent des approximations formalisées pour faciliter cette adaptation, une adaptation dynamique à une succession de déséquilibres[21].

Dans cette optique, le théoricien des organisations Gareth Morgan affirme que «les organisations sont toujours déterminées par les images et par les idées qui les sous-tendent; nous organisons comme nous *imaginisons*, et il est toujours possible d'*imaginiser* de plusieurs façons[22]». C'est ainsi que l'utilisation de diverses métaphores a conduit la société à voir — à «imaginiser» — les organisations comme une machine, un organisme vivant, un cerveau, une culture, un système politique, une prison du psychisme, un flux de transformation, ou encore un instrument de domination[23]. Selon G. Morgan, toutes ces images non seulement servent à décoder et à expliquer subjectivement l'organisation mais elles engendrent aussi la façon de la concevoir et de la gérer objectivement.

Je crois [...] en une position qui cherche à reconnaître un paradoxe, celui d'une réalité à la fois subjective et objective. Nous *engageons* subjectivement la réalité objective en nous introduisant dans ce que nous «voyons» d'une façon qui, en même temps, influence précisément ce que nous voyons. On peut concevoir cela comme un processus d'«engagement» et de «coproduction» qui met en jeu à la fois des constructions subjectives et des interactions concrètes avec d'«autres» qui sont, eux aussi, concrets, réels[24].

S'il n'est pas possible de parler d'une typologie générale de l'organisation, on ne peut pas non plus postuler un modèle mémoriel unique. Pour constituer et donner accès à une mémoire consignée efficace et efficiente, l'archiviste ne peut ignorer la culture organisationnelle et doit nécessairement connaître la perspective dans laquelle se situe son organisation. Dans cette optique, nous voulons dégager des traits qui se retrouvent de façon plus ou moins prononcée dans les cultures des organisations. Il n'est pas question de faire ici une typologie. D'ailleurs, il n'est surtout pas dans notre intention de présenter un modèle intégrateur ou de proposer un autre type organisationnel. Il s'agit de tenter de cerner les principaux éléments constitutifs de ces modèles et de leur évolution dans le temps, dans la foulée même des interprétations avancées par les théoriciens de l'organisation. Cet exercice permet de mieux comprendre la finalité du travail de l'archiviste dans une organisation donnée. Il est requis pour tout professionnel qui entre au service d'un nouvel organisme. Il est enseigné comme phase préalable et essentielle à toute intervention archivistique de qualité[25].

La firme ou l'homme économique

Les premières organisations modernes émergent au XIXe siècle, dans le contexte de la révolution industrielle. Issue du capitalisme concurrentiel et du développement des technologies machinistes, l'organisation se limite aux intérêts privés. Au niveau théorique, le «réductionnisme triomphant des sciences classiques» amène les économistes à considérer l'entreprise industrielle comme une entité matérielle composée d'éléments basiques — les facteurs de production — qui obéissent aux lois économiques (donc de la nature).

L'entreprise industrielle coordonne ses ressources selon le principe capitaliste qui «suppose l'organisation rationnelle du travail en vue de la production du profit; il suppose aussi que la plus grande part du profit ne soit pas consommée mais épargnée afin de permettre le développement des moyens de production[26]». Ainsi:

> La théorie de la firme en économique comporte un certain nombre de variantes mais on peut considérer comme admises, en règle générale, les hypothèses suivantes:
>
> 1. le domaine de l'organisation est donné. Par domaine, il faut entendre le type de biens produits ou de services rendus par l'organisation. [...];
>
> 2. la technologie de l'organisation est donnée. Par technologie, il s'agit ici des techniques utilisées pour transformer les inputs en outputs. [...];

3. le processus de saisie, de transmission et d'assimilation de l'information sur les différentes actions possibles et sur leurs conséquences est gratuit;

4. les buts de l'organisation sont donnés et sont partagés par tous ses membres (ce qui permet avec l'aide de l'hypothèse précédente, de considérer l'organisation comme un décideur unique puisqu'on ignore ainsi tous les problèmes de communication de l'information d'un membre à un autre, ainsi que les autres difficultés: établissement d'un consensus, résolution des conflits, mise en vigueur de règles de distribution des ressources discrétionnaires);

5. les ressources proviennent de la vente (échange des biens et services de l'organisation sur les marchés d'outputs). Tout ou partie de ces ressources sont utilisées pour acheter les facteurs de production — échangés contre d'autres ressources — sur les marchés d'inputs. [...];

6. l'organisation agissant comme un décideur unique choisit entre différentes actions possibles [...] en vue de maximiser ses objectifs sous la contrainte de la fonction de l'organisation ainsi que de la disponibilité des ressources;

7. on suppose également que l'organisation maximise son profit (excédent de ses revenus sur ses coûts)[27].

Parce que tout y est initialement donné, l'entreprise existe par ce qu'elle est. Elle sait tout, entend tout, est maîtresse de son devenir. Bref, la firme rayonne par elle-même. C'est un organisme vivant, totalement indépendant, une sainte-trinité où la personne, le personnage et la personnalité se confondent et se fondent en Un.

Dans une analyse sur l'éthique protestante et l'esprit du capitalisme, le théoricien de la sociologie Max Weber expliquait ce caractère transcendant de l'organisation par un déterminisme d'ordre plutôt religieux qu'économique[28]. Celui-ci serait issu du contexte dans lequel le capitalisme se développa. Dans l'Allemagne du début du XXe siècle, Weber constate que la majorité des chefs d'entreprises sont des protestants. Il affirme qu'il y eut conjonction spirituelle entre le calvinisme et le capitalisme naissant: le protestant est seul face à Dieu; seule sa réussite matérielle peut lui révéler son état de grâce; toutefois, la morale protestante lui interdit d'utiliser ses richesses à des fins de jouissance matérielle. Ainsi, on peut comprendre que les entreprises capitalistes soient totalitaires et possèdent une même finalité : « Il s'agit d'une accumulation indéfinie plus que de la recherche de richesses proprement dite. Le propre de l'entrepreneur capitaliste est qu'il désire accumuler sans limites, sans aucune fin[29]. »

Au gré des transformations socio-économiques, l'organisation industrielle a évolué. Elle compose aujourd'hui avec les contraintes humaines et sociales plus qu'elle ne le faisait à l'origine. Néanmoins, cela ne veut pas dire qu'elle a changé de référence identitaire. Des entreprises visent encore à posséder une structure idéale, c'est-à-dire à être naturellement équilibrées. À cet effet, le fondement de la théorie néo-classique est que l'organisation doit tendre à l'équilibre parfait entre sa production et la demande des consommateurs[30]. Ainsi, l'organisation s'est adaptée aux contextes actuels mais, dans le cas d'un bon nombre, la conception identitaire fondée sur une représentation matérielle totalitaire n'a pas été délaissée. Les grandes entreprises industrielles se définissent par la personne.

> Entre autres exemples, nous citerons des usines fabriquant des accessoires pour véhicules, ainsi que des usines d'assemblage de véhicules, de traitement des métaux et des usines produisant des denrées alimentaires et des confiseries en grande quantité. Des organisations telles que celles-ci ont poussé très loin dans la structuration des activités ; en d'autres termes, le comportement escompté des membres du personnel a été structuré par la spécification de leurs rôles spécialisés, des marches à suivre dans l'accomplissement de ces rôles, ainsi que de la documentation y afférente. [...] Ainsi l'industrie manufacturière ou le *big business* se caractérise généralement par des activités fortement structurées — plans de production, méthodes de contrôle de la qualité, rendements par ouvrier et par machine, formule d'enregistrement des travaux d'entretien, etc. C'est ce qu'on pourrait appeler une « organisation structurée en fonction de la production »[31].

La grande industrie n'est pas la seule à s'inscrire dans ce modèle d'organisation. De multiples petites et moyennes entreprises privées productrices de biens marchands suivent cette orientation. Leur propriété est concentrée entre les mains d'un petit nombre de gens d'affaires qui remplissent les fonctions de gestionnaires. Le mode de production y est souvent artisanal et elles emploient un nombre relativement restreint de travailleurs[32]. Citons par exemple les cas de la fabrique de portes et fenêtres ou encore l'atelier de mécanique spécialisée.

Lorsque l'identité est axée sur la réalité matérielle, la mémoire s'ancre nécessairement sur les caractères ontologiques de l'exploitation économique, c'est-à-dire sur ses facteurs de production et la logistique qui les encadre. Elle focalise plus particulièrement sur deux de ces facteurs. En effet, le capital et les ressources naturelles appartiennent avant tout à l'entrepreneur. Par ailleurs, la technologie conditionne le travail et, partant, les autres facteurs traditionnels. Les ressources «entrepreneur» et «technologie» ont une telle importance qu'elles deviennent le moyen d'action et de légitimation privilégié de la mémoire consignée.

Il semble que, dans le large contexte du libéralisme économique, l'identité de l'entrepreneur et celle de sa «business» se soient confondues. L'un administre «légitimement» l'autre. Au gré de l'expansion organisationnelle, le visage de l'entrepreneur a changé; il s'est adjoint des associés. Mais de l'homme d'affaires du XIXe siècle jusqu'au cartel industriel d'aujourd'hui, la dépendance identitaire de l'entreprise vis-à-vis de son propriétaire s'est peu modifiée. Elle est tout au plus passée d'une personne physique à une personne morale.

Dans la mesure où la firme est considérée comme l'affaire exclusive d'individus ou de groupes tels qu'une famille ou des actionnaires, sa mémoire transite par celle de ses propriétaires. Il n'est donc pas surprenant que la théorie ait postulé la gratuité informationnelle. Par l'hypothèse d'une firme omnisciente, elle escamotait la notion d'information en la renvoyant à une boîte noire, à l'instar d'ailleurs des autres aspects anthroposociologiques de la réalité organisationnelle. En fait, elle tenait pour suffisant de reléguer la mémoire au décideur en ignorant l'existence d'une collectivité organisationnelle et de l'appareil informationnel qu'elle suppose.

La mémoire consignée de l'entreprise devient l'extension de la mémoire de l'entrepreneur. Du reste, dans le cas d'un individu ou d'un groupe familial, on considère souvent que ces documents sont SES archives, pas celles de la compagnie. Par ailleurs, une «histoire officielle» de la compagnie pourra être écrite au besoin. Toutefois, celle-ci se confondra souvent avec celle du fondateur et de sa famille[33]. Comme le souligne Maurice Thévenet «les fondateurs sont très «symboliques», ils ont créé les entreprises, leur ont imprimé leur marque. Même si on adapte parfois leur histoire selon les époques et les besoins, ils informent sur l'entreprise actuelle[34]».

Une telle situation a changé avec le développement des administrations complexes. Le pouvoir s'est décentralisé, le patron totalitaire et paternaliste ayant cédé le pas à une équipe de direction spécialisée. Ainsi la masse d'informations stratégiques a-t-elle partiellement éclaté et s'est dépersonnalisée. La mémoire est maintenant éparpillée parmi d'autres documents administratifs[35]. Cela étant dit, il existe tout de même une certaine quantité d'informations consignées qui demeure sous le contrôle strict de l'entrepreneur et qui sera fort probablement détruite ou emportée au moment de son départ. Ainsi, l'entrepreneur demeure un dépositaire important de la mémoire consignée de son entreprise.

Cette mémoire qui s'articule autour des réalités matérielles engagées par l'entrepreneur dans le processus organisationnel défend les intérêts de ses propriétaires en fonction des règles et des modes d'exploitation communément admis par le système social. Non seulement le consigné est-il une source de pouvoir et de légitimité symbolique, mais il s'attache à protéger les droits de propriété de l'entrepreneur et à encadrer ses responsabilités.

Outre le facteur entrepreneur, la technologie constitue la deuxième ressource déterminante. Deux idées forces particulièrement populaires au tournant du XIXe siècle, le scientisme et la rationalisation, sont à l'origine de cette importance.

Le scientisme considère la science comme une vérité indiscutable et universelle. La science devient la seule source de connaissance. Cependant, la technique est peu utile si elle ne peut être contrôlée et mise à profit par l'entrepreneur. Pour triompher, la vérité scientifique doit s'appuyer sur la rationalisation des connaissances.

Il semble que la mentalité rationaliste caractérisait déjà le monde des affaires dès l'ère précapitaliste:

> Tous ces hommes d'affaires [de la fin du Moyen Âge] ont en commun le désir de savoir, de comprendre, de voir clair. Pour être bien informés, assurément. [...] Ils éprouvent constamment le désir de connaître les faits et les événements pour en prévoir d'autres et en tirer profit. L'expérience suscite en eux la certitude que tout fait a une cause, que pour prévoir, il faut d'abord savoir et que, en toutes circonstances, il est nécessaire d'avoir des données précises, exactes et complètes. Cette conscience profonde qu'une bonne information permettra l'action fructueuse par des prévisions judicieuses, c'est la démarche logique même de la pensée rationnelle[36].

Les découvertes technologiques et le développement des sciences physiques et mécaniques au XVIIIe siècle accentuent la tendance. Désormais, grâce à la rationalisation scientifique, l'homme peut expliquer des phénomènes naturels qui jusque-là étaient considérés comme d'origine divine. En dégageant et en diffusant des principes et des lois fondamentales, il a le sentiment de pouvoir maîtriser les forces universelles et de les mettre à son profit. En conséquence, la rationalisation scientifique apparaît comme la voie à privilégier pour faire progresser la condition humaine.

Dans le contexte industriel de la fin du XIXe siècle, le machinisme, perçu comme une conséquence bienfaisante du progrès, doit pour être vraiment profitable s'insérer dans une démarche totalement rationnelle. À partir du moment où on accorde la primauté à la science objective, le travail, le capital et les ressources naturelles se subordonnent au développement technique de la production. En effet, l'organisation rationnelle du travail distingue les tâches de direction et d'exécution dans le but de standardiser la production et de rendre encore plus rentable l'utilisation des autres ressources[37].

Pour opérer une telle unification, il fallait créer une instance scientifique «pensante» et coercitive au-dessus des exécutants[38]. L'inventeur solitaire va disparaître au profit de l'ingénieur industriel. Dorénavant, l'innovation passe par les laboratoires de recherche qui emploient des équipes de mathématiciens et de physiciens qualifiés:

> Dans une bonne partie des industries de pointe [...] l'initiative appartient de plus en plus aux polytechniciens, qui introduiront, dans les firmes, un esprit de rationalité qui leur avait jusqu'alors singulièrement manqué, leur action favorisera ainsi la naissance d'un véritable «pouvoir de décision» en matière d'innovation[39].

Le rôle de ces dirigeants-ingénieurs est de dégager les principes sous-tendant le savoir-faire technologique et de les adapter afin de fournir aux travailleurs des méthodes de travail scientifique efficaces et efficientes.

> La première obligation de la direction est constituée par le rassemblement délibéré [...] de la grande masse de connaissances traditionnelles qui, dans le passé, se trouvait dans la tête des ouvriers, qui s'extériorisait par l'habileté physique qu'ils avaient acquise par des années d'expérience. Cette obligation de rassembler cette grande masse de connaissances traditionnelles, de l'enregistrer, de la classer et, dans de nombreux cas, de la réduire finalement en lois et règles, exprimées même par des formules mathématiques, est assumée volontairement par les directeurs scientifiques. Plus tard, quand ces lois sont appliquées dans le travail journalier des entreprises, grâce à la coopération intime et cordiale de ceux qui appartiennent à la direction, elles entraînent invariablement, tout d'abord, une production unitaire beaucoup plus importante, qui est d'une qualité bien meilleure, ensuite l'entreprise peut payer des salaires plus élevés aux ouvriers et elle peut elle-même gagner un bénéfice plus important[40].

Le travailleur est quant à lui de plus en plus à la remorque de la machine. L'idéologie capitaliste du XIXe siècle, qui valorise l'individualisme, vient renforcer son rôle d'exécutant. En effet, l'organisation précapitaliste situait l'individu au sein d'une collectivité selon un ordre social déterminé par la Providence: «L'homme n'a de conscience de lui-même que comme membre d'une race, d'un peuple, d'un parti, d'une famille ou d'une corporation, que comme membre d'une de ces catégories générales[41].»

Dans cette philosophie, l'individualisme se développe graduellement au milieu du XVIIIᵉ siècle avec l'affirmation des déterminismes «naturels» prônés par les sciences classiques, notamment par les théories de Darwin sur la sélection naturelle:

> Aider le faible et le pauvre finit par apparaître comme un acte antisocial. On affirmera non seulement que chaque individu doit chercher à se défendre, mais aussi, puisque les plus capables survivent et permettent de sauver la race, que la liberté de compétition doit être totale. [...] L'intérêt individuel (certains diront l'«égoïsme humain») remplace la providence divine. Ceux qui croient en Dieu diront que Dieu aide ceux qui s'aident eux-mêmes[42].

Ce mouvement s'accompagne d'un hédonisme qui fait reposer les activités économiques sur la poursuite du maximum de satisfaction avec le minimum d'effort. L'homme travaille non par plaisir mais parce que cela constitue une «nécessité pénible» pour ne pas connaître la famine. Ainsi, le travail ne se justifie que par le salaire.

En ce sens, l'individualisme aura pour conséquence de limiter le facteur humain dans l'organisation en écartant la perspective du groupe. L'hédonisme vient encore plus isoler l'individu en l'excluant de la stratégie organisationnelle. L'homme ne vient à l'usine que pour fournir l'énergie nécessaire à la transformation des autres facteurs de production. Ainsi, non seulement le besoin de communication entre travailleurs n'a aucun sens mais on considère que l'individu a peu à offrir à la mémoire organisationnelle. En fait, le savoir-faire de l'artisan reste son seul pouvoir. À cet égard, le scientisme et la rationalisation du travail vont réduire considérablement son importance mémorielle.

En privilégiant la technologie comme source de connaissance, on lui confère implicitement un rôle mémoriel de premier plan. Elle cristallise le savoir, le savoir-faire et la finalité de l'entreprise en un tout objectif et indiscutable: des méthodes et des procédés scientifiques maximisant le profit. En d'autres termes, la technologie est omnisciente, comme la firme, c'est pourquoi son dirigeant est ingénieur. Il est pendant longtemps le gardien de la mémoire bien plus que ne l'est l'archiviste. Il n'est d'ailleurs pas surprenant de constater l'importance de son rôle dans la mémorisation de l'histoire des entreprises et de ses techniques. Ainsi, de nombreuses monographies furent souvent l'œuvre d'ingénieurs à la retraite. À ce sujet, Raymond Duchesne souligne «qu'assez traditionnellement, l'histoire des disciplines a été l'œuvre des praticiens eux-mêmes[43]».

Sur le plan de la mémoire, on considère peu les traces informationnelles consignées issues de l'appareil de production. En effet, ces connaissances-là sont actuelles, jamais virtuelles. Une fois le cycle de production terminé, les documents issus ont beau être authentiques, ils ne paraissent d'aucune utilité pour assurer la cohérence et la continuité de l'action. Ils ne sont que des résidus d'une application technologique qui, elle, est virtuelle. En conséquence, cette production documentaire est laissée aux avatars de l'évolution administrative. Les exemples des compagnies Labatt et Ontario Hydro sont significatifs à cet égard[44].

Fondée par John Labatt vers 1830, la London Brewery fut d'abord une entreprise administrée par la famille durant trois générations jusqu'en 1945, année au cours de laquelle elle fut constituée en compagnie et incorporée. Petite entreprise artisanale à ses débuts, la brasserie Labatt est devenue aujourd'hui un empire commercial important qui contrôle directement 14 brasseries canadiennes et indirectement de nombreuses autres compagnies du secteur de l'alimentation et de la production agricole.

En 1979, la compagnie, désireuse d'écrire son histoire, dut reconnaître la faiblesse des sources. Elle créa alors un service dont le premier mandat fut de regrouper les archives de la compagnie. Labatt n'avait pas cru bon d'établir auparavant un tel service. Cela ne veut pas dire qu'elle n'avait pas de mémoire consignée; en fait, celle-ci était éparpillée à travers toute la compagnie.

On retrouva assez facilement les rapports annuels et les dossiers légaux. Ils avaient été conservés dans des lieux particuliers et dans de meilleures conditions de sécurité. On eut moins de chance dans le cas des documents concernant l'administration lors de la fondation et des premières années d'activité. Un incendie en avait détruit la majorité en 1874. Par la suite, la conservation n'ayant jamais été dans les priorités de l'entreprise, aucune politique de gestion n'avait vraiment été appliquée, ce qui explique qu'un bon nombre de documents aient été perdus ou souvent détruits. En bout de ligne, on reconstitua un *records collection* avec des documents provenant de la compagnie, des compagnies assimilées ainsi que de la famille Labatt. Notons-le, donc, il s'agit pour l'essentiel de documents se rapportant à l'entrepreneur.

La situation d'Ontario-Hydro paraît différente, mais elle repose néanmoins sur le même principe de protection des droits. En 1906, le gouvernement de l'Ontario créait l'Hydro-Electric Power Commission comme organisme de coordination dans la vente d'électricité entre les municipalités et les compagnies privées qui en produisaient. Au fil des ans, Ontario-Hydro acheta la plupart des compagnies privées et devint une société d'État. Toutefois, elle continua à être gérée comme une entreprise privée à but lucratif.

Un service d'archives y existe depuis peu — septembre 1980 — mais la gestion des documents constitue depuis longtemps une «business fonction» dans cette organisation. En conséquence, un programme de gestion des documents fut instauré dès les premières années d'existence de la commission et les archives, contrairement à celles de Labatt, sont exceptionnellement complètes. Est-ce à dire qu'Ontario-Hydro voulait utiliser la mémoire consignée pour fonder son action? Pas vraiment; en fait, le principe de transparence de l'administration publique joua un grand rôle dans sa conservation. La compagnie avait des comptes à rendre et devait en même temps préserver ses secrets.

Il semble que la conservation de la mémoire consignée des entreprises ne fut envisagée durant de nombreuses années qu'en fonction de la propriété, des comptes que les compagnies ont à rendre à leurs ayants droit et, dans certains cas, en raison d'obligations administratives. Ainsi, la mémoire consignée des compagnies qu'elles ont fusionnées ou encore dont elles ont pris le contrôle doit être gardée, du moins en partie, car elle témoigne du cadre légal des organisations assimilées. En outre, la mémoire spécifique des propriétaires est très importante, car elle constitue un palier indivisible. On conservera dans les entreprises familiales, par exemple, les papiers de la famille elle-même ou ceux de ses autres intérêts financiers[45]. Toutefois, si la compagnie conserve une autre mémoire que la sienne c'est parce que son histoire administrative l'y a amené et non parce qu'elle a cherché à enrichir sa mémoire par une politique archivistique rigoureuse. Le reste n'est que *businesslike*; les informations découlant des besoins ponctuels de l'administration courante sont laissées au petit bonheur et les traces conservées découleront la plupart du temps des effets du hasard dans l'histoire de la compagnie.

Dans leur acception moderne, les services administratifs des organisations complexes se sont considérablement développés. Dans certaines entreprises, l'automation a suscité une tertiarisation et un certain nombre de travailleurs sont passés de l'atelier au bureau. En outre, au niveau du facteur travail, les mentalités ont changé: le scientisme, l'individualisme ainsi que l'hédonisme ont été remis en cause. Les travailleurs se sont affirmés, notamment par l'entremise de syndicats. L'entreprise a dû reconnaître l'interdépendance existant entre les facteurs humains et techniques. Du coup, les problèmes de gestion des ressources humaines ont surgi. Parallèlement, la complexité et la rapidité avec laquelle se sont développées les technologies requièrent des connaissances tellement poussées que les dirigeants ne peuvent plus être en mesure de maîtriser totalement les connaissances scientifiques. Face à tous ces bouleversements, il était nécessaire de réagir et d'adapter les structures fonctionnelles. Des programmes de management répondant aux besoins administratifs actuels ont donc été instaurés.

Le rôle de l'ingénieur-directeur s'est effacé au profit du gestionnaire professionnel[46]. Le savoir scientifique s'est institutionnalisé et l'embauche d'un personnel doté d'une formation spécialisée constitue maintenant une garantie. À ce sujet, la reconnaissance des diplômes par les descriptions de tâches et l'engagement des entreprises dans certains programmes universitaires sont éloquents. L'organisation fait appel à des spécialistes de toutes les disciplines pour déterminer et appliquer les meilleures méthodes de gestion et de production. Il peut s'agir de consultants comme du personnel en place[47]. Selon le cas, les services de recherche et de développement seront plus ou moins importants. Par les chercheurs scientifiques qu'elle emploie ou encore par les investissements qu'elle fait dans le monde de la recherche, l'organisation pourra capitaliser sur la production scientifique de pointe et se situer dans plusieurs réseaux.

Un contexte concurrentiel où l'action devait rester secrète a longtemps accentué la tendance à occulter, sinon à détruire, l'information issue de l'appareil de production. On jugeait qu'il était aisé d'éliminer ces documents sans entraver le cours des activités administratives. Les dirigeants ne voyaient pas l'intérêt de les conserver à long terme car ils ignoraient comment se servir de l'expérience de leur organisation. Avec la spécialisation des savoirs qui amène notamment l'introduction des études en sciences humaines et sociales appliquées, l'expérience et la tradition industrielles étaient réhabilitées au plan administratif et la valeur mémorielle de cette information était prolongée[48].

La situation est légèrement différente dans les petites et moyennes entreprises où les services administratifs sont souvent réduits au minimum. Le savoir-faire s'y transmet souvent de vive voix, car la dimension artisanale y est plus importante que dans l'industrie. En conséquence, l'information consignée produite par l'appareil de production se limite généralement aux bordereaux, factures et autres pièces justificatives résultant de l'appareil de production. La majorité des documents sont conservés pour permettre le service à la clientèle et répondre à des obligations légales. Enfin, la plupart de ces organisations sont privées et dirigées par leurs propriétaires; c'est pourquoi une bonne part de la mémoire consignée se situe encore dans les fonds privés des entrepreneurs.

L'entreprise/personne se définit donc encore par rapport à sa technologie, tant au niveau de la machinerie et des instruments en place que des méthodes de fabrication et des procédés techniques mis au point. Bref, elle se rapporte toujours plus à sa production qu'à la masse de papiers générée par l'appareil administratif. Toutefois, la technologie n'est plus exclusivement entre les mains de l'entrepreneur et le consigné redonne un instrument d'autorité à l'administrateur. Citons, à ce sujet, l'exemple de la compagnie Alcan qui a constitué un centre de documentation afin d'assurer la conservation et la diffusion des manuels de procédures et des guides techniques relatifs à l'utilisation et à la maintenance de son ingénierie.

L'émergence de nouveaux modèles davantage axés sur les fonctions administratives a largement influencé le développement organisationnel de la firme. En outre, ces nouvelles «images» ont donné lieu à la création d'un nouveau type: l'organisation personnage.

L'organisation ou l'entité sociale

Durant les années 1920, la mise en application des modèles d'organisation du travail basés sur la rationalisation scientifique suscite des tensions au sein des entreprises. L'augmentation des salaires n'est plus l'unique revendication des ouvriers qui réclament de meilleures conditions de travail. L'organisateur doit revoir ses conceptions de la firme afin d'y intégrer le facteur humain. En outre, la crise économique qui ébranle la société industrielle à la fin de la décennie provoque une remise en question de l'infaillibilité scientiste. Dès lors, comment adapter l'entreprise aux nouvelles réalités socio-économiques? La réponse théorique se formulera dans le contexte du développement des sciences sociales et psycho-sociales.

> La période 1930-1950 a été profondément dominée en fait par une réaction anti-taylorienne qui s'est manifestée aussi bien sur le plan littéraire que sur le plan politique et social et qui a affecté les syndicalistes des mouvements de masse américains et européens comme les propagandistes paternalistes ou néo-capitalistes des «relations humaines». Tout l'effort scientifique des psychologues, des sociologues, des pédagogues et des expérimentateurs sociaux qui ont été les maîtres à penser de cette période, s'est développé contre la conception utilitaire du progrès et contre le schéma mécaniste du comportement humain sur lequel on avait jusqu'alors vécu en matière de travail et d'économie[49].

L'école des relations humaines se développe au cours de cette période par des recherches expérimentales relatives aux comportements ouvriers. Au début des années 1930, les tenants d'un courant interactionniste constatent l'interdépendance des facteurs humains et techniques. Ils s'opposent à la conception scientiste en affirmant que les sentiments des ouvriers influencent directement l'action organisationnelle. Ainsi, les dirigeants doivent connaître les comportements des exécutants, les prévoir et les rationaliser afin d'orienter leur conduite.

L'approche participationniste, qui apparaît dans les années 1940, s'appuie notamment sur la psychanalyse. Les travaux sont axés sur les rapports entre l'individu et son groupe d'appartenance organisationnelle. Dans la mesure où l'individu adhère à un groupe pour satisfaire divers besoins: échange d'information, sociabilité, affirmation de l'identité individuelle, etc., ces regroupements constituent des voie privilégiées pour réaliser son intégration dans l'organisation. En accordant plus d'importance aux groupes et en laissant leurs chefs jouer un rôle de leaders plus démocratiques qu'autoritaires[50], on s'assure d'une cohésion organisationnelle plus efficace.

En s'interrogeant sur la nature de l'homme, les humanistes redéfinissent donc la firme comme une organisation sociale où l'individu est reconnu en tant qu'acteur. Selon eux, la dépersonnalisation du travail rend un exécutant ignorant face à sa tâche, ce qui lui fait perdre tout intérêt à l'exécuter. Pour qu'il en retire plus de satisfaction, il faut donc faire en sorte qu'il puisse s'identifier à son travail et qu'il soit mieux informé. Toutefois, l'exécutant ne possède pas vraiment de pouvoir de décision. Celui-ci appartient encore aux dirigeants, véritables *deus ex machina* de l'organisation[51].

> Ils [les théoriciens] proposaient de considérer l'entreprise comme un système social, c'est-à-dire un système d'activités privilégiées. Il fallait tenir compte de ce système, connaître son fonctionnement pour mieux l'intégrer aux plans et aux prévisions de la direction, qui ne doutait pas de détenir seule la vérité sur le fonctionnement de l'entreprise[52].

À partir des années 1950, la mise en place d'un appareil d'État développé et complexe affirme l'autorité de la gent administrative; dès lors, l'hypothèse d'un but commun partagé par tous les membres (hypothèse 4) est rejetée par certains théoriciens. Ces derniers s'attachent à montrer de quelle façon l'organisateur obtient le pouvoir et contrôle les composantes. C'est dans ce contexte que se développe la théorie des motivations qui s'articule autour des comportements humains et de leurs effets sur les orientations organisationnelles. À divers égards, elle se rapproche des courants humanistes précédents:

> École des relations humaines et théorie des motivations se caractérisaient [...] par une triple perspective: techniciste, car c'est l'organisateur qui pense le travail des individus et non eux-mêmes, individualiste, car il s'agit de l'épanouissement des besoins de chacun, humaniste, car elles disent explicitement vouloir l'épanouissement et le bonheur de l'homme. La réalisation de ces objectifs rendra l'organisation plus harmonieuse et plus efficace[53].

Ces théories remettent en cause l'hédonisme en développant l'idée que le travail est avant tout une source d'épanouissement naturel indispensable à l'homme. Le travailleur désire plus que subvenir à des besoins financiers: il cherche à réaliser ses aspirations fondamentales. C'est pourquoi ses besoins organiques, psychologiques et sociaux doivent être satisfaits selon un ordre hiérarchique déterminant.[54] La théorie des besoins pose aussi les limites du pouvoir de l'organisation scientifique, car l'homme frustré rejette les méthodes qu'on lui impose en adoptant un comportement non coopératif et improductif[55]. En outre, la conception de la direction se situe aussi dans un référentiel sociologique révélant l'idéologie sous-tendant une certaine pratique du management. Dès lors, l'organisateur scientifique n'échappe plus à l'irrationalité humaine[56].

En définitive, de nombreuses théories behavioristes ont été développées afin de proposer des modèles expliquant l'organisation par les comportements de ses composantes. De façon générale, elles postulent ceci:

— les organisations sont des coalitions d'individus, l'organisation en elle-même n'ayant pas de but;

— les objectifs que l'on considère d'habitude comme ceux de l'organisation sont en fait ceux des membres dominants de la coalition soumis aux contraintes imposées par les autres «membres et par l'environnement extérieur»;

— en face d'un univers hautement complexe et incertain, munis d'une rationalité limitée, les membres d'une organisation se concentrent sur des buts locaux (individuels ou par département), ces buts locaux sont souvent en conflit entre eux. «De plus, ce qui est bon pour des parties de l'organisation n'est pas nécessairement bon pour l'ensemble.»[57]

La firme monolithique était identifiée à son propriétaire et réagissait aux lois économiques. En abordant l'organisation comme le résultat des déterminismes individuels, on ne pouvait plus la poser comme un objet physique. En effet, la mécanique organisationnelle devient à certains égards illogique et incontrôlable. En conséquence, l'identité doit se fonder sur des caractéristiques «douces». Elle devient une réalité humaine et sociale où les groupes s'affrontent pour imposer leurs valeurs.

Bref, les théoriciens de l'école des relations humaines devaient nécessairement remettre en cause l'identité ontologique. Toutefois, s'ils intègrent la dimension humaine dans l'univers organisationnel, la subjectivité de l'exécutant ne représente qu'une contrainte avec laquelle l'organisateur doit composer pour diriger la destinée de l'entreprise. Par ailleurs, les tenants de la théorie des motivations ont tenté d'atténuer l'autoritarisme du dirigeant en accordant une plus grande primauté au déterminisme humain dans le devenir organisationnel. Mais, dans un cas comme dans l'autre, ils escamotent la question de la formulation des objectifs initiaux. Bien sûr, les hommes réagissent aux fonctions qui leur sont imparties. Mais, en définitive, à qui revient l'autorité de définir les orientations générales conditionnant le partage des mandats fonctionnels?

Si l'on croit en effet qu'on peut arriver à coordonner les activités humaines au sein d'une organisation et à obtenir le minimum indispensable de conformité en utilisant seulement des stimulants économiques (ou idéologiques), c'est-à-dire si l'on prétend ignorer complètement le monde des relations humaines, il n'est pas nécessaire de prendre au sérieux les phénomènes de pouvoir. Mais l'inverse est également vrai. Si l'on croit possible d'opérer une adéquation parfaite entre la productivité, ou si l'on veut de façon plus générale, les buts d'une organisation et la satisfaction individuelle de ses membres, en utilisant seulement un système «permissif» de commandement, il n'est pas plus nécessaire d'étudier les problèmes de pouvoir que dans le premier cas; il suffit de lutter pour accélérer le dépérissement de l'appareil de domination. Ces deux vues, si opposées qu'elles soient en théorie, aboutissent donc au même résultat. Et dans la pratique, depuis que l'organisation scientifique classique comme les relations humaines ne sont plus défendues avec la même rigueur, nous les retrouvons coexistant dans une vue éclectique qui reconnaissait l'existence de deux rationalités que l'on juxtapose, mais que l'on ne mêle pas, la rationalité technique et financière et la rationalité des rapports humains[58].

La vision humaine et sociale n'est donc pas si distante de la vision économique, car l'identité de l'organisation et celle de son «maître» continuent à se confondre. Le pouvoir n'est plus conféré par la propriété; il provient de la coordination et des adaptations entre les éléments qui composent la base fonctionnelle. En d'autres termes, l'orientation générale d'une organisation ne découle plus de la volonté d'un dieu entrepreneur qui ordonne légitimement. Elle résulte d'une interaction sociale où un administrateur démiurge gouverne les autres «agissants» en énonçant les règles du jeu, en distribuant les mandats et en évaluant les résultats.

La configuration témoigne du type de relations de pouvoir existant entre les différents acteurs dans une organisation. Comme l'identité découle ici des rapports de force entre des composantes dont les objectifs spécifiques sont conflictuels, l'organisation/personnage possède une configuration différente de celle de l'entreprise traditionnelle. À cet égard, le sociologue Max Weber avait défini trois types organisationnels selon la source de l'autorité:

Max Weber part de la question du fondement de la «domination», c'est-à-dire de l'acceptation, par les sujets, du pouvoir de celui qui les domine. Il distingue la légitimité de type traditionnel, la légitimité de type légal-rationnel ou bureaucratique, la légitimité charismatique.

La seconde caractérise la société industrielle. L'autorité s'y impose «en vertu de la légalité, en vertu de la croyance en la validité d'un statut légal et d'une compétence positive fondées sur des règles établies rationnellement[59].

Selon cette classification, la bureaucratie est la structure de fonctionnement organisationnel qui se rapporte à la légitimité de type légal-rationnel.

L'autorité s'y exerce par le canal des postes officiels que des individus occupent en vertu d'un règlement. Ces postes officiels sont disposés en une hiérarchie, chacun des échelons successifs englobant dans son autorité tous ceux qui sont en dessous de lui. Des règles et des procédés sont établis pour toutes les éventualités concevables. Il existe des bureaux chargés de conserver tous les documents et dossiers et c'est là un élément important du système que tout y est mis par écrit. Le système vise donc à mettre au point les méthodes les plus efficaces en dépersonnalisant toute la marche administrative. Les règlements écrits, la routine, la formation et les qualifications requises pour exercer les différentes fonctions, les barèmes fixes de rémunération, tout tend à uniformiser le traitement d'un même problème à des moments différents, à éliminer le favoritisme dans les promotions et à maintenir les normes de rendement. Dans le langage moderne des ordinateurs, une bureaucratie est une organisation complètement «programmée»[60].

Avec le développement des administrations, on admet de nos jours que les organisations complexes, quelle que soit leur configuration, sont plus ou moins bureaucratisées. Leurs structures de fonctionnement se caractérisent par des niveaux élevés de spécialisation, de normalisation ainsi que de formalisme et un degré de centralisation relativement faible. Toutefois, il subsiste des spécificités, car toutes n'axent pas leur identité sur les mêmes bases. Ainsi contrairement à la grande industrie qui, on s'en souviendra, s'articule selon sa production, l'organisation/personnage complexe privilégie ses fonctions et focalise sur les agents qui les exécutent. À cet égard, le système d'encadrement des fonctionnaires quant à leur embauche et à leur promotion demeure une activité très centralisée. Dans cette optique, on dit de ce type d'organisation qu'il se structure en fonction du personnel.

Le type d'organisation structurée en fonction du personnel «se rencontre surtout au sein des services régionaux et centraux de l'État, par exemple un département régional de l'instruction publique ou un département s'occupant de transport en commun. Le degré de centralisation est accru par le fait qu'il s'agit de services publics où, par suite de la nécessité de rendre des comptes à la collectivité, de nombreuses décisions doivent être soumises en plus haut lieu à des comités et des conseils. La même structure se retrouve probablement pour des raisons semblables, dans les petites filiales de grandes entreprises[61].

Outre les grandes administrations publiques et privées, des organisations de plus petite taille se définissent aussi par leur personnage. On y retrouve par exemple les cabinets professionnels (avocats, médecins, comptables, etc.), ainsi que les entreprises de services (compagnies de finance, assurances, affaires immobilières, etc.). À l'instar des petites et moyennes entreprises, les chercheurs de l'Université d'Aston les rangent dans la catégorie des «organisations à structures latentes», parce qu'elles possèdent un profil variable au niveau de leur structure de fonctionnement.

Dans la mesure où l'identité se fonde sur le personnage, c'est-à-dire sur les instances de réalisation, l'organisation alignera sa mémoire sur celles-ci. Les secteurs d'activité auront une grande importance sur la mémoire, parce que l'organisation se définit non plus par ce qu'elle est mais par ce qu'elle fait. Cela veut dire que les éléments référentiels ne seront plus des facteurs de production mais des fonctions de composantes hiérarchisées, elles-mêmes définies selon la vocation et les priorités privilégiées.

De plus, en posant l'organisation comme un système social, on introduit d'autres notions dans le processus. En effet, dans un univers où la loi du plus fort gouverne de multiples acteurs, on ne peut ignorer l'appareil servant à la fois à soutenir et à contrôler l'action organisationnelle. Ainsi, pour accroître le potentiel de réalisation des composantes, les organisateurs élaborent des normes et uniformisent les méthodes. Des réglementations et des procédures de décisions sont formalisées par écrit afin d'encadrer la réalisation fonctionnelle.

Puisqu'il n'est plus question de considérer l'organisation comme un bien personnel acquis, la mémoire consignée de l'organisation/personnage se dépersonnalise. En effet, une perspective collective plus démocratique implique l'énoncé de lignes de conduite contrôlant le système social. Celles-ci traduisent la volonté du plus grand nombre. Bref, le pouvoir n'appartient plus nominalement à un individu. Il est décentralisé et attribué à des gestionnaires selon une structure hiérarchique. De façon schématique, on peut dire que la mémoire s'attachera à conserver les documents issus des activités de planification politique, car celles-ci orientent les normes régissant le processus fonctionnel. Ceci recouvre les actes constitutifs, les règlements ainsi que les directives découlant des activités de direction à tous les niveaux. Ainsi, la mémoire consignée prend souvent la forme de procès-verbaux, de comptes rendus d'évaluation, de changements aux organigrammes, de descriptions de tâches, etc.

Des services sont mis en place pour soutenir la structure générale et gérer les ressources collectives. Ces fonctions bureaucratiques produisent des masses de données normalisées relatives aux réalités humaines, financières, matérielles et informationnelles. Elles constituent, sous la forme de dossiers de personnel, de grands livres, d'inventaires de matériel, etc., les pièces justificatives requises au plan légal. Elles produisent également une masse de formulaires, de notes, de rapports, etc. À cet égard, parce que l'information compte parmi les ressources à gérer, l'organisation/personnage a tendance à accentuer le rôle de régulation de la mémoire consignée et à favoriser la conservation des aspects administratifs courants aux dépens des dossiers de réalisations des activités spécifiques à la mission. De fait, cette paperasserie est devenue le symbole des administrations bureaucratiques modernes.

Dans le cours de leurs activités, les instances chargées des fonctions spécifiques à la réalisation de la mission produisent un nombre important de dossiers. Ceux-ci portent sur des sujets divers, selon le champ d'intervention de l'organisation et leurs formes varient selon les méthodes scientifiques propres aux domaines d'application concernés. Au plan fonctionnel, il faut que ces documents circulent bien et qu'ils ne coûtent pas trop cher à produire et à utiliser. Dans cette optique, des unités administratives, responsables de leur management, sont créées afin de faire en sorte que l'information consignée soit la plus fiable possible en contrôlant son cheminement (élimination du bruit) et qu'elle soit la plus économique possible en réduisant son volume (élimination de la redondance).

Ces fonctions de gestion documentaire conditionnent la mémoire consignée en normalisant ses modes de traitement et de repérage des documents. Toutefois, elles accordent moins d'importance à la conservation à long terme du contenu même de ces dossiers, car ces documents ne sont que des traces objectives des fonctions dont ils découlent. Elles s'attachent plutôt à retenir les bilans des réalisations et les rapports d'activités que les responsables de ces fonctions adressent ponctuellement à leurs supérieurs immédiats.

En ce qui a trait aux petites et moyennes organisations de services, elles possèdent évidemment une infrastructure bureaucratique beaucoup moins importante. Par ailleurs, ces organisations étant la plupart du temps privées, elles sont moins dépersonnalisées et la mémoire des propriétaires conserve une certaine importance. La mémoire consignée y suit cependant les mêmes tendances. Ainsi, parce qu'elles appartiennent au secteur tertiaire, on peut penser que la mémoire consignée se rapporte plus particulièrement à la gestion des ressources, ainsi qu'aux relations avec la clientèle pour le suivi des services offerts, qu'au déroulement même des activités spécifiques.

Ainsi, la mémoire de l'organisation/personnage réside-t-elle dans les grandes fonctions organiques qui délimitent les champs de compétence organisationnelle. Au gré des modifications, l'appellation de la fonction peut changer selon la mode du moment: par exemple, un département d'hygiène publique peut devenir un service de santé puis de protection de l'environnement. L'importance de la «boîte» responsable peut diminuer ou augmenter. La fonction peut même être confiée à un autre groupe d'exécutants. Par exemple, la constitution et la préservation de la mémoire ont toujours été des fonctions organisationnelles, bien qu'elles n'aient pas toujours été entre les mêmes mains. Quoi qu'il en soit, la fonction elle-même demeure tant et aussi longtemps que l'organisation la considère comme fondamentale dans sa raison d'être. De plus, de nouvelles fonctions peuvent se greffer au fil de l'évolution organisationnelle[62].

Les représentations issues du développement scientifique de la cybernétique apportent des nuances à l'univers bureaucratique. Basés sur une approche systémique, ils sont beaucoup plus sensibles aux relations avec l'environnement organisationnel. Ce faisant, ils permettent la reconnaissance théorique d'un type d'organisation jusqu'alors complètement ignoré, soit les institutions.

Le système organisationnel contingent

À l'époque où prédominait la vision économique et sociale de l'organisation, les modèles organisationnels se fondaient sur une causalité unique et linéaire: la production de biens ou de services marchands dans une optique de rentabilité financière, ou encore la distribution de satisfactions afin que des individus motivés fournissent un certain rendement. En d'autres termes, ce qui déterminait les orientations de l'organisation était le résultat de contraintes économiques externes ou sociales internes. Il ne faudrait pas croire pour autant qu'il n'existe pas d'organisations dont les orientations sont déterminées par la personnalité, c'est-à-dire par les valeurs inhérentes à la mission. Au contraire, les institutions existent depuis longtemps, mais elles ne sont pas reconnues comme étant des agents économiques.

Une telle perception découle du contexte historique du développement des organisations. À l'origine, l'entreprise traditionnelle s'est définie par opposition à l'institution. Alors que la firme est objet de réussite individuelle, l'institution rejoint les intérêts collectifs. Elle s'inscrit dans un projet de société en traduisant des besoins et des attentes. Elle est un élément constitutif de l'environnement général du système social et est structurée en fonction de valeurs partagées par les individus qui le composent. À cet égard, l'institution constitue une instance à la fois matérielle, fonctionnelle et symbolique,

responsable de l'affirmation et de la poursuite des grands objectifs et des finalités culturelles de la collectivité.

Au niveau stratégique, l'entrepreneur a longtemps considéré les autres agents présents dans l'environnement socio-
économique sous le seul angle concurrentiel. Il se perçoit donc
comme indépendant vis-à-vis des institutions. Par ailleurs, les
individus qui travaillent pour lui sont réduits à des variables
de production. Axant ses stratégies exclusivement sur le profit,
il mise sur la modernité. Cette attitude s'explique dans une
conception où présent et passé s'opposent. Comme le souligne
Félix Torres, l'idée même d'entreprise sous-entend un développement futur, alors que l'histoire est le constat d'un processus
fini[63]. En conséquence, la réussite semble devoir résulter de ses
actions directes et personnelles plutôt que d'un processus de
développement reposant sur le poids d'une tradition organisationnelle harmonisée à son environnement.

Les économistes ne s'intéressent donc pas aux organisations «non profit» avant la récession des années 1930. Celle-ci
démontre l'importance d'une intervention étatique dans les
processus économiques nationaux[64]. Toutefois, les discussions
scientifiques demeurent centrées autour des concepts de propriété et de capitalisation. On commence à reconnaître que la
firme n'est pas totalement indépendante de son environnement; toutefois la dimension institutionnelle s'accroche essentiellement à la perspective de l'État.

Dans la décennie 1950-1960, le développement d'une économie de service et d'un appareil d'administration publique
provoque une diversification du paysage organisationnel.
Dans cette perspective, l'entreprise industrielle n'est plus un
type unique et la théorie de la firme ne représente plus un
modèle général. Il s'ensuit que certaines hypothèses sont con-
testées. Ainsi, l'existence d'organisations à but non lucratif,
aussi bien publiques que privées, a fait admettre aux économistes que les ressources organisationnelles ne provenaient pas
toujours de la vente de biens et de services (hypothèse 5). Plus
important encore, leur présence fait admettre que la maximisa-
tion des richesses n'était pas toujours l'unique objectif (hypothèse 7). En intégrant l'aspect non lucratif au modèle économi-

que classique, l'institution publique rejoignait peu à peu les rangs des organisations, au même titre que l'entreprise privée.

Sous l'influence de la cybernétique et de la systémique, qui connaissent un remarquable essor à la même époque, la vision de l'organisation se modifie. De même, sous l'influence de l'école structuro-fonctionnaliste, l'organisation devient un système organisationnel conceptualisé à partir de l'idée de rétroaction :

> L'entreprise appréhendée comme organisation [...] possède les caractéristiques de système qui peuvent être décrites à l'aide des concepts développés par la théorie générale des systèmes ouverts dans la ligne de l'ouvrage fondamental de L. Von Bertalanffy. L'entreprise est un système ouvert lié par des relations multiples à un environnement; L'entreprise est un système dynamique poursuivant simultanément une pluralité d'objectifs; L'entreprise est composée d'une série de sous-systèmes dynamiques qui sont en relation d'interdépendance et qui sont généralement orientés par des objectifs[65].

L'organisation est en relation avec un environnement qui constitue un métasystème, lequel situe le système et le sous-système dans un contexte où les rapports entre les structures organisationnelles et leur environnement jouent un rôle déterminant dans la définition des orientations générales :

> L'environnement agit ainsi sur l'entreprise par des facteurs généraux qui intéressent toutes les organisations d'une société donnée et qui sont très divers: culturels, technologiques, éducationnels, politiques, juridiques, démographiques, sociaux, économiques et naturels. Ils créent des conditions d'*environnement général* plus ou moins favorables au développement de l'entreprise.

> L'environnement agit aussi par des facteurs particuliers à telle ou telle organisation. La composition de l'*environnement spécifique* à l'entreprise est déterminée par ses relations externes immédiates: les clients, les fournisseurs, les concurrents, la technologie et un ensemble d'éléments socio-politiques formés par l'État, le public et les syndicats. Du point de vue d'une organisation donnée, cette séparation n'est cependant jamais très nette; l'environnement spécifique est exposé aux influences de l'envi-

ronnement total; une composante générale d'environnement peut devenir particulière[66].

L'approche systémique se distingue des modèles de la firme et de l'organisation sociale en affirmant que l'organisation n'est pas qu'un tout autoritaire ou que des composantes sociales. Grâce aux notions de système et de sous-système, elle intègre ces deux dimensions. Mais plus encore, alors que la théorie classique confère une raison d'être exclusivement ontologique et que l'approche behavioriste la définit par ses fonctions, cette nouvelle vision fonde l'identité d'une organisation sur sa finalité donc sur sa personnalité en considérant que ses orientations générales sont déterminées par une relation causale «contingence-structure».

L'apport scientifique de cette approche est indéniable, puisqu'il permet un regard neuf sur l'organisation en y intégrant un but. Pour la première fois, on prend en compte le fait que l'organisation a une raison d'être qui lui est propre et ce, quel que soit l'angle d'appréhension privilégié. Toutefois, la vision systémique présente une organisation constituée par une finalité et fonctionnant pour elle, laquelle, somme toute, demeure absolue. Comme le souligne Edgar Morin, la question avait été mise de côté par la science classique, parce qu'elle ne pouvait y apporter une explication objective:

> La finalité «vitaliste» faisait horreur; elle venait du ciel; la finalité cybernétique fut accueillie à bras ouverts; elle venait de la technique, sous le label des programmes informatiques, avec totale garantie machiniste. Ce n'était plus l'idée téléologique, issue des desseins généraux de la Providence; c'était une idée téléonomique, localisée aux machines, dont la machine vivante. Elle n'émanait pas d'un esprit supérieur guidant le monde. Elle surgissait des machineries cellulaires.

> Dès lors la finalité devient non seulement explicable, elle devient explicative, c'est-à-dire causale. La finalité est une causalité intérieure qui se dégage de façon de plus en plus précise, active, déterminante là où il y a information/programme pour commander les performances et les productions. La notion de performance prend figure précisément en fonction de l'idée de but: elle

consiste à atteindre un but très déterminé en dépit des perturbations et aléas qui surgissent en cours d'action[67].

La tendance s'accentue dans les années 1970. La crise économique vient démontrer de façon évidente que l'organisation est intimement liée à son environnement. L'image autarcique disparaît complètement, ce qui permet le développement des approches systémiques.

De multiples modèles présentent l'environnement, la technologie ou encore la taille organisationnelle comme facteurs de contingence prépondérants. On développe des modèles systémiques qui, selon les facteurs de contingence privilégiés, auront un point d'ancrage génétique, fonctionnel ou ontologique.

> [Ces modèles] s'inspirent de la cybernétique et des recherches sur les comportements adaptatifs des systèmes: l'entreprise est un organisme conçu comme un ensemble d'éléments réagissant entre eux avec des procédés d'autorégulation (notion de thermostat) et d'homéostasie qui assurent sa survie[68].

Selon l'approche, l'environnement y joue un rôle déterminant ou contraignant.

Les modèles génétiques décrivent des systèmes dont les orientations générales sont énoncées en fonction du devenir possible de l'organisation. À cet égard, la planification stratégique vient définir la mission de l'organisation en formulant ses objectifs selon les possibilités de son environnement. Par ailleurs, les modèles fonctionnels conceptualisent des systèmes où les objectifs généraux résultent de la performance de l'organisation, donc ce qu'elle peut faire. Ainsi, la planification opérationnelle, le contrôle et l'optimisation des processus de production constants doivent être adaptés en fonction des contraintes externes à l'organisation. Enfin, les modèles ontologiques font référence à des systèmes où les orientations sont dictées par ce que l'organisation est matériellement, c'est-à-dire par ses ressources et sa logistique organisationnelle. L'organisation y est vue comme une entité où se coordonnent les composantes du processus de production et les rapports humains (collaboration/compétition) existant entre ses membres.

Cela donne aussi lieu à de nouvelles classifications théoriques des organisations. E. Rhenman estime que:

> ce ne sont ni la taille, ni la technologie, ni le système administratif qui comptent, mais le système de valeur (la politique de la compagnie, ensemble d'idées, d'attitudes) qui est lié au système de pouvoir. Les valeurs essentielles sont les objectifs; ceux-ci assurent la coordination (cohérence dans le temps et entre les hommes) et la motivation (satisfaction des besoins psychologiques des membres de l'organisation). [...] les problèmes des organisations proviennent le plus souvent de dissonance entre les systèmes de valeur de l'organisation et de l'environnement[69].

Rhenman distingue deux types de valeurs: d'une part, les objectifs internes et stratégiques qui se rapportent à l'appareil de production en tant que tel; d'autre part, les objectifs externes qui concernent les relations dynamiques entre l'organisation et son environnement (voir figure 9).

Parmi les organisations privées possédant des buts institutionnels, on retrouve les institutions religieuses ainsi que toute une gamme d'organisations — regroupements, mouvements, associations, partis, ligues, cercles, etc. — engagées dans des causes idéologiques, sociales, culturelles, politiques ou professionnelles. Soulignons du reste que les doctrines sociales de l'Église ont favorisé l'émergence de certains de ces groupes. Ces organisations ont généralement une structure de fonctionnement charismatique.

Figure 9
Classification des organisations selon E. Rhenman[70]

Objectifs externes \ Objectifs internes	Sans buts stratégiques (ou internes) donc sans management stratégique	Avec buts stratégiques (ou internes) et avec management stratégique
Sans buts institutionnels (ou externes) donc sans management institutionnel	Organisation marginale (en général petite)	Entreprise
Avec buts institutionnels (ou externes) et avec management institutionnel pour les formuler	Organisation appendice	Institution

Elle [structure charismatique] se traduit dans une conception qui raccorde le fonctionnement d'un système social quelconque aux capacités «extraordinaires» de son dirigeant (aptitudes techniques et surtout humaines). Chaque collaborateur est relié étroitement à son chef par des liens de dépendance formelle et surtout *affective* (relations émotionnelles entre subordonnés et chef caractérisées par l'amour et l'admiration). Les membres de l'organisation se comportent comme de véritables hommes-liges du chef qui leur demande de s'identifier à lui et de manifester à son égard obéissance, dévouement et loyauté. Le chef manipule arbitrairement les sanctions positives ou négatives. Son jugement est sans recours.

Ce style de structure de relations induit chez chaque collaborateur le désir de séduire à leur tour le chef jouant le rôle d'idéal afin de devenir le (ou un des) fils préféré(s). [...] Dans cette structure les décisions vont être hautement centralisées. Le leader prendra toutes les décisions politiques essentielles; quant aux décisions secondaires, s'il les prend parfois lui-même, le plus souvent il en laissera la responsabilité à ses subordonnés mais sans délégation explicite afin de pouvoir être le seul lien de l'évaluation de la pertinence de la décision. Les collaborateurs auront tendance à n'exprimer que des opinions conformistes. Lorsqu'ils auront à prendre une décision, ils essaieront de savoir si elle est dans la «ligne» pour calmer leur propre anxiété devant un jugement négatif qui peut revêtir une sévérité exceptionnelle[71].

Par ailleurs, la vision systémique organisationnelle a été adaptée par un grand nombre d'institutions publiques qui jusque-là ne disposaient pas d'outil au plan du management stratégique. À cet égard, la théorie offre un corpus conceptuel permettant d'éclairer l'énoncé de la politique générale. Certains diront alors que les institutions publiques sont passées aux mains des technocrates, puisqu'une structure de fonctionnement bureaucratique s'y est instaurée et les managers, ces «princes du papier», y ont obtenu un pouvoir de décision considérable.

En définissant leur mission, les institutions orientent leur mémoire sur le système de valeurs qui les fondent. En conséquence, un ensemble mémoriel symbolisant ces valeurs est mis en place. Ainsi, toutes les institutions consignent leurs règles et leurs préceptes dans un écrit officiel (bible, lois, grammaire); désignent leurs gardiens (curé, juge, maîtresse d'école); se dotent de lieux de pratiques spécifiques (église, tribunal, école); nomment de façon particulière leurs adhérents (fidèles, citoyens, écoliers); investissent de leur autorité certains objets (soutane, maillet, cloche).

Les institutions publiques sont régies par des lois qui édictent leurs champs de compétence, leurs devoirs et leurs obligations. Le principe de transparence exige non seulement qu'elles conservent les documents relatifs à leurs responsabilités envers leurs ayants droit, mais elles doivent également faire en sorte d'y donner accès. Pour répondre à ces obligations, l'institution élabore et reçoit des informations de type ontologique qui la constituent comme une personne morale à part entière. Elle conserve et diffuse ces preuves témoignant de sa réalité légale.

Par ailleurs, l'institution existe par et pour ses adhérents. C'est pourquoi cette question est particulièrement importante au plan de sa mémoire consignée. En effet, l'adhésion à l'institution est, la plupart du temps, sanctionnée par un geste ou même par une cérémonie rituelle (baptême, enregistrement civil, recensement, intronisation, vœux, etc.). Dès lors, les registres, qui consignent cette information, feront souvent office de documents officiels dans la collectivité.

La mémoire consignée institutionnelle se rapporte aussi à l'application des valeurs institutionnelles et à leur mise en pratique. L'organisation/personnalité, selon son degré de complexité, comme c'est le cas de toutes les administrations du secteur tertiaire, accumule une quantité plus ou moins grande d'informations consignées de type fonctionnel. La gestion documentaire de cette mémoire suit les règles observées dans l'organisation/personnage. Cependant, de par sa nature collective, l'institution a tendance à publier les connaissances signifiantes fondamentales, afin qu'elles servent d'outils d'enseignement et d'édification (catéchisme, missel, code civil, manuels scolaires, revues spécialisées, etc).

L'institution privilégie donc les aspects génétique et essentiel au détriment du fonctionnel. Par conséquent, la mémoire consignée institutionnelle est bien plus un contexte qu'un contenu, un message qu'une missive. En d'autres mots, l'information consignée est plus porteuse de significations par ce qu'elle représente que par son contenu. Par exemple, une communauté religieuse attachera beaucoup d'importance à la supérieure et aux collaboratrices «de la première heure». La statue du fondateur ou de la fondatrice, son portrait, sa biographie, ses reliques et son tombeau seront tout aussi vénérés que ses œuvres épistolaires ou que les archives créées au moment ou il ou elle a présidé aux destinées de la communauté.

Ainsi, l'administration publique se définit-elle à la fois comme une organisation/personnage et une institution/personnalité. Dans le premier cas, elle s'exprime par de grandes fonctions organiques qui utilisent abondamment le consigné pour s'exprimer. Dans le second, elle se retrouve dans un ensemble de lieux, d'objets et de documents symbolisant l'autorité. Cette dualité identitaire cause bien des ambiguïtés quant à la valeur de certains documents pour la mémoire institutionnelle. Les informations génétiques et essentielles des institutions sont considérées comme des témoins et des preuves attestant leurs valeurs. Quant à l'information opérationnelle, elle est détruite, sitôt sa valeur administrative passée. L'institution considère en effet qu'elle n'a pas besoin de paperasse dans le long terme. À l'opposé, ses composantes bureaucratisées privilégient plus les documents administratifs fonctionnels que les traces stratégiques. Ce faisant, la mémoire du tout institutionnel s'attache à conserver des témoins historiques mais considère peu l'objet administratif, et la mémoire de ses parties bureaucratisées voit l'information consignée comme un outil de gestion mais se soucie peu de conserver des témoins du processus de gestion. Les deux s'entendent toutefois pour accorder à l'information de type ontologique un statut de mémoire essentielle.

Bref, la vision systémique reconnaît implicitement l'importance de conserver à la fois la mémoire consignée du tout et des parties organisationnelles. Toutefois, les divergences culturelles dans la conception de leur mémoire expliquent sans doute les difficultés que rencontrent les archivistes dans l'harmonisation de la gestion des documents administratifs et des documents historiques dans une institution.

Culture organisationnelle et mémoire consignée

La culture organisationnelle se reflète dans et par sa mémoire consignée. Celle-ci soutient les espaces et les pratiques organisationnelles desquelles elle émane. Il fut un temps où les entrepreneurs géraient leurs documents surtout pour préserver leur mémoire essentielle. Lorsque des besoins d'espace se faisaient sentir, les papiers devenus inutiles dans le cours des activités étaient détruits ou sacrés et chargés d'une aura symbolique. Cette situation a changé dans le contexte administratif moderne. L'importance de l'information consignée s'est considérablement accrue avec l'émergence de l'univers bureaucratique et des organisations systémiques. Le consigné y sert plus que jamais trois objectifs fondamentaux: fournir des connaissances essentielles à la survie de l'organisme, appuyer la réflexion et l'analyse, et permettre la prise de décisions nécessaires à leur développement et au progrès de l'organisme en question. Matériellement, il n'est plus possible de le compartimenter et sa valeur de preuve, de renseignement et de témoignage a considérablement gagné en force. En conséquence, l'archiviste est appelé à jouer un rôle grandissant au sein des organisations afin d'assurer l'intégrité de la mémoire consignée. Il lui faut maintenant gérer plus attentivement une masse documentaire devenue plus lourde afin de conserver des documents qui concernent les droits et les obligations, subviennent aux besoins pratiques et assurent un cadre de référence indispensable à la régénération.

Pour orienter son travail, l'archiviste ne peut classifier les organisations et leur mémoire de façon catégorique. Il peut cependant relever certains fondements identitaires. Ainsi, on retrouve concurremment des firmes-personnes qui s'identifient à leurs ressources matérielles, des administrations/personnages qui se rapportent à leurs fonctions et des systèmes-personnalités qui s'appuient sur leurs valeurs fondatrices (figure 10).

Bien que ces modèles s'inscrivent dans un contexte historique, il faut prendre garde de les limiter à une perspective

Figure 10
Organisation, identité et mémoire

Appellations :	industrie, compagnie, entreprise, firme, etc.	adm.publique service bureau cabinet, etc.	institution mouvement, association, ligue, etc.
Structures en fonction de :	production	personnel	idée
Fondements de l'identité :	facteurs de production (personne)	fonctions organiques (personnage)	valeurs collectives (personnalité)
Fondements de la mémoire :	propriété, savoir-faire	hiérarchie, procédure, norme, règle etc.	croyance, loi axiome, science, tradition, etc.

chronologique. Les fondements identitaires de l'organisation se déterminent lors de sa création; c'est pourquoi, au moment de sa transformation, le type organisationnel émergeant ne remplace pas nécessairement le précédent. Les caractéristiques qui ont été imparties initialement demeurent et l'organisation devra toujours composer avec ces traits innés. Comme nous l'avons précédemment montré, pour assurer sa sauvegarde, l'organisation doit pouvoir constamment se situer dans son milieu sans compromettre sa raison d'être fondamentale. Dans la mesure où on ne peut modifier radicalement son identité, les vieilles organisations s'adaptent aux nouveaux modèles sans les adopter intégralement. Ce faisant, non seulement la mémoire consignée des organisations varie-t-elle selon les fondements identitaires privilégiés, mais le contexte originel y est un facteur de conditionnement déterminant.

Les traits émergents de l'organisation

L'organisation, l'information et la mémoire sont des systèmes qui s'enracinent profondément dans l'organisation complexe. Pour les saisir dans leur globalité, il ne suffit pas de connaître les composantes organiques, la structuration de l'appareil de fonctionnement ou les principes fondamentaux. Il ne suffit pas non plus de cerner la façon dont son espace et ses pratiques agissent sur sa conscience. En d'autres termes, la personne, le personnage et la personnalité ne peuvent être compris isolément ou encore dans une relation simple. Il faut aussi considérer le processus culturel qui rétroagit de façon complexe sur chacun.

La culture organisationnelle émerge des relations existant entre les divers systèmes mais ne peut être déduite d'aucun d'entre eux. Cette émergence possède des traits particuliers qui, tout en enrichissant les constituantes, les contraignent à avoir une essence, une substance et une logique particulières. Ces traits façonnent l'organisation, tels des gènes s'assemblant en une chaîne caractéristique. Le code ainsi obtenu engramme les informations historiques fonctionnelles et essentielles nécessaires à la reproduction. Ce sont elles qui assurent la viabilité de l'espèce à chaque génération. On pourrait également comparer ces traits fondamentaux aux assises d'un édifice. Au fil des ans, les propriétaires de celui-ci seront libres de le réaménager, de modifier l'intérieur ou l'extérieur de la maison ou encore d'y ajouter des annexes. Tout leur sera possible en autant qu'ils respectent les fondations du bâtiment. Le soutien de celles-ci est en effet indispensable à la solidité de la construction. Les ignorer équivaudrait à exposer l'ouvrage aux fissures ou, pire encore, à l'écroulement. De même, les traits fondamentaux balisent l'entité organisationnelle. Ils sont les références autour desquelles s'articulent l'organisation, l'information et la mémoire. Ils sont les points d'ancrage sur lesquels reposent la construction de son identité. En conséquence, toute modification organisationnelle doit en tenir compte, et même chercher à les renforcer. L'équilibre organisationnel est à ce prix.

Il est possible de cerner ces traits à l'aide d'une grille d'analyse réalisée à partir du questionnement des sciences économiques. Celles-ci s'articulent autour des relations existant entre tout système économique et son environnement. Le corpus théorique se découpe selon six champs d'étude distincts[72]:

la définition du type et de la quantité des biens ou services à produire; le choix des méthodes de production des biens ou des services; l'identification des bénéficiaires; l'évaluation de l'efficience des ressources utilisées; le contrôle du rendement de l'appareil de production et l'adéquation de la croissance organisationnelle en fonction de la progression du marché.

Ces théories cherchent à modéliser les systèmes économiques. Elles interrogent les mécanismes qui lient une organisation à son milieu et pointent les aspects à prendre en compte dans son développement. Or, un système ne peut formuler de stratégies sans préalablement avoir confronté les possibilités offertes avec ses capacités d'action et ses aspirations. Cela veut dire qu'un processus identitaire est implicite, en aval de la démarche économique, et ses théories doivent nécessairement aborder leurs objets d'étude par leurs caractéristiques fondamentales.

Dans cette optique, les six champs théoriques rejoignent autant de facettes de l'identité. Leur questionnement met en relief les aspects constitutifs de l'organisation. Les trois premiers éclairent sa personnalité en s'attachant à définir sa finalité, sa raison d'être et ses principes moteurs. Le suivant témoigne de sa personne en observant les caractéristiques physiques de l'organisation et de son milieu. Enfin, les deux derniers aspects mettent en relief son personnage en formulant des exigences fonctionnelles destinées à assurer l'atteinte des buts organisationnels. Ces six traits innés soulèvent un à un les pans de l'identité organisationnelle.

L'âme organisationnelle

La définition du type de production et sa quantification se rapportent au pouvoir que l'organisation peut avoir dans un environnement donné. L'exercice exige préalablement qu'une appréhension globale de ce milieu soit faite afin de cerner les capacités initiales de l'organisation. Le tout débouche sur l'énoncé d'une mission qui définit clairement sa nature. Ce n'est qu'à partir de là que l'organisateur peut élaborer des stratégies et allouer les ressources dont il dispose pour les mettre en œuvre. Bref, il s'agit de déterminer un «pourquoi» organisationnel.

L'identification des bénéficiaires correspond à un aspect complémentaire au précédent. Elle délimite l'espace occupé par l'organisation dans cet environnement. La notion de bénéficiaires recouvre ici non seulement les avantages retirés par la production d'un bien ou d'un service, mais aussi ce qu'il en coûte pour les obtenir[73]. La mesure du profit ne se compte pas toujours en dollars. Par exemple, l'assurance chômage est un service pour lequel un individu accepte d'être imposé sans être nécessairement prestataire; de même l'arôme exceptionnel d'un parfum justifie son prix exorbitant aux yeux de certains consommateurs. Dans les deux cas, on assiste à une production d'un bien ou d'un service portant des valeurs implicites, destiné à un groupe donné. On peut conclure que l'identification des bénéficiaires s'exprime directement à travers un objet de production dont les qualités découlent d'un système de valeurs internes à l'organisation productrice. Cette question représente la raison d'être de l'intervention ou «le pour qui» organisationnel.

Les méthodes de production des biens ou des services se rapportent aux principes moteurs qui intègrent la nature et la raison d'être organisationnelles. Elles se traduisent concrètement dans l'agencement des facteurs de production. Selon l'organisation, elles expriment une idéologie qui peut être de tendance capitaliste, socialiste, coopérative, etc. Dans tous les cas, elles doivent être cautionnées par la collectivité. Il faut en quelque sorte déterminer un «comment» pour permettre la réalisation effective du «pourquoi» en conformité avec le «pour qui», c'est-à-dire avec les valeurs communément admises par la collectivité.

Toute organisation porte en elle ses propres principes de vie et de pensée. Ils sont à l'origine de sa création et en expliquent les causes. Ce n'est qu'en les connaissant que l'on peut comprendre sa mission, qu'en les respectant qu'on peut croître. Le développement d'une organisation exige donc que ses actions soient en interaction directe avec ses principes géniteurs et sa réalité phénoménale. Bref, l'organisation se doit de maintenir l'harmonie entre sa personnalité, son personnage et sa personne. Dans cette optique, le «pourquoi», le «pour qui» et le «comment» constituent les trois premiers traits fondamentaux de l'organisation. Chacun représente à sa façon l'une des facettes de sa personnalité émergente. Ils balisent en quelque sorte l'âme organisationnelle[74].

L'organisation se définit d'abord dans son essence, c'est-à-dire par un «ensemble de déterminations qui font qu'une chose est ce qu'elle est et se distingue de toute autre[75]». Ces propriétés déterminent la nature de l'entité en établissant ses capacités distinctives. Cela veut dire que l'organisation existe parce que des principes naturels l'ont mise au monde et l'ont dotée de certains pouvoirs. Si elle veut justifier son existence à ses yeux et à ceux des autres, l'organisation doit légitimer les fondements de ses principes géniteurs. C'est ici que le «pourquoi» intervient. Il justifie l'organisation en représentant formellement le pouvoir fondateur et en prouvant son existence.

L'organisation est à la fois abstraite, physique et relationnelle; en conséquence, le «pourquoi» a trois déterminismes. Le premier se rapporte à la dimension philosophique du questionnement existentiel. Il débouche sur la perception symbolique que l'entité se fait d'elle-même. Le second déterminisme circonscrit l'essence sous son angle réel. Il se rapporte à la forme matérielle légalement reconnue. Le dernier déterminisme figure l'interface entre les représentations symbolique et matérielle en dessinant le profil de l'appareil apte à les concilier.

Seul le contexte génésique peut donner un sens à la finalité organisationnelle en expliquant la raison d'être de ses formes symbolique, matérielle et fonctionnelle. Dans l'entreprise, l'ordonnancement des choses se rapporte directement à la propriété de l'objet. Celui qui détient la plus grande part impose *ipso facto* sa vérité aux autres. Dans l'organisation bureaucratique la fonction n'existe que pour remplir une charge. Le but est de soutenir l'accomplissement de la mission d'un autre et le «pourquoi» s'y conçoit de façon rationnelle dans la perspective de l'autre. Malgré leurs différences, elles peuvent toutes deux identifier leur géniteur. Il a un nom et un visage quelque part dans le temps et dans l'espace. En retraçant sa vie, on peut saisir ses motivations et, dès lors, obtenir le sens de la vie organisationnelle.

Il en va autrement de l'entendement de la mission institutionnelle. Ce sont les valeurs fondamentales auxquelles adhère un groupe qui en ordonnent la création. La raison d'être des entités qu'elles créent émane directement de leur propre finalité. Les principes institutionnels sont d'essence universelle ou divine et seule une croyance absolue en eux permet d'envisager leurs puissances créatrices. La mystique institutionnelle a besoin d'un témoignage établissant hors de tout doute l'autorité et la compétence de ses principes immanents. Pour ce faire, elle doit adopter un récit fondateur sur lequel elle pourra appuyer ses croyances et ses sentiments d'appartenance à celles-ci[76].

Cette représentation mythique permet l'entendement dans son abstraction, mais cette traduction symbolique ne correspond qu'à une partie du «pourquoi». Pour se manifester, les principes fondamentaux doivent s'exprimer dans le réel. À ce titre, ils revêtent une forme matérielle qui atteste un pouvoir physique nominalement reconnu par la collectivité.

Les principes fondamentaux donnent à l'organisation une autorité naturelle en la matière; la reconnaissance collective lui confère le pouvoir d'agir comme autorité sociale. Le pouvoir symbolique et la capacité physique et légale de le faire valoir ne sont toutefois pas suffisants. Pour être effective, l'organisation a besoin d'une représentation fonctionnelle qui assure le contact entre l'abstrait et le réel.

La forme générale de cette structure de fonctionnement découle nécessairement du «pourquoi», car l'appareil doit être en accord avec la mission. Il doit travailler dans l'esprit des principes immanents à l'organisation. C'est là une exigence fondamentale, car ceux-ci établissent l'ordre des choses; les bafouer serait contre nature. À ce titre, ils dictent une ligne de conduite que la tradition se charge de transmettre à chaque génération[77]. Respecter la tradition ne veut toutefois pas dire vivre dans le passé. Les façons de faire doivent être constamment adaptées en fonction de la réalité phénoménale du présent.

Une organisation est cependant plus qu'un ensemble de principes flottant dans l'atmosphère éthérée de l'univers social. Elle se définit aussi par ceux qu'elle regroupe. Les bénéficiaires constituent la substance organisationnelle. Ils rendent l'institution apte à exister en soi[78]. Bien que le «pour qui» se rapporte à un aspect plus tangible, il ne faudrait pas le confondre avec le «quoi», c'est-à-dire avec la personne. Le «pour qui» est résolument une facette de la personnalité. En fait, le «pourquoi» et le «pour qui» correspondent aux deux côtés d'une même médaille. Alors que le premier figure la finalité dans sa forme, le second la considère dans sa matière. Ces aspects sont indissociables, ils se renvoient l'un à l'autre et se donnent mutuellement sens. Sans cette résonance concrète, l'institution ne serait que pure construction de l'esprit.

Le «pour qui» délimite l'espace organisationnel. Trois déterminismes en précisent les contours. Le premier atteste le bien-fondé des compétences au plan symbolique. Le second prouve que l'organisation occupe réellement son territoire et respecte ses obligations et ses devoirs envers ceux qui la créent matériellement. Enfin, le troisième déterminisme du «pour qui» définit les compétences fonctionnelles qui assureront l'application de ses valeurs à travers tout ce territoire.

À l'instar du «pourquoi», la genèse organisationnelle est le point de départ du «pour qui». C'est dans son contexte de création que l'organisation peut reconnaître les qualités des gens à qui elle est destinée. Ces caractéristiques changent selon l'organisation. Ainsi l'entreprise fondée par un entrepreneur met en présence un producteur et un marché de consommation. La bureaucratie se trouve dans l'administrateur et la clientèle de l'organisation à laquelle elle se rapporte[79]. Enfin, l'institution loge dans un système des valeurs et des individus qui partagent les mêmes croyances en elle.

Le premier déterminisme du «pour qui» exige de l'institution qu'elle préserve ses valeurs internes. L'exercice requiert plus que des effets de discours pour faire adopter les orientations organisationnelles à des sociétaires. Le système de valeurs circonscrit l'espace symbolique où l'organisation se situe. Sans la permanence de ces valeurs, l'organisation ne pourrait plus prouver sa compétence comme institution et perdrait par le fait même sa substance.

Le deuxième déterminisme du «pour qui» loge l'organisation dans son espace matériel. Il lui commande d'avoir les mêmes références spatiales que le groupe qui la constitue. La mise à jour est constamment requise, parce que la substance matérielle représente l'espace vital, le terrain réel qui atteste la raison d'être. Sans elle, l'entité manquerait de consistance.

Le dernier déterminisme du «pour qui» s'inscrit dans la suite logique des deux précédents. L'adaptation des valeurs et la création de nouveaux échelons coopératifs nécessitent l'adaptation des compétences de la structure fonctionnelle. Il exige que l'organisation fonde le degré de spécialisation de ses fonctions sur les capacités de ses bénéficiaires. Le niveau de spécialisation des tâches se rapporte à la notion d'autonomie dans la réalisation des activités.

Pour maîtriser son développement, il faut connaître les puissances motrices qui gouvernent sa destinée. Le «pourquoi» en fournit une représentation tridimensionnelle, le «pour qui» borne son territoire. Mais aucun ne détaille pour autant la façon dont le pouvoir s'exerce. C'est la raison d'être du «comment»: il précise les pratiques par lesquelles l'organisation peut se définir sans péril.

Le «comment» a des incidences sur les trois niveaux organisationnels. Il établit la crédibilité de l'idéologie en sacrant ses principes moteurs. Il détermine aussi comment le pouvoir légal s'exerce. Enfin, il conditionne la façon dont l'idéologie s'applique concrètement dans le fonctionnement organisationnel.

Le premier déterminisme du «comment» oblige l'organisation à démontrer que ses pratiques se conforment aux principes inhérents à son «pourquoi». Elle doit légitimer son idéologie en prouvant qu'elle applique les seules vraies méthodes menant à la réalisation des desseins institutionnels.

La vérité scientifique n'est guère utile si elle ne peut se faire valoir concrètement. Pour intervenir, l'organisation doit en être physiquement capable. Le deuxième déterminisme du «comment» commande donc que le cadre matériel exprime concrètement l'idéologie.

Ni la science ni la loi ne peuvent appliquer en elles-mêmes les méthodes. Elles ne font qu'apposer des sceaux d'authenticité sur celles-ci. Il faut se garder de confondre régulation sociale et autorité organisationnelle. L'idéologie énonce des règles scientifiques d'encadrement et de régulation que la justice valide en y imposant, au besoin, les contraintes de la société. Le troisième déterminisme fait en sorte que l'appareil fonctionnel puisse intégrer et mettre en pratique les méthodes prescrites.

En définitive, l'âme organisationnelle est une matrice dans laquelle les traits fondamentaux de la personnalité se combinent avec les processus générateurs de l'organisation complexe[80]. Ainsi, l'essence, la substance et la logique d'un organisme établissent les cohérences mémorielles, informationnelles et organisationnelles. Dans la mesure où les déterminismes du «pourquoi», du «pour qui» et du «comment» marquent de façon indélébile l'évolution de la mémoire consignée d'un organisme, l'archiviste doit les reconnaître et adopter des pratiques archivistiques conséquentes.

Le corps organisationnel

La personne organisationnelle correspond à la réalité phénoménale de l'organisation. Elle décrit le corps institutionnel dans sa réalité objective, c'est-à-dire dans les faits réels de ses générations. Elle est descriptive et traduit une identité de fait. Un champ des sciences économiques s'y rapporte. En effet, l'évaluation de l'organisation en fonction de la progression du marché a pour but de vérifier les possibilités de croissance matérielle. Cette préoccupation fait référence exclusivement à la réalité matérielle de l'entité organisationnelle dans un contexte donné. Il s'appréhende par la prospective ou la rétrospective événementielle. C'est le «quoi» organisationnel.

L'esprit organisationnel

Les cinquième et sixième champs théoriques des sciences économiques se préoccupent des questions reliées à l'efficience et à l'efficacité. Il s'agit de deux mesures relatives qui ne revêtent un sens qu'en fonction d'objectifs précis. Ceux-ci sont formulés

par le «pourquoi», le «comment» et le «pour qui» organisationnels. En conséquence, efficience et efficacité sont des aspects corollaires aux trois précédents et doivent être
appréhendés dans cette perspective contextuelle. On rejoint ici
les façons de faire qui encadrent et régularisent les activités de
production. Concrètement, ils s'expriment dans les mandats
confiés aux acteurs organisationnels et se traduisent par la
mise en place de normes, de règles et de procédures dans
l'accomplissement de leurs tâches. Ils désignent donc les «par
qui» et «par quoi» dans l'organisation.

À ce titre, les «par qui» et «par quoi» correspondent au
personnage, c'est-à-dire aux comportements. Chaque organisation adapte ses façons de faire ou d'agir en fonction de son
groupe d'appartenance ou de celui dont elle veut faire partie.
Ses comportements changent selon les situations, les circonstances et les groupes. Cela traduit l'influence de l'autre sur elle,
sur son comportement, sur l'image qu'elle veut projeter. Cette
approche se rapporte à une identité de rôle.

Le personnage normalise et formalise le cadre de réalisation institutionnel. Dans la mesure où il intervient directement
dans l'environnement, le personnage est peut-être le niveau
d'identité le plus facile à percevoir. Paradoxalement, il est également le plus difficile à définir, car il ne possède un sens et un
contenu que dans la perspective des deux autres niveaux de
l'identité. Il est très difficile de l'évoquer sans être redondant,
car il agit en fonction des objectifs de l'un et avec les moyens de
l'autre.

En énonçant la finalité organisationnelle, la personnalité
dicte l'orientation générale à la structure de fonctionnement.
Ainsi la nature de l'organisation détermine sa configuration; la
matière précise le degré de spécialisation de ses fonctions représentatives, législatives et exécutives; et la logique articule la
façon dont l'autorité s'y exerce.

La personnalité influence le personnage en formulant les
objectifs généraux devant guider les stratégies organisationnelles. Ainsi, de façon générale, dans l'entreprise sans but institutionnel, la notion de rentabilité dominera les choix en matière
de management stratégique et «tous les autres objectifs, quel-

que importants qu'ils soient, sont d'ordre secondaire et s'expriment presque toujours sous forme de contrainte» souvent de nature juridique[81]. La formulation des objectifs se réalise avant tout à l'interne et découle en grande partie des rapports propriété-direction qui varient selon que la firme est à capital diffus, dominée par un ou plusieurs groupes financiers ou encore de type familial. Leurs priorités sont d'abord influencées par la culture des groupes prépondérants dans les instances de décision et par les connaissances technologiques en place. En d'autres termes, les conseils d'administration, aujourd'hui plus ou moins dominés par les propriétaires, jouent le rôle des entrepreneurs d'hier. Par ailleurs, comme la rentabilité peut se mesurer effectivement, les théoriciens de l'organisation constatent que:

> [les notions] d'efficacité et d'efficience sont intégrées dans un facteur d'évaluation unique. [...] L'idéologie et la culture de l'organisation à but lucratif du secteur privé seront orientées en fonction de la meilleure utilisation de ses ressources car si l'entreprise est efficiente, elle sera probablement efficace, étant donné la corrélation entre les deux mesures[82].

La mission d'une organisation/personnalité est dictée par les pressions constantes du groupe qui l'a mise en place, ce qui produit des objectifs «complexes, souvent conflictuels et difficilement quantifiables». Pour orienter ses choix, l'institution endosse les préoccupations collectives et privilégie les secteurs qui reçoivent le plus d'audience publique. Les priorités institutionnelles relèvent donc directement du système des valeurs privilégiées par la société. Par ailleurs, parce qu'il lui est difficile d'évaluer l'efficience de son action, l'idéologie et la culture institutionnelles tendent à concentrer les énergies sur l'efficacité, «c'est-à-dire l'atteinte des objectifs les plus visibles».

Nous pouvons illustrer le cas institutionnel par l'exemple d'un institut médical ayant pour mandat à la fois de dispenser des soins et d'effectuer de la recherche. Il est difficile pour cette institution de hiérarchiser ses activités. C'est pourquoi elle agira selon l'audience publique face à celles-ci. Ainsi, elle pourrait mettre davantage l'accent sur les soins, puisqu'il s'agit d'un secteur facile à cerner et plus susceptible d'être remis en cause par la collectivité — on critiquera plus facilement les délais requis pour admettre un malade que des orientations de recherche médicale. De même, elle ne peut vérifier si elle utilise au mieux le potentiel scientifique de ses ressources, mais elle peut par contre mesurer leur efficacité par une évaluation statistique du nombre de patients annuellement admis. Elle y accordera donc plus d'importance au point de vue opérationnel et une structure bureaucratique sera mise en place afin d'encadrer l'admission à l'hôpital selon des règlements et une procédure définis.

Enfin, parce qu'elles sont de création plus récente, on connaît moins bien les comportements des organisations/personnages. Il s'agit d'organisations hybrides:

> Les secteurs mixtes, société d'État à but lucratif ou société privée à but non lucratif, montrent souvent des caractères culturels ambigus qui rendent leur administration plus complexe et les critères de décisions plus controversés. On peut prédire que leur comportement sera défini beaucoup plus par leur appartenance culturelle que par leurs objectifs[83].

Par ailleurs, la personne permet au personnage de se manifester physiquement dans l'environnement. Elle lui prête une forme tangible qui, de par ses besoins et contraintes physiques, conditionne la logistique des ressources. Dans l'entreprise, le personnage s'axera en fonction de la production, dans la bureaucratie en fonction du personnel et dans l'institution en fonction de l'idéal poursuivi.

Il ne faudrait cependant pas dévaluer le personnage de l'organisation, car lui seul a la faculté de réaliser l'organisation en harmonisant ses principes immanents et sa réalité matérielle. Il constitue l'agent de liaison indispensable entre les représentations animiques et les formes corporelles de l'institution coopérative. Il est l'esprit organisationnel.

La présence de tous ces déterminismes ne confère pas pour autant un caractère statique à l'organisation. Leur sens évolue dans le temps afin d'assurer la cohérence de chaque génération avec son propre contexte de développement. Une vision positiviste observant la mémoire par son seul contenu objectif et événementiel serait par conséquent restrictive. Seule une approche basée sur les traits organiques innés et leurs déterminismes permet de contextualiser les connaissances mémorisées. C'est sous cet angle que nous voulons appréhender la mémoire du Mouvement Desjardins.

Notes

1. Jean-Baptiste Eggens, « Peut-on parler d'une théorie générale de la firme? », dans Jean M. Guiot et Alain Beaufils, *Théories de l'organisation*, Montréal, Gaëtan Morin éditeur, 1987, p. 85.

2. Jean M. Guiot, « À propos de la mécanique des organisations », dans J. M. Guiot et A. Beaufils, *Théories de l'organisation*, p. 183.

3. Jean-Louis Lemoigne, « Vers un système d'information organisationnel? », dans J. M. Guiot et A. Beaufils, *Théories de l'organisation*, p. 250.

4. *Ibid.*, p. 250.

5. Adaptation du tableau de J.-J. Obrecht, « Science de gestion et théorie de l'entreprise » dans J. M. Guiot et A. Beaufils, *Théories de l'organisation*, p. 54.

6. Notons que « la monnaie n'est pas un facteur de production car si elle permet d'acheter des facteurs de production, comme le sol, [les ressources naturelles], le travail ou les capitaux réels, elle ne contribue pas directement à la production ». Rodrigue Tremblay, *L'économique. Introduction à l'analyse des problèmes économiques de toute société*, Montréal-Toronto, Holt, RineHart et Winston ltée, édition révisée, 1971, p. 11.

7. *Ibid.*

8. Voir chapitre IV, p. 168-169.

9. Voir à ce sujet Gérard Charreaux et J.-P. Pitol-Bélin, « La théorie contractuelle des organisations: une application au conseil d'administration », dans J. M. Guiot et A. Beaufils, *Théories de l'organisation*, p. 31-41.

10. D.S. Pugh et D.J. Hickson, « L'étude comparée des organisations », dans J. M. Guiot et A. Beaufils, *Théories de l'organisation*, p. 23.

11. Adaptation du tableau des structures d'une organisation et ses documents. Michel Champagne et Denys Chouinard, *Le traitement d'un fonds d'archives*, La Pocatière, Documentor, 1987, p. 62.

12. Principe énoncé par Henri Fayol. Voir D.S. Pugh et D.J. Hickson, «L'étude comparée [...]», p. 22.

13. Principe énoncé par Wilfred Brown. Voir D.S. Pugh et D.J. Hickson, «L'étude comparée [...]», p. 22.

14. Principe découlant des théories de Max Weber sur la bureaucratie, Voir D.S. Pugh et D.J. Hickson, «L'étude comparée [...]», p. 22-23.

15. Dominique Claudet et Dominique Pierzo, «Culture interne et recyclage de mémoire dans une société de fabrication d'appareil ménager», dans Maurice Hammon et Félix Torres, *Mémoire d'avenir. L'histoire dans l'entreprise*, Paris, Économica, 1987, p. 99.

16. Voir Taïeb Hafsi et Christiane Demers, *Le changement radical dans les organisations complexes. Le cas d'Hydro-Québec*, Boucherville, Gaëtan Morin éditeur, 1989, 310 p.

17. *Ibid.*, p. 240.

18. *Ibid.*, p. 118.

19. Pour des exemples, voir le chapitre 5, «Une révolution... pas tranquille», T. Hafsi et C. Demers, *Le changement radical [...]*, p. 115-168.

20. Le façonnement du système de valeurs d'une organisation peut se comparer à celui d'un individu. Ce dernier appartient à un système culturel supra-individuel dont les prémisses deviennent des parties intégrantes de sa personnalité. Voir à ce sujet Gregory Bateson et Jurguen Ruesch, *Communication et société*, Paris, Seuil, 1988, p. 15-21 et 184.

21. J.-Bte Eggens, «Peut-on parler d'une théorie [...]», p. 85.

22. Gareth Morgan, *Images de l'organisation*, Québec et Ottawa, Les Presses de l'Université Laval et les Éditions ESKA, 1989, p. 404.

23. Pour une bibliographie sur l'utilisation de ces métaphores, voir G. Morgan, *Images de l'organisation*, p. 407-464.

24. Dans cette optique, G. Morgan considère que l'organisation doit être vue comme une façon de penser et d'agir, d'où son concept d'«imaginisation». G. Morgan, *Images de l'organisation*, p. 462.

25. L'inventaire des documents administratifs ainsi que l'état sommaire d'un fonds et la recherche sur son producteur constituent autant de démarches visant à cerner la problématique organisationnelle.

26. Phillipe Bernoux, *La sociologie des organisations*, Paris, Seuil, 1985, p. 39.

27. René Demeestère et Gérard Viens, «Le contrôle des organisations sans but lucratif», dans J. M. Guiot et A. Beaufils, *Théories de l'organisation*, p. 13-14.

28. Max Weber, *L'Éthique protestante et l'Esprit du capitalisme*, Paris, Plon, 1964.

29. P. Bernoux,*La sociologie des organisations*, p. 37.

30. Bernard Guerrien, *La théorie néo-classique. Bilan et perspectives du modèle d'équilibre général*, Paris, Économica, 1985, p. 6-14.

31. D.S. Pugh et D.J. Hickson, «L'étude comparée [...]», p. 26.

32. *Ibid.*, p. 28.

33. Cette histoire pourra être revue ponctuellement. À cet égard, le cas de la brasserie Molson constitue un bon exemple.

34. Maurice Thévenet, «Voyage d'un entreprenaute dans la tribu. Mode d'emploi à usage de diagnostic. Quels sont les outils d'identification d'une culture d'entreprise?» dans *Le culte de l'entreprise*, Autrement Revue, n° 100, septembre 1988, p. 43.

35. Par définition, un fonds d'archives constitue justement le témoin des activités d'une personne physique ou morale. Comme les administrations bureaucratiques se définissent plus par le personnage que par la personne, cela explique peut-être pourquoi le principe de respect des fonds pose de sérieux problèmes dans les administrations complexes. Il est plus facile d'identifier l'entrepreneur que son entreprise.

36. Yves Renouard, *Les hommes d'affaires du Moyen Âge*, Paris, Armand Colin, 1968, cité dans Pierre Thuillier, «Contre le scientisme», *Le petit savant illustré*, Paris, Seuil, 1980, p. 97.

37. La standardisation des mesures et des pièces constitua le premier pas dans la rationalisation du travail organisationnel. Cela a permis le progrès (au sens de profit) par la centralisation des capitaux industriels.

38. Frederick W. Taylor, dont les théories furent dominantes vers 1910-1920, appelait les bureaux des méthodes: *the thinking department*. Voir P. Bernoux, *La sociologie des organisations*, p. 50.

39. Fernand Braudel et Ernest Labrousse (sous la direction de), *Histoire économique et sociale de la France*, Paris, PUF, 1976, t. II, p. 480, cité dans P. Bernoux, *La sociologie des organisations*, p. 47.

40. F.W. Taylor, *La Direction scientifique des entreprises*, p. 80, cité dans P. Bernoux, *La sociologie des organisations*, note 2, p. 63-64.

41. P. Bernoux, *La sociologie des organisations*, p. 44.

42. *Ibid.*, p. 44-45.

43. Raymond Duchesne, «Historiographie des sciences et des techniques au Canada», *RHAF*, vol. 35, n° 2, septembre 1981, p. 203.

44. Christian Norman, «Business Archives and Business History», *The History and Social Sciences Teacher*, décembre 1982, vol. 18, n° 2, p. 91-98.

45. On peut citer l'exemple de la famille Édouard Simard et de la Compagnie Sorel Industries Limited, dont nous avons traité le fonds d'archives donné à la Société historique Pierre-de-Saurel. Inversement, on a souvent constaté la présence d'une partie des archives administratives d'une compagnie dans le fonds personnel de son fondateur.

46. Voir à ce sujet l'analyse d'Alain Touraine sur le travail ouvrier dans *L'évolution du travail ouvrier aux usines Renault*, Paris, CNRS, 1955.

47. À ce sujet, signalons que «sur les cent plus grosses entreprises américaines, six firmes seulement n'ont pas utilisé de consultant en 1986, d'après une étude effectuée par la Stanford Business School». Alex-Serge Vieux, «Le «diktat» des consultants», *Le culte de l'entreprise*, p. 89.

48. Il n'est pas étonnant que plusieurs entreprises aient voulu se doter d'un service d'archives dans les années 1980. De même, l'annonce par l'Université de Montréal de la création d'un programme de Ph.D. en sciences humaines appliquées s'inscrit aussi dans ce mouvement.

49. Michel Crozier, *Le phénomène bureaucratique*, Paris, Seuil, 1963, p. 195.

50. *Ibid.*, p. 199.

51. Pour les théoriciens de l'école des relations humaines, il existe deux systèmes de comportement dans l'organisation. Les systèmes logiques, ceux des cadres, visant l'efficience et l'efficacité, et les non logiques, ceux des ouvriers, basés sur les sentiments, les traditions, la signification sociale, etc. Pour eux, il fallait préserver le non logique tout en le subordonnant au logique. P. Bernoux, *La sociologie des organisations*, p. 75.

52. *Ibid.*

53. *Ibid.*, p. 94.

54. Théorie des besoins de A.H. Maslow, *Motivation and Personality*, New York, Harper and Row, 1954.

55. Théorie des motivations de Fr. Herzberg, *The Motivation to Work*, Cleveland, World Publ. C., 1959, et *Work and the Nature of Man*, Cleveland, World Publ. C., 1966.

56. Théorie de la direction de Douglas Mc Gregor, *The Human Side of Enterprise*, Mc Graw Hill, 1960.

57. R. Demeestère et G. Viens, «Le contrôle des organisations [...]», p. 14.

58. M. Crozier, *Le phénomène bureaucratique*, p. 200-201.

59. P. Bernoux, *La sociologie des organisations*, p. 117.

60. D.S. Pugh et D.J. Hickson, «L'étude comparée [...]», p. 22-23.

61. *Ibid.*, p. 27.

62. Signalons que les principes de classement des fonds d'archives veulent que l'on se fonde sur ces fonctions organiques pour déterminer les grandes subdivisions. Par exemple, pour une université, on devrait théoriquement retrouver quatre grands groupes de fonds institutionnels: direction, administration, enseignement et recherche.

63. Félix Torres, «Retour vers l'avenir: l'Histoire dans l'entreprise», dans Maurice Hamon et Félix Torres, *Mémoire d'avenir. L'histoire dans l'entreprise*, Paris, Économica, 1987, p. 22-23.

64. Les théories de Keynes eurent à ce sujet un impact important.

65. J.-J. Obrecht, «Science de gestion et théorie de l'entreprise», dans J. M. Guiot et A. Beaufils, *Théories de l'organisation*, p. 45-46.

66. *Ibid.*, p. 47.

67. Edgar Morin, *La méthode*, t. 1, p. 260-261.

68. J.-Bte Eggens, «Peut-on parler d'une théorie [...]», p. 73.

69. R. Demeestère et G. Viens, «Le contrôle des organisations [...], p. 15-16.

70. *Ibid.*, p. 16.

71. Eugène Enriquez, «Structures d'organisation et contrôle social», dans J. M. Guiot et A. Beaufils, *Théories de l'organisation*, p. 128-129.

72. R. Tremblay, *L'économique [...]*, p. 11-14.

73. Un commerçant dira aux consommateurs qu'ils en ont pour leur argent en achetant tel ou tel produit. Toute stratégie publicitaire a justement pour but la vente d'un produit par la démonstration des avantages qu'il rapporte: image, fiabilité, facilité d'utilisation, etc.

74. Voir à ce sujet les réflexions d'Alain Etchogoyen, *Les entreprises ont-elles une âme?*, Paris, Éditions François Bourin, 1990, 292 p.

75. Définition de l'essence. Régis Jolivet, *Vocabulaire de la philosophie*, Lyon, Emmanuel Vitte, éditeur, 1966, p. 75.

76. Dans le cas de l'entreprise, il s'agira de produire une image du fondateur qui correspondra aux valeurs de son exploitation. On

pourrait citer à la dizaine des entreprises où le portrait du fondateur possède un pouvoir évocateur pour attester tout ce que l'on se dit être. Cela va de l'album souvenir aux reportages: on les retrouve dans ces séries de type «nos hommes d'affaires de chez nous» où des pharmaciens tels que Jean Coutu présentent comment ils ont commencé leur commerce, comment ils ont persévéré, comment ils ont réussi. Bref, comment leur entreprise est devenue ce qu'elle est. Si elle rapporte des faits réels, cette histoire ne retient cependant que les éléments qui collent à l'image que l'on se fait de soi. Elle amplifie des traits ou reste muette sur d'autres. Elle aménage le réel pour le rendre conforme aux valeurs. Nous ne voulons pas dire ici que les histoires institutionnelles sont fausses, loin de nous cette idée, mais il faut bien admettre que l'institution ne cautionnera le récit que s'il est conforme à l'image qu'elle se fait de son histoire. Voir M. Thévenet, «Voyage d'un entreprenaute [...]».

77.   La tradition répond ainsi à la question «pourquoi vivre de cette façon?» en intégrant les fonctions et le but ultime poursuivi.

78.   Définition de la substance. R. Jolivet, *Vocabulaire de la philosophie*, p. 192.

79.   La clientèle est prise ici au sens large et recouvre la notion de bénéficiaire dans le cas d'une institution.

80.   Dans une analyse freudienne de l'entreprise, Didier Toussaint effectue un constat similaire en établissant une relation matricielle entre le fondateur, le métier et l'institution et le *moi*, le *ça* et le *surmoi*, c'est-à-dire les trois pôles structurant les états d'âme d'une entreprise. Le *ça* est «le lieu des désirs inconscients. C'est aussi un lieu de production». Le *moi* «est l'identité unificatrice de l'individu» et le *surmoi* «est l'instance qui juge tout simplement si la pulsion est éligible à l'accès à la conscience». «États d'âme», *Le culte de l'entreprise*, p. 196-199.

81.   Laurent Picard, «La gestion dans les secteurs public et privé: analyse critique des similarités et des différences», dans J. M. Guiot et A. Beaufils, *Théories de l'organisation*, p. 11.

82.   *Ibid.*, p. 11.

83.   *Ibid.*, p. 8.

Chapitre VI

Une mémoire organique et consignée, reflet du système organisationnel complexe

Tantôt considérées comme traces d'un passé révolu, tantôt vues comme matériau nourricier d'un système administratif, tantôt appréhendées dans ses dimensions symboliques, les archives ont vu leur définition suivre le même cheminement que celui de la mémoire. Leur nature, leurs usages et leurs valeurs se sont précisés au fil de l'évolution des concepts d'organisation, d'information et de mémoire, sans qu'une trame théorique ne les harmonise. Appréhendés par le prisme de la complexité, les principes de l'archivistique trouvent une cohérence. Ainsi, les archives répondent simultanément à des objectifs historiques, administratifs ou essentiels, tout en étant liés à une même finalité: la constitution d'une mémoire consignée ayant pour but l'affirmation de l'identité organisationnelle dans toutes ses facettes.

Dans cette optique, ce chapitre questionne les théories et les principes de l'archivistique moderne afin de saisir comment ils s'adaptent aux concepts d'organisation, d'information et de mémoire. Il précise le contexte d'élaboration des concepts de fonds, de provenance, de valeurs, de cycles de vie documentaire et de caractère essentiel en s'attachant plus à décrire leurs fondements scientifiques qu'à présenter leurs modalités d'application. Au moyen de la problématique de la complexité, il analyse comment ces théories et ces principes peuvent s'inscrire dans une vision dynamique et propose, en conclusion, une approche complexe de la mémoire organique et consignée.

Les principes théoriques de l'archivistique

Les archivistes articulent leurs pratiques autour de trois axes: l'authenticité des témoignages est assurée grâce au principe de respect des fonds, la rationalisation des masses documentaires se réalise par l'application de la théorie des trois âges et la préservation des preuves consignées s'effectue par le traitement des documents essentiels. Ces principes à la base de l'intervention professionnelle sont toutefois fondés sur des conceptions différentes de l'information, de l'organisation et de la mémoire. Ainsi, le respect de la provenance définit les archives dans un cadre objectif alors que les principes de cycles de vie adhèrent à une vision fonctionnelle qui situe la production documentaire dans une perspective systémique. Quant au concept de documents essentiels, il reconnaît implicitement que la valeur des archives se définit plus par ses significations culturelles que par ses fonctions administratives. Il s'est cependant imposé comme un concept opératoire sans avoir préalablement été discuté scientifiquement.

Les visions scientifiques à la base des interventions archivistiques ont donné lieu à des normes et à des procédures spécifiques. Dans la mesure où celles-ci reposent sur des points d'ancrage théoriques divergents, les archivistes font face à des problèmes pratiques importants. Avant de pouvoir proposer un mode de lecture permettant de concilier tous ces concepts dans une approche dynamique de la mémoire organique et consignée, il importe donc de mieux comprendre les bases scientifiques.

Le fonds d'archives et sa provenance

Pendant longtemps, les archives, bibliothèques, centres de documentation, musées, etc., constituèrent des lieux de mémoire dont on distinguait difficilement les spécificités. En 1841, lorsque Natalis de Wailly jette les bases du principe de respect des fonds, il donne aux archivistes un concept qui distingue leur objet des autres «mnémopoles». Il propose de

> Rassembler les documents par fonds, c'est-à-dire réunir tous les titres [tous les documents] qui proviennent d'un corps, d'un établissement, d'un individu, et de disposer d'après un certain ordre les différents fonds. [...] Les documents qui ont seulement rapport avec un établissement, un corps ou une famille ne doivent pas être confondus avec le fonds de cet établissement, de ce corps, de cette famille[1].

En d'autres termes, Natalis de Wailly affirme que, quels que soient le sujet traité, la «vénérabilité» de son âge, le prestige du producteur, le médium ou le support privilégié, le document doit demeurer dans la perspective du processus organisationnel qui l'a généré. Le fonds d'archives reflète les activités de ceux qui l'ont créé et met en relief les pièces qui le composent. Il consigne les connaissances, permet l'information, témoigne d'un contexte.

Puisque la signification du document ne peut se concevoir en dehors de l'ensemble auquel il est organiquement lié, il devient primordial de préserver l'intégrité du fonds d'archives. Nul ne peut y ajouter ou y retrancher des pièces sans risquer de le dénaturer. Cette nature organique de la production documentaire situe les compétences archivistiques en marquant une distinction avec l'objet livresque ou muséal. Dès lors, elle situe nettement les approches méthodologiques en matière de traitement et de description des archives.

Dès le début du XXe siècle, la communauté archivistique internationale reconnaît que la production documentaire d'une organisation est un phénomène organique qui ne peut être réduit, et ce principe devient la pierre angulaire autour de laquelle s'articule l'intervention professionnelle. Si le respect de la provenance est admis par tous, la notion de fonds ne fait cependant pas l'unanimité. La reconnaissance de l'objet fut plus longue, car la définition du fonds pose problème. Des nuances sont apportées selon la culture propre à chacun: ainsi les Allemands parlent de *Provenienzprinzip*; les Anglais l'adaptent sous le nom de *Archives Group*; les Américains le nomment plutôt *Records Group*, alors que les Italiens et les Espagnols le nomme *fondo*. Toutefois, le principe général reste entier, puisque, dans chaque cas, un tout organique et consigné est désormais matériellement délimité par les archivistes. Ce tout devient l'étalon par lequel les archivistes peuvent définir un document quel qu'il soit. Il se définit comme:

> un ensemble de documents de toute nature, lisible par l'homme ou par l'intermédiaire d'une machine, que tout corps administratif, toute personne physique et morale, réunit automatiquement et organiquement en raison même de ses fonctions ou de son activité[2].

Dès lors, toute production documentaire peut être conçue, à l'instar de la division moléculaire, «comme quantité mesurable par référence à l'unité première lui étant propre». Les archives se situent dans un monde objectif pour lequel il est possible d'élaborer une typologie où tous les processus complexes de consignation sont ramenés au jeu de quelques éléments simples. C'est ainsi que, dans la conception québécoise, le fonds est un tout indivisible et irréductible dont la pièce constitue la

Figure 11

Éléments constitutifs du fonds d'archives

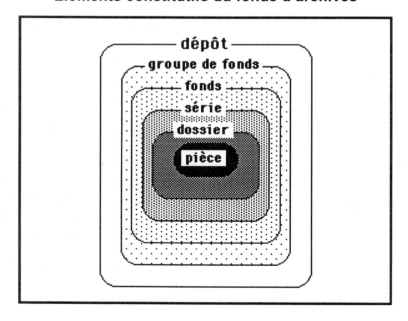

plus petite unité élémentaire. Entre les deux, on retrouve des unités intermédiaires: la série, la sous-série et l'article ou le dossier qui constituent des groupes homogènes de pièces. En amont, les unités sont regroupées par espèce: dépôt et groupe de fonds[3].

En replaçant le concept de fonds et le principe de provenance dans leur contexte d'élaboration, nous pouvons affirmer, au risque de surprendre, qu'ils témoignent d'une perception positiviste. Comme la plupart des hommes de son temps, Natalis de Wailly croit au concept du déterminisme naturel. Dans la foulée du scientisme, cet archiviste du XIXe siècle réclame le respect d'un ordre universel régissant la production des archives. Il rejette le subjectivisme des grands classements thématiques et propose plutôt un concept fondé sur l'ordonnancement naturel:

> Le classement général est le seul propre à assurer le prompt accomplissement d'un ordre régulier et uniforme [...]. Si au lieu de cette méthode, qu'on peut dire fondée sur la nature des choses, on propose un ordre théorique [...], les archives tomberont dans un désordre auquel il sera difficile de remédier [...]. Dans tout autre classement que celui par fonds, on court grand risque de ne savoir où retrouver un document[4].

La réflexion théorique et le développement des pratiques en archivistique se sont résolument inscrits dans la recherche d'exactitude scientifique d'un «réductionnisme triomphant» et le principe de Natalis de Wailly en est le résultat. La notion de respect de la provenance des fonds d'archives permet à la fois de rationaliser la connaissance et de maîtriser le processus de consignation. Elle mène à la reconnaissance de la réalité des archives: un ensemble d'éléments organiquement liés mais ontologiquement autosuffisants, un conservatoire de vérités qui témoigne de l'authentique et fournit des renseignements indispensables sur l'histoire de ses producteurs.

Le respect de la provenance apporte des certitudes scientifiques à l'archiviste. Il peut prétendre conserver une masse documentaire objective ouverte tous azimuts à la consultation subjective. Une telle conception rejoint les postulats de la théorie mathématique de l'information: d'un côté, il existe des connaissances physiques et pures qui se génèrent de façon naturellement ordonnée et, de l'autre, il y a des chercheurs qui échangent des connaissances avec lesquelles ils n'ont qu'un rapport extrinsèque. La recherche d'informations devient ainsi une pratique culturelle désincarnée par rapport au phénomène de constitution des fonds d'archives. Elle dissocie le processus de production organique de celui de la consignation.

Dans ce contexte scientifique, l'archiviste en est venu à se définir comme un intermédiaire entre une source productrice de connaissances objectives et un destinataire naturel. Ses opérations ont pour but de reconnaître le fonds et d'assurer un transfert et un traitement, fiables et économiques, de ses composantes. Des procédures de versement, d'acquisition, d'évaluation, de sélection sont établies dans le but de filtrer le fonds et d'accroître sa résistance naturelle. Des procédures de classement et de description sont établies afin de nommer, de mesurer et d'indexer les connaissances objectives selon un ordre naturel qui va du général au particulier. La description du fonds vise à assurer l'efficacité des opérations de codage et de décodage de l'information qu'il renferme. Des procédures de conservation, de microfilmage, de restauration, etc., visent à entretenir et à préserver les documents contre l'érosion et la pollution de son environnement[5]. Une fois filtré, catalogué et conservé dans un environnement contrôlé, l'objet archivistique peut être transmis aux utilisateurs grâce à un appareil de référence qui facilite l'accès physique et intellectuel au matériau. Des procédures encadrent la distribution des documents en veillant à appliquer les contraintes légales qui s'y rapportent: reproduction, confidentialité, etc. Par ailleurs, des activités publicitaires (expositions, dépliants, portes ouvertes, etc.) sont menées pour mieux faire connaître les services et les produits offerts[6]. Théoriquement, tout se passe dans un environnement neutre où l'archiviste assure, de façon objective, la liaison entre le producteur et le consommateur/chercheur.

Le respect des fonds permet de cerner théoriquement l'objet scientifique de l'archivistique mais pose toutefois des problèmes pratiques. De toute évidence, les archivistes font face à un problème de fonds, car le concept est plus facile à énoncer qu'à appliquer[7]. Où commence et où s'arrête le fonds d'archives? Comment filtrer la masse d'information consignée sans altérer pour autant le fonds? Comment respecter l'ordonnancement d'un fonds lorsque son producteur est en constante évolution? Comment décrire le fonds si les réalités qu'il recouvre subissent des mutations?

Bien que le théoricien Michel Duchein ait proposé une norme[8] pour délimiter le fonds ainsi que certaines solutions pour contourner les écueils techniques[9] dans son traitement, il n'a pu que constater que l'application du principe reste une tâche délicate:

> Il existe d'innombrables variétés de cas où la complexité de l'organisation fonctionnelle et des liens de subordination entre les divers «niveaux» des organismes rendent difficile la définition du fonds[10].

La culture organisationnelle s'avère un facteur de conditionnement fondamental qui se manifeste parfois de façon subtile. Malgré son caractère organique, la masse documentaire n'a pas de contours précis. Elle varie dans le temps et dans l'espace selon les contextes culturels, ce qui cause beaucoup de difficultés à celui qui veut appliquer le «Grand Principe»[11].

Concernant la question temps, tous s'entendent pour respecter le caractère organique de la production documentaire, mais des divergences existent quant au moment de dresser l'acte de naissance des fonds d'archives à travers les âges de la production documentaire. Ce point a donné lieu à des discussions théoriques où les distinctions entre les notions de *records* et d'*archives* ont été les résultantes.

Du point de vue de l'espace, le bornage varie selon la représentation du pouvoir dans l'organisation. Une option maximaliste «consiste à définir le fonds au plus haut niveau, en considérant que la véritable unité de fonction (à laquelle est liée étroitement, ne l'oublions pas, celle du fonds d'archives) se situe au sommet», alors qu'une vision minimaliste «consiste à réduire le fonds au niveau de la plus petite cellule fonctionnelle possible en considérant que le véritable «ensemble» organique d'archives résulte du travail de cette petite cellule[12]». Ainsi, une municipalité peut ne produire qu'un seul fonds, alors qu'une université en comptera autant qu'elle possède de départements.

Tout cela souligne bien l'objectivité relative du fonds. Une application systématique de la norme exigerait de confondre des fonds issus de traditions différentes. Ce nivelage a conduit à des ambiguïtés terminologiques pour qui veut appréhender la production documentaire en aval ou en amont de l'unité de base. Il s'agit plus que d'une simple question technique. L'unicité ou l'éclatement de la masse documentaire reflète la représentation du pouvoir organisationnel; transgresser cette réalité au nom d'une norme pour le respect des fonds serait contraire à l'esprit même de ce principe.

En réaction à ces problèmes théoriques et pratiques, certains archivistes en sont venus à rejeter le principe de provenance[13]. D'autres le croient encore valable mais considèrent que son application devrait être revue afin de correspondre aux réalités systémiques des administrations modernes[14]. Sylvain Sénécal affirme par exemple que, dans la mesure où «la notion de fonds d'archives est indépendante du contexte de production[15]», elle devrait être intellectuellement dissociée du principe de provenance.

La révision du concept de fonds et du principe de provenance constitue une des préoccupations importantes de nos jours. Afin de répondre aux besoins actuels, les archivistes cherchent à normaliser leur praxis. Cette remise en cause des concepts fondamentaux n'est cependant pas nouvelle. En effet, la réflexion théorique engendrée par le développement des organisations bureaucratiques constitua la première étape de cette actualisation. Les concepts de cycles de vie et de valeurs, qui en découlèrent, ont permis de reconnaître que la production documentaire était un phénomène relationnel.

Cycles de vie et valeurs de la production documentaire

Dès les années 1950, l'avènement des organisations bureaucratiques démontre que la production documentaire est aussi un outil de communication dans l'univers organisationnel. Les affrontements entre Sir Hilary Jenkinson et Theodore R. Schellenberg, théoriciens anglais et américain, dont les écrits ont

largement contribué à établir les fondements théoriques anglo-
américains, reflètent bien les changements théoriques qui
s'opèrent à cette période.

Travaillant au Public Record Office, Sir Hilary Jenkinson
est «l'héritier d'une tradition légaliste de neutralité officielle et
de conservation ininterrompue[16]». S'appuyant sur son expérience des systèmes d'enregistrement central, Jenkinson adhère
à une vision traditionnelle où les archives sont des repères
objectifs laissés dans le sillage des activités d'un État. Dans la
mesure où les documents issus de l'administration courante
rapportent les faits et gestes de la nation, il estime que leur
conservation est «une question d'intérêt national, car ils peuvent seuls guider de façon sûre la conduite future des affaires.
Il ne s'agit donc pas d'un luxe, ni d'un simple vœu des érudits
mais d'une nécessité absolue[17]».

Pour Jenkinson, la mission de l'archiviste est celle d'un
gardien (custodian) de preuves indispensables à la mémoire
historique nationale:

> The perfect Archives is *ex hypothesi* an evidence which cannot lie
> to us: we may though laziness or other imperfection of our own
> misinterpret its statements or implications, but itself it makes
> no attempt to convince us of fact or error, to persuade or dis-
> suade: it just tells us. That is, it does so *always provided that it has
> come to us in exactly the state in which its original creators left is.*
> Here, then, is the supreme and most difficult task of the Archivist
> — to hand on the document as nearly as possible in the state in
> which he received them, without adding or taking away, physi-
> cally or morally, anything: to preserve unviolated, without the
> possibility of a suspicion of violation, every element in them,
> every quality they possessed when they came to him, while at
> the same time permitting and facilitating handling and use. [...]
> The good Archivist is the most absolute, the most complete, the
> most selfless devotee. It is his duty and privilege not merely to
> be as truthful as he can himself, but to be the guardian for benefit
> of others of countless truths of all kinds — truths which interest
> him personally and truths which do not; yes, and truths of which
> he himself does not perceive the existence. The whole of is pro-
> fessional labours, rightly understood, are directed to that on
> end[18].

«Citant, en l'approuvant, la phrase de Sir Thomas Hardy, [Jenkinson] déclare que le «rôle des conservateurs d'archives est, et demeure, de les conserver»[19].» Jenkinson s'oppose donc aux pratiques d'élimination et de sélection qui, selon lui, ne peuvent conduire qu'à la falsification des traces du passé et à l'altération de la mémoire nationale. Appréhendant les problèmes posés par la production documentaire des administrations publiques modernes, il ne voit

> qu'une source de souci supplémentaire pour l'archiviste du point de vue des locaux, du personnel ou de la conservation, ou encore des questions de pratique, à résoudre au fur et à mesure qu'elles se présentent et variant selon les circonstances[20].

En 1956, Theodore R. Schellenberg affirme, à l'opposé de Jenkinson, que les changements survenus dans la réalité administrative exigent une redéfinition de la notion d'archives et du rôle des archivistes. Remettant en cause la conception classique, il affirme que les archivistes doivent définir les archives «en fonction de leurs besoins particuliers et avoir l'ultime responsabilité dans l'élimination des documents modernes et, partant, dans la sélection de ceux qu'il [convient] de conserver[21]».

La conception théorique de Schellenberg se fonde sur une expérience totalement différente de celle de Jenkinson. En travaillant aux archives nationales américaines, il doit faire face aux phénomènes documentaires dans les appareils bureaucratiques modernes[22]. Dans un contexte où la production documentaire des administrations modernes est «large in volume, complex in origins, and frequently haphazard in their development[23]», il semble impossible à Schellenberg qu'un archiviste puisse effectuer un contrôle à la pièce, comme l'énonce le principe de la «unblemished line of responsible custodians» de Jenkinson; aussi considère-t-il que l'intégrité des archives modernes est assurée selon le test de la «reasonable assumption», en veillant à ce qui suit:

> (1) that records of a given agency should be kept together as records of that agency, (2) that such records should be kept, as far as possible, under the arrangement given them in the agency in the course of its official business, and (3) that such records

should be kept in their entirely, without mutilation, alteration or unauthorized destruction of portions of them. The evidential value of his materials rests on the way they were maintained in the government office, and the way they came to the archival institution; not the way in which individual documents were controlled within the government office[24].

Les concepts de Schellenberg mettent en lumière le fait que l'information organique et consignée — l'*archival material* — doit être considérée sous un angle fonctionnel. Certes, les archives possèdent un caractère organique bien réel; elles peuvent avoir diverses formes et supports, et leur conservation peut s'effectuer dans des lieux physiques distincts. Toutefois, au-delà de cette existence matérielle, l'information documentaire possède aussi une raison d'être pragmatique que Schellenberg considère comme encore plus fondamentale. Selon lui, les producteurs d'archives créent des documents, non pas pour des motifs historiques, mais pour des fins administratives et légales dans l'accomplissement de leur mandat. Avant que d'être témoins de l'histoire, les documents serviraient donc les besoins des administrations. C'est pourquoi il affirme que «la conservation des documents de base concernant l'organisation et le fonctionnement de l'administration est donc aussi bien pour les besoins présents que les besoins futurs des services publics[25]».

Dans cette perspective, Schellenberg considère que les raisons pour lesquelles un document est créé ainsi que la valeur accordée à cette information sont des questions fondamentales pour la pratique archivistique. À ce sujet, il développe les notions de valeurs primaire et secondaire. La valeur primaire se définit comme étant «la qualité d'un document fondée sur ses utilités premières ou administratives, cette qualité étant basée sur les raisons pour lesquelles un document existe[26]». La valeur secondaire est «la qualité d'un document fondée sur ses utilités secondaires ou scientifiques, cette qualité étant basée sur le témoignage que fournit le document[27]». Selon lui, les documents produits pour des fins opérationnelles par les administrations ont toujours une valeur primaire, mais ne possèdent pas nécessairement une valeur secondaire. Ce n'est que lorsqu'ils perdent leurs caractères administratif et légal que les documents sont évalués en fonction de leur qualité de témoins. Ils sont alors conservés pour renseigner l'institution créatrice sur son histoire ou encore pour servir à des fins de recherche savante. Ainsi, les documents mènent-ils une vie active dans les services administratifs avant d'être entreposés dans un dépôt d'archives.

En définitive, Jenkinson et Schellenberg partagent la même vision d'un processus de production documentaire où les informations consignées naissent des activités administratives courantes et circulent du bureau vers le dépôt d'archives. Leurs divergences théoriques se situent plutôt dans la définition des archives en elles-mêmes. L'un croit en une trace objective, l'autre en un outil fonctionnel. Pour Jenkinson, le fonds est un objet aux formes arrêtées alors que Schellenberg le considère avant tout comme une structure documentaire mobile[28].

La reconnaissance du caractère fonctionnel de l'information organique et consignée se conceptualise dans un processus qui prendra le nom de théorie des trois âges[29], principe qui se fonde sur l'évolution de la valeur primaire pour établir les cycles de la vie documentaire. Selon cette théorie, les documents passent successivement à travers divers degrés d'activité administrative dans l'organisation. À l'âge actif, les documents ou «archives courantes» sont créés et organisés en fonction des besoins opérationnels. Leur valeur primaire est maximale et leur utilisation à cet effet est courante et fréquente. On les conserve dans les bureaux pour des raisons utilitaires. À l'âge semi-actif, les documents ou archives intermédiaires possèdent encore une valeur primaire; toutefois, ils ne servent qu'occasionnellement. Leur conservation peut être faite dans des lieux et des conditions plus économiques. Au stade inactif, la valeur primaire des documents est nulle. Une partie des documents (5-10 % de l'ensemble de la masse originale) possèdent toutefois une valeur secondaire. Ces archives historiques sont conservées de façon permanente et le reste des documents inactifs est éliminé (voir figure 12).

L'observation du contexte d'élaboration de la théorie des trois âges permet de comprendre ses forces et ses limites. Ce

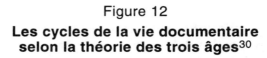

Figure 12
Les cycles de la vie documentaire
selon la théorie des trois âges[30]

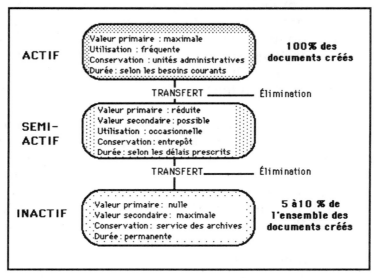

principe, qui repose en grande partie sur les conceptions de Theodore Schellenberg, s'inscrit dans une vision bureaucratique de l'organisation. Par conséquent, il se formalise dans un contexte où les documents constituent d'abord des voies d'expression par lesquelles une structure rationnelle et légale s'anime et se maintient en équilibre. Cette théorie intègre les acquis des sciences de la communication en définissant l'information comme un phénomène collectif et subjectif. Elle évacue la conception technicienne du processus du transfert et du traitement des messages et favorise plutôt l'idée d'un système de communication visant à engendrer des contextes administratifs favorables à l'atteinte des objectifs bureaucratiques.

Cette approche introduit une dimension systémique dans les pratiques archivistiques. Désormais, la gestion du fonds/ structure repose sur une série d'interventions normalisées qui s'attachent moins à cerner et à décrire le contenu des archives qu'à rendre leurs contenants les plus vivants possible. Le prin-

cipe est à la base d'une série d'outils permettant une exploitation efficace et efficiente de la mémoire organique et consignée.
Ainsi, l'inventaire des documents vise à pressentir les attentes
et les besoins dans les unités administratives. Le cadre de classification uniforme veille à ne pas immobiliser un document
dans une description trop rigide et propose une grille basée sur
les grandes fonctions organiques présentes dans l'organisation. Le calendrier de conservation permet une gestion de la
masse documentaire en fonction de sa valeur et de son degré
d'utilisation.

Cette philosophie de gestion s'inscrit dans une approche
bio-sociale de l'organisation. En privilégiant les objectifs, les
règles et les normes administratives, elle hypostasie le système
fonctionnel et réduit l'importance des dimensions matérielles
et symboliques inhérentes à l'identité organisationnelle. Bref,
elle valorise le personnage au détriment de la personne et de la
personnalité. C'est ainsi que la théorie des trois âges postule
qu'à un moment donné l'information organique et consignée
cesse d'être un matériau d'utilité effective pour l'administrateur. Le document est alors dévalorisé et va rejoindre le lot des
témoins non actifs, des traces d'un passé révolu, bref, des inactifs. Or, lorsque certains théoriciens et praticiens affirment que
les archives historiques n'ont plus alors aucune fonction pratique dans l'organisation et que leur conservation n'est justifiée
qu'en raison des liens culturels entre l'organisation et la
société, on peut se demander à l'instar de Christian Jacob si:
«L'archivage est [...] une mémoire inerte et [si] les lieux institutionnels sont [...] les cimetières de la création[31]?» En d'autres
termes, les archives historiques constituent-elles «une mémoire vivante et créatrice, où se fonde la dialectique d'un progrès reposant sur l'exploitation critique du passé[32]»? Pour
Jean-Pierre Carrière, chef du Service de gestion des documents
à Hydro-Québec:

> C'est vrai! [...] la fonction archives historiques n'est pas une
> fonction primordiale dans l'entreprise. Les documents d'archi-
> ves sont des documents inactifs après tout, c'est-à-dire dont on
> ne se sert plus, en principe, pour les tâches administratives cou-
> rantes. Mais si on veut savoir comment une entreprise s'est

créée, de quelle façon s'est faite son évolution, il est intéressant de connaître son patrimoine[33].

Dans cette optique, l'utilité administrative d'un document se réduit à sa valeur primaire, alors que la valeur secondaire permet une connaissance érudite sur l'organisation et est à la base de la question de l'utilité des archives pour la recherche scientifique et culturelle en général. Une telle perception prétend donc à l'inutilité apparente des archives historiques pour les besoins opérationnels de l'administration créatrice.

Les théoriciens reconnaissent que les frontières ne sont pas étanches entre les âges. Ainsi, dans le manuel d'archivistique français, on souligne que :

> Cette distinction méthodologique [valeurs primaire et secondaire] n'est évidemment pas rigoureuse dans la réalité : des études rétrospectives de caractère économique, destinées à fonder une prospective et menées par l'Administration ou par des spécialistes sur sa demande, sont d'une utilité dont il serait difficile de dire si elle est secondaire ou primaire. Pourtant, on peut retenir cette distinction comme correspondant en gros, d'une part, aux besoins des bureaux et, d'autre part, aux préoccupations scientifiques[34].

Il n'en demeure pas moins que, par un processus de gestion documentaire qui mène au concept d'inactivité, on introduit la notion de mémoire inerte fondée sur l'inutilité administrative opérationnelle. Dans cette optique, comment vendre l'intérêt de la conservation de choses inutiles auprès des administrateurs qui ont pour objectifs l'efficacité et l'efficience de l'organisation ? L'investissement de ressources humaines et financières pour la conservation et la mise en valeur de documents, certes historiques mais non essentiels à la poursuite des activités, ne peut être admis par ces administrateurs qu'en autant que l'organisation se reconnaisse une responsabilité culturelle vis-à-vis de la collectivité. En d'autres termes, il faudrait que l'organisation ait le devoir légal ou une volonté personnelle de faire connaître et légitimer son action par la collectivité pour garder ses vieux documents, ce qui serait soit une lourde contrainte, soit une grande ouverture d'esprit.

Dans cette perspective, la gestion documentaire assume directement ou prioritairement la responsabilité du mandat d'efficacité économique pour l'administration et, indirectement, celle de gardien de la vitrine institutionnelle. Par exemple, dans le cas d'Hydro-Québec, les archives historiques deviennent un outil privilégié pour exprimer et justifier l'identité de la société d'État et un moyen de valoriser la qualité de son action:

> Le Centre de documents semi-actifs de la rue Jeanne-d'Arc, à Montréal, permet d'épargner 6 millions à Hydro-Québec, en optimisant le rapport coût/espace, note Jean-Pierre Carrière. Savez-vous que le classement de documents coûte en temps, en espace et en matériel 12 millions par année au seul siège social? Mettre sur pied une unité de gestion de documents et d'archives historiques efficace permet de réduire ces coûts de beaucoup.

> Bien sûr on pourrait quand même remettre en question le volet archives historiques, fonction spécifique du Centre d'archives, qui ne semble pas à première vue capitale. À cela, Jean-Pierre Carrière rétorque: «Une peinture — un René Richard par exemple — n'a pas d'utilité immédiate; pourtant si vous en faites l'acquisition, vous verrez quelques années plus tard que sa valeur culturelle et monétaire a considérablement augmenté. Vous n'y perdez jamais au change»[35].

Cette vision linéaire entraîne une vision doublement réductrice de la valeur des documents et de leur utilisation et signification: d'une part, en confinant la valeur primaire à des objectifs administratifs; d'autre part, en considérant la valeur secondaire comme uniquement associée à des finalités culturelles ou historiques. Dans les faits, objectifs administratifs et finalités culturelles se trouvent étroitement amalgamés dans un même document, tandis que la valeur primaire et la valeur secondaire s'ajoutent de même façon l'une à l'autre, sans aucunement s'exclure.

En considérant les limites de la théorie des trois âges on comprend que son application n'est pas sans difficultés pratiques. Les divergences théoriques entre le fonds/objet et le fonds/structure ont conduit les archivistes à concevoir des pratiques archivistiques différentes pour gérer les archives administratives et les historiques. C'est ainsi que les pratiques régissant les archives historiques s'orientent sur le principe du respect de la provenance dans son acceptation objective, alors que les pratiques de gestion des documents administratifs reposent davantage sur la théorie des trois âges. Ainsi, les archivistes ont fondé leurs pratiques en puisant dans l'une et l'autre philosophies. Les divergences épistémologiques à la base de celles-ci ne pouvaient que les conduire à des oppositions qui paraissent parfois insolubles.

Les documents essentiels

Dès le moment où l'archivistique a été invitée à intervenir de manière plus active dans la gestion des ressources informationnelles consignées, ses praticiens durent se rendre à l'évidence: la perte de certains documents pouvait entraver sérieusement l'action organisationnelle allant même jusqu'à entraîner la disparition de l'organisme[36]. C'est le cas par exemple des chartes et des procès-verbaux émanant des conseils d'administration auxquels on pourrait ajouter les dossiers sur le personnel, l'immobilier, les contrats comportant des garanties, les groupes clients et les actes à saveur juridique[37]. Parallèlement à la notion de fonds et à la théorie des trois âges, les archivistes en viennent donc à considérer le traitement des documents essentiels comme un des éléments constitutifs d'un bon programme de gestion des documents.

> Il consiste en l'établissement et l'application de normes régissant le traitement particulier de certains documents qui, s'ils étaient perdus ou altérés, poseraient les difficultés suivantes à une organisation: arrêt des opérations; atteintes des droits de l'organisation; impossibilité pour l'organisation de remplir une ou plusieurs de ses obligations[38].

Dans la pratique, ces documents sont généralement considérés comme des documents actifs même s'ils se retrouvent souvent aux archives historiques de par leur ancienneté et l'importance de leur conservation à long terme. Du reste, certaines lois telles que celles régissant les domaines municipaux, scolaires ou de la santé, ont depuis longtemps conféré le statut d'archives à ces documents. Cette situation crée notamment une certaine ambiguïté quant à la justification de ces documents par les gestionnaire de documents:

> Il faut bien comprendre, continue Jean-Pierre Carrière, que les documents, autant ceux visés par le service Gestion des documents que les archives proprement dites, constituent avant tout de l'information. Or les entreprises, comme les individus, ne peuvent vivre sans information. Si une entreprise est poursuivie en justice et qu'elle doive retracer un document qui date de 30 ans pour assurer sa défense, et qu'elle ne le trouve pas, elle perd sa cause! S'occuper des archives dans une entreprise, c'est d'abord prendre conscience de cela: il y a des documents qui peuvent sembler banals aujourd'hui mais ils ne le seront peut-être pas demain[39]!

L'ambiguïté frise ici la contradiction dans la mesure où un document, conservé pour sa valeur secondaire, est utilisé pour sa valeur primaire. L'écart entre les positions des gestionnaires de documents et des archivistes traditionnels, s'il n'est pas réduit pour autant, tolère dans la pratique professionnelle des arrimages et des plages communes d'intervention.

De toute évidence, la notion de documents essentiels reste encore mal définie au plan théorique. De type documentaire distinct de l'historique et de l'administratif mais associé aux documents destinés à une conservation permanente, les documents essentiels sont vus comme des données objectives n'existant que pour et par l'action organisationnelle. Leur gestion s'est limitée à la constitution de listes de documents à protéger et à la mise au point de mesures préventives ou curatives. En fait, se situant en marge des concepts de valeurs et d'âges, les documents essentiels sont demeurés hors temps. Preuves immuables sans utilité effective, ils deviennent forts encombrants pour qui veut poser un regard cohérent sur le corpus théorique de l'archivistique.

La problématique des documents essentiels exige que l'on distingue la valeur et l'usage d'un document car on ne peut prendre la même échelle pour mesurer les niveaux de l'information. La théorie n'entend pas fondre les valeurs (primaire et secondaire) et les âges (actif, semi-actif et inactif), mais une association de la valeur à l'âge donne lieu à des raccourcis intellectuels dangereux. Selon les auteurs de l'ouvrage *Les archives au XXᵉ siècle*:

> On constate donc que l'équation concernant le document inactif (inactif = valeur secondaire = besoin historique) contient deux restrictions qu'il est primordial de nuancer. D'une part, il est faux d'affirmer que le document inactif n'est conservé que pour sa valeur secondaire puisque la réalité démontre que, souvent, l'administration doit retourner à des documents qui, au départ, n'avaient plus aucune utilité *prévisible* pour cette dernière. De plus, il est trop restrictif d'associer la valeur secondaire au besoin strictement historique puisque, encore là, l'on constate que des documents conservés pour une valeur secondaire sont utilisés pour toutes sortes de fins et que le besoin purement historique n'en est qu'une parmi d'autres[40].

Une interprétation étroite de la notion de valeur primaire amènerait donc à considérer que les informations brutes renfermées dans les documents sont les seules utiles au fonctionnement opérationnel courant d'une administration. Cela voudrait dire qu'un permis de construction municipal contenant des informations servant au contrôle des règlements d'urbanisme deviendrait inutile une fois le processus administratif et légal terminé pour cette opération.

En fait, pour l'organisation, la perte de valeur primaire au plan du fonctionnement de ses activités courantes n'entraîne pas automatiquement une baisse d'intérêt au point de vue mémoriel. Les deux valeurs ne servent pas les mêmes fonctions. La première est le support d'une décision donnée, alors que la seconde mémorise les résultats de l'opération. Ainsi, un administrateur fera appel à la valeur secondaire des documents afin de compléter ses connaissances sur une opération actuelle au moyen de données antérieures sur cette même question, de comparer des processus similaires, pour respecter les procédures habituelles ou encore pour préciser un état de fait passé mais ayant encore des incidences administratives. Il faut donc se garder de sous-estimer la valeur secondaire d'un document d'administration courante et de considérer qu'elle s'accroît de façon inversement proportionnelle à sa valeur primaire.

La confusion entre la valeur et l'âge d'un document paraît être liée au fait que les théories archivistiques ont développé uniquement la notion de valeur administrative. Il faut admettre qu'il existe aussi des documents possédant une valeur essentielle ou historique qui peuvent être actifs, semi-actifs ou inactifs dans chacun des systèmes identitaires du polysystème complexe.

La valeur essentielle se détermine en fonction du système matériel. En fournissant les données primordiales à la définition de la personne physique ou morale, la mémoire organique et consignée essentielle répond à des impératifs matériels et légaux. Conservés à titre de preuves, les documents attestent la légitimité de l'organisme. Sans eux, ce dernier est dépourvu de moyens, incapable d'identifier ses ressources, d'assumer ses responsabilités et d'affirmer ses droits.

Cette mémoire organique et consignée constitue un système vivant; c'est pourquoi, à l'instar de la mémoire administrative, ses documents traversent les diverses phases dans le cycle documentaire. Une approche complexe rend cette inactivité admissible dans la mesure où elle définit la valeur par rapport aux significations des documents.

Ainsi, un document essentiel est inactif lorsqu'il n'est plus un outil effectif. Dans la mesure où il demeure signifiant dans le processus d'identification du fait organisationnel, il peut toutefois conserver une valeur importante qui justifie sa conservation permanente à des fins essentielles. Par exemple, les règlements d'une organisation sont essentiels parce qu'ils attestent les normes en vigueur. Ils sont actifs tant et aussi longtemps qu'ils en permettent l'application. Les normes changent au gré des contextes organisationnels, entraînant ainsi la mise à jour des règlements. Ce faisant, les anciens règlements deviennent inactifs sans nécessairement perdre de l'importance au plan des significations. Leur conservation fournit une mémoire symbolique aux réalités essentielles.

Par ailleurs, des archives essentielles devenues inactives peuvent être évacuées par le système. Ainsi, les formulaires qui consignent, selon les normes, les réalités jugées essentielles à la poursuite des activités n'ont souvent pas une valeur symbolique suffisamment grande pour les faire passer dans le camp de la conservation permanente. Ils sont donc généralement éliminés lorsqu'ils ne sont plus actifs, à moins que la société en décide autrement et décide, notamment par des lois, d'augmenter leur valeur.

En fait, la valeur se détermine en fonction des objectifs inhérents au processus culturel en action dans l'organisme. Ceux-ci sont reliés; ils ne peuvent donc pas être confondus ni être isolés. Les documents possédant une valeur historique, essentielle et administrative forment un tout dynamique destiné à apporter des réponses signifiantes aux diverses questions auxquelles un organisme doit pouvoir répondre.

Dans cette optique, il faut également considérer l'historicité comme une valeur aussi importante à la survie de l'organisme que les aspects matériel et opérationnel. La valeur historique se rapporte à la conscience de soi et des autres; elle concerne le système symbolique sans lequel l'organisme ne pourrait pas reconnaître l'essentiel et l'administratif. Lorsque l'on parle d'archives historiques, on devrait donc interpréter cet épithète dans le sens d'historicité, comme le décrit B. Koss:

> L'historicité n'est pas seulement, comme le soutient A. Heller, une conscience collective de la durée présente à partir du moment où il a été dit «once upon a time». L'historicité, c'est surtout une valeur spécifique accordée à la durée où s'inscrit et où prend un sens non seulement l'événement mais aussi le devenir (et donc l'identité) individuel. [...] L'historicité est une grille de lecture des événements et des trajectoires des acteurs dans une relation diachronique. Elle est donc aussi un code de lecture du présent (ce qui est en train de se produire) à la lumière d'une mémoire collective (un discours sur le passé présent) et, à travers l'imaginaire social, un code sémantique d'invention du futur[41].

Certains documents ont une valeur historique dès leur création. L'album souvenir constitue un bon exemple de cela. Ce document est une représentation symbolique du passé qui, malgré les apparences, a une fonction éminemment pratique. Symbolique, il est une revivification, dans une tonalité affective, d'objets, d'êtres et d'événements fondateurs de soi. Fonctionnel, il est un outil pour renforcer le sentiment d'appartenance à une organisation, à son histoire, à son héritage culturel, à sa tradition. Sa confection n'est pas neutre et son contenu l'est encore moins. Il est producteur de sens, conservatoire d'images, diffuseur de traditions. L'album souvenir est médiateur du passé. Il est une mémoire historique active.

Un document peut avoir une valeur historique secondaire, sans être pour autant inactif. Ainsi, un guide administratif semble être un document exclusivement pratique. Toutefois, il possède une fonction historique indéniable. Au-delà d'une simple procédure d'exécution, il exprime la «bonne» manière de faire les choses. Il indique comment poser les gestes en accord avec les principes fondamentaux qui gouvernent l'organisme. Il vise à produire des résultats certains, parce qu'ils sont conformes aux traditions. Le guide est une référence qui n'est pas neutre. Il comporte une part d'implicite à l'entendement d'un geste. Comme tout manuel, il consigne un savoir qui repose sur ses propres vérités. Le guide administratif est donc également une mémoire historique vivante dans l'organisation.

En définitive, les valeurs se rapportent au plan symbolique. Elles orientent le sens d'un document vis-à-vis des divers objectifs sous-tendant l'identité organisationnelle. Que le document soit éliminé ou conservé de façon permanente, cela ne changera pas sa valeur primaire, qui peut être historique, essentielle ou fonctionnelle. De plus, le document peut également acquérir une valeur secondaire qui peut être historique, essentielle et fonctionnelle de façon non exclusive. Ses valeurs secondaires seront déterminées selon les capacités du document à refléter la personne, le personnage ou la personnalité organisationnels dans un contexte donné.

Des théories et principes complémentaires

Les problèmes théoriques et pratiques rencontrés par les archivistes démontrent combien la production documentaire n'est pas un objet délimitable mais un système complexe constitué d'informations en interaction mutuelle. À cet égard, le concept de provenance et la notion de fonds mettent en évidence la nature physique mais relationnelle des archives. Les théories systémiques démontrent qu'elles jouent un rôle actif et vivant dans l'organisme. Il n'est toutefois pas possible de concevoir le mouvement du système documentaire dans une perspective horlogère, car les archives participent simultanément à la réalisation d'objectifs de type historique, administratif ou essentiel. Les archives possèdent donc des valeurs multiples qui s'exercent simultanément; tout dépend de la perspective dans laquelle elles se situent.

La problématique des niveaux d'identité permet de mettre en relief les relations existant entre ces notions de fonds, d'âge et de valeur (type). Celles-ci correspondent aux trois niveaux d'identité d'un document (ou d'un ensemble) vis-à-vis de l'ensemble total de la masse documentaire. Le fonds et ses composantes correspondent à l'identité de fait des archives, à leur côté personne. En reconnaissant leur appartenance à un producteur donné, le principe de provenance permet aux archivistes de situer les connaissances objectives dans leur univers de production. Les âges se rapportent aux rôles des archives, à leur côté personnage. En dégageant les connaissances subjectives, la théorie des cycles de vie permet à l'archiviste de circonscrire les fonctions organiques des archives dans un temps et un lieu donnés. Les valeurs correspondent aux significations des archives, à leur côté personnalité. Elles reflètent et éclairent les cadres de référence par lesquelles l'organisme se représente et permettent aux archivistes d'évaluer l'importance culturelle des témoignages archivistiques.

À la recherche d'une approche intégrée

Revues dans la perspective de la complexité, les notions de fonds, d'âge et de valeur peuvent constituer un corpus théorique scientifiquement valable pour répondre au besoin de mémoire des organismes. Une gestion intégrée des archives, prenant en compte les objectifs historiques, essentiels et administratifs, mènerait à la constitution d'un fonds d'archives vivant et significatif. Elle établirait une mémoire organique et consignée qui légitime le pouvoir en offrant une représentation cohérente et continue de l'institution; qui apporte des preuves en établissant des précédents et démontrant le caractère tangible de ce pouvoir; qui permet à ce pouvoir d'exercer son droit en offrant des outils de régulation et en multipliant les capacités.

La mémoire organique et consignée et ses sous-systèmes

Qu'il soit une association charitable, une PME ou une multinationale, l'organisme producteur d'archives est un polysystème complexe dont la personnalité, la personne et le personnage entrent en relation et fondent, dans leur émergence, un tout irréductible, vivant, culturellement distinct. Ainsi, tout producteur d'archives peut être présenté au plan symbolique comme une institution, c'est-à-dire un regroupement d'individus ayant pour mission la mise en œuvre d'une croyance, d'un système de valeurs, d'une idéologie. Par ailleurs, il peut également être vu comme une personne physique et morale, c'est-à-dire une organisation matérielle reconnue dont la combinaison et l'agencement des éléments constitutifs produisent un bien ou un service donné. Enfin, le producteur d'archives peut être défini comme une structure fonctionnelle articulée selon certains principes, méthodes et procédures visant l'adoption de comportements propices à la réalisation des objectifs propres aux groupes auxquels les agents de cette structure appartiennent. Chacun de ces niveaux d'identité constitue un système complexe animé par un processus particulier: la mémoire soustend la personnalité alors que l'organisation correspond à la personne et l'information au personnage. Si ces systèmes ont des objectifs spécifiques, aucun n'existe indépendamment des autres. Leurs interactions dynamiques et complexes donnent naissance à un large processus culturel, que nous appelerons le processus MOI (mémoire, organisation et information). Ce dernier fonde l'identité du producteur d'archives. Il établit sa raison d'être, son système de valeurs, ses principes moteurs, ses propriétés et ses capacités naturelles. Il actualise ces traits fondateurs et rétroagit sur chacun des systèmes constitutifs.

Le fonds d'archives est produit par ce polysystème complexe et il le reflète. Structurées par le MOI, les archives comptent parmi les composantes mémorielles qu'un polysystème complexe se donne pour répondre aux questions fondamentales auxquelles il est soumis au cours de son existence. Celui-ci doit savoir pourquoi, pour qui et comment il existe, quelles sont ses ressources, quels sont les moyens par lesquels il peut agir, etc. À cet effet, des connaissances produites dans le cours de ses activités sont consignées sur un support durable normé par son système organisation, liées de façon organique selon la logique de son système information et aménagées par son processus Mémoire, afin de pouvoir répondre au questionnement existentiel. Ces documents constituent une mémoire indiscutable dans la mesure où ils donnent une conscience des traits fondateurs, une compréhension des faits et une intelligence dans l'action. Par cette référence qu'ils assurent, ils garantissent le devenir de l'institution, de l'organisation matérielle et de la structure de fonctionnement[42].

La mémoire organique et consignée est donc issue du travail matriciel des trois processus structurants (mémoire, organisation et information) qui s'assemblent et se combinent avec les traits fondateurs de la personnalité, de la personne et du personnage du polysystème complexe (figure 13).

La mémoire historique (A) traduit les émergences symboliques du MOI dans la mémoire. Elle affirme les croyances, les

Figure 13
Dynamique de la mémoire organique et consignée

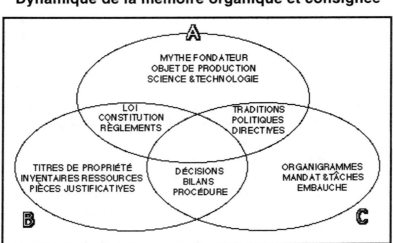

valeurs et les principes moteurs et constitue un cadre de référence qui permet au polysystème complexe d'avoir conscience de lui-même en tant qu'institution, structure de fonctionnement et organisation matérielle. Bref, elle constitue en quelque sorte la mémoire de l'âme polysystémique

La mémoire essentielle (B) reflète les émergences matérielles du MOI dans la mémoire. Elle incarne dans le réel l'institution, la structure de fonctionnement et l'organisation matérielle en exprimant leur identité de fait. Pour ce faire, elle décrit et prouve leurs propriétés et caractéristiques physiques. Elle traduit la mémoire du corps polysystémique.

La mémoire administrative (C) est issue des émergences fonctionnelles du MOI dans la mémoire. Elle affirme les comportements et les façons de faire qui permettent de faire rayonner l'institution, d'animer la structure de fonctionnement et de développer l'organisation matérielle. Elle représente la mémoire de l'esprit polysystémique.

La *mémoire historique de l'institution* (A-B-C) répond au «pourquoi», au «pour qui» et au «comment» symboliques du polysystème complexe. Elle établit sa légende et son mythe fondateur. Perpétuée par les histoires institutionnelles, les biographies des fondateurs et les diverses activités de commémoration, elle permet de légitimer la mission dans le temps et l'espace. Par ailleurs, l'objet produit par un organisme transcende ses valeurs et permet l'atteinte de la mission. La mémoire de cet objet est en lui-même ou dans ses symboles. Celui qui les acquiert adhère aux valeurs fondatrices et, partant, les attestent. Enfin, le polysystème repose sur des préceptes sacrés que l'on retrouve dans les manuels, les publications scientifiques et autres «bibles» institutionnelles, lesquelles confèrent une autorité idéologique indiscutable à l'organisme en consignant sa science, ses principes moteurs.

Les interactions des processus symbolique et matériel fondent la *mémoire historique de l'organisation matérielle* (A Ω B). Cette mémoire donne une dimension symbolique au «quoi» et au «par quoi». Elle se reflète dans les documents qui établissent physiquement le consensus subjectif à la base de l'organisation. La loi cautionne la raison d'être en autorisant la constitution d'une structure organisationnelle; les actes constitutifs et les documents délèguent le pouvoir et délimitent le territoire d'autorité de l'appareil de production de l'objet; la réglementation et les autres documents à saveur juridique donnent une pleine force aux idéologies.

La mémoire historique de l'organisation matérielle constitue le cadre de référence symbolique de la physis polysystémique; c'est pourquoi elle constitue aussi la *mémoire essentielle de l'institution* (B Ω A). Répondant au «pourquoi», au «pour qui» et au «comment» dans leur acceptation matérielle, elle exprime un système de nature légale où les textes constitutifs, les documents rapportant les liens entre les propriétaires et les réglementations qui les régissent, attestent la mission, les valeurs et les principes en termes phénoménaux. Ces documents possèdent donc à la fois une valeur historique et essentielle, car ils témoignent du bien-fondé de l'organisme et protègent l'existence des objets du temps présent.

Les interactions des processus symbolique et fonctionnel génèrent la *mémoire historique de la structure de fonctionnement* (A Ω C). Cette mémoire donne un sens au «par quoi» et au «par qui» en véhiculant la tradition et en établissant le culte. Les interventions des gardiens des valeurs et les documents d'orientation générale consignent cette tradition. Celle-ci se manifeste également dans les anecdotes et les choses qui vont de soi dans le polysystème. Par ailleurs, dans la mesure où les directives administratives commandent les comportements et balisent les applications technologiques privilégiées, la mémoire se retrouve dans les outils d'instruction qui consignent les règles à suivre et en prescrivent le bon usage. Enfin, la mémoire réside dans les traces qui témoignent des effets tangibles des bénéfices obtenus par l'application des principes moteurs. À ce titre, les documents décisionnels qui retracent les actes, les rapports d'activités et les documents récapitulatifs qui mémorisent les bénéfices possèdent une valeur historique certaine.

On comprend facilement que la mémoire historique de la structure de fonctionnement représente également la *mémoire administrative de l'institution*. (C Ω A) En répondant au «pourquoi», au «pour qui» et au «comment» fonctionnels, cette mémoire affirme le rôle fondamental du polysystème complexe et oriente les actions de ses membres. Elle s'enracine donc profondément dans les savoir-faire mis en œuvre dans les activités administratives du polysystème.

La *mémoire essentielle de l'organisation matérielle* (B-A-C) recouvre l'ensemble des objets présents dans l'environnement polysystémique. Immédiate et descriptive, elle permet de connaître l'anatomie de l'organisme. Elle répond au «quoi» et comprend tous les documents permettant l'inventaire des ressources humaines, matérielles, financières et informationnelles. Elle recouvre les pièces justificatives telles les titres, les contrats, les ententes, les obligations, etc., qui témoignent de leur réalité et enregistre également les normes et les techniques qui les établissent.

La *mémoire essentielle de la structure de fonctionnement* (B Ω C) enregistre les mécanismes physiologiques de l'appareil polysystémique. Elle répond au «par quoi». Elle se situe à cet égard à l'intersection des processus matériel et fonctionnel et rejoint la *mémoire administrative de l'organisation matérielle* (C Ω B). À ce titre, les rapports d'activités dressent un bilan de la production et permettent de vérifier si les buts ont été atteints. Les procédures plus ou moins formalisées mémorisent les rites et servent d'outils d'encadrement dans la façon de produire l'objet organisationnel. De plus, les documents d'évaluation mesurent le rendement de l'appareil et permettent le contrôle de la qualité de sa production.

Enfin, la *mémoire administrative de la structure de fonctionnement* (C-A-B) enregistre les informations relatives à la réalisation effective des activités. Elle répond au «par qui». Les organigrammes hiérarchisent les responsabilités des acteurs dans l'accomplissement de la mission. Les définitions de tâches spécifient les rôles et distribuent les mandats, tandis que les documents d'affectation, d'embauche ou de nomination désignent spécifiquement les agents chargés de la réalisation des activités.

La *mémoire organique et consignée émergente du polysystème* réside au cœur de cette dynamique en perpétuelle évolution (A Ω B Ω C). S'appuyant sur l'ensemble des champs mémoriels, elle fournit les données, les outils et les témoignages engagés dans le présent et directement utilisés dans le polysystème. Elle recouvre donc les documents actifs et semi-actifs. Ceux-ci possèdent une valeur historique, essentielle et administrative parce qu'ils sont témoins de la vérité, des faits et des gestes ayant cours dans le polysystème.

Une mémoire holographique

Les sous-systèmes de la mémoire organique et consignée visent des objectifs distincts, mais se rejoignent dans le large processus culturel qui anime le polysystème complexe tout entier, le MOI. Aucun de ces sous-systèmes ne saurait exister indépendamment des autres. Isolément, ils deviennent vite insignifiants, inconsistants, informes. Ensemble, ils expriment l'essence, la nature et le fonctionnement d'une organisme. Par exemple, une politique administrative ne peut être pleinement comprise que si l'on envisage parallèlement la réglementation qui l'encadre et le programme d'activités qui la réalise. Chacun de ces aspects fournit un angle d'éclairage différent mais indispensable à la compréhension générale de la question.

On peut comparer le processus de constitution de la mémoire organique et consignée d'un organisme à une prise de vue holographique. Dans le procédé photographique, un rayon de lumière cohérente (laser) circule à travers un appareil d'optique sophistiqué composé de miroirs et de lentilles concaves (voir figure 14). Le système divise et renvoie d'abord le rayon vers deux systèmes constitutifs de l'image. Le premier de ceux-ci a pour but d'éclairer l'objet afin qu'il réfléchisse la lumière selon sa forme et sa nature matérielle. Le second vise à préciser les contours de l'image par l'envoi d'ondes vers la plaque photographique. La représentation tridimensionnelle s'imprime en fonction des ondes situées dans la frange d'interférence des deux faisceaux lumineux où chaque partie de la plaque reçoit toutes les informations nécessaires à la création de l'image[43].

De même, la mémoire organique et consignée naît des interrelations existant entre un cadre de référence aux réalités matérielles (la mémoire essentielle, miroir de l'objet) et un

Figure 14
La prise de vue holographique

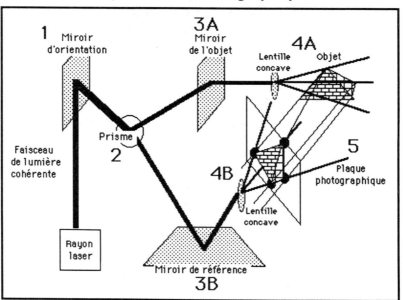

cadre de référence aux significations institutionnelles (la mémoire historique, miroir de référence). Ces éclairages convergent l'un vers l'autre grâce à l'appareil fonctionnel (la mémoire administrative, miroir d'orientation) qui assure d'un bout à l'autre une bonne circulation des ressources informationnelles. En bout de ligne, l'information est consignée sur un support durable qui, à l'instar de la plaque holographique, ne pourra être lu que sous la lumière qui l'a créée. Ajoutons aussi que, comme l'hologramme, la mémoire organique et consignée rassemble des documents de nature et de forme distinctes qui renferment intrinsèquement toute l'information nécessaire à une représentation complète de l'organisme dans chacune de ses parties[44].

Mémoire tridimensionnelle à l'image du polysystème, le fonds d'archives est à la fois tout et partie, pièce et puzzle entier, selon l'angle d'observation. Il est totalité organisatrice de pièces, dossiers, séries, en même temps qu'élément organique d'un plus large système mémoriel, le dépôt d'archives.

Celui-ci ne possède pas non plus de contours précis et sa définition évolue aussi dans le temps et dans l'espace. Son territoire est mouvant selon le sens que l'organisme donne à ses valeurs. Il se situe dans un processus culturel qui oriente le polysystème complexe qu'il reflète. Ainsi, dans une ville, il reflète nécessairement la redéfinition des pouvoirs institutionnels (responsabilité en matière d'environnement), l'expansion du territoire physique (annexion de municipalités voisines), les stratégies de mise en œuvre des valeurs civiques (réglementation relative à la pollution). Pour adapter le dépôt aux nouvelles balises identitaires, les archivistes modifient les filtres internes et acquièrent des fonds à l'externe.

À ce sujet, la théorie distingue deux groupes de fonds : les institutionnels et les non institutionnels. Les premiers regroupent les fonds générés par un même producteur dans le cours de ses activités ; les seconds rassemblent des ensembles documentaires, produits par des personnes physiques ou morales distinctes de l'organisme, mais jugés suffisamment riches pour constituer une source d'information supplémentaire sur l'organisme[45]. On justifie généralement l'acquisition des archives non institutionnelles par le devoir d'un organisme de contribuer à la constitution d'une mémoire collective[46]. Ces fonds ou collections sont considérés comme des objets destinés à servir plus particulièrement la recherche historique effectuée hors du cadre organisationnel. Au mieux, elles sont perçues comme une documentation de soutien à certaines activités internes. C'est le cas des institutions universitaires où l'acquisition de fonds non institutionnels est définie comme une fonction de soutien à l'enseignement et à la recherche[47]. Cette conception théorique vient du fait que la valeur mémorielle de cette documentation est généralement reconnue *a posteriori* par l'organisme et que la plupart de ces ensembles documentaires sont inactifs, c'est-à-dire jugés inutiles au plan administratif. En outre, le terme «non institutionnel» servant à les désigner renforce l'idée qu'ils sont des produits témoignant de réalités hors de l'organisme. Pourtant, ces fonds et ces collections ne sont pas désincarnés de la mémoire institutionnelle. Ils s'associent de façon vivante et organique à la documentation produite à l'interne. Au Mouvement Desjardins on retrouve par exemple le fonds d'Alphonse Desjardins ainsi que des fonds et collections de propagandistes, tels que Philibert Grondin, Joseph Turmel, ou d'anciens dirigeants tels que Cyrille Vaillancourt, Paul-Émile Charron, Rosario Tremblay, etc. De tels fonds enrichissent la mémoire consignée de l'institution coopérative en élargissant ses perspectives historiques de façon significative. Cela transparaît clairement dans le discours de l'archiviste qui, de toute évidence, intègre les documents associés à une plus large mémoire institutionnelle:

> Nos archives possèdent une documentation extrêmement importante concernant le fondateur «Alphonse Desjardins». Cette documentation est unique, irremplaçable et représente une valeur historique indéniable pour nous comme pour le monde de la coopération en général ainsi que pour ceux (celles) qui s'intéressent de loin ou de près à l'histoire économique et sociale du Québec[48].

Ces fonds comblent les lacunes et actualisent la mémoire institutionnelle. Ils permettent à l'organisation de se situer plus facilement dans de nouveaux contextes. En préservant la mémoire de ses groupes d'appartenance, ils précisent le sens de ses valeurs fondatrices et contribuent à délimiter ses territoires physique, fonctionnel et culturel. De plus, ils enrichissent le cadre de référence fonctionnel par la préservation de la mémoire des idéologies qui sous-tend les pratiques organisationnelles. Par conséquent, il semble plus juste de parler de fonds associés aux ensembles institutionnels afin de constituer une large mémoire intègre et signifiante pour le présent.

Ainsi, la mémoire d'un organisme rassemble-t-elle plusieurs fonds d'archives dans un grand tout organique. Cette large mémoire consignée constitue un cadre de référence qui fonde les croyances fondatrices, exprime et protège l'ordre établi, facilite et guide l'action. Elle résulte de l'affirmation de la personne organisationnelle, du personnage administratif et de la personnalité institutionnelle.

Par la perspective mémorielle, les archives deviennent plurielles, polymorphes et relationnelles. Cette perspective apporte un éclairage nouveau au caractère irréductible des archives mis en évidence au plan théorique par le principe de res-

pect des fonds. Elle rend mobile cette mémoire mise en perspective par la théorie des trois âges. Elle valorise également le
rôle culturel joué par l'archiviste dans le processus de constitution de la mémoire historique d'une institution. Au risque de
choquer, on peut dire qu'en se définissant exclusivement
comme gestionnaire d'information ou de documents l'archiviste s'est donné une image au goût du jour, mais a sacrifié du
même coup une part importante de ses responsabilités. À se
cantonner dans la sphère informationnelle ou organisationnelle, tout en reniant le mémoriel, il s'expose à n'être que le
dépositaire d'un code ou le gérant d'une masse de papiers. Une
intervention archivistique limitée à un seul de ces aspects est
épistémologiquement inconcevable. Même si la chose se pouvait, cela voudrait dire qu'à chaque changement de code l'archiviste serait dépassé, incapable de se mettre à jour. Cela
voudrait dire également que chaque type d'organisation appelle une spécialisation particulière. L'archiviste ne gère pas
que de l'information ou des documents, il gère une connaissance qui a un sens, des contenus et des codes. Il constitue une
mémoire organique et consignée qui suit la définition de
l'identité du polysystème complexe qui la génère.

Notes

1. Michel Duchein, «Le respect des fonds en archivistique. Princi-
    pes théoriques et problèmes pratiques», dans *Techniques moder-
    nes d'administration des archives et de gestion des documents: recueil
    de textes*. Paris, Programme général d'information et UNISIST,
    UNESCO, 1985, p. 73.

2. Jean-Yves Rousseau, «Le respect des fonds. La quintessence de la
    discipline archivistique», *Archives*, vol. 22, n° 2, automne 1990,
    p. 9-10.

3. Voir: Louis Cardinal *et al., Les instruments de recherche pour les
    archives*, La Pocatière, Documentor, 1984, p. 15-18, ainsi que le
    rapport du Groupe de travail canadien sur les normes de des-
    cription en archivistique, *Les normes de description en archivistique:
    une nécessité*, Ottawa, Bureau canadien des archivistes, 1986,
    203 p. On retrouvera également une discussion sur la notion

d'article et de dossier dans: Gilles Héon, «L'article dans les répertoires: élément de cotation ou élément de rangement», *Archives*, vol. 18, n° 2, septembre 1986, p. 3-14.

Il faut cependant noter qu'il existe des nuances entre les divers niveaux de classification conceptualisés dans les milieux européen et anglo-américain. Pour la perspective française, voir: Association des archivistes français, *Manuel d'archivistique: théorie et pratique des Archives publiques en France*, Paris, S.E.V.P.E.N., 1970, 805 p.; pour la perspective américaine, voir: Frank B. Evans, «Les méthodes modernes de classement d'archives aux États-Unis», *The American Archivist*, n° 29, 1966, p. 241-263, et David B. Gracy, *Archives & manuscripts: arrangement & description*, Chicago, Society of American Archivists, 1977, 49 p.

4.   Cité dans M. Duchein, «Le respect des fonds en archivistique [...]», p. 91.

5.   Pour des exemples de procédures, voir: ANQ, *Normes et procédures archivistiques*, Québec, Archives nationales du Québec, 1991, ainsi que: Comité de planification sur les normes de description, *Règles pour la description des documents d'archives*, Ottawa, Bureau canadien des archivistes, 1990.

6.   On remarquera cependant que, considérant qu'il revient aux chercheurs de chercher, l'archiviste développe peu de procédures pour encadrer l'exploitation des archives.

7.   À cet égard, Michel Duchein rapporte les propos de l'archiviste américain Mario D. Fenyo qui déclare que «personne ne sait trop ce que le mot fonds veut dire, pas même les Français qui l'ont inventé». M. Duchein, «Le respect des fonds en archivistique [...]», p. 94.

8.   Cette norme se base sur cinq critères: 1° entité légale dont le nom est fixé par un document légal; 2° dont la mission est clairement défini; 3° dont la place hiérarchique est distincte; 4° dont l'autorité possède une autonomie certaine dans la réalisation des mandats; 5° dont la structure interne est fixée par un organigramme. M. Duchein, «Le respect des fonds en archivistique [...]», p. 97-98.

9.   Ainsi le transfert, l'abolition ou la création de compétence ne justifient pas l'assimilation d'un fonds par un autre. De même, la multiplicité des médias est un faux problème.

10.   M. Duchein, «Le respect des fonds en archivistique [...]», p. 95.

11.   Pour des exemples, voir la revue *Archives*, vol. 22, n° 3, hiver 1991: Michel Biron, «Le principe du respect des fonds et les

divers milieux archivisitiques», p. 53-57; Diane Charland, «Le respect des fonds et le mileu municipal», p. 59-62, et Murielle Doyle, «Le respect des fonds et la vie des documents», p. 63-65.

12. M. Duchein, «Le respect des fonds en archivistique [...]», p. 77 et 78.

13. Voir: P. J. Scott, «The Record Group Concept: a Case for Abandonment», *The American Archivist*, vol. 29, n° 4, octobre 1966, p. 493-504 et de Collin Smith, «A Case for Abandonment of «Respect», *Archives and Manuscripts*, vol. 14, n° 2, november 1986, p. 154-168 et vol. 15, n° 1, may 1987, p. 20-28.

14. Voir: David A. Bearman and Richard H. Lytle, «The Power of Principle of Provenance», *Archivaria*, n° 21, winter 1985-1986, p. 14-27 et Jean-Yves Rousseau, «Le respect des fonds. La quintessence de [...] «.

15. Sylvain Sénécal, «Une réflexion sur le concept de fonds d'archives. Comment tenir compte du principe de provenance dans un contexte dynamique», *Archives*, vol. 22, n° 3, hiver 1991, p. 41-52.

16. Frank B. Evans, «Conceptions modernes en matière d'administration des archives» dans *Techniques modernes d'administration des archives et de gestion des documents: recueil de textes*. Paris, Programme général d'information et UNISIST, UNESCO, 1985, p. 177.

17. Remarque de Jenkinson tirée d'un rapport sur les archives de la Jamaïque. Theodore R. Schellenberg. «Les principes du tri archivistique», dans *Techniques modernes d'administration des archives [...]*, p. 305.

18. Hilary Jenkinson, «Reflections of an Archivist», *Contemporary Review*, vol. 165, june 1944, reproduit dans Maygene F. Daniels and Timothy Walch, *A Modern Archives Reader: Basic Readings on Archival Theory and Practice*, Washington D.C., National Archives and Records Service and U.S. General Services Administration, 1984, p. 19-20 et 21.

19. F. B. Evans, «Conceptions modernes en matière d'administration [...]», p. 176.

20. *Ibid.*, p. 175.

21. *Ibid.*, p. 176.

22. *Ibid.*, p. 177.

23. Theodore R. Schellenberg. *Modern Archives. Principles and Techniques*, Chicago, The University Chicago Press, 1956, p. 14.

24. *Ibid.*, p. 15.

25. T.R. Schellenberg, «Les principes du tri archivistique» [...], p. 305.

26. Carol Couture, Jacques Ducharme et Jean-Yves Rousseau, «L'archivistique a-t-elle trouvé son identité?», *Argus*, vol. 17, n° 2, juin 1988, p. 56.

27. *Ibid.*, p. 56.

28. On comprend dès lors pourquoi la question du respect de la structure interne occupera une telle importance dans les discussions entre ces deux archivistes.

29. Voir Jacques Ducharme et Jean-Yves Rousseau, «L'interdépendance des archives et de la gestion des documents: une approche globale de l'archivistique», *Archives*, vol. 12, n° 1, juin 1980, p. 22-24, ainsi que Carol Couture et Jean-Yves Rousseau, *Les archives au XXᵉ siècle. Une réponse aux besoins de l'administration et de la recherche*, Montréal, Université de Montréal, 1982, p. 18-26.

30. Adaptation du tableau 1: *Théorie des trois âges*, dans C. Couture et J.-Y. Rousseau. *Les archives au XXᵉ siècle [...]*, p. 26.

31. Christian Jacob. «La mémoire graphique en Grèce ancienne», *Traverses*, vol. 36, 1986, p. 61.

32. *Ibid.*, p. 66.

33. Pierre Racine, «Les archives au présent», *Au courant*, juin-juillet-août 1988, p. 15.

34. Association des archivistes français, *Manuel d'archivistique [...]*, p. 119-120.

35. P. Racine. «Les archives au présent» [...], p. 15-16.

36. Dans un article consacré à la question, Jean-Yves Rousseau affirme qu'une politique de gestion des documents essentiels constitue une véritable police d'assurance pour un organisme. Ainsi, la National Fire Protection Association des États-Unis estime que «65 % des entreprises qui ont subi un incendie majeur ne peuvent réouvrir leurs portes» alors que «40 % des compagnies qui perdent leurs documents lors d'un incendie ferment leurs portes au cours de l'exercice financier subséquent». Jean-Yves Rousseau, «La protection des archives essentielles. Comment assurer la survie d'une organisation», *Archives*, vol. 20, n° 1, été 1988, p. 45.

37. Pour des exemples, voir les articles de J.-Y. Rousseau, «La protection des archives essentielles. [...]», tableau 3, p. 57-58, et France Bélisle, «Les documents essentiels à la ville de Québec», *Archives*, vol. 22, n° 1, été 1990, p. 44-47.

38. C. Couture et J.-Y. Rousseau. *Les archives au XXᵉ siècle [...]*, p. 21-22.

39. P. Racine, «Les archives au présent» [...], p. 15.

40. C. Couture et J.-Y. Rousseau, *Les archives au XXᵉ siècle [...]*, p. 186.

41. Bogumil Koss Jewsiewicki. «Le récit de la vie entre la mémoire collective et l'historiographie», dans Jacques Mathieu (sous la direction de), *Étude de la construction de la mémoire collective des Québécois au XXᵉ siècle, approches multidisciplinaires*, Québec, Cahiers du CÉLAT, nᵒ 5, 1986, p. 79.

42. Voir à ce sujet: Daniel Pascot et Jean-Louis Le Moigne, «Organisation, construction et destruction de la mémoire collective. Quelques directions de recherches en guise de conclusions», dans *Les processus collectifs de mémorisation (Mémoire et organisation). Actes du colloque d'Aix-en-Provence GRASCE — Faculté d'économie appliquée — (juin 1979)*, Aix-en-Provence, Librairie de l'Université, 1979, p. 230-242.

43. Sur les questions techniques, voir: Christopher Outwater et Eric Van Hamersveld, *Holographie, L'histoire, la théorie et la réalisation de l'hologramme*, Montréal-Paris, L'étincelle, 1989, 89 p. Pour une discussion sur les concepts de l'holographie, voir: Ken Wilber (sous la direction de), *Le paradigme holographique*, Paris, Le Jour éditeur, 1984, 441 p.

44. Certains théoriciens ont utilisé la métaphore de l'holographie pour conceptualiser l'organisation. Voir: Gareth Morgan, *Images de l'organisation*, Québec, Presses de l'Université Laval, Éditions ESKA, 1989, p. 101-113.

45. Les dépôts publics utilisent plutôt les termes public et privé. Ces distinctions ont longtemps eu pour effet d'embrouiller la terminologie en opposant la notion de fonds d'archives privées à celle de fonds d'archives institutionnelles.

46. On retrouve ces arguments clairement exprimés dans les politiques d'acquisition ainsi que dans les introductions des états généraux des fonds non institutionnels.

47. Pour un exemple, voir: James Lambert, «Vers une politique de référence à la Division des archives de l'Université Laval», *Archives*, vol. 21, nᵒ 3, p. 15-34.

48. CCPED, 1722-03-01 (F9711) *Archives, organisation 1957-1989*, «Les archives», texte présenté lors d'une conférence donnée par Mme Louise Tremblay de la division gestion documentaire, devant les membres de l'Association des archivistes du Québec», 29 octobre 1986, p. 2.

Deuxième partie

La constitution d'une mémoire organique et consignée: le cas du Mouvement coopératif Desjardins, 1900-1990

Chapitre VII

Le Mouvement Desjardins
et sa mémoire consignée

Étudier une organisation et sa mémoire, c'est déterminer sa nature et ses orientations, cerner l'ensemble autant que ses parties, définir son identité, une identité qui varie d'ailleurs dans le temps.

Ce chapitre à pour but de voir comment se constitue la mémoire consignée d'une organisation donnée, le Mouvement des caisses populaires et d'économie Desjardins. Il dégage les différentes étapes de son évolution afin de mettre en relief les générations organisationnelles qui se sont succédé au Mouvement Desjardins. Cette trame événementielle permet de contextualiser la structure de fonctionnement et de saisir les modes d'exécution et la production documentaire qui en découlent. Il s'agit en somme de cerner comment les espaces et les pratiques ont donné naissance au fonds d'archives institutionnelles.

Le Mouvement Desjardins et ses temps morphogénésiques

Au fil de son évolution, l'institution Desjardins s'est transformée. Sa structure fonctionnelle est mise à jour une première fois en 1920 avec la fondation des unions régionales des caisses populaires. Elle se modifie en 1932 avec la formation de la Fédération de Québec des unions régionales des caisses populaires Desjardins (FQCPD). Au début des années 1960, la reconnaissance légale de l'institution entraîne des changements organisationnels. Le Mouvement Desjardins modifie sa structure afin de distinguer les fonctions administratives de sa fédération d'avec la représentation de l'ensemble coopératif. Cette configuration change au milieu des années 1970 avec l'intégration de toutes les composantes et la mise en place de ce qui deviendra la Confédération des caisses populaires et d'économie Desjardins. À l'issue de chacune de ses mues organisationnelles, l'organisation est ressortie «ni tout à fait la même, ni tout à fait une autre», mais elle a été rebaptisée chaque fois afin d'attester une identité régénérée.

Conception et établissement, 1897-1920

La période fondatrice débute en 1897, année au cours de laquelle Alphonse Desjardins entend le projet de loi contre l'usure exposé en chambre par le député de l'opposition, Michael Quinn. Cet événement[1] lance la génération-ancêtre, celle qui sera porteuse des prémisses organisationnelles. À partir de ce moment, Alphonse Desjardins travaille à définir les grands principes du mouvement coopératif, à établir celui-ci légalement et à concevoir une structure de fonctionnement idéale. À ce titre, on peut dire que la première cascade d'événements s'articule autour du fondateur. Elle prend sa source le 6 avril 1897, avec sa «révélation» et s'achève en octobre 1920, avec son décès.

Au milieu du XIXe siècle, le développement du capitalisme industriel engendre une situation économique précaire pour la population canadienne-française alors majoritairement concentrée en milieu rural. Pour moderniser leur exploitation paysanne traditionnelle et s'intégrer au marché, les agriculteurs doivent injecter des capitaux. Or, leur marge de crédit repose sur la qualité de leurs récoltes et le prix du marché. En période de crise, la situation devient intenable et la faillite menace bon nombre d'entre eux.

En milieu urbain, on note un progrès industriel certain. Toutefois, le sort de la classe ouvrière n'est guère meilleur. La forte concurrence maintient bas le niveau des salaires et les industries ont recours à des méthodes de production qui accentuent les mauvaises conditions de vie. Les fluctuations du marché provoquent une chute dramatique des revenus des ouvriers ou, pire, des mises à pied massives. Ainsi, agriculteurs et ouvriers se retrouvent vite économiquement incapables de subvenir à leurs besoins. Il s'ensuit un endettement chronique. Pour plusieurs, l'indigence précède l'exode vers la Nouvelle-Angleterre. De toute évidence, comme le souligne Yves Roby, les structures de circulation du capital sont mal adaptées aux besoins :

> Les banques, les compagnies de prêts sur hypothèque, les sociétés par actions, les compagnies d'assurance favorisent l'accumulation du capital et constituent des sources de crédit pour l'industrie, le commerce et les classes aisées. Ces institutions, que l'on ne retrouve à peu près que dans les grands centres, ne prêtent pas aux classes laborieuses. Elles sont mal adaptées à leurs besoins. L'ouvrier et le cultivateur dont l'honnêteté est souvent la seule garantie qu'ils puissent offrir doivent le plus souvent faire appel aux marchands, aux notaires, aux courtiers, aux prêteurs sur gages, aux prêteurs à la petite semaine et aussi, malheureusement à l'usurier[2].

Les politiciens du pays dénoncent les problèmes des classes laborieuses et les relient aux goûts de luxe et au manque de prévoyance des Canadiens français en matière d'épargne. Les députés réclament des mesures contre les usuriers qu'ils perçoivent comme des profiteurs éhontés. Ils exigent la mise en place de structures de financement aptes à fournir aux petites gens le crédit nécessaire à leur survie.

C'est dans ce contexte qu'Alphonse Desjardins commence à occuper le poste de sténographe français à la Chambre des communes à Ottawa en 1892. En avril 1897, les propos du député Michael Quinn relatant les effets de l'usure le consternent. Ses biographes disent qu'à partir de ce moment il effectuera sans relâche des recherches afin de mettre au point une solution apte à résoudre ce problème. Pour ce faire, Desjardins étudie les théories sociales et économiques, entre en contact avec les spécialistes européens de la coopération, jette un regard sur la société canadienne-française et analyse les besoins socio-économiques.

Au départ, Desjardins entendait combattre l'usure. En approfondissant la question, celle-ci lui apparaît comme un effet plutôt que comme une cause. Selon lui, l'État n'a pas su cerner le fond du problème au Canada français. Certes, il y a «les autres causes qui sont à l'œuvre, telles que l'imprévoyance, l'épargne négligée ou méprisée, le luxe, des habitudes parfois extravagantes, en tout cas incompatibles avec une prospérité durable[3]», mais la vraie raison est la mésadaptation des pratiques économiques traditionnelles face au développement des sociétés capitalistes.

Alphonse Desjardins estime que donner simplement accès au crédit n'est pas suffisant. Il faut mettre au point des outils aptes à combattre la mentalité des producteurs qui valorise l'isolement économique. Ce sont de telles attitudes qui entravent gravement les capacités d'insertion du Canada français dans une économie de marché. À cet égard, il affirme avoir eu en tête, dès le départ, l'idée d'un régime coopératif diversifié: caisses populaires, caisses scolaires, magasins coopératifs, coopératives de production, coopératives de consommation, boulangeries et épiceries, mutuelles-incendie et vie. Au mois de mai 1911, il écrit à Omer Héroux du journal *Le Devoir*:

> Vous concevez sans peine que la Caisse n'est qu'un prélude et que bien d'autres organismes suivront englobant tous les besoins matériels susceptibles d'être mieux satisfaits par l'association coopérative. J'avais cette pensée il y a dix ans et plus, lorsque j'ai commencé cette campagne[4].

Cependant, compte tenu des besoins immédiats, l'épargne et l'accès au crédit constituent les premiers éléments devant naître de l'effort communautaire. Au gré de ses recherches, Desjardins en vient à la conclusion que l'achat à crédit pour des biens de luxe est un effet plus qu'une cause des difficultés économiques des Canadiens français. Ce type de consommation constitue une conséquence fâcheuse du système capitaliste. C'est pourquoi les solutions doivent être axées sur l'épargne plutôt que sur le crédit. Il ne faudrait cependant pas se méprendre, car Desjardins approuve le crédit, mais pas n'importe lequel. Alors qu'il juge le crédit de production vital, il estime le crédit de consommation destructeur:

> Le crédit facile de consommation est un piège redoutable dans lequel tombe [sic] chaque année des milliers de victimes, et ce

crédit que nous appellerons «de luxe» est le plus ruineux de tous étant celui qui accumule le plus d'irréparables désastres[5]!

La société de consommation garantit l'enfer. Elle engendre des péchés capitaux: orgueil et envie. Elle prive un peuple d'une énergie économique puissante, la solidarité populaire. Mais comment juger de ce qui est raisonnable et bon? La caisse populaire d'Alphonse Desjardins représente l'outil éducatif qui permet de réaliser l'insertion des Canadiens français dans le système capitaliste tout en développant des attitudes culturelles — épargne et coopération — plus aptes à assurer le maintien et le progrès des conditions économiques idéales. Destinée à une clientèle pauvre et non éduquée en la matière, la caisse populaire doit fonctionner en fin de compte au bénéfice de l'ensemble de la collectivité.

La caisse est une adaptation originale de modèles de banques populaires européennes. Elle allie les formules allemandes des caisses de crédit Raiffeinsen[6] et des banques populaires de Schulze[7], en écartant le principe de solidarité illimitée. Elle puise également dans l'expérience de la caisse d'épargne et de la banque populaire Luzatti. Elle applique le tout au contexte de la société canadienne-française du tournant du siècle. Desjardins précise les caractéristiques matérielles que doit avoir l'appareil de production des caisses: qui sera sociétaire, quel sera le capital minimum pour le devenir, quelles seront les ressources humaines et matérielles requises, etc.[8]?

De 1900 à 1905, Desjardins expérimente son modèle. Il fonde en décembre 1900 la première caisse populaire à Lévis qui ouvre ses portes en janvier 1901. Elle est ouverte de jour dans la maison de Desjardins et trois soirs par semaine dans un local fourni gratuitement par la Société des artisans[9]. Dans les années suivantes, Desjardins établit deux autres caisses: la Caisse populaire de Lauzon en juillet 1902 et la Caisse populaire de la paroisse Saint-Malo de Québec en janvier 1905.

Desjardins ne veut cependant pas aller plus loin dans l'implantation sans une loi pour protéger les activités des caisses, mais la reconnaissance est difficile. Le fondateur doit vendre sa cause aux législateurs et à la population tandis que les caisses sont controversées. D'une part, le lobbying, que les marchands détaillants et les banquiers exercent auprès des instances politiques, annihile les chances de reconnaissance par le gouvernement fédéral et retarde l'adoption d'une loi provinciale. D'autre part, la mobilisation des Canadiens français n'est pas facile, car les principes de la caisse vont à l'encontre de la tradition du bas de laine. Pour réussir à convaincre les gens du bien-fondé de sa démarche, Desjardins s'intègre aux réseaux d'influence. Dans cette optique, il fonde en décembre 1904 l'Action populaire économique qui réunit une brochette de personnalités influentes dans le but de «faire mieux connaître la coopération et de propager l'esprit coopératif[10]».

L'adoption de la *Loi concernant les syndicats coopératifs de Québec*[11] en 1906 permet la multiplication des caisses populaires sur tout le territoire de la province. Vers 1907-1908, Desjardins ajoute une autre facette au système coopératif avec la formule de la caisse d'économie scolaire. L'épargne du sou débute en janvier 1907 dans les écoles de Lévis et se propage sur tout le territoire des caisses populaires. Sa raison d'être est complémentaire de celle de la caisse. Elle a pour but de sensibiliser la jeunesse aux vertus de l'épargne et de susciter dès le jeune âge de saines pratiques d'économie. Il n'est pas tant question de capitalisation que d'éducation face aux responsabilités économiques et sociales[12]. De plus, la propagande effectuée à l'extérieur de la province par Alphonse Desjardins l'amène à collaborer à la fondation de caisses dans les milieux franco-américains à partir de 1909 et dans le reste des provinces canadiennes à partir de 1916. Dans sa monographie sur les caisses populaires, Yves Roby écrit:

> De 1900 à 1920 exclusivement, 206 caisses populaires ont ainsi vu le jour, dont 157 entre 1907 et 1914. Après 1914, les fondations se font beaucoup moins nombreuses; la guerre y est sans doute pour quelque chose, mais moins que la terrible maladie [urémie] dont Desjardins ressent déjà les premiers symptômes. C'est évidemment au Québec que la majorité des caisses populaires sont établies: 173 sur 206. Le fondateur favorise l'implantation de l'œuvre dans toutes les régions de la province. [...] en Ontario, il assume la fondation de 24 caisses populaires. Aux États-Unis selon le *Morning Post* du 23 février 1914, il existe 23 institutions

du genre dont la majorité dessert les centres français du Massachusetts et du New Hampshire[13].

Jusqu'en 1914, Desjardins se charge de l'implantation et du développement du mouvement coopératif[14]. Le fondateur compte cependant énormément sur l'influence du clergé pour obtenir l'adhésion de la population canadienne-française. En outre, les caisses ont besoin d'officiers pour guider la force populaire vers la réussite et il estime que cette tâche revient naturellement aux chefs des communautés paroissiales. Pour lui, l'accord du curé est une condition *sine qua non* dans l'établissement d'une caisse. Pour inciter le bas clergé et les élites locales à s'engager dans la coopération et à demander la fondation d'une caisse, Desjardins recourt à l'appui de l'épiscopat renforcé par une propagande dans les journaux[15]. La démarche s'avère efficace: «Souvent, les curés ont pris connaissance du mouvement par la lecture des journaux ou encore de la bouche même de leurs évêques[16]».

Lorsqu'une demande d'établissement est soumise, Desjardins met en branle une procédure de fondation misant beaucoup sur la tradition orale:

La fondation d'une Caisse ne s'accomplit pas du jour au lendemain. Elle s'opère suivant un ordre logique et minutieusement défini. Notons que Desjardins n'accepte jamais d'établir une de ses institutions où la population n'est pas acquise à l'idée. C'est le curé qui doit se charger de cette besogne; ce qu'il fait d'ailleurs de bonne grâce [...] La veille de la fondation, Desjardins rencontre le curé et fixe avec lui pour le lendemain l'ordre du jour et discute des termes du prône qu'il doit prononcer. Le curé invite ses paroissiens à une assemblée spéciale tenue après la grand-messe. Au cours de cette réunion, Desjardins définit les grandes lignes de son projet. À une deuxième réunion, le fondateur précise le but et le fonctionnement de son œuvre, et explique les statuts et règlements de façon plus élaborée. Il prend les noms des futurs sociétaires et procède à l'élection des officiers. Quelques instants plus tard, ces derniers, rassemblés à part, reçoivent des instructions plus précises concernant leurs nouvelles fonctions[17].

Une fois établie, la caisse procède en théorie de façon autonome. Elle est une association économique qui fonctionne de façon artisanale. Toutes les fonctions y sont simples. Ses membres décident collectivement des orientations et exécutent bénévolement les diverses tâches administratives. Le pouvoir est paritaire et les fonctions sont en principe accessibles à tous. Alphonse Desjardins écrira à H. Mitchell, le 30 juin 1915:

> La Caisse n'est qu'un simple établissement de crédit, qui n'effectue pas d'opérations bancaires dans le sens courant du terme, elle peut être administrée par quiconque possède une intelligence moyenne et fait preuve de bons sens [...] L'expérience [du gérant] n'est pas du tout nécessaire dans un tel cas[18].

La structure de fonctionnement est dictée par la *Loi concernant les syndicats coopératifs*. Les administrateurs de la caisse sont élus par l'Assemblée annuelle des sociétaires qui adopte les règlements et décide de la procédure de comptabilité à suivre. Trois instances se partagent le pouvoir exécutif: un conseil d'administration dirige l'ensemble des activités de la caisse et «favorise par des mesures appropriées l'éducation économique, sociale et coopérative des membres[19]»; une commission de crédit est chargée du contrôle absolu des prêts; et un conseil de surveillance voit au respect des règlements et inspecte les actes et la tenue des livres de la société. La gestion proprement dite de la caisse est confiée au gérant qui peut être l'un des officiers du conseil d'administration.

Selon les vœux de Desjardins, les activités administratives ne sont pas alourdies inutilement. Les opérations restent techniquement à la portée de tous, ne se complexifiant qu'au fur et à mesure de l'apprentissage:

> moins on compliquera les formalités requises pour l'organisation, plus on les simplifiera, plus on les rendra rapides et faciles d'exécution, plus aussi on pourra compter sur une activité plus grande ayant ces créations pour objet. Les lenteurs, les tracasseries de détail font plus pour paralyser les bonnes volontés, que ne le font les difficultés inhérentes à l'application d'un grand principe[20].

En pratique, les caisses ne sont pas laissées à elles-mêmes. Pour pallier l'inexpérience des administrateurs, Desjardins intervient ponctuellement. Il répond aux questions et suggère des directives. Conscient du besoin de supervision et de contrôle des pratiques comptables, il invite les gérants à lui soumettre mensuellement leurs états financiers. L'encadrement des caisses est toutefois plus ou moins rigoureux, car Desjardins éprouve beaucoup de difficultés à obtenir la collaboration des gens.

> Plusieurs gérants, selon Desjardins, refusent de se conformer à ces exigences, de se plier à cette précaution élémentaire. Ils ne le font que lorsqu'il «y a presque une colline de chiffres à mettre en ordre, à démêler». Et pourtant certains officiers accusent une ignorance renversante des règlements[21].

Cela s'explique premièrement par le fait que la confiance mutuelle est un trait inné des caisses populaires. Rappelons que celles-ci ont été implantées dans un milieu restreint afin que l'étroitesse des liens paroissiaux garantisse le contrôle des activités. Selon Desjardins, «chacun dans la paroisse se connaît, là il est facile de se renseigner, et quand il s'agit de prêts, cette connaissance exacte du caractère, de l'honnêteté absolue du sociétaire emprunteur est essentielle[22]». Par conséquent, il n'est pas étonnant que Rosario Tremblay, premier inspecteur en chef de la Fédération, ait constaté que la caisse était axée principalement sur la tradition orale:

> Au début, dans bien des Caisses, il n'y avait pas de bordereaux, il n'y avait pas de reçus pour les retraits d'argent. Le gérant rencontrait un sociétaire sur le perron de l'église qui lui disait vouloir retirer 5,00 $ ou déposer 10,00 $, les transactions se faisaient ainsi, verbalement[23].

La déviance des officiers face à l'autorité institutionnelle découle aussi des caractéristiques propres à la caisse. Considérant que la classe laborieuse ne pouvait être seule dans une telle entreprise, Desjardins a confié la direction des cellules coopératives aux élites locales. Leur collaboration était, à son avis, indispensable à la cohésion naturelle, car eux seuls pouvaient «discipliner [la force communautaire et] harmoniser ses énergies[24]» dans l'action. Desjardins dira que c'est à la bourgeoisie, «aux classes dirigeantes, les autorités sociales, comme les appelle Le Play [...], à prendre la direction et à stimuler ce mouvement de régénération économique destiné à faire tant de bien et à corriger les erreurs des doctrines égoïstes de l'école libérale économique[25]». La question n'est pas d'atténuer le pouvoir des petites gens, mais de respecter l'ordre social. Le projet ne pourrait être mené à terme si on ignorait la nature de la société canadienne-française, bref si on ne respectait pas ses autorités reconnues. Pour sa part, Desjardins donne aux dirigeants locaux un pouvoir indiscutable. À ce sujet, Yves Roby conclut que «la confiance des sociétaires repose plus dans les hommes qui la dirigent que dans l'institution elle-même[26]». Dès lors, la légitimité de la caisse se fonde sur le charisme des individus qui la guident plutôt que sur les principes moteurs qui la sous-tendent.

Cette situation n'implique pas le rejet total de l'autorité institutionnelle. Elle traduit simplement comment l'identité individuelle des caisses est définie à l'intérieur de l'ensemble coopératif. Les associations locales représentent l'instrumentation nécessaire à la mise en place d'un vaste mouvement coopératif. Concrètement, les caisses populaires constituent des voies tangibles de réalisation des activités institutionnelles. La loi élaborée à partir des principes fondateurs permet la mise en place d'un cadre organisationnel relativement normalisé. Toutes les caisses possèdent donc les mêmes bases ontologiques. D'autre part, chaque cellule coopérative appartient à sa population fondatrice qui la guide selon ses propres convictions et assure le fonctionnement en conséquence. Ainsi, les sociétaires contribuent collectivement au patrimoine génétique et fonctionnel de leur caisse.

Ce que l'on connaît des archives anciennes des cellules coopératives fondées à cette époque démontre que le processus mémoriel des caisses reflète cette dualité identitaire. Les caisses produisent dans le cours de leurs activités des actes, des écritures comptables et, éventuellement, d'autres types de documents tels que de la correspondance. Il n'existe pas de directive précise quant à la gestion et à la conservation dans les caisses de cette documentation peu volumineuse. Avec le temps, elle se retrouve souvent dans des conditions précaires. Une enquête menée en 1960, dans des caisses populaires des comtés de Champlain et de Saint-Maurice[27], l'illustre fort bien: sept des onze caisses visitées possédaient des archives anciennes relatives à la fondation et à la comptabilité. Trois d'entre elles conservaient aussi d'autres «vieilles paperasses». Dans l'ensemble, les séries étaient plus ou moins complètes et les gérants ne connaissaient pas la cause des lacunes. Certains ignoraient même ce qui avait pu advenir du fonds tout entier. Dans certains cas, il semble que des documents soient demeurés dans les papiers personnels des anciens officiers. La chose serait tout à fait plausible, puisque, faute de moyens dans les premières années d'exercice, les opérations s'effectuaient souvent au presbytère ou dans la maison du gérant[28]. Les explications fournies verbalement sur les fonds manquants révèlent la carence de l'encadrement institutionnel des caisses et la force de l'autorité locale. C'est ainsi qu'un fonds aurait entièrement disparu au moment où l'administration connaissait une situation financière douteuse. Citons également le cas de l'ex-gérant qui, sous le coup de la colère, brûla toutes les archives de sa caisse y compris les documents de fondation.

Par ailleurs, beaucoup de ces documents font l'objet de prescriptions légales. La *Loi concernant les syndicats coopératifs* oblige le dépôt de certains documents au bureau du greffier ou du secrétaire-trésorier du conseil municipal où se trouve la caisse. Ainsi, le conseil d'administration doit verser un double de la déclaration de fondation (article 11), de la déclaration de nouveaux sociétaires (article 12), des règlements et de leurs amendements (article 13), une liste des noms de ceux qui, à titre quelconque, sont chargés de l'administration ou de la direction (article 17), ainsi qu'une copie du compte rendu annuel certifié sous serment devant un juge de paix (article 34-35-36)[29]. Ces documents constituent des archives publiques et sont accessibles à toute personne qui en fait la demande (article 39). Desjardins se réjouit de cette mesure qui paraît être la solution pour pallier les carences de l'encadrement administratif. En assurant l'accès aux archives officielles, elle instaure le principe de transparence organisationnelle tout en protégeant la mémoire essentielle de l'institution:

le législateur de 1902 a montré un grand sens pratique et a très bien fait d'adopter le corps municipal comme l'autorité publique chargée du soin de garder l'acte de naissance de ces sociétés et de recevoir les pièces qui, annuellement, en manifesteront l'activité. Le conseil municipal est d'accès facile pour tout le monde, et on ne pouvait pas à tous égards, faire un meilleur choix, soit qu'on l'envisage au point de vue des déclarations annuelles des situations sociales, soit à celui des individus, sociétaires ou non, désireux de se renseigner sur l'état de la société[30].

Ainsi, les jeux entre l'identité individuelle des caisses et leur appartenance collective à l'institution coopérative conditionnent la constitution de la mémoire organique et consignée du Mouvement Desjardins. D'une part, la loi rédigée par Desjardins fonde l'institution sur une base locale et encadre la constitution de la mémoire organique et consignée essentielle à sa reconnaissance et à son affirmation. D'autre part, le poids relatif des dirigeants locaux influence la définition de l'identité des caisses dans le large cadre institutionnel. Cela se manifeste dans les archives de chaque cellule coopérative où l'on dénote des déviances à l'autorité du fondateur et, dans certains cas, un non-respect à l'obligation du dépôt légal de documents aux archives municipales[31].

De plus, la mémoire organique et consignée se retrouve nécessairement en partie dans le fonds du fondateur de l'institution. En effet, si les associations locales doivent élire des officiers, il n'existe pas de structure de direction formelle du Mouvement proprement dit. Desjardins estime que cette direction d'ensemble doit loger dans une instance centrale vouée à la propagande et à l'éducation. Pour que la population canadienne-française s'épanouisse à travers les caisses, il faut diffuser les valeurs de la coopération et encourager le ralliement de la force populaire. Gardienne des valeurs fondamentales, l'instance centrale aurait pour mission de les promouvoir et d'assurer l'unité entre des composantes possédant des raisons d'être particulières quant à la réalisation de l'idéal coopératif.

Au sommet et comme foyer d'où partirait le mouvement initial, une association dont le rôle ne serait à l'origine que pure propagande, avec en plus pour mission de surveiller les développements de l'œuvre, les stimulant ou les conseillant, sans pourtant exercer une action pouvant porter atteinte à la parfaite indépendance des créations locales.

Foyer éducateur, en réunissant les renseignements de tous genres et les statistiques, puis les distribuant généreusement dans tous les groupes de population par la propagande faite au moyen de conférences, visites, imprimés; en éclairant les associations déjà formées, leur indiquant les erreurs commises et les moyens de les éviter à l'avenir. Foyer d'initiative, en provoquant la formation de sociétés locales sur tous les points où elles pourraient faire du bien, en les aidant dans la période initiale, les fortifiant au besoin de modestes secours sous forme d'imprimés pour la mise en mouvement du mécanisme de propagande parmi la population du groupe. [...] Cette association centrale de pure propagande et d'initiatives fécondes pour les débuts pourrait par la suite évoluer vers d'autres fonctions, et se transformer en une société embrassant d'autres activités, suivant que l'exigeraient les circonstances, tout en retenant le caractère essentiel de sa création. Elle serait un véritable foyer où s'élaboreraient les projets, où prendraient conscience d'elles-mêmes et se fortifieraient les initiatives locales, ou se retremperaient les organismes languissants par défaut de connaissances ou autrement, où viendraient aboutir comme à un centre naturel, toutes les activités[32].

Desjardins est conscient du besoin, mais estime que rien ne presse. Par crainte de l'ingérence gouvernementale, il préconise plutôt une mise en place lente mais prudente. La question du financement nécessaire à la mise en place d'un organe central pose en effet problème. Le fondateur conçoit qu'un appui financier gouvernemental pourrait aider à sa création, mais il considère que cela porterait préjudice au caractère privé et à l'autonomie de son organisation.

En conséquence, Desjardins dirige le mouvement avec l'aide de ses collaborateurs. Il assume l'ensemble des fonctions de représentation et de direction d'ensemble: recherche et développement, représentation juridique, propagande, relations publiques, inspection et vérification comptable, etc. Il multiplie les rencontres, entretient une correspondance assidue avec les membres de l'élite nationale tant laïque que religieuse[33], expose verbalement ou par écrit les fondements des caisses[34], s'engage dans la rédaction des projets de loi[35], bref, travaille activement à obtenir le soutien légal indispensable à la poursuite de l'idéal coopératif. Pendant les premières années, il tient même la boutique avec l'aide de sa propre famille. Pour le seconder, il s'est entouré de propagandistes, pour la plupart membres du clergé. Ces collaborateurs de la première heure remplissent des fonctions de soutien à la direction: l'un traduit sa correspondance avec les dirigeants de banques populaires européennes, l'autre se charge de la rédaction des outils de propagande, pamphlets, articles de journaux, etc.

Au fur et à mesure de la croissance institutionnelle, le fondateur doit répondre à un nombre croissant de demandes de renseignements qui lui proviennent de toutes parts. Il explicite ses concepts dans ses discours et effectue des visites à l'extérieur de la province. Avec le temps, la lourdeur de la tâche de diffusion l'incite à publier ses idées. En 1909, il demande à l'abbé Philibert Grondin de rédiger pour lui un manuel présentant les grandes lignes de la coopération. *Le Catéchisme des Caisses populaires* paraît l'année suivante sous le pseudonyme de J.-P. Lefranc[36]. En 1912, Desjardins détaille davantage ses préceptes dans deux brochures intitulées: *Les Caisses populaires*[37]. À la suite de ces publications, Desjardins précisera sa pensée dans divers autres textes[38].

La question de la centralisation de la direction institutionnelle et le problème du contrôle des opérations financières apparaissent graduellement à partir de 1910. Avec la multiplication des caisses, le territoire coopératif devient de plus en plus étendu; la protection et la fructification des encaisses requièrent une logistique plus raffinée en matière de placement; les activités bancaires s'accentuent et certains font des pressions au niveau politique afin qu'un système d'inspection gouvernementale soit instauré; les relations avec la Banque nationale se tendent. Desjardins, affaibli par la maladie, ne peut répondre seul aux nouveaux contextes. En fait, il doit même déléguer de plus en plus ses responsabilités à un moment où le développement des caisses accroît le besoin d'affirmation de l'autorité institutionnelle. Pour renforcer les bases de son œuvre, Alphonse Desjardins croit alors venu le moment de fédérer les caisses populaires[39]. Il consacre ses dernières années à la mise en œuvre de cette idée. En 1915, il lui donne une forme légale en demandant un amendement à la *Loi concernant les syndicats coopératifs*. L'article 6809 permet désormais la constitution d'une «fédération dont les activités et les opérations peuvent s'étendre à toute ou une partie de la province[40]».

Dans la mesure où le territoire coopératif peut légalement être élargi, on assiste à une mise à jour de la mémoire essentielle de l'institution. L'article 6796 oblige désormais les caisses à produire leur compte rendu annuel en trois exemplaires et à déposer une copie chez le secrétaire de la province et une autre au bureau du greffier ou du secrétaire-trésorier de la municipalité. Cette modification met en évidence l'importance de la dynamique de la mémoire essentielle dans le processus d'établissement de l'institution. Cela apparaît clairement dans le différend opposant Alphonse Desjardins et le Bureau des statistiques de la province de Québec en 1916. G.-E. Marquis, alors chef du Bureau des statistiques, relate ainsi cet incident:

> Je me rappelle fort bien qu'en arrivant au Bureau des Statistiques, en 1914, j'avais songé à obtenir un rapport annuel des gérants de ces caisses, afin d'en marquer le mouvement. À cette fin, j'avais préparé une formule que j'ai ensuite soumise à un gérant de banque, à un gérant de caisse d'économie, après avoir consulté naturellement les règlements des caisses populaires, ainsi que leur système de comptabilité. Cette formule fut ensuite soumise à l'honorable secrétaire de la province, sous l'égide de qui était placé à cette époque, le Bureau des Statistiques. Je crois, sans pouvoir l'affirmer toutefois, que lui-même l'a fait connaître aux membres du cabinet. Quoi qu'il en soit, j'ai reçu l'approbation voulue pour adresser cette formule de rapport annuel à tous les gérants des caisses populaires.
>
> C'est en vertu de la Loi des Syndicats de Québec, telle qu'amendée en 1915, que les gérants des dites caisses étaient obligés de faire rapport, chaque année, de leurs opérations au secrétaire de la province. [...] Je n'avais pas consulté M. Desjardins, puisque la loi m'autorisait à demander un rapport annuel aux gérants des caisses. Or, M. Desjardins en fut offusqué; dès qu'il apprit que j'avais envoyé une formule de rapport aux gérants des caisses populaires, il écrivit à ceux-ci pour leur dire de faire les morts,

parce qu'il craignait l'ingérence de l'État dans l'administration des caisses. Je fus prévenu de la chose et je la rapportai au secrétaire de la province qui convoqua M. Desjardins à son bureau pour le mettre en face de la loi. Immédiatement, M. Desjardins écrivit de nouveau aux gérants des caisses populaires et aussitôt des rapports commencèrent à arriver[41].

Selon l'historien Pierre Poulin, «Desjardins est rebuté par «cette formule rédigée de façon à donner trop d'ouvrage aux gérants» et offusqué de ne pas avoir été consulté par le chef du Bureau des statistiques[42]». Ainsi, son amour propre blessé mis à part, le Commandeur aurait rejeté la formule parce qu'elle représentait une surcharge administrative. À notre avis, ce n'est pas tant «l'ampleur des exigences» du Bureau des statistiques qui fait réagir Desjardins que les enjeux d'une telle consignation. Derrière la formule élaborée par G.-E. Marquis se cache une façon d'imposer aux caisses une représentation d'elles-mêmes avec laquelle Alphonse Desjardins est en désaccord. En conséquence, Desjardins accepte que les caisses fournissent des preuves mais entend à ce que cela soit les leurs. Sa solution sera donc de répondre à la demande du Bureau des statistiques en encourageant «les gérants à ne faire que ce qui est explicitement prescrit par la loi», c'est-à-dire expédier, dans les 60 jours suivant la clôture de l'exercice financier, «un compte rendu de la situation». C'est ainsi qu'il écrit à un gérant le 11 février 1916[43]:

> Par la résistance, je veux obtenir de profondes modifications au rapport demandé qui est en contravention même avec la loi. Mais pour réussir il faut que l'on se tienne tous par la main et que la résistance ne viennent pas seulement de quelques-uns mais de la grande majorité[44].

La réaction du fondateur est révélatrice sur la place qu'occupe la mémoire organique et consignée essentielle dans le processus d'affirmation de l'autorité institutionnelle. Le compte rendu annuel des caisses reflète leurs spécificités tout en démontrant leur légitimité. Issu du processus culturel des caisses mais approuvé par la loi, un tel document prouve que le système de valeurs, les pratiques et les ressources coopératives sont acceptables bien qu'elles soient distinctes des autres organisations.

Avec une telle base juridique, Alphonse Desjardins peut engager plus loin le processus de fédération. En 1917, il rédige un mémoire destiné à présenter les grandes lignes de son projet de fédération aux administrateurs des caisses. L'année suivante, il met sur pied un comité chargé de jeter les bases d'un éventuel regroupement. Enfin, dans une lettre circulaire en date du 3 juillet 1920, il s'adresse une dernière fois aux dirigeants des caisses en leur demandant de se prononcer sur l'établissement d'une fédération provinciale et d'une caisse centrale:

> je rêvais aussi pour fortifier davantage ces organisations et leur assurer une direction uniforme répondant à l'idéal que je m'en étais fait, d'organiser une fédération où toutes ces caisses seraient représentées, jouissant par là même de la force nouvelle que ne pourrait manquer de leur donner cet organisme central [...] Je viens donc vous demander votre avis, ne voulant rien faire sans l'adhésion formelle et sympathique des intéressés. [...] Veuillez maintenant consulter vos officiers et même vos sociétaires en général si vous le croyez à propos, et me donner leur opinion sur l'opportunité de poursuivre et de réaliser ce projet[45].

Alphonse Desjardins meurt quelques mois plus tard sans avoir mis un point final à son dernier dossier. Il laisse derrière lui une institution solidement implantée dans toute la province de Québec. Elle compte alors une centaine de caisses populaires «qui n'ont encore aucun lien entre elles et jouissent vis-à-vis les unes des autres d'une parfaite autonomie dans leur gestion[46]». Les caisses populaires constituent la substance de son mouvement coopératif. Associations autonomes dirigées par les bourgeoisies locales, elles forment une courtepointe institutionnelle calquée sur la structure de la société canadienne-française.

Desjardins aura été l'entrepreneur se situant à l'extérieur de cette entreprise[47]. Le fait qu'il ait accepté d'être le leader tout en refusant systématiquement la direction des parties en témoigne. Tel un patriarche, il a veillé sur la famille coopérative en énonçant ses objectifs généraux, décidant de ses orientations institutionnelles, prodiguant ses conseils bienveillants et défendant les intérêts de tous ses membres. Qu'il s'agisse d'approfondir la technologie «coopérative», de travailler à la reconnaissance juridique ou d'enclencher un processus de propagande et d'établissement d'une caisse, la mémoire d'Alphonse Desjardins et celle de son œuvre se confondent.

Ses archives constituent une mémoire organique et consignée indispensable pour l'ensemble institutionnel. Parmi les notes, les textes de discours, les brouillons d'actes constitutifs, etc., deux types de documents se retrouvent en grand nombre, la correspondance et l'imprimé. La première est pour Desjardins une nécessité et la seconde, un mode d'expression qui va de soi. En fait, il s'agit de moyens traditionnels dans le contexte du début du siècle. Alphonse Desjardins travaille à Ottawa, alors que ses caisses couvrent un large territoire dans la province de Québec comme ailleurs au Canada et aux États-Unis. Sa mémoire consignée se retrouve donc en grande partie dans ses échanges épistolaires. Il écrit aux dirigeants de banques populaires européennes, aux membres du clergé, aux hommes politiques, aux journalistes, aux gérants des caisses locales, bref à tous ceux avec qui il veut, pour une raison ou pour une autre, s'entretenir de son œuvre. Même ses lettres personnelles sont significatives. Sa femme s'occupe de ses affaires en son absence et ses enfants et ses amis sont des collaborateurs. Leurs échanges constituent un moyen de communication pour l'organisation. Par ailleurs, pour un homme de l'époque de Desjardins, la pensée économique est véhiculée par les journaux[48]. Le fondateur utilise abondamment ce médium pour faire connaître son projet économique et social à l'élite canadienne-française[49]. Il y a également recours pour diffuser ses idées à la génération qui doit lui succéder.

Les archives d'Alphonse Desjardins demeurent cependant entre les mains de sa famille. À sa mort, ses publications suffisent aux besoins de mémoire organique et consignée de son institution. Il faut comprendre que les parents et les amis d'Alphonse Desjardins sont alors des témoins vivants. Le chanoine Philibert Grondin souligne comment les proches collaborateurs de Desjardins sont porteurs de la mémoire:

En 1916, M. Desjardins était gravement touché. Comme tous les malades, il croyait à sa guérison prochaine, et aussitôt guéri, il fédérerait ses Caisses. Mad. Desjardins savait bien, elle, que c'était la fin qui s'amenait. Alors elle nous demandait d'amasser des matériaux. En allant lui lire mes articles, M. Vaillancourt pompait les renseignements désirés. J'en faisais autant, et, par nos soirées libres, nous classions les matériaux d'où sont sorties les Unions Régionales et La Fédération[50].

Pour la période qui suit, ces propagandistes joueront un rôle considérable dans la mémorisation de l'idéologie coopérative. Ils en seront les héritiers indiscutables.

Regroupement des caisses en unions régionales, 1920-1932

Le décès d'Alphonse Desjardins décapite la structure de commandement et de contrôle d'ensemble. Désormais privée du soutien «nourricier» de son père-fondateur, la seconde génération du mouvement coopératif doit en plus adapter la base organisationnelle aux réalités socio-économiques de l'ère industrielle[51]. Une nouvelle cascade événementielle débute en 1920 avec l'établissement de l'Union régionale des caisses populaires Desjardins de Trois-Rivières et se termine en 1932 avec la fédération de quatre unions régionales[52].

Durant les dernières années de sa vie, Desjardins considérait que «des Caisses isolées souffriraient peut-être d'un manque de direction et s'écarteraient de la voie qu'elles devraient suivre[53]». Il comptait sur la future fédération pour assumer une grande part des activités d'encadrement des caisses:

Il est vrai que j'ai servi jusqu'ici de centre aux Caisses et que je me suis imposé un labeur parfois bien lourd pour suffire à la besogne, mais je ne dissimule pas la nécessité absolue de créer un organe central qui ne meurt pas, et qui pourrait servir de point de ralliement pour toutes ces Caisses paroissiales. [...] Le projet de cette Fédération serait donc de réunir les unités locales, c'est-à-dire chaque Caisse, de suivre assidûment leurs travaux, vérifier leur comptabilité, surveiller et corriger au besoin leur gestion afin de les mettre à l'abri de tout mécompte et de toute surprise, d'assurer la stricte observance des lois, des statuts et des principes de la vraie coopération telle que comprise en Europe où cette forme d'association fleurit d'une façon si merveilleuse[54].

Est-ce à dire que la fédération devait prendre la direction totale de l'institution? Il serait plus juste de penser qu'elle visait à soutenir le fondateur, affaibli par la maladie, dans la création d'une instance de coordination administrative mieux adaptée au contexte. Il était impératif d'adapter l'organisation au phénomène de l'urbanisation[55]. Sous la poussée de l'industrialisation, le chemin de fer et les réseaux routiers facilitent graduellement les échanges socio-économiques. Des réseaux se créent notamment dans les régions de Montréal, Québec et Trois-Rivières. La ville attire de plus en plus de gens et les centres urbains deviennent des pôles d'activité dont les caisses doivent tenir compte. La mise en place de la fédération aurait permis à Desjardins d'apporter les correctifs nécessaires, tout en le délestant de certaines tâches administratives qui, somme toute, n'étaient plus de son ressort.

En tant que maître d'œuvre, le fondateur était le seul agent intégrateur pouvant guider paternellement l'ensemble des composantes:

> Nous croyons qu'un foyer d'activité devrait être créé, dont l'objet serait de faire l'éducation de nos milieux par une propagande intense, de provoquer partout la création d'organismes locaux comme ceux que nous avons indiqués, en guidant l'expérience sur le choix des moyens et sur les buts à poursuivre, d'aider ces associations dans les premières années de leur existence, d'en favoriser les progrès par de sages avis, de les fortifier par une direction toute de sollicitude bien comprise, non pas d'autorité tracassière ou hautaine, afin de ne blesser aucune susceptibilité, de les amener petit à petit à voir les avantages si précieux d'une entente commune entre eux pour certains objets, ou encore certaines opérations qui, par leur nature, seraient bien mieux servis par une association formée par eux-mêmes, et fonctionnant pour le bénéfice de toute une région, en se gardant bien de pousser prématurément à la création de ce nouvel organe; la nécessité constatée et reconnue par les premiers intéressés devant seule guider l'initiative dans cette direction, non pas le désir ambitieux de faire vite et grand[56].

Sa mort change les règles du jeu. Dès lors, l'unité organique ne peut être maintenue qu'à la seule condition que *toutes* les caisses populaires se reconnaissent un lieu commun. La progression institutionnelle ne pouvait s'opérer que dans les limites reconnues par les communautés paroissiales, car le principe démocratique exige que les membres d'une cellule sociale se sentent suffisamment concernés pour désirer coopérer avec ceux de la cellule voisine. L'instance centrale ne peut être issue que de la volonté des caisses et de ses dirigeants. Or, un tel point de convergence n'existe pas encore, car l'union provinciale ne correspond pas au territoire institutionnel des caisses. En conséquence, personne ne peut remplacer Alphonse Desjardins à la tête du mouvement coopératif.

Les assises socio-économiques de ceux qui détiennent les guides du mouvement coopératif se situent plutôt au niveau régional[57] et le regroupement des caisses s'effectue sur cette base. À partir de 1920, le mouvement coopératif amorce la mise en place des outils régionaux propres à maintenir sa cohésion organisationnelle et à satisfaire ses besoins. Jusqu'en 1925, des unions régionales s'établissent dans les zones les plus urbanisées de la province (tableau 1).

Tableau 1
Développement organisationnel de 1920 à 1932

1920-12-15	Fondation de l'Union régionale et de la caisse centrale[58] de Trois-Rivières.
1921	Regroupement de 11 caisses et formation du Bureau central d'inspection et de surveillance de Montréal.
1921-12-27	Fondation par 23 caisses de l'Union régionale de Québec.
1923-12-03	Organisation par les 7 caisses du territoire du diocèse de Gaspé du Bureau central d'inspection et de surveillance du même diocèse.
1924-05-08	Fondation de la Caisse centrale de Lévis.
1924-06-27	Abolition du Bureau d'inspection et surveillance, et fondation par 24 des 44 caisses de l'Union régionale de Montréal.
1925-09-01	Abolition du Bureau d'inspection et surveillance, et fondation par 15 caisses de l'Union régionale et de la Caisse centrale de Gaspé.

L'union régionale est l'adaptation du concept de fédération d'Alphonse Desjardins au contexte de l'époque. Sa mission se calque sur ce qui avait été conceptualisé par Desjardins:

> une telle fédération rendrait de très précieux services à toutes les Caisses. Elle servirait de foyer de renseignements sur la marche à suivre et surtout sur l'esprit qui devra toujours dominer l'administration. [...] à côté de la fédération, je projette aussi d'organiser une Caisse centrale pour et à l'avantage des Caisses paroissiales où celles-ci pourraient mettre la plus large partie de l'encaisse que la prudence leur commande de garder sous la main. À son tour, la Caisse centrale pourrait utiliser une partie de ces fonds pour alimenter les Caisses locales, qui temporairement, pour ne pas manquer de faire un bon placement, se trouveraient obligées de diminuer leur encaisse très largement et d'avoir recours à la Caisse centrale si le besoin se faisait sentir[59].

Les unions se constituent en vertu de la *Loi concernant les syndicats coopératifs* telle qu'amendée en 1915. Elles sont aux caisses ce que les caisses sont aux sociétaires. Reposant sur les principes d'entraide mutuelle dans la démocratie, elles sont «des unités autonomes administrées par des représentants des caisses. Elles jouent, auprès de ces dernières, un rôle de consolidation, de conseil, d'unification et de développement[60]». Elles veillent à l'encadrement et à la protection des intérêts collectifs en poursuivant le travail de propagande et d'éducation économique, et en offrant des services financiers aux caisses affiliées.

À l'instar des caisses, les unions sont administrées par un conseil d'administration, un conseil de surveillance et une commission de crédit. Ces instances encadrent le développement organisationnel afin d'assurer la protection des intérêts collectifs et la coordination des efforts. Les administrateurs sont élus lors d'assemblées annuelles réunissant les délégués des caisses populaires affiliées. Ils sont les représentants de l'institution coopérative. Ils sont sa voix auprès des élites afin d'assurer sa reconnaissance et auprès de la population pour en diffuser les valeurs et susciter la participation. Dans le but de diffuser les savoir-faire coopératif et administratif, des conseillers inspecteurs et propagandistes visitent les caisses. Ils

vérifient les opérations et conseillent les dirigeants sur les mesures à prendre pour stimuler le développement de l'appareil
coopératif. Par ailleurs, les unions offrent des services par l'entremise des caisses centrales. Celles-ci ont pour but d'optimiser
le rendement des liquidités des caisses affiliées en recevant une
part de leurs épargnes et en veillant à les faire fructifier. De
plus, elles consolident les structures financières en prêtant aux
caisses membres.

Les unions régionales ne sont cependant pas coercitives.
Les caisses conservent leur pleine autonomie. Elles sont libres
d'adhérer aux orientations régionales et peuvent dédaigner les
services de la caisse centrale. En outre, le recours à l'inspection
est au départ une mesure volontaire. L'établissement de la
structure régionale s'effectue donc lentement. Durant les cinq
premières années, les inspecteurs constatent les déficiences du
système[61]. Le manque de formation des gérants fait en sorte
que la tenue des livres laisse parfois à désirer. De plus, certaines caisses s'écartent de la philosophie fondatrice en plaçant
leurs liquidités à l'extérieur de la province et en refusant de
prêter aux gens plus démunis[62].

En 1925, les unions régionales, désireuses de resserrer les
pratiques institutionnelles, obtiennent deux amendements à la
Loi concernant les syndicats coopératifs. Ceux-ci obligent les caisses à se plier annuellement aux contrôles des inspecteurs régionaux. Désormais, toutes les opérations ainsi que le compte
rendu annuel seront inspectés par les unions régionales[63]. Les
témoignages des inspecteurs démontrent cependant que cette
mesure ne mettra pas vraiment d'ordre dans la mémoire consignée des caisses. La normalisation des procédures financières
des caisses ne peut se faire du jour au lendemain et les opérations d'inspection sont dispendieuses[64]. Dans un contexte où
les liens interindividuels entre les caisses sont à se consolider,
le manque de moyens financiers constitue un frein au resserrement des pratiques coopératives.

En ce qui concerne la mémoire consignée, l'union régionale suit la même dynamique que la caisse populaire. Outre les
actes constitutifs et les écritures, la masse documentaire est peu
abondante, relativement peu normalisée et son traitement est

généralement fixé par prescription légale interne ou externe[65].
Les institutions locales contribuent encore à la conservation
des archives officielles de l'institution. Les caisses sont encore
légalement tenues de déposer dans les municipalités des copies
de certains documents officiels. Les liens interrégionaux s'affirment graduellement Depuis 1915, les caisses doivent également transmettre une copie de leur compte rendu annuel au
bureau du Secrétaire de la province. De plus, en 1931, un amendement à la loi vient exiger qu'un exemplaire de la déclaration
de fondation y soit déposé[66].

Le caractère essentiel reste donc le trait dominant tout au
cours de cette deuxième génération. Les unions régionales permettent à l'institution coopérative d'affirmer son statut de personne morale à part entière. À ce titre, l'écrit est la preuve
irréfutable et irremplaçable pour délimiter l'existence matérielle des caisses dont la légitimité est fondée sur l'ordre social.
La consignation y est une pratique pour attester les droits des
individus. Le recours à l'écrit est cependant réduit au minimum, car les opérations reposent sur l'honneur et la reconnaissance qu'ont les gens les uns vis-à-vis des autres. Grâce à leurs
traditions, les caisses et les unions peuvent très bien fonctionner de façon informelle à l'interne sans que leur autorité soit
mise en doute. La mémoire organique et consignée des caisses
et des unions les protège cependant face à leur environnement
extérieur tout en affirmant leur identité.

La consignation de l'information à des fins historiques et
fonctionnelles est toutefois moins structurée. L'absence d'une
direction institutionnelle de plus haute instance confère aux
administrateurs régionaux des pouvoirs non négligeables,
mais aucun n'a l'autorité d'Alphonse Desjardins :

> Comme il n'y avait pas de chef attitré pour prendre la direction
> des Caisses populaires, des hommes de bonne volonté dans
> chaque Union régionale prirent à cœur le mouvement et s'efforcèrent de le développer [...]. Chacun travaillait dans sa région à
> promouvoir, à développer et à consolider l'œuvre des Caisses
> populaires[67].

Un bon nombre d'anciens collaborateurs d'Alphonse Desjardins se retrouvent propagandistes ou inspecteurs pour le compte des unions régionales. Ces officiers sont plus que des «policiers» organisationnels. Ils sont les gardiens de la tradition et travaillent à harmoniser le développement de chaque composante avec l'idéal coopératif. Ils établissent les liens de communication entre l'organisation et ses principes fondateurs. Les témoignages des inspecteurs démontrent qu'outre les textes publiés et les rapports d'inspection produits les relations avec la base s'effectuent le plus souvent verbalement. Aussi les informations détenues et diffusées par les Philibert Grondin, Cyrille Vaillancourt et autres ne sont pas toujours consignées.

Les archives de ces dirigeants et de ces propagandistes complètent et mettent à jour la mémoire organique et consignée institutionnelle. Elles constituent des fonds associés indéniables[68], car les mémoires historique et administrative de l'institution se retrouvent en filigrane à travers leurs papiers personnels[69]. Ces correspondances, notes et publications qui font écho aux propos de Desjardins, ne sont cependant pas soumises à une politique archivistique particulière. En fait, ce sont les personnes elles-mêmes qui perpétuent le mythe fondateur et, en ce sens, l'institution éprouve peu le besoin de se référer à une production écrite à ce moment. De plus, l'unité interrégionale n'est pas encore suffisamment concrète pour que l'institution sente le besoin d'établir des mémoires historique et administrative à un niveau collectif. En fait, les représentations symboliques et fonctionnelles demeurent fortement influencées par les dirigeants locaux et régionaux.

En définitive, si la période 1920-1932 constitue un jalon incontournable, elle modifie peu la dynamique de la mémoire consignée institutionnelle. De façon schématique, on peut dire que, durant une douzaine d'années, il y a crise de croissance de la personne plus que de la personnalité. Entre 1901 et 1931, la part urbaine de la population s'est accrue de façon progressive et constante. D'environ 36 %, elle est passée à 65 %[70]. La société canadienne-française s'est urbanisée et l'organisation coopérative en a nécessairement ressenti les effets. Le personnage a dû considérer ses ressources en fonction des mutations engendrées par l'ère industrielle afin d'adapter leur utilisation aux

sens des valeurs léguées par le père-fondateur. Dans ce contexte, la mémoire organique et consignée se consolide et s'enrichit avec les rapports d'inspection, les procès-verbaux des
instances de directions des unions régionales et les échanges
épistolaires entre leurs dirigeants, etc. Tous ces documents
reflètent un certain resserrement des liens institutionnels,
toutefois, cette mémoire consignée revêt encore un caractère
essentiel prépondérant. L'oral est encore un mode de
communication fortement privilégié dans les processus de
fonctionnement des caisses et des unions régionales. Quant
aux représentations symboliques, elles se partagent entre les
têtes dirigeantes et une autorité posthume de Desjardins renforcée par la loi. Au niveau symbolique et fonctionnel, le mouvement se définit donc plus sur des bases individuelles (régionales) plutôt que collectives (provinciales). Cela explique
probablement le trou de mémoire historique au sujet de cette
période, car le discours institutionnel subséquent considérera
cette période comme transitoire entre la fondation de l'œuvre
et son accomplissement en 1932.

Fédération des unions régionales, 1932-1963

La crise économique provoque un bouleversement majeur qui
oblige le mouvement coopératif à s'adapter une fois de plus. Le
krach financier montre que les systèmes économiques ne fonctionnent pas de façon autarcique. À ce titre, les théories keynésiennes font apparaître un nouvel agent naturel. L'État,
jusque-là ignoré dans l'univers économique, devient un intervenant actif. Dès lors, le mouvement coopératif doit dialoguer
d'institution à institution avec ce nouvel interlocuteur. Une
troisième génération émerge avec la volonté de renforcer
l'unité dans l'idéal et l'action. Elle a pour but d'affirmer le
caractère institutionnel du Mouvement Desjardins.

    L'appareil servant à la coordination des efforts coopératifs
se met en place tout au long d'une nouvelle cascade événementielle. Celle-ci débute en 1932, année au cours de laquelle une
association à caractère provincial voit le jour, et se termine avec
la reconnaissance légale du Mouvement coopératif en 1963[71].

La croissance des caisses populaires est remarquable. Alors qu'en 1932 le Mouvement compte 41 000 sociétaires, 261 caisses et un actif de 9,3 M\$[72], il représente 1 211 041 sociétaires en 1960 et compte 1 227 caisses ainsi que 688 M\$ en actif[73]. Par ailleurs, les assises régionales se consolident avec la création d'unions régionales dans les zones plus éloignées jusqu'en 1944. Enfin, des composantes coopératives œuvrant spécifiquement dans le domaine de l'assurance vie sont mises en place (voir tableau 2).

Avec la crise économique, certaines caisses sont en très mauvaise posture[74]. Le redressement exige une plus grande unité dans l'action. Il ne s'agit pas seulement d'une affaire de gros sous, mais de crédibilité. Si la Caisse centrale tombe, c'est toute l'idéologie institutionnelle qui fait faillite. Les administrateurs du Mouvement à quatre têtes se concertent et leur réflexion débouche sur un projet de fédération des unions régionales. Après de nombreuses tractations pour conserver l'autonomie du Mouvement dans la supervision et le contrôle des caisses, le ministre de l'Agriculture consent à accorder les crédits nécessaires à l'instauration d'un organe central.

La *Loi concernant les Caisses populaires dites Desjardins organisées en vertu de la Loi des syndicats coopératifs de Québec* octroie un montant de 20 000 \$ par année pendant dix ans. Une entente vient préciser les conditions[75] : 1) «nommer et diriger des inspecteurs chargés de vérifier chaque année toutes les Caisses populaires affiliées aux unions régionales»; 2) soumettre la liste des inspecteurs et les preuves de leur compétence; 3) demander au trésorier de la province de Québec de se charger des caisses qui refusent la vérification de ses inpecteurs; 4) exercer la surveillance des placements des caisses populaires; 5) maintenir «un secrétariat permanent ou service de renseignement à l'usage des caisses populaires», destiné aux fins suivantes: fortifier la liaison et la coopération entre toutes les caisses populaires et les unions régionales; recueillir et faire publier des statistiques, faciliter la fondation de nouvelles caisses populaires dans les limites et les circonstances que la partie de seconde part jugera opportunes; et promouvoir en général la propagande de l'institution de crédit; 6) produire un état financier justifiant l'emploi de l'octroi.

Tableau 2
Développement organisationnel de 1932 à 1960

1932-02-24	Fondation de la Fédération de Québec des unions régionales des caisses populaires Desjardins (FQCPD). Président, Cyrille Vaillancourt
1932-03-17	Adoption des règlements de la FQCPD
1934-05-14	Fondation de l'Union régionale de Sherbrooke
1936-05-17	Fondation de la Caisse centrale de Montréal
1936-08-25	Notaire Eugène Poirier, président de la FQCPD
1937-07-29	Fondation de l'Union régionale de Rimouski
1943-08-01	Fondation de l'Union régionale de Chicoutimi
1944-02-29	Fondation de l'Union régionale de l'Ouest québécois
1944-05-02	Fondation de l'Union régionale et de la Caisse centrale de Saint-Hyacinthe.
1944-08-14	Fondation de la Caisse centrale de l'Ouest québécois.
1944-11-14	Fondation de l'Union régionale et de la Caisse centrale de Joliette.
1944-05-23	Laurent Létourneau, président de la FQCPD
1945-05	Entrée en activité de la Société d'assurances des caisses populaires Desjardins en vertu d'une loi spéciale de la Législature de Québec. Société sans capital-actions qui offre tous les genres d'assurances, sauf l'assurance vie.
1949-09	Incorporation de l'Assurance-vie Desjardins en vertu d'une loi spéciale de la Législature de Québec. Elle entreprend ses activités en septembre 1949 et obtient une charte fédérale en 1959. Offre des plans d'assurances individuelles et collectives.
1955-12-15	Abel Marion, président de la FQCPD
1959-05-28	Émile Girardin, président de la FQCPD

La Fédération de Québec des unions régionales des caisses populaires Desjardins poursuit la mission institutionnelle en matière de propagande et d'éducation et d'encadrement des activités des composantes coopératives en se donnant pour but:

1° La fondation des Caisses populaires Desjardins et des autres œuvres économiques de prévoyance, à base coopérative, jugées utiles et nécessaires.

2° L'étude, la défense et la diffusion des idées coopératives concernant le crédit populaire, dans les villes et les campagnes.

3° La surveillance efficace des Caisses populaires Desjardins et des autres œuvres de même nature.

4° Le groupement des Caisses populaires Desjardins en Unions régionales et la collaboration entre ces unions régionales et les autres associations similiaires, en vue de mieux réaliser le but de l'institution de la coopération au pays[76].

Les instances supérieures de la Fédération formulent les orientations institutionnelles et se préoccupent des grandes questions économiques. Ses membres assurent la représentation de l'institution auprès des divers partenaires socio-économiques. À partir d'une analyse des procès-verbaux du conseil d'administration de la Fédération, l'économiste Albert Faucher constate que, tout au cours de cette période, le crédit agricole, la propagande et l'inspection, ainsi que les relations avec le réseau coopératif, constituent les principaux dossiers ayant retenu l'attention des administrateurs[77].

La loi de 1932 prévoyait la mise sur pied «d'un service d'inspection propre aux Caisses populaires, mais reconnu et appuyé par le gouvernement[78]». Jusqu'alors rattaché aux unions régionales, le mandat passe sous la responsabilité de la Fédération.

De l'aveu même des dirigeants, le début des années 1940 est une «période difficile, ardue et un peu inquiétante[79]». Le nombre des caisses s'accroît de façon phénoménale et la Fédération n'arrive pas à contrôler leur situation financière. Les ressources humaines qualifiées sont rares: une poignée d'inspecteurs doit couvrir un vaste territoire. Les coûts de l'inspection sont élevés: la compétence des techniciens doit se payer et les frais de déplacement sont onéreux. Par ailleurs, la croissance institutionnelle suscite des besoins et les services de la

Fédération sont de plus en plus sollicités par les caisses et les unions. Pour répondre à cela, les premiers efforts visent entre 1942 et 1945 à améliorer la structure de fonctionnement interne et à rendre efficaces les services de l'inspection. Si l'administration délaisse quelque peu le stade artisanal, il semble qu'il ne soit pas encore question de bureaucratisation de la Fédération. Les tâches reposent davantage sur les hommes que sur les postes qu'ils occupent. C'est du moins ce qui se dégage des témoignages des artisans de cette époque[80].

Sous l'autorité du directeur-gérant, Cyrille Vaillancourt, Rosario Tremblay est nommé chef des inspecteurs; Paul-Émile Charron se charge de *La Revue Desjardins*, des travaux au secrétariat et assiste le chef des inspecteurs; Fernand Blache est le chef du bureau qui voit à la comptabilité et tient la procure, point de distribution de la papeterie et des articles de bureau nécessaires aux caisses. La Fédération comptait en 1942 «huit fonctionnaires salariés à l'interne et une douzaine d'inspecteurs qui agissaient comme vérificateurs et instructeurs dans les caisses populaires[81]». Ils travaillent de concert avec les administrateurs des six unions régionales qui veillent à répondre aux problèmes locaux.

Rosario Tremblay procède à la rationalisation du service de l'inspection. Ses efforts se concentrent d'abord sur la mise au point de l'instrumentation institutionnelle en matière d'inspection et de vérification. Il voit aussi au recrutement du personnel:

> J'avais siégé comme administrateur à quelques séances, mais je n'étais pas tellement au courant de la structure interne. Il me fallut me familiariser avec, par exemple, le format, la présentation des rapports d'inspection, la préparation des programmes d'inspection, le choix d'une méthode d'analyse des rapports et d'une lettre de commentaires qui accompagnerait le rapport d'inspection afin de mieux faire ressortir les points forts et les points faibles de la Caisse. Il fallait aussi assurer un suivi adéquat aux rapports soumis. Il a aussi fallu amener les inspecteurs à plus d'homogénéité, plus d'uniformité dans leur procédure, dans leur travail. [...] Et puis, nous avons engagé de nouveaux inspecteurs pour arriver à répondre aux besoins[82].

Concrètement, les inspecteurs trouvent qu'il y a peu de rigueur dans les opérations financières des caisses populaires. En bien des endroits, les gérants ont beaucoup de bonne volonté mais peu de connaissances en comptabilité. Leurs pratiques se fondent largement sur la connaissance des sociétaires. Ce qui avait été jusqu'alors un gage de survie dans l'implantation et le développement des caisses locales devient un handicap dans l'évolution du mouvement. Il fallait donc apporter des correctifs sans démobiliser les administrateurs, sans trahir l'esprit de la tradition. À ce titre, l'inspecteur doit fournir des guides que tous pourront suivre:

> Lors des premières inspections par la Fédération, il y avait peu de bordereaux et de pièces justificatives. La plupart du temps, l'encaisse et les livres ne balançaient pas. On mettait l'argent dans une boîte à bottines ou on le cachait sous l'oreiller. C'était un vrai roman. C'est comme fonder une Caisse aujourd'hui au Tiers-Monde. Des administrateurs ne savaient ni lire ni écrire. Il fallait s'organiser avec les moyens du bord, [...]. Ce que j'ai fait, avec des collègues, c'est d'avoir contribué à mettre de l'ordre, à installer un système basé sur les principes reconnus. Puis, pour le reste, la confiance de la population est venue[83].

La vérification et la normalisation des activités comptables sont un moyen effectif pour «convertir toute une population, en enseignant le respect de la parole donnée et en facilitant le remboursement de ses dettes[84]». Elles fournissent des preuves écrites de la performance des caisses, donnent des outils de fonctionnement et inculquent aux dirigeants des pratiques en accord avec l'idéologie institutionnelle. L'intervention de l'inspecteur ne se réduit donc pas à l'application de techniques administratives. Les inspecteurs font aussi œuvre de propagande et d'éducation.

> On continue, [...] à rappeler aux inspecteurs que, en plus de devoir surveiller les intérêts des membres des caisses en veillant à ce que la comptabilité soit exacte, leur incombe la tâche de faire comprendre aux dirigeants des caisses que ce genre d'institution ne constitue pas seulement une œuvre économique mais que le côté social a beaucoup d'importance[85].

En fait, les inspecteurs établissent des liens tangibles entre cette fédération et les composantes coopératives, entre les valeurs de l'institution et la pratique de celles-ci. Au cours d'une entrevue, le gérant de la caisse d'Hochelaga dira: «La Fédération était loin de nous, mais elle se rapprochait énormément par l'inspecteur[86]». L'introduction de méthodes comptables rigoureuses cautionnent les activités institutionnelles. Les caisses dirigées par des gérants illettrés obtiennent, grâce à l'intervention de ces «spécialistes», la crédibilité nécessaire à la réalisation de leur mission. Paul-Émile Charron relate le contexte auquel l'institution entend faire face:

> Nous devions faire la preuve que les caisses populaires étaient une organisation sérieuse, efficace, digne de confiance, aussi sécuritaire que leurs concurrents «les banques». Certains gérants de succursales bancaires prévenaient leurs clients que les caisses populaires n'avaient pas le contrôle adéquat et la compétence administrative suffisante et que c'était prendre des risques que de confier ses épargnes à des organismes qui, un jour ou l'autre, feraient des pertes et pourraient fermer leurs portes. Les caisses populaires devaient se gagner la confiance des gens. Nous avons mis les dirigeants des caisses populaires devant leurs responsabilités. Chaque caisse populaire devait faire preuve d'efficacité et de solvabilité. Une défaillance dans une région pouvait paralyser les autres. Nous les convainquions de bien mettre en pratique toutes les recommandations des inspecteurs inscrites dans leurs rapports et de faire rapport à la Fédération de leur travail de redressement. Les Unions régionales suivaient de près la mise en application des directives et se rendaient visiter les caisses populaires lorsqu'elles hésitaient à faire les corrections qui s'imposaient[87].

Les inspecteurs voient à ce que la gestion des caisses ne repose plus sur des rapports informels mais sur une mémoire consignée fidèle. Ils systématisent les procédures administratives et formalisent la consignation des informations. Ainsi, ils assurent la préservation des documents essentiels aux droits des sociétaires, tout en fournissant une instrumentation comptable qui soit fonctionnelle. De plus, la production documentaire issue de l'intervention des inspecteurs améliore l'image des caisses. Rosario Tremblay dira à ce propos:

graduellement, j'ai contribué à établir un système, un système basé sur des pièces justificatives et un classement de documents, un système de balance quotidienne d'encaisse, d'uniformisation des pièces justificatives: bordereaux, blancs de chèques, etc. Chaque Caisse avait des chèques de grandeur et de papier (qualité et couleur) différents, etc., ce qui n'inspirait pas la confiance et ne donnait pas de prestige[88].

Si l'action a pour effet d'augmenter la production d'information consignée dans les caisses, il n'en va pas de même à la Fédération. Un petit nombre de documents est produit, dont un rapport transmis aux unions régionales et aux caisses concernées. Une part importante du travail se fait cependant encore oralement. En fait, les inspecteurs reprennent le rôle paternaliste jusqu'alors tenu par Desjardins puis par les propagandistes envers les composantes coopératives. Ils sont des mémoires vivantes qui agissent personnellement dans les processus de cohésion institutionnelle sans laisser nécessairement de traces écrites. Comme le souligne Rosario Tremblay:

> Nous avons toujours, en autant que possible, travaillé avec le gérant et les dirigeants de la Caisse pour corriger localement les bobos et éviter de faire inutilement des esclandres et des rapports; s'il y avait des défalcations en puissance ou de petites choses à corriger, on tâchait de régler les problèmes à l'amiable; alors quand c'était réglé, on avait pas besoin de faire un rapport. Il y a toute une technique qu'on a utilisée pour ne pas humilier les gens; même envers quelqu'un qui était véritablement en défaut, on s'arrangeait pour qu'il démissionne de lui-même, qu'il s'en aille de son propre gré[89].

Dès lors, la qualification professionnelle devient le trait fort des inspecteurs. Même si ces hommes ne possèdent pas nécessairement une formation universitaire, leur compétence est reconnue. Beaucoup sont d'anciens gérants de caisses ou des employés de banques aguerris aux techniques de la comptabilité. Formés par les propagandistes à l'idéologie coopérative, ils sont initiés par compagnonnage par les inspecteurs les plus chevronnés de la Fédération. L'inspection devient une école de préparation à toutes les activités administratives du mouvement coopératif. Le témoignage de l'abbé Charles O.

Rouleau, fondateur d'une quarantaine de caisses populaires à partir de 1938 et de l'union régionale en 1944, démontre bien ce rôle auprès des dirigeants des instances supérieures:

> j'ai d'abord été obligé d'étudier avant de commencer à fonder ces caisses populaires. Il a fallu que j'apprenne la comptabilité des caisses. J'ai eu comme professeur à Montréal, le Notaire Eugène Poirier; c'est-à-dire que c'est lui qui m'a donné un professeur, un de ses meilleurs inspecteurs de la Fédération. Et pendant deux à trois mois, j'ai travaillé avec cet inspecteur-là à Montréal, à faire des inspections. [...] Il m'a dit: Monsieur Rouleau, vous avez fait de l'inspection de caisses populaires dans votre vie? non? Eh bien! — un inspecteur de caisses populaires, ça doit connaître les caisses mieux que n'importe lequel gérant. [...] on m'a donné cet inspecteur de caisses, Rosaire Gauthier, pour m'initier. Ça veut pas dire que je sois devenu savant en comptabilité. C'est pas ça. Non, il y avait un peu de routine dans l'inspection d'une caisse. Les caisses étaient plus petites heureusement; dans ce temps là, les caisses commençaient par le commencement. [...] C'était des caisses qui avaient des petits actifs de trente, quarante, cinquante mille d'actif. Ça a commencé bien tranquillement... bien tranquillement. J'ai eu le temps de m'initier parce que ça marchait tranquillement. Puis, je m'initiais en même temps que les officiers qui s'initiaient eux-mêmes. Il fallait les former, ces gens-là vous savez; ils tremblaient quand venait le temps de consentir un prêt à un sociétaire. Ils ne savaient pas faire des prêts. Alors il fallait les initier; initier les membres des trois conseils. Et vous savez, faire un gérant avec la fille d'un bedeau qui n'avait pas fait sa cinquième année, avec la femme d'un bedeau qui n'avait pas fait non plus, elle, sa cinquième année, voilà une trentaine d'années... ça ne se faisait pas du jour au lendemain, comme ça initier un gérant. Il fallait pendant des mois et des mois, aller faire son rapport mensuel et l'aider à faire sa caisse, à l'occasion de ce rapport mensuel-là. Et puis, à la fin de l'année, pendant deux ou trois ans, il fallait être là pendant deux jours, trois jours, avant l'assemblée générale annuelle pour la préparer cette assemblée-là. Les initier à tout ça, là, c'était le guide absolu dans l'administration des caisses. Il fallait assister à toutes les assemblées générales annuelles et être là pendant quelques jours. C'était ça le travail. Alors, au bout tout de même de sept à huit ans, le diocèse était rempli de caisses populaires et nous avions bien, quoi..., nous avions trois millions d'actif envi-

ron. Là on a fondé l'Union régionale, puis une caisse régionale, avec l'aide toujours, de l'inspecteur qui est venu quelques semaines, peut-être quelques mois, tenir la gérance de notre caisse, pour aider à former le gérant de notre caisse centrale de Joliette... de notre caisse régionale de Joliette[90].

La procédure suivie pour former le premier gérant laïque de la Caisse régionale de Joliette est également éloquente:

Il était petit commis de banque à Maniwaki, en 1924 [...] je connaissais bien son père et le petit gars, j'en avais entendu parler. Alors, j'ai fait venir le petit gars, et je lui ai dit: On va avoir besoin d'un homme ici, pour mettre à la tête de nos caisses populaires. Actuellement, c'est moi qui suis à la tête des caisses populaires. C'est par hasard que je suis là. Je ne peux pas être là tout le temps. Nous avons besoin d'un laïque. Ah là j'ai dit: Voici, je vais te faire nommer inspecteur de caisse populaire par la Fédération des caisses populaires, par M. Cyrille Vaillancourt, et puis, je vais demander à M. Cyrille Vaillancourt de bien te préparer. Moi, je vais te former au point de vue coopératif. Au point de vue coopératif pas de problème, je vais te la donner, ton initiation; mais dans les caisses populaires, c'est Cyrille Vaillancourt qui va te former. Il va te faire nommer inspecteur et tu reviendras après ça, dans un an ou deux ans... quand tu auras fait de l'inspection dans toute la province et dans la région de Joliette. Tu deviendras gérant d'ici, de notre Union régionale[91].

Au fur et à mesure que les modes de fonctionnement se normalisent et que le nombre de sociétaires s'accroît, des modes de communication plus formels s'élaborent avec la base institutionnelle. L'imprimé reste une voie privilégiée par les administrateurs de la Fédération[92]. Une revue officielle, *La Caisse populaire Desjardins*, est publiée à partir de 1935 par la Fédération. Elle devient *La Revue Desjardins* en 1941. Véritable mine d'or au plan de la mémoire institutionnelle, il s'agit d'une «publication s'adressant surtout aux dirigeants des caisses en vue de les sensibiliser à divers aspects de la doctrine coopérative et de les informer sur le développement des caisses Desjardins[93]».

En 1945, la situation financière des caisses est sous contrôle et le Mouvement peut penser à son expansion. Les activités de propagande reprennent en force:

Outre la publication de *La Revue Desjardins* et la fondation de caisses scolaires, d'autres moyens de propagande et de vulgarisation sont utilisés par les responsables du Mouvement Desjardins pour favoriser l'expansion des caisses et diffuser les idées d'Alphonse Desjardins.

Ainsi, par exemple, les autorités des caisses utilisent la radio et le cinéma pour faire connaître la vie et l'œuvre du fondateur des caisses populaires. Elles continuent également à solliciter et à profiter de l'appui des membres du clergé qui, dans les milieux agricoles, rencontrent les cultivateurs dans des «cercles d'étude» pour tenter de les convaincre de l'utilité d'une caisse populaire.

Enfin les autorités du Mouvement Desjardins voient à organiser des congrès et colloques à l'intention des dirigeants et des sociétaires des caisses, ces rencontres constituant des lieux privilégiés de communication et de propagande.

L'avènement de la télévision pendant la décennie 1950 vient par ailleurs influencer le développement des communications dans la société québécoise et, par conséquent, au sein du Mouvement Desjardins. De plus, le vocable «propagande» est de moins en moins utilisé. Les leaders du Mouvement Desjardins parlent davantage d'information et d'éducation[94].

Ces moyens soutiennent le travail de diffusion des dépositaires de la mémoire consignée. La revue sert à la diffusion des statistiques ainsi que des avis du conseiller juridique et des informations générales produites par la Fédération au bénéfice des caisses et des unions régionales. Elle est un médium avantageux pour diffuser les directives institutionnelles en matière de gestion documentaire.

Les règles administratives implantées par les inspecteurs, les phénomènes inhérents à la diffusion des nouvelles technologies et l'émergence des responsabilités des administrations face à la protection documentaire pour garantir les droits individuels ont pour effet d'augmenter le volume de la masse documentaire produite par les caisses. Les problèmes d'accumulation surgissent dès le milieu des années 1950. Plusieurs gérants ne savent plus quoi faire de la paperasserie et s'adressent à la Fédération:

J'ai beaucoup de papiers de toutes sortes de la Caisse. Est-ce que je pourrais en détruire un peu. Il y a eu rien de détruit depuis que la Caisse existe. Je comprends qu'ils [sic] faut garder ces choses quelques années, cela fait 27 ans. Tels [sic] factures de dépenses, Bordereaux de sociétaires, nos bordereaux de dépôts à la Caisse Centrale, les talons de chèques que les sociétaires fesait [sic] faire ici à la Caisse. Vieux chèques et talons de Banque — Détails d'encaisse, demandes d'emprunt. Cartes de remises et talons[95].

Les gérants se questionnent aussi sur la validité des photostats comme preuve légale[96] ainsi que sur les mesures de conservation à prendre. Dans un article technique sur la construction d'une chambre forte, François Adam écrit:

Un nombre sans cesse croissant de Caisses populaires connaissent des développements considérables. Aussi se multiplient les projets de construction d'une voûte pour la meilleure protection des livres de la comptabilité et des documents. [...] Les administrateurs ont pris leurs responsabilités. Ils ont conscience que les valeurs et documents de la Caisse sont bien protégés. Une telle mesure de protection inspire confiance aux sociétaires. [...] C'est le devoir des administrateurs d'assurer la bonne protection des valeurs et des documents de la Caisse. Un bon coffre-fort et une bonne voûte constituent un actif appréciable. Ils assurent à la Caisse populaire la confiance si nécessaire à son développement[97].

Deux dossiers retiennent particulièrement l'attention: celui de la sélection et de la conservation des documents produits par les caisses et celui du microfilmage. Guy Hudon, conseiller juridique de la Fédération, émet un avis sur la question des obligations en matière de conservation des documents par les caisses et la Fédération. Ses considérations sont exclusivement fondées sur des motifs légaux. Il estime par exemple que, puisque les documents de fondation se retrouvent déjà dans les archives des caisses, de la municipalité et du secrétariat de la province, leur conservation à la Fédération ne peut être qu'à des fins utilitaires. De même, il considère que la Fédération n'est aucunement tenue de conserver des documents lorsque ceux-ci ont été préalablement transmis aux caisses et aux unions régionales. Quant à la correspondance, il suggère un délai fonctionnel de cinq ans, car aucune prescription légale ne pèse sur ces documents[98].

Ces considérations légales n'empêchent pas d'avoir des préoccupations de gestion quant à la création des documents. Hudon établit que le délai de conservation des chèques, des transferts, des reçus de comptoir et des autres pièces justificatives relatives aux retraits sur épargne et autres paiements est de trente ans. Pour en réduire la masse, il suggère à la caisse de remettre ponctuellement ces pièces au sociétaire concerné, moyennant la signature d'un reçu sur l'exactitude du solde de son compte et une quittance pour les opérations passées. Déchargée de ses obligations légales envers le sociétaire, la caisse peut alors conserver ce seul document[99].

S'appuyant sur les recommandations du conseiller juridique, l'inspecteur devient le gestionnaire des documents auprès des caisses et des unions régionales[100]. En 1957, il publie, à l'attention des dirigeants locaux, les critères de sélection et de conservation des pièces justificatives et des documents émanant de l'administration des caisses populaires. Il y signale les grandes séries et indique les règles de conservation qui s'y rapportent[101]. Le travail de Rosario Tremblay est complémentaire de celui du conseiller juridique. Alors que ce dernier donne son accord pour que les autorisations de placements soient détruites par la fédération, l'inspecteur en chef indique aux caisses qu'il est de leur responsabilité de conserver ces documents durant trente ans. L'inspecteur ne fait pas que reprendre les propos du juriste. Il y ajoute des considérations administratives. Il souligne, par exemple, l'intérêt des bordereaux pour établir la provenance des dépôts et écrit sur la question des chèques, des transferts et des reçus de comptoir :

> Cette pratique de remettre les chèques aux sociétaires devrait être réservée aux corps publics et à un nombre restreint de sociétaires dont les transactions sont plus nombreuses. L'expérience nous démontre qu'advenant une erreur dans les livres, requérant le pointage ou la vérification des pièces justificatives, ce travail devient pratiquement impossible si les pièces ont été remises aux sociétaires concernés. Il est donc préférable, chaque fois que la

chose est possible, de conserver ces pièces plutôt que de les remettre contre une acceptation de solde et quittance[102].

Il fait de même dans le cas des rapports d'inspection en ajoutant que la conservation peut être «de trente ans sinon en permanence pour référence future[103]».

Détenteurs incontestés de la tradition, les inspecteurs sont les précepteurs qui connaissent mieux que quiconque les ficelles de l'institution coopérative. Ils enseignent les règles, orientent les pratiques et appliquent au besoin les sanctions. Tout au cours de la période, ils sont ceux qui coordonnent et gèrent la mémoire consignée des composantes coopératives. Ils communiquent aux dirigeants locaux les renseignements sur la loi de la preuve photographique et les questions de microfilmage des ordres de paiement. Ils informent les caisses de ce qui se fait dans les banques en matière de réglementation. Ils rédigent le manuel d'instructions et la liste des délais de conservation à l'intention des caisses. Une lettre de l'assistant-chef des inspecteurs atteste de ce rôle de gestionnaire documentaire:

> Pour votre information, je vous transmets sous pli — à la demande de M. Rosario Tremblay — un photostat de la liste des documents à conserver dans une Caisse populaire (suivant les périodes indiquées) qui a été préparée par les inspecteurs MM. Paul Fournier et Fernand Blache durant leur travail concernant le Manuel de Comptabilité et les normes de contrôle interne.

> Si l'ordre en Conseil [pour statuer que la législation concernant la preuve photographique de certains documents s'appliquera aussi désormais aux Caisses Populaires] est voté, il faudra probablement modifier ladite liste en indiquant quelles pièces pourront être détruites après une certaine période, en étant photographiées. Ensuite, lorsque cette liste sera à point, si elle était conseillée aux Caisses et utilisée par elles, nous aurions une procédure uniforme. Entre temps, veuillez croire que toutes les suggestions que vous voudrez bien nous transmettre à ce sujet seront étudiées et appréciées.

> Il nous intéresserait aussi de savoir si cette liste pourrait servir au niveau des Caisses Centrales ou Unions Régionales, ou si, dans votre opinion, une liste équivalente mais adaptée serait préférable, en raison du fait que les pièces manipulées et les

documents utilisés diffèrent parfois en nature et surtout en volume. En outre, auriez-vous l'obligeance de nous donner vos impressions et de nous indiquer si possible quelles sont les pièces qui causent le plus d'encombrement, quelles sont celles qu'il serait avantageux de détruire après photographie, celles qui mériteraient d'être conservées durant une certaine période ou indéfiniment, etc.[104]

La masse documentaire issue de l'administration de la Fédération n'est cependant pas sous la responsabilité des inspecteurs. Rappelons que, si les caisses sont très encadrées, il n'en va pas de même pour les administrateurs de la Fédération. En conséquence, la production est beaucoup moins normalisée à l'interne.

Des services bureaucratiques s'occupent de gérer cette mémoire administrative. Les documents produits par l'administration au cours des trois dernières années sont traités à la pièce dans un poste central dont le secteur bureau se charge:

> Pendant de longues années un simple classement alphabétique et chronologique s'avéra suffisant. Ce système suffit encore aujourd'hui au service quotidien de nos préposés aux affaires courantes. Temporairement, faute de locaux adéquats, les documents et pièces justificatives sont déposés dans le local même du bureau général de la Fédération (5e étage de l'édifice Desjardins, comme les archives proprement dites, se trouvent au 3). Au bureau général, nos archives gardent la matière des trois dernières années. À l'heure actuelle, ce sont les années 59-58-57. J'ai donné les chiffres en ordre inverse pour faire comprendre que c'est la matière de l'année 1956 qui va être jugée, sélectionnée, classée, cataloguée, etc.[105]

Les archives constituent un secteur qui se situe dans les préoccupations historiques de la Fédération. Dès 1932, le conseil d'administration de la Fédération demande que:

> toutes les personnes qui ont quelque chose à faire avec l'organisation ou la fondation de la Fédération, [...] soient priées de déposer entre les mains du secrétaire, [...] pour être versés aux archives de la fédération tous les documents qu'ils peuvent avoir en mains tels que minutes, correspondance, documents, etc., etc.,

se rapportant à la Fondation de la Fédération de Québec des Unions Régionales des Caisses Populaires Desjardins[106].

Un service d'archives n'est cependant établi à proprement parler qu'en 1956 avec l'engagement d'un archiviste, Ladislav de Kovachich. Ce dernier reçoit le mandat de mettre en valeur les documents historiques de la Fédération. Le service des archives est aussi responsable de la gestion des avis juridiques émis par l'avocat Guy Hudon, conseiller de la Fédération. Une employée s'occupe spécifiquement du classement et de l'indexation de cette série constituée de 17 dossiers couvrant la période 1933-1957. Elle répond aux demandes et effectue la recherche si nécessaire[107]. Enfin, les archives sont dépositaires des rapports d'inspection.

En terme organisationnel, le service des archives relève du gérant, comme tous les services de la Fédération d'ailleurs (voir figure 15). Dans la pratique, il semble cependant être en contact étroit avec l'inspecteur en chef.

Dès son entrée en poste, l'archiviste adresse au sénateur Vaillancourt une longue lettre qui ressemble parfois plus à un plaidoyer sur la valeur mémorielle des archives. Les vues de L. de Kovachich démontrent la progression de l'importance du consigné dans la mémoire historique de l'institution. Certes, il y a encore parmi les hommes qui dirigent des témoins vivants de cette histoire et les papiers sont des outils administratifs d'une durée de vie variable, mais ces documents demeurent des sources de mémoire irremplaçables. Dans cette optique, l'archiviste entend les rendre accessibles au bénéfice non seulement des historiens mais de l'institution:

> Lors de ma nomination comme archiviste, j'ai pris possession des archives déjà existantes de la Fédération déposées dans les tiroirs, des lettres et des différents documents disposés dans d'innombrables enveloppes [...] Il me fallait assimiler, connaître l'organisation actuelle des Caisses populaires Desjardins, de la Fédération. J'ai étudié et les Lois concernant les coopératives et les Statuts et les règlements. L'étude du Manuel de comptabilité et d'instruction m'a permis de comprendre le fonctionnement financier des Caisses et des Caisses centrales.

Figure 15
Organigramme de la FQCPD, 1961[108]

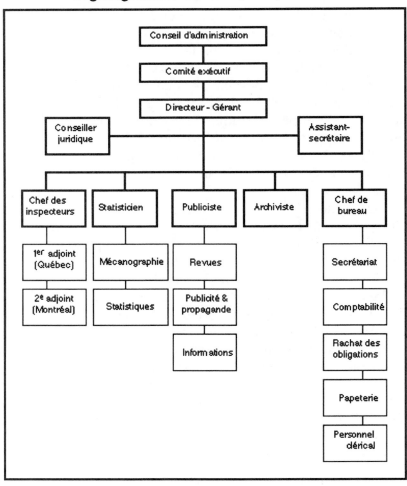

Ce n'est qu'après avoir compris la raison d'être, des Unions régionales, et enfin de la Fédération des Caisses populaires Desjardins, que j'ai commencé à penser à mon problème; l'organisation définitive des Archives de la Fédération [...]. Les fonctions d'un archiviste dans l'interprétation directe du mot sont bien définies. Ça veut dire: classer une certaine documentation (écrite ou autre) bien en ordre chronologique dans différentes sections, choisies d'avance.

Oui mais, vu ce magnifique passé, le Service des Archives de la Fédération des Caisses populaires Desjardins nous oblige à faire mieux qu'un classement chronologique des documents sans rien de plus.

Les entreprises commerciales peuvent se contenter d'une simple classification chronologique vu la nature de leurs affaires traitées. Puis selon l'article de la Loi, la documentation peut disparaître après l'avoir gardée cinq ou trente ans. Pour nos archives, ça pourrait être de même. Mais, même en détruisant une bonne partie de nos vieilles lettres, nous devons d'abord les prendre en note sur des listes. Nous devons coordonner nos listes (parce qu'il y a enchaînement); nous devons établir, dresser des graphiques, constituer des statistiques se rapportant à l'histoire pour pouvoir faire valoir la suite (logique) des événements survenus au long de l'histoire de nos Caisses, de notre Fédération.

Par exemple: je viens de lire une quantité de lettres, des années 1935-36-37. Dans les lettres, on demande des renseignements, de la littérature de propagande; on exprime le désir de fonder une caisse populaire. Toutes ces lettres ont reçu l'attention de monsieur Vaillancourt, et les imprimés furent envoyés. Et puis, la correspondance s'arrête là. Toute cette correspondance — après vingt ans passés n'a aucune valeur — on peut la détruire. Mais, si on a dressé une liste de toutes ces lettres, il y a des questions logiques qui peuvent se poser. De toutes ces demandes d'information, combien ont eu une suite? De toutes ces personnes qui ont demandé des renseignements combien ont pu réaliser leurs rêves en fondant une Caisse populaire? Combien de demandes semblables nous arrivent-il [sic] par année? Est-ce que le nombre de demandes (de fondations) augmente ou diminue et pourquoi? Et ainsi de suite. Plus tard, en étudiant l'historique des Caisses populaires, on trouvera les réponses...même négatives [...]. Je sais très bien que vous connaissez mieux que quiconque toute cette magnifique histoire qui s'ouvre devant moi et de loin a dépassé son propre cadre. Je sais aussi qu'il me faut encore beaucoup apprendre, que j'ai devant moi un travail qui dépasse mes capacités ou que peut-être le temps me manquera-t-il.

N'importe comment, j'avais un besoin moral d'étaler tout ce que je viens d'avancer, pour m'affirmer dans mon idée concernant l'organisation des Archives de la Fédération des Caisses populaires Desjardins. [...] Je voudrais composer des textes résumant l'histoire et des Caisses populaires et de la Fédération, puisque ces deux histoires ne font qu'une [...] donner l'historique de l'ensemble, appuyant le tout par les documents que nous possédons, que je pourrais recueillir ici et là par des recherches dans les archives des Caisses populaires, des Unions régionales, que je trouverai en faisant appel à la mémoire de toutes ces personnes que j'ai la chance et l'honneur de pouvoir atteindre personnellement.

Je voudrais organiser nos Archives dans le but de pouvoir offrir à la fin, un lieu de documentation à nos contemporains et de préparer une source de référence pour les investigateurs d'un lointain avenir, qui auront l'intérêt ou le besoin de se documenter sur l'origine (sur notre continent) du «crédit populaire, essentiellement moralisateur, qui protège le corps social en y rétablissant l'ordre, source de la paix, tout en contribuant au bonheur de toutes les classes de la société» [...].

Il me reste encore à solliciter la faveur de me faire connaître vos vues, vos ordres si nécessaires, si vous désirez qu'il soit changé quoi que ce soit se rapportant à l'exécution de ce grand travail, prière de m'en avertir, sinon je présumerai votre approbation bienveillante. Si [...] nous arrivons un jour à achever notre travail, nous serons fiers d'avoir pu le réaliser et ainsi d'avoir pu collaborer d'une façon constructive et durable à parfaire l'œuvre de la Fédération des Caisses populaires Desjardins[109].

Dans les années qui suivent, L. de Kovachich classe les archives selon un cadre général de classification approuvé par le sénateur Cyrille Vaillancourt[110]. Son traitement est basé sur une sélection à la pièce en fonction de la valeur «"documentaire" base de nos textes et liens historiques». En 1960, de Kovachich dresse un bilan:

Avec une sainte peur, j'ai constaté que 270 classeurs renfermaient au moins quatre cent mille feuilles, et ce à peu près de 1891 jusqu'à la fin de 1957. Au moins quatre cent mille feuilles déposées dans les tiroirs classeurs et selon leur sujet, divisées dans d'innombrables chemises [...]. Ces documents bien que classés (ordre alphabétique et chronologique) vu leur volume, ne répondaient pas aux exigences des archives modernes, ni pratiquement, ni scientifiquement. La diversité des sujets, la quantité accumulée, demandaient une classification adéquate avec un catalogue complet, toujours à date et aussi détaillé que possible. Nos archives recèlent une valeur considérable mais pour le moment sans grande apparence[111].

Les documents manuscrits suivent trois axes chronologiques: 1° La fondation de la caisse de Lévis en 1900, 2° La fondation de la Fédération en 1932 et 3° «Le glorieux cinquantenaire» de la caisse de Lévis; ils se répartissent selon un système décimal adapté du système Dewey:

0. Le Commandeur Alphonse Desjardins
   0.1. Mobilier:
      0.11. meubles
      0.12. photos
      0.13. tableaux
      0.14. sculptures
      0.15. documents encadrés
   0.2. Documentation:
      0.21. manuscrits
      0.22. correspondance
      0.23. documents extraordinaires
      0.24. littérature
      0.25. découpures de journaux
10. Caisses populaires Desjardins
   10.1. Caisses actives
      10.11. Caisses populaires
      10.12. Caisses de dotation
      10.13. Caisses d'établissement
      10.14. Caisses de prévoyance
      10.15. Caisses scolaires
   10.2. Caisses fermées (mêmes sous-séries)
   10.3. Caisses dissidentes (mêmes sous-séries)
   10.4. Caisses indépendantes (mêmes sous-séries)
20. Unions régionales — Caisses régionales — centrales
30. Inspection (officielle)
40. Propagande
   40.1. Journaux découpures
      40.11. Congrès
      40.12. Régional
   40.2. Congrès
      40.21. Commémoratif international

50. Services auxiliaires
60. Services adjacents
70. Statistiques
80. Bibliothèque
90. Général
100. Consultations légales
    100. Organes et Direction
    200. Capital social — Épargne
    300. Administration de bien d'autrui
    400. Prêts
    500. Placements
    600. Patrimoine, bénéfices et dépenses
    700. Encaisse
    800. Régie interne
    900. Structures supérieures

Cette classification est par la suite légèrement modifiée afin de dépasser le cadre strict de l'administration de la Fédération[112]:

50. Administration de la FQCPD
60. Général
70. Services auxiliaires
80. Sociétés indépendantes se rattachant au mouvement des caisses pop.
90. ...

Quant aux photographies et coupures de presse remontant au temps d'Alphonse Desjardins (1854-), elles constituent des collections distinctes.

De 1959 à 1961, l'archiviste se met à la recherche des documents produits par Alphonse Desjardins. Il visite 59 caisses populaires fondées par le Commandeur pour retrouver ses écrits, dont sa correspondance avec les gérants afin d'en prendre copie pour les archives de la Fédération. Vers 1962, les archives du Commandeur sont classées ainsi que celle de l'inspection et les dossiers des directeurs de la Fédération. Le traitement des documents relatifs aux caisses fermées est terminé et un historique a été écrit sur chaque cas. Il reste une masse énorme: les caisses proprement dites, les unions régionales et la Fédération.

Dès 1959, de Kovachich, conscient des problèmes d'espace engendrés par la production des rapports d'inspection, soumet un projet de microfilmage au sénateur Vaillancourt. Il estime ainsi pouvoir réduire de façon appréciable les coûts reliés à la conservation des archives. En écho à cela, il publie l'année suivante dans *La Revue Desjardins* des articles sur la valeur des archives pour l'histoire des caisses populaires et de la Fédération. Quelque peu troublé par la menace bureaucratique, son discours entend démontrer combien les documents anciens attestent le nationalisme, l'héroïsme, bref les grands traits de la légende Desjardins:

> Les archives [ne] sont nullement un ramassis de vieux papiers tout juste bons à être relégués au fond d'innombrables classeurs; mais bien au contraire, elles sont souvent de vraies pages d'histoire, de documents précieux qui somnolent en attendant le moment de servir leur cause. Les archives de notre Fédération réunissent une documentation précieuse relative à la coopération en général, et une somme imposante de témoignages relatant les premiers jours de nos Caisses populaires, de nos Unions régionales, des Caisses centrales et de notre Fédération. Mais avant tout, nos archives possèdent une documentation extrêmement importante concernant «le fondateur», M. Alphonse Desjardins. Cette documentation est unique, irremplaçable et représente une valeur historique considérable, pour nous comme pour les coopérateurs en général (à l'échelle mondiale), ainsi que pour tous ceux qui s'intéressent de loin ou de près aux sciences économico-sociales. En scrutant nos documents, quelques-uns vieux de plus d'un siècle [...], nous assistons à un spectacle grandiose. Gardant à l'esprit les événements politico-historiques du temps, nous poursuivons une lutte économico-sociale dans toute sa grandeur héroïque. L'ennemi est puissant et se manifeste par ses agissements destructifs, comme partout d'ailleurs dans le monde civilisé. L'usure ronge toute la nation canadienne-française. C'est alors qu'un homme solitaire, bravant tout obstacle, se met à l'œuvre. Cet homme c'est Alphonse Desjardins[113].

La gestion des archives demeure sous la gouverne de l'inspecteur en chef et du conseiller juridique. Ainsi, dans un mémo daté du 26 novembre 1963, de Kovachich écrit:

Comme M. Tremblay suggère (en passant pendant cette brève conversation) de garder les cinq (5) dernières années au complet, je me permets de suggérer, les six (6) dernières années de nos archives étant gardées au 5ᵉ étage, de garder trois (3) ans de plus aux «Archives», en original. Je crois qu'avec neuf (9) années gardées au complet et en original, on saura amplement assurer un bon service[114].

Après consultation sur cette question, c'est cette position du conseiller juridique de la Fédération qui sera retenue par le conseil d'administration. Selon Guy Hudon:

il serait amplement suffisant après cinq ans de microfilmer les rapports de l'inspecteur et les commentaires de la Fédération, de même que l'état de l'actif et du passif. En pratique, il est extrêmement rare que ces documents soient essentiels, et le surplus me semble inutile à conserver. Pour ce qui est des rapports vieux de plus de dix ans, je ne prendrais pas le trouble de les conserver, je n'en vois pas la nécessité. Je ne puis imaginer de circonstances où ces pièces soient essentielles en cas de litige entre une caisse et son sociétaire emprunteur ou déposant ou son gérant[115].

À la même époque, l'archiviste doit cependant délaisser les archives afin d'organiser la biliothèque de la Fédération. Celle-ci comprend alors 152 périodiques et revues ainsi qu'un certain nombre de livres. Il s'occupe également de monter des dossiers de presse et dépouille mensuellement à cet effet 470 journaux selon 11 thèmes. Outre ces tâches, il lui faut effectuer des «traductions, préparer les diplômes de témoignage, recherches, visites à recevoir, etc.» Il se plaint du manque de ressources humaines[116]. En fait, les archives deviennent de plus en plus un service de support.

La mémoire historique consignée tient une grande place durant toute cette période. Elle se constitue afin de renforcer l'image institutionnelle. Cela n'est pas étonnant, car le Mouvement ne doit plus seulement s'affirmer comme organisation, mais comme institution à part entière. Tout au cours de son évolution, son fondateur, puis ses dirigeants ont produit des informations consignées qui attestaient la légitimité de son autorité. La préoccupation de recourir à cette mémoire historique n'apparaît cependant qu'au moment où la redéfinition de la structure crée un besoin de réaffirmation du mythe fondateur.

Avec la nomination de Cyrille Vaillancourt, le Mouvement retrouve un guide. Cela répond au besoin de renforcement de la structure de commandement et de contrôle, donc de l'autorité institutionnelle. Le sénateur Vaillancourt sera reconnu comme le fils spirituel de Desjardins et le second fondateur du Mouvement. La centralisation du pouvoir engendre néanmoins des tensions. Il faut accepter unanimement ce chef dans un mouvement où les cellules régionales ne fonctionnent pas toujours avec la même croissance économique et sociale. Les disparités régionales entre Montréal et le reste du Québec se font sentir et provoquent des divergences d'opinions au sein de la Fédération. En outre, les idéologies nationalistes enflamment le débat au moment où l'on doit définir la place du Mouvement parmi ses partenaires coopératifs :

> Les relations avec le réseau coopératif « se posent dès le moment où les forces tentent de se rassembler dans le Conseil de la Coopération, celui-ci fondant la revue *ensemble* concurremment à la revue *Desjardins*; elles se déroulent dans la dispute menant à la formation d'une fédération montréalaise, en passant par la *querelle de la confessionalité* comme catalyseur[117].

La crise s'exprime notamment par la dissidence d'un groupe de caisses de Montréal en 1946[118]. En réaction à cela, les Philibert Grondin, Émile Turmel et autres interviennent notamment par l'entremise de la *La Revue Desjardins* et appuient Cyrille Vaillancourt. L'identité institutionnelle exprime sa légitimité par la voix des porteurs de la mémoire de l'époque fondatrice. Ces derniers montent des rétrospectives sur la vie du fondateur et sur son œuvre afin de souligner les valeurs à la base du mouvement. Le discours historique met l'accent sur le fait que Desjardins voulait une instance provinciale centralisée et non régionale[119], et que, ce faisant, Vaillancourt ne faisait que suivre la voie tracée par le maître.

En 1948, l'économiste Albert Faucher signe une série d'articles sur Alphonse Desjardins[120]. Le fondateur et son œuvre entrent ainsi dans les problématiques scientifiques. Faucher présente Desjardins comme un intellectuel qui a compris le système économique; c'est pourquoi il affirme qu'il faut respecter la logique de sa pensée. Il déplore le peu de données historiques permettant d'approfondir la question et lance un appel pour que la mémoire consignée d'Alphonse Desjardins soit retrouvée et conservée:

> Que d'enseignement coopératif ne trouverions-nous pas dans cette correspondance avec Wolff et ses collègues! Il est à souhaiter qu'une si belle documentation, si elle n'est pas perdue ou détruite, prenne place à l'épreuve du feu et de l'eau pour répondre aux desseins civiques de la génération présente et des générations futures![121]

Ce n'est pas un hasard si, à la même époque, la Fédération acquiert de la famille Desjardins les papiers personnels d'Alphonse Desjardins. Ces archives sont les preuves à partir desquelles la Fédération peut légitimiser son autorité. Cela se réalise par la publication d'un volume soulignant le 50e anniversaire de la Caisse populaire de Lévis. Albert Faucher et le sénateur Cyrille Vaillancourt y présentent un court essai biographique suivi de textes inédits de la main d'Alphonse Desjardins[122]. Les écrits de Desjardins permettent de légitimer la Fédération, en la présentant comme l'organisme qui reprend le flambeau, là où le concepteur de l'œuvre l'avait laissé.

Tout au cours de cette période, la mémoire organique et consignée de l'institution Desjardins s'est développée de concert avec les changements caractérisant cette génération. D'une part, la mémoire essentielle, devenue plus complexe, s'est formalisée et normalisée davantage. Elle requiert désormais des interventions plus spécialisées en matière de sélection et de conservation. Des experts, inspecteurs et juristes, se chargent de sa gestion et les archives deviennent dépositaires des informations essentielles issues de leurs contrôles. D'autre part, la mémoire historique consignée se met en place. Afin de consolider la personnalité de l'institution, l'archiviste recueille la mémoire consignée d'Alphonse Desjardins. L'imprimé étant un mode particulièrement favorisé par le fondateur et ses successeurs, il hérite également de la responsabilité de la bibliothèque. Entre cette constitution de la mémoire historique et la gestion de la mémoire essentielle, la mémoire administrative se

développe peu sur le plan archivistique. L'oral est encore largement utilisé dans le fonctionnement courant; c'est pourquoi les
agents organisationnels produisent peu de dossiers administratifs. De plus, l'imprimé est une voie importante de communication. Ainsi, *La Revue Desjardins* sert de véhicule à l'affirmation de l'identité institutionnelle et à la légitimation du pouvoir
de la Fédération. Elle est l'outil privilégié pour mémoriser et
transmettre aux cellules coopératives les traditions, les orientations, les politiques. Elle soutient également les pratiques en
diffusant les normes et les procédures recommandées par les
dirigeants. Dans ce contexte, il n'est pas surprenant de constater que les activités bureaucratiques de cette période laisseront
peu de traces dans la mémoire organique et consignée de l'institution.

1963-1973: une nouvelle génération

Au début des années 1960, le Mouvement doit modifier ses
pratiques administratives. Une nouvelle génération s'amorce
avec l'obtention d'un cadre juridique distinct en 1963 et se
termine par la mise en place de la Fédération intégrée en 1973.
Tout au cours de cette période, la Fédération délaisse définiti-
vement le stade artisanal. Il s'agit d'adapter le Mouvement à la
bureaucratie et à ses règles d'encadrement sans pour autant
trahir sa vocation institutionnelle.

En 1961, le conseil exécutif de la Fédération décide de
commander une étude auprès de spécialistes afin d'évaluer
l'efficacité de ses services administratifs et de proposer au
besoin des mesures de coordination et de rationalisation[123]. Le
rapport des spécialistes conclut qu'il faut effectuer des changements majeurs à la structure fonctionnelle. Si les contraintes
administratives exigent que la Fédération devienne peu à peu
une organisation/personnage, il est primordial que le Mouvement, lui, demeure une organisation/personnalité. Les spécialistes sont clairs à ce sujet:

> la Fédération avec ses services est devenue une organisation trop
> importante et trop complexe pour qu'elle puisse maintenant
> remplir son rôle en étant dirigée par un administrateur qui a déjà
> des responsabilités au niveau d'une union régionale ou d'une

caisse locale. De plus, si nous considérons l'essor plus considérable encore que devra prendre la Fédération d'ici quelques années [...], il devient plus urgent de déléguer la responsabilité des services de la Fédération à une personne employée à plein temps à cette fin. Ceci implique qu'un administrateur ne peut plus être gérant de la Fédération.

Par ailleurs, [...] si la Fédération veut réellement que le mouvement Desjardins en soit un d'avant-garde et puisse être davantage au service de la population Canadienne française à tous points de vue (économique, culture, social, etc...) il faudra qu'elle coordonne plus qu'elle ne le fait aujourd'hui les efforts au niveau des unions régionales et des caisses locales, ou en d'autres mots, qu'elle possède certains pouvoirs définis à ces niveaux.

Cependant, si la Fédération conserve sa structure actuelle, il est impossible de songer à un gérant ou un directeur général qui ne serait plus un administrateur. Avec un Conseil d'administration composé de membres qui ont déjà leurs responsabilités au niveau des unions régionales ou des caisses locales et qui ne peuvent donner qu'une partie minime de leur temps aux affaires de la Fédération, le caractère démocratique du mouvement Desjardins disparaîtrait vite et ce serait la personne en charge des services, un fonctionnaire, qui détiendrait tous les pouvoirs entre ses mains. Il nous fallait donc un lien entre le Conseil d'administration et le coordinateur des services et ce lien est le Président du Comité administratif[124].

En distinguant ainsi ses façons de faire et sa mission, l'organisation trouve une voie qui lui permet de respecter ses principes moteurs tout en s'adaptant aux contraintes administratives. Ce faisant, l'espace et les pratiques culturelles de l'institution retrouvent leur harmonie. Au même moment, le Mouvement Desjardins, ensemble structuré de toutes les composantes coopératives, obtient sa pleine reconnaissance légale en 1963. Cette situation favorise la constitution de nouvelles cellules coopératives.

La nouvelle loi modifie la dynamique de la mémoire essentielle en n'imposant plus de versement de documents aux archives municipales. Elle exige cependant que les caisses se soumettent à un processus de reconnaissance publique. L'article 8 de la *Loi des caisses d'épargne et de crédit* stipule que:

cinq exemplaires de la déclaration [de fondation] sont transmis au ministre. S'il approuve la formation de la caisse, il en témoigne en apposant sa signature sur chaque exemplaire.

Avis que l'approbation a été accordée est publié dans la *Gazette officielle du Québec* aux frais de la caisse.

Après la publication de cet avis, l'un des exemplaires de la déclaration est déposé dans les archives du ministère des consommateurs, coopératives et institutions financières et les quatre autres sont retournés au secrétaire provisoire de la caisse ; celui-ci remet un exemplaire au protonotaire du district où est situé le siège social de la caisse ; il en conserve un exemplaire dans les archives de la caisse et adresse les deux autres exemplaires à la Fédération à laquelle la caisse est affiliée[125].

De plus, l'article 81 exige que la Fédération certifie par écrit quatre exemplaires du compte rendu annuel d'une caisse et, «après vérification, retourne deux des exemplaires à la caisse et deux au ministre[126]». Ces mesures confirment l'autonomie des caisses tout en établissant le pouvoir de la Fédération. Elles normalisent la configuration de l'ensemble coopératif et précise les responsabilités de chacune de ses cellules vis-à-vis de la constitution et de la gestion de la mémoire essentielle du Mouvement[127]. En outre, elles encadrent la consignation de son existence parmi les autres organisations financières québécoises.

Deux présidents ont succédé à Cyrille Vaillancourt à la tête de la Fédération, mais il revient à Émile Girardin d'être son héritier. Sous sa gouverne, le Mouvement resserre les liens institutionnels et développe des outils d'éducation sociale. Plusieurs sociétés et institutions destinées à répondre aux besoins particuliers de ses membres sont mises sur pied (tableau 3).

Ainsi, le Mouvement se dégage de ses composantes et la Fédération reçoit un mandat de service. Les pratiques de cette dernière évoluent et son espace se réaménage. La gestion des ressources se complexifie et exige la mise en place d'un appareil administratif conséquent. L'ensemble des unités administratives de la Fédération se rationalise sous l'autorité d'une direction générale. Des services chargés de la gestion du personnel ainsi que de l'éducation s'ajoutent[128]. Parallèlement, un comité administratif est créé afin d'assurer la promotion de l'esprit coopératif. Les liens entre la Fédération, les unions régionales et les caisses se resserrent et les services administratifs s'intensifient.

Tout au cours de la période, on assiste à l'émergence de la mémoire administrative. L'information organique et consignée devient de plus en plus un outil de fonctionnement. La gestion des «documents administratifs» est effectuée par la section de classement sous l'autorité de la direction contrôle et gestion[129]. Parallèlement, on retrouve la section de la bibliothèque, qui relève du secrétaire de la Fédération, à laquelle est rattaché administrativement le Centre de documentation de l'Institut coopératif Desjardins. Quant aux archives, elles sont quelque peu délaissées avec le décès de l'archiviste en 1965 et sont placées sous la garde du conseiller juridique de la Fédération.

Parallèlement, le discours historique se renforce à partir d'entreprises créées au cours de la période précédente. Le travail de l'historien prend davantage d'importance pour la mémoire historique de Desjardins. Dès 1962, malgré ces «deux biographies de monsieur Desjardins [...] et le mémoire à la Commission Porter [qui] comporte une étude complète sur le système coopératif[130]», le Mouvement décide de publier la thèse de l'historien, Yves Roby[131]. Le livre qui paraît en 1965[132], sous le titre *Alphonse Desjardins et les caisses populaires 1854-1920*, est diffusé dans les caisses populaires par les unions régionales. Il est également traduit en anglais, par suite d'une demande de la *Credit Union National Association* (CUNA)[133].

La thèse d'Yves Roby parle d'autorité, car elle s'appuie non pas sur des témoignages oraux mais sur les archives mêmes du fondateur. L'historien «a dépouillé attentivement les douze cent soixante-quinze pièces de ces dossiers[134]!», celles-là mêmes qu'Albert Faucher avait désignées en 1948 comme les conservatoires de la mémoire institutionnelle.

Considéré par les administrateurs du Mouvement comme «ce qui a été écrit de mieux à date sur monsieur Desjardins et son œuvre[135]», l'ouvrage est présenté comme la première étude fouillée sur l'institution coopérative. Dans son éditorial

Tableau 3
Développement organisationnel de 1961 à 1973

1962-08-07	Acquisition par l'entremise de la Société de gestion d'Aubigny du contrôle de La Sauvegarde, Compagnie d'assurance-vie, fondée en 1901 (institution membre).
1963-01-31	Acquisition de la Société de fiducie du Québec, fondée le 25 septembre1962 et qui commence ses activités le 1er septembre 1963 sous la direction de Jean-Marie Couture (institution membre).
1963	Acquisition par l'entremise de l'Association coopérative Desjardins de La Sécurité, société d'assurance générale du Canada. Elle détient une charte fédérale depuis 1940, est active dans toutes les provinces canadiennes sauf Terre-Neuve et complète au niveau canadien les services d'assurances de la Société d'assurances des caisses populaires. La fusion administrative des deux compagnies donnera le Groupe Desjardins, assurances générales.
1963	Fondation de l'Institut coopératif Desjardins en vertu de la *Loi des associations coopératives du Québec*. Centre résidentiel d'éducation des adultes.
1963-07-27	Fondation de l'Association coopérative Desjardins par les caisses populaires et les institutions qui s'y rattachent. Elle détient, pour et au nom du Mouvement, les actions de la Société de fiducie du Québec, de La Sécurité et de la Société de gestion d'Aubigny. Cette dernière possède presque toutes les actions de La Sauvegarde.
1965	Mise sur pied par La Sauvegarde de la Maison des arts-La Sauvegarde dans le but de faire connaître des artistes de talent.
1970	Création de la Fondation Girardin-Vaillancourt afin de promouvoir l'éducation et la recherche dans le domaine de la coopération ainsi que dans ceux de l'économie, de la finance, de l'administration, des services et des arts. En 1986, elle devient la Fondation Desjardins.
1970	Fondation de la Société de développement international Desjardins, organisme sans but lucratif spécialisé dans le développement rural (tiers-monde) dont les activités sont financées pour la plupart par l'ACDI.
1972-04-27	Alfred Rouleau — président

de *La Revue Desjardins* de février 1965, le sénateur Cyrille Vaillancourt écrit:

> Jusqu'à la parution de cet ouvrage ces jours derniers, il y avait bien eu quelques essais biographiques sur monsieur Desjardins, sa vie et son œuvre, mais aucune étude comme celle que nous présente M. Yves Roby sur monsieur Desjardins et ses Caisses populaires n'avait encore été publiée. [...] Ce travail est unique en son genre. Monsieur Roby a réussi à nous faire voir et apprécier monsieur Desjardins tel qu'il était au début de sa vie et tel qu'il fut lorsqu'il entreprit son œuvre des Caisses populaires. Ses écrits établissent clairement que monsieur Desjardins voulait surtout protéger les gens de la classe ouvrière, de la classe laborieuse, enfin les petites gens contre les usuriers[136].

Parce qu'Alphonse Desjardins est le symbole personnifiant l'institution coopérative, le livre d'Yves Roby ne peut être perçu comme une simple biographie. Il rapporte l'histoire officielle qui retrace la genèse de l'institution. À cet effet, une nouvelle version paraît en 1975 sous le titre *Les caisses populaires. Alphonse Desjardins. 1900-1920*[137].

Quant à l'histoire organisationnelle proprement dite, Cyrille Vaillancourt se fait le chroniqueur de son évolution. En 1965-1966, il livre son témoignage personnel dans une série d'articles sur l'histoire du Mouvement. Dans un contexte de contestation religieuse et de montée de la bureaucratie, le but de Vaillancourt est d'instruire ces jeunes qui ignorent la vérité[138]. Ainsi Roby fait comprendre les racines scientifiques de l'œuvre tandis que Vaillancourt veut montrer ses appartenances. Il réaffirme le rôle du clergé au sein de l'institution et souligne le dévouement des individus.

En écho aux propos de Vaillancourt, les administrateurs de la Fédération contribuent à enrichir la mémoire du Mouvement. Les inspecteurs livrent leur savoir coopératif. De plus, le directeur général Paul-Émile Charron est non seulement un porte-parole actif mais un auteur prolifique. Il écrit sur l'idéologie coopérative, sur ses valeurs, ses traditions, son histoire[139].

Le Mouvement doit faire reconnaître le symbole qui l'accrédite. Dans cette optique, de 1955 à 1975, il entreprend des démarches pour qu'un timbre-poste soit émis en l'honneur de son fondateur. La question va plus loin qu'une opération publicitaire ou une activité entourant un anniversaire. L'événement n'est que le prétexte pour faire reconnaître Alphonse Desjardins parmi les figures marquantes de l'histoire canadienne. Le Mouvement veut ainsi obtenir une représentation de lui-même à travers laquelle sa nature, ses valeurs et son idéologie seront symboliquement proclamées.

En 1955, la Fédération se fait le porte-parole de 21 caisses populaires et demande un timbre commémorant le centenaire de la naissance du fondateur de tout le Mouvement coopératif en Amérique du Nord[140]. Le journal *Le Devoir*, appuie cette démarche et consacre un article à la question. On y souligne combien la carrière d'Alphonse Desjardins est à l'origine d'un renouveau économique d'envergure nationale et on trouve légitime que le «petit journaliste qui finit sa carrière comme fonctionnaire fédéral» soit consacré parmi les «bienfaiteurs de notre peuple[141]». La demande reste cependant sans suite.

En 1960, Cyrille Vaillancourt revient à la charge en invoquant le soixantième anniversaire de fondation de la Caisse populaire de Lévis. Le timbre pourrait être lancé lors de l'Assemblée annuelle de la CUNA, l'association nationale des *Credit Unions*, se tenant à Montréal en mai 1961. La Ville de Lévis appuie la demande. Le ministre des Postes, William Hamilton, se dit favorable à l'idée et propose d'étudier le projet. Étant donné les délais requis pour une telle opération, il affirme cependant qu'un timbre ne pourrait être émis à temps pour le congrès de la CUNA. Pour pallier la chose, le ministre suggère l'utilisation d'une flamme spéciale d'oblitération assortie d'un slogan approprié comme moyen de publicité[142]. La Fédération insiste en alléguant qu'«un timbre-poste à l'effigie du Commandeur Desjardins serait plus symbolique et rappellerait beaucoup le souvenir du grand bienfaiteur de la classe laborieuse de chez nous[143]». Le dossier en reste là.

En 1969, Rosario Tremblay, responsable des relations publiques de la Fédération, renouvelle la demande auprès du ministre des Postes, pour souligner le 115e anniversaire de naissance de Desjardins. Eric Kierans refuse, prétextant que l'événement doit être un cinquantenaire ou un multiple. Il veut

bien inscrire Desjardins sur la liste des grandes figures canadiennes tout en considérant que la candidature de Desjardins a
peu de chance d'être acceptée[144]. Dans la mesure où il estime
que le Commandeur ne peut se dissocier de son œuvre, les
politiques internes interdisent de souligner une entreprise
commerciale.

L'année suivante, le conseil d'administration de l'Union
régionale de Québec vote une résolution afin que «des démarches soient immédiatement entreprises auprès des autorités
canadiennes des Postes pour qu'elles honorent par l'émission
d'un timbre-poste la mémoire du Commandeur Alphonse Desjardins en cette année (1970) marquant le cinquantenaire de sa
mort[145]». Cette fois, il en revient à Paul-Émile Charron, directeur général de la FQCPD d'adresser un long plaidoyer au
premier ministre du Canada, Pierre-Elliott Trudeau ainsi qu'au
ministre des Postes. Le dossier est remis à Jean Marchand,
ministre de l'Expansion économique régionale, afin qu'il sou-
mette le dossier au premier ministre[146]. Le ministre des Postes
refuse: «Je suis convaincu, écrit-il, que l'émission d'un tel timbre, [...] serait en désaccord avec notre règle de ne pas émettre
de timbres dont on pourrait dire qu'ils honorent un produit ou
une entreprise commerciale[147]».

Consterné face à l'ignorance des autorités gouvernementales quant à la mission des caisses populaires, le Service de
l'information et de la publicité de la FQCPD envoie au ministre
des Postes certains documents historiques sur la vie d'Alphonse Desjardins. Malgré tout, la décision ministérielle reste
inchangée[148]. Un an plus tard, le Mouvement relance quand
même le ministère en soulignant que le Canada fait pauvre
figure, car des fondateurs d'institutions coopératives européennes ont déjà été honorés par leur patrie. L'argumentation
sera vaine et la demande reçoit encore une fois une fin de
non-recevoir.

En 1972, le dossier est réorienté autour du 75e anniversaire
de la fondation de la première caisse populaire en Amérique du
Nord. La demande est appuyée notamment par la *National
Association of Canadian Credit Unions* qui effectue des pressions
auprès du gouvernement fédéral[149]. En 1974, Rosario Tremblay

en fait officiellement la demande au ministre André Ouellet[150]. Au mois de septembre de la même année, Alfred Rouleau annonce enfin aux dirigeants des caisses populaires qu'après plus de 20 ans de démarches le gouvernement fédéral accepte d'émettre un timbre-poste à l'effigie d'Alphonse Desjardins.

Plus que le souvenir du fondateur, c'est la mémoire du Mouvement qui est doublement reconnue et légitimée, par la science et par l'État. Par l'écrit et par l'image, l'institution rend sa mémoire présente, active et engageante. Ce rôle joué par les diverses pratiques historiennes, conjugué à l'évolution des pratiques de gestion documentaire amènent une redéfinition des fonctions archivistiques dans l'ensemble mémoriel. Le problème d'engorgement des bureaux apparaît graduellement. L'augmentation de l'effectif à la Fédération suscite des problèmes de circulation des documents et les services bureaucratiques ne peuvent répondre à des besoins qui ne cessent de croître. Un simple «ménage» ne suffit plus à maintenir l'équilibre de l'appareil informationnel. Face à ce problème, les administrateurs revoient la structure administrative relative à la gestion documentaire dans l'organisation. Dans la génération suivante, on assiste à la mise en place du service de gestion documentaire ayant comme finalité l'encadrement et la gestion de la mémoire administrative du Mouvement coopératif Desjardins.

Confédération des caisses populaires et d'économie Desjardins, 1973-1990

La dernière étape de centralisation des pouvoirs se situe au début des années 1970, au moment où l'essor du Mouvement Desjardins exige un réaménagement de sa structure d'ensemble. La cinquième génération exprimera plus que jamais le concept de mouvement. L'organisation Desjardins devient une institution financière puissante qui ne cesse d'évoluer[151].

La révision par le gouvernement fédéral de la *Loi des banques* en 1966-1967, à la suite du rapport de la Commission royale d'enquête Porter sur la structure et les méthodes de fonctionnement du système bancaire au Canada a pour effet de ralentir la croissance des caisses.

En effet, alors qu'avant 1967, il s'était produit un déclin prononcé de l'importance relative des banques à charte au profit des institutions para-bancaires, notamment au profit des Caisses populaires et des sociétés de fiducie et de prêts, il se produit maintenant un renversement de la situation et au point de constater un fléchissement prononcé du taux de croissance de plusieurs institutions para-bancaires. [Dans cette optique, le rapport recommande] Que les membres et les dirigeants du Mouvement coopératif Desjardins prennent les dispositions nécessaires pour que le réseau des Caisses populaires et des institutions spécialisées forme un complexe financier intégré afin d'accentuer le rôle bénéfique du Mouvement coopératif Desjardins auprès de ses membres et de la population québécoise en général[152].

En réaction à cela, une réorientation organisationnelle du Mouvement s'effectue à partir de 1971. Une étude de cadrage administratif commandée par le Mouvement préconise la création d'une structure d'ensemble chapeautée par un conseil supérieur[153]. Il faut s'intégrer à une échelle provinciale, car il n'est pas bon que les composantes Desjardins fonctionnent de façon individuelle. La loi rend la chose possible et le tout débouche en 1973 sur une nouvelle structure organisationnelle. On parle alors des macrostructure (Mouvement) et microstructure (Fédération).

Ce réajustement se veut une réponse aux mutations de la société québécoise au cours des années 1960. Comme en 1920, la solution réside dans l'établissement d'un échelon administratif qui élargit les horizons institutionnels. Le Mouvement adopte une structure qui intègre ses composantes locales et régionales ainsi que toute une gamme de services financiers. Quatorze institutions ou organismes seront créés ou réorganisés à partir de ce moment, afin d'élargir le champ d'intervention du Mouvement Desjardins. C'est le «pop-sac-à-vie-sau-sec-fi-co-pin», une coalition institutionnelle qui permet d'effectuer le virage administratif (tableau 4).

Les unités autonomes se sont regroupées dans une structure pyramidale. À la base, les sociétaires possèdent un statut paritaire. Selon un processus démocratique, ils confient la direction de leur cellule à des leaders qui, ce faisant, reçoivent également le mandat de représentation paritaire au module

Tableau 4
Développement organisationnel de 1973 à 1985

1973	Adoption de la macrostructure. L'Institut coopératif Desjardins est intégré administrativement à la FQCPD.
1973	Constitution de la Société d'investissement Desjardins (SID), propriété à 85,9 %, dont le but est de mettre certains capitaux du Mouvement au service des secteurs industriels du Québec (institution rattachée). Les partenaires de la SID (Crédit industriel Desjardins inc., Culinar inc.) sont des institutions spécialisées dont s'est doté le Mouvement Desjardins pour favoriser le progrès économique du Québec par divers types d'engagements financiers dans des entreprises en développement.
1976	Création du Crédit industriel Desjardins inc. qui offre des services de prêts et location d'équipements à des entreprises commerciales, industrielles ou agricoles (institution rattachée).
1977-05-02	Réorganisation de la macrostructure.
1979	Affiliation de la Fédération des caisses d'économie du Québec. Changement de dénomination des composantes du Mouvement.
1979	La Fédération des caisses populaires Desjardins de Québec fonde la Société historique Alphonse-Desjardins (SHAD) et en assume le financement jusqu'au 01-12-1982, date à laquelle la SHAD est rattachée à la Confédération.
1979-06-22	Création par une loi spéciale du Québec de la Caisse centrale Desjardins du Québec. Elle commence ses activités le 14-10-1981. Agent financier central du Mouvement Desjardins qu'elle représente dans les opérations financières avec la Banque du Canada et les autres membres de l'Association canadienne des paiements ainsi qu'auprès des grands marchés financiers canadiens et internationaux.
1980-02-27	Constitution de la Corporation de fonds de sécurité de la Confédération Desjardins, dont la mission est d'administrer le fonds de sécurité mis en place en 1949.

Tableau 4 (suite)
Développement organisationnel de 1973 à 1985

1980	Rattachement du service de sécurité responsable de la prévention et du gardiennage et des enquêtes, fondé en 1965 par le Groupe Desjardins, assurances générales. En 1982, il prend le nom de Sécurité Desjardins ltée et, au début de 1986, il devient SECUR inc.
1981-01-20	Raymond Blais, président
1981	Acquisition des opérations VISA de la Banque nationale du Canada et constitution du Centre Desjardins de traitement de cartes inc., responsable de la gestion et du fonctionnement de cette activité.
1985	La Société de développement international Desjardins (1985) inc.

supérieur. Ce principe de délégation de pouvoirs s'applique ainsi de niveau en niveau et le leader siégeant à la tête détient ainsi les plus hautes fonctions de direction et de représentation nécessaires à la direction d'ensemble. Dans un document de présentation de la nouvelle structure, on peut lire:

> La Fédération devient de fait, sinon de nom, la Confédération des Unions régionales et des Institutions du Mouvement Coopératif Desjardins [...] Cette association en une fédération poursuit des objectifs qui sont de trois (3) ordres:
>
> 1- le bénéfice de services communs à l'ensemble des participants ou plusieurs d'entre eux, particulièrement dans les secteurs de la recherche économique et sociologique, du personnel, des relations publiques, de l'informatique, etc. Certains de ces services sont prévus dans la Loi actuelle, telles l'inspection et l'autorisation des placements pour les Caisses populaires et leurs Unions régionales;
>
> 2- la coordination et au besoin l'intégration des activités des membres de La Fédération afin d'atteindre une efficacité optimale dans la poursuite des objectifs supérieurs du Mouvement Coopératif Desjardins.
>
> 3- la reconnaissance, par l'ensemble du Mouvement Coopératif Desjardins, d'un organisme supérieur qui puisse décider de

> son orientation générale et s'exprimer en son nom [...] l'organisme supérieur est effectivement le Conseil d'Administration de la Fédération appuyé, dans la recherche de ses objectifs, par le personnel de La Fédération[154].

Les cellules coopératives locales et régionales ainsi que les composantes institutionnelles demeurent toujours des entités autonomes possédant des raisons d'être spécifiques quant à la réalisation de l'idéal coopératif. Cependant, grâce à cette structure, lorsque les contextes social, politique, économique et culturel évoluent, les cellules peuvent reformuler leur mandat afin de les adapter aux visées institutionnelles. En effet, aussi importante soit-elle, leur finalité demeure accessoire au développement d'une organisation plus vaste: le Mouvement coopératif Desjardins.

Avec l'intégration des institutions, le rôle de la FQCPD s'accroît. La Fédération élargie ou intégrée est non seulement l'«organisme coordonnateur et planificateur de l'ensemble du Mouvement Desjardins» mais «elle devient représentative de tout l'ensemble du Mouvement Desjardins et elle en devient le porte-parole officiel[155]».

En 1979, la Fédération des caisses d'économie du Québec s'affilie au Mouvement Desjardins[156]. La Fédération devient alors nominalement la Confédération des caisses populaires et d'économie Desjardins et les unions régionales prennent le nom de fédérations régionales des caisses populaires Desjardins:

> Dans la pratique, c'est à la Confédération que revient la responsabilité de définir les objectifs communs de toutes les composantes du Mouvement Desjardins, de façon à assurer l'unité de pensée et d'action de l'ensemble. L'établissement des orientations et des priorités se fait toutefois dans le respect des mécanismes démocratiques du Mouvement, grâce à la délégation de pouvoir des membres jusqu'à la Confédération, et au moyen de rencontres multiples à tous les niveaux, de sondages et de consultations, de colloques, de réunions d'échanges et de travail. Ainsi les éléments essentiels des décisions sont-ils, de façon générale, le fruit de larges consensus[157].

Le service de la documentation est créé en 1973, dans la foulée de la restructuration générale de la Fédération. Il regroupe la section de la bibliothèque, le centre de documentation de l'Institut coopératif Desjardins, la section de classement et les archives, et il compte dix employés. Le service qui comprend deux sections, le classement et le centre de documentation, est placé sous l'autorité des services auxiliaires (secrétariat).

L'objectif premier de ce service est de fournir un support documentaire à tout le personnel de la Fédération par:

— l'acquisition de livres [...], de périodiques [...] et leur analyse.

— par des recherches bibliographiques et des prêts entre les différentes bibliothèques de la Province de Québec et d'ailleurs.

— par la publication d'index, de répertoires, d'instruments de recherche pour les usagers.

— par la conservation des documents pertinents relatifs aux opérations des différents services de la Fédération[158].

La section de classement s'occupe du courrier, répond aux demandes administratives, effectue l'épuration et l'élimination des dossiers entreposés dans la chambre forte et le microfilmage des documents de comptabilité. Pour sa part, le centre de documentation se charge de la gestion des archives historiques et des documents imprimés. Son personnel répond aux demandes des employés de la Fédération, à celles des autres composantes du Mouvement et reçoit aussi celles des chercheurs externes. De plus, il conseille les unions régionales sur l'organisation de leur centre de documentation et sur la conservation de leurs documents[159].

En 1975, le service fait appel à la firme Cogéna qui produit une étude de besoins concernant la Confédération, les fédérations et les caisses populaires. Le *records manager* qui fait enquête diagnostique les maux courants dans les administrations modernes: absence totale de contrôle sur la documentation, difficulté d'accès à l'information pertinente, manque de politique de disposition des documents, duplication abondante de dossiers et de documents à tous les niveaux, absence d'un système de codification intégré, prolifération des modes de classification, mauvaise utilisation des unités de rangement[160].

Pour répondre à cette situation, Cogéna propose un système de gestion documentaire intégré reposant sur cinq objectifs fondamentaux :

1. Obtenir une gestion efficace ;
2. Posséder un dossier complet sur un sujet donné ;
3. Normaliser l'ensemble des opérations touchant la gestion des documents pour obtenir une accession rapide à l'information pertinente ;
4. Distinguer entre la documentation active et archivistique ;
5. Rédiger, distribuer et maintenir à jour un ensemble de directives régissant le système de gestion documentaire.

[Ces objectifs reposent sur trois impératifs de fonctionnement] :

1. Le système doit répondre aux besoins de *tous* les usagers ;
2. L'information recherchée existe *réellement* au sein de l'organisme ;
3. Les directives émises sont *systématiquement* appliquées par les usagers de tous les niveaux[161].

De plus, l'idée de Mouvement amène une volonté administrative d'établir un système uniforme pour les diverses instances coopératives :

> Les autorités de la Confédération ont décidé, en 1975, d'implanter un système de gestion documentaire intégré, c'est-à-dire, un système dont les normes permettent de gérer les documents de façon uniforme pour l'ensemble des unités administratives de la Confédération, des fédérations, des caisses et des institutions du Mouvement des caisses populaires et d'économie Desjardins. Le système se devait d'être applicable pour l'ensemble des institutions du Mouvement des caisses populaires et d'économie Desjardins[162].

Le système établi par la firme Raiffaud intègre deux éléments : un système de directives et un système de gestion des documents. Le premier assure le contrôle de l'appareil informationnel alors que le second encadre ses activités. Un cadre de classification uniforme assure la cohérence de l'ensemble. Il s'agit d'une grille par sujet élaborée selon une structure de codification numérique décimale, dont les séries se répartissent comme suit[163]:

1000	Administration du MCPED
2000	Gestion financière et comptable
3000	Recherche et développement
4000	Communications
5000	Inspection et vérification
6000	Informatique
7000	Assurances

Le système de directives regroupe, dans un manuel, les directives et les procédures inhérentes au système de gestion documentaire. Plus largement, il recouvre l'ensemble des directives et des procédures élaborées par les agents de la Fédération. À cet égard, le système distingue deux éléments:

Les *directives d'administration et de gestion* «sont des règles ou lignes de conduite permanentes fournies aux employés de la Fédération dans l'exercice de leur fonction et définissant les objectifs, les politiques et les responsabilités administratives. C'est en quelque sorte le *qui* fait *quoi*. Ces directives doivent être approuvées par le plus haut niveau décisionnel de l'organisme».

Les *guides de techniques et de procédures* «constituent le *comment* faire un travail spécifique. Ce sont les normes et instructions nécessaires fournies aux employés pour l'exécution d'une activité spécifique. Ces guides sont approuvés par le responsable de l'activité *visée*[164].

Le service de gestion documentaire est responsable du suivi administratif du système de directives. Il assure la normalisation des dossiers, la distribution et la mise à jour des directives. Cette responsabilité se limite toutefois à la forme et non au contenu des directives, exception faite de celles relevant directement de son autorité[165]. De plus, le service réalise les opérations du système de gestion des documents en encadrant la production, le traitement, l'exploitation et la conservation de l'information consignée selon les principes de la théorie des trois âges (voir figure 16).

Dans les années qui vont suivre, le service met ses énergies à «reprendre, organiser, structurer, normaliser l'ensemble des dossiers de la Fédération». Il consacre beaucoup de ses ressources à implanter la codification dans les diverses unités administratives de la Confédération. Les rapports trimestriels du service permettent de retracer de façon assez précise cette opération. Ainsi, les employées font rapport de leurs interventions à leur chef de section, qui en fait une synthèse au chef de service, qui à son tour rédige un rapport général. Cette procédure constitue une quasi-chronique du système de gestion documentaire. Outre les statistiques générales sur les ressources humaines et financières, on retrouve des informations sur l'ensemble des opérations ordinairement menées par le service. Le rapport indique également la formation suivie par les employés, les consultations effectuées auprès des unions régionales ou des institutions, les événements spéciaux (visites, réunions, etc.), etc.

Dans leurs rapports individuels, les techniciennes consignent l'état d'avancement de leurs travaux de normalisation dans les unités administratives. Elles notent les problèmes rencontrés, la formation dispensée, le taux de satisfaction perçu auprès des producteurs, les commentaires des usagers, etc., en détaillant abondamment leurs interventions.

De façon générale, le processus de normalisation progresse lentement car le service est complètement dépendant des disponibilités des administrateurs dans les unités[166]. De plus, la tâche n'est pas toujours facile: certains sont rébarbatifs, d'autres ont des besoins particuliers dont il faut tenir compte; certaines unités ne possèdent pas les ressources humaines suffisantes pour assister le personnel du service de gestion documentaire ou encore n'ont carrément pas la structure bureaucratique nécessaire. Une technicienne rapporte par exemple que

> La normalisation de cette unité [comptabilité] a été assez compliquée vu la non disponibilité du personnel. Nous avons dû faire

Figure 16
Système de gestion des documents
établi à la Confédération

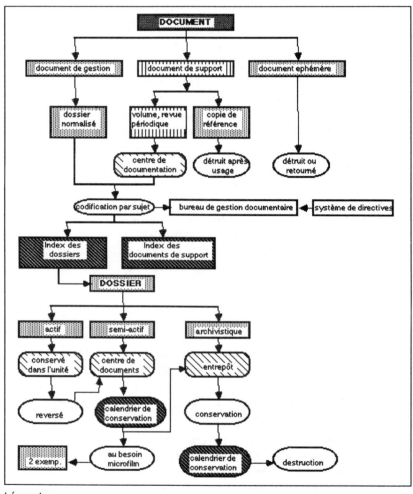

Légende :

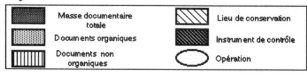

Légende[167] **: (suite)**
• **document:** « entité physique qui peut être une lettre, un dépliant, un livre, une carte, une photographie, une bande magnétique, un film, un microfilm, un enregistrement sonore ».
• **document de gestion:** « traitant de l'organisation des fonctions, des politiques, des décisions, des procédures, des méthodes ou autres activités. [...] pertinent à une activité, doit être conservé par l'unité responsable de l'activité ».
• **document de support:** « présente, dans différents services, une information de référence et qui n'entre pas dans un dossier codifié. [...] est soit une copie de document de gestion, soit un imprimé que le gestionnaire utilise dans ses fonctions. [...] conservé par l'unité responsable de l'activité et soumis à des épurations périodiques ».
• **document éphémère:** « un document de travail temporaire qui ne se classe pas dans un dossier codifié et qui est détruit ou retourné à son émetteur dès qu'il a rempli son utilité ».
• **dossier actif:** « ensemble des documents sur un sujet, utilisé couramment dans l'exercice d'une activité ».
• **dossier semi-actif:** « ensemble des documents sur un sujet mais conservé uniquement pour utilisation éventuelle ».
• **dossier archivistique:** « dossier ayant une valeur intrinsèque justifiant sa conservation pour consultation ou pour fin de recherche ».

plusieurs recherches auprès des employés à savoir si les dossiers étaient toujours à la division ou descendus au centre de documents et les nouvelles appellations ou regroupements des dossiers qu'ils avaient faits tout au long de l'année.

À cette division, il n'y a aucune secrétaire d'attribuée pour tout le service; alors il nous a été très difficile de laisser la mise en dossier en charge à une seule personne. Nous avons tenté de former tout le personnel à la mise en dossier, aux changements d'appellations et à l'ouverture des nouveaux dossiers en leur disant de communiquer avec le centre de documents pour tout changement à leur index.

Donc après un travail ardu, nous avons terminé de normaliser ce service à 100 %[168].

Parallèlement à ces efforts de normalisation dans les unités, la responsable du service participe aux travaux d'un comité *ad hoc* de la Fédération, concernant les délais de conservation des documents des caisses populaires. Formé en 1976, à la suite des recommandations du service du contentieux, ce comité regroupe des représentants des services de l'inspection, de la gestion documentaire (secrétariat), du contentieux, de la fiscalité et de la normalisation[169]. Ce dernier en assure la responsabilité.

Le service de gestion documentaire entre également en relation avec les autres composantes coopératives. Dès 1976, certaines unions régionales sollicitent l'expertise du service de la Fédération et adoptent son système de gestion intégré. Cette adhésion est volontaire, puisqu'en dehors des contraintes institutionnelles et légales les caisses, comme les unions régionales et les institutions sont des instances autonomes. Notons que cinq fédérations ont déjà adhéré au système en 1978; ce nombre passe à huit en 1983. Toutefois, certains se retirent après avoir essayé le système.

Avec le développement des pratiques de gestion documentaire, les archives de Desjardins entrent dans l'ère bureaucratique. Le service de gestion documentaire de la Confédération développe son expertise en établissant des rapports étroits avec les unités administratives et les autres composantes coopératives. Il assure l'accès aux documents actifs conservés dans la chambre forte, coordonne la gestion des documents semi-actifs, voit aux versements et au microfilmage des documents «archivistiques», veille à la protection des documents essentiels, acquiert des volumes et des périodiques, répond aux demandes de recherche internes ou externes, etc.

L'implantation du système de gestion documentaire est cependant douloureuse. Dès le départ, des conflits se font sentir avec la direction des services auxiliaires de qui relève l'unité de gestion documentaire. Celle-ci passe alors sous la responsabilité du Secrétariat général jusqu'en 1978, année au cours de laquelle elle revient sous l'autorité des services auxiliaires. En 1980, le service repasse sous l'autorité du Secrétariat général. On crée alors la Division gestion documentaire qui justifie son rôle comme suit:

> Parce que les documents sont une ressource indispensable à l'entreprise au même titre que les ressources humaines, financiè-

res et matérielles, il est essentiel de structurer et contrôler cette importante masse documentaire afin de répondre aux besoins des utilisateurs (recherche, consultation, accès à l'information) et aux exigences des lois en vigueur et des principes de base de l'entreprise (rentabilité au moindre coût)[170].

Le statut administratif de la gestion documentaire reste cependant fragile et, quelques années plus tard, par suite d'un remaniement des structures, la Division retourne sous la direction des services auxiliaires.

En 1980, la firme Joël Raiffaud et associés vient à la Confédération pour analyser les résultats de son système; elle observe une diminution significative de la masse documentaire et un taux élevé de satisfaction des usagers:

Le système de gestion documentaire est implanté dans toutes les unités de la Fédération. Une normalisation (réalisée à 70 %) des titres donnés et des codes attribués a suivi l'implantation. La masse documentaire globale a baissé sensiblement et l'évolution statistique entre la création et la destruction des dossiers laisse voir plus de dossiers détruits que créées. Sur 17 gestionnaires rencontrés, 16 se sont montrés favorables au système implanté, mais nous ont avoué qu'ils l'ont implanté qu'avec réticence (surtout en raison des changements d'habitudes). Des 35 secrétaires questionnées, 34 ont exprimé un appui entier et toutes nous ont dit qu'elles recommenceraient si c'était à refaire. Tous les usagers trouvent les index sectoriels pratiques et à leur convenance. Beaucoup ignorent l'existence des index généraux. Les index spécialisés quant à eux constituent un outil de gestion précieux pour la majorité[171].

Par ailleurs, une enquête dans trois des six fédérations où le système a été implanté révèle une diminution de 40 % de la masse documentaire dès l'implantation. Raiffaud signale également qu'aucune des «Caisses intégrées» consultées n'a émis de commentaires négatifs[172]. Au terme de son rapport, il conclut que les problèmes rencontrés par le système «proviennent plus du facteur humain (communication) que technique[173]». Selon lui, les concepts de la gestion documentaire ne sont pas suffisamment vulgarisés, ce qui entraîne parfois des difficultés dans l'orientation et le respect des objectifs du système en place.

Les difficultés rencontrées par la Division gestion documentaire à la Confédération s'expliquent en grande partie par le changement culturel sous-tendant les réformes organisationnelles de l'époque. Rappelons que le système bureaucratique repose sur une vision fonctionnelle de l'organisation. Celle-ci privilégie l'exercice des fonctions aux savoirs et aux performances individuelles et conduit à une désappropriation de la mémoire consignée des unités au profit de celle de l'organisation globale. Le problème dépasse donc la simple frustation de voir des habitudes de travail dérangées. Alors que, dans les générations organisationnelles précédentes, la mémoire logeait dans les hommes plus que dans les fonctions exercées, on assiste à un renversement de vapeur. Si elle subsiste dans une abstraction institutionnelle, la mémoire consignée bureaucratisée n'a plus d'assises dans les hommes et les femmes en fonction.

Avec une mémoire éclatée, dispersée, comme dépersonnalisée, les unités s'exposent à un manque d'assises tangibles pour asseoir son appartenance. D'où une tendance à la duplication et à la rétention de l'information consignée doublée d'une forte résistance à tout système amplifiant la tendance centralisatrice. Or, le système de gestion documentaire intégré accentue cette dimension. Il conduit à une perte de pouvoir inévitable pour l'unité; c'est pourquoi, le système suscite des tensions administratives inévitables et des difficultés de communication[174].

En effet, la classification uniforme change radicalement le rapport à la mémoire consignée. Elle n'intervient pas seulement sur une question de gain d'espace et de temps mais aussi sur une question de mémoire. Avec une politique intégrée de gestion des documents, le Mouvement Desjardins obtient un fonds institutionnel unique et global. La production documentaire est «lavée» de toute appartenance singulière. Une fois leur vie «active» terminée, les documents sont déclassés et regroupés dans de grandes séries. Ainsi les dossiers des services du personnel et ceux de la comptabilité se dépersonnalisent pour s'agréger sous les mêmes intitulés. Le tout est microfilmé, indexé, informatisé.

Mieux encore, les diverses composantes qui adoptent le système forment une seule et grande mémoire, celle du Mouvement. Ainsi, la normalisation permet la cohésion et l'homogénéité de la mémoire consignée du Mouvement Desjardins, en créant un groupe organique où les fonds des composantes s'emboîtent parfaitement. Dans cette perspective, il y a fort à parier qu'une étude poussée démontrerait que les dissidents du système de gestion intégré sont les plus récalcitrants à la tendance centralisatrice du Mouvement. Du reste, une telle attitude ne serait pas surprenante dans la mesure où elle rejoindrait la dualité individuel/collectif propre à la dynamique identitaire du Mouvement. Les absents de cette mémoire globale consignée parleraient donc par leur silence.

Le travail effectué sur les archives historiques s'inscrit aussi dans la perspective intégrée. Ainsi, on effectue le reclassement et le microfilmage des archives historiques antérieures à 1975. Se retrouvant sous la dénomination «documents inactifs» ou «documents archivistiques», ces dossiers codifiés selon le schéma général perdent leur localisation originale et sont regroupés sous le même poste de classement (9005).

La gestion de ces archives n'est toutefois pas délaissée. C'est ainsi que le rapport annuel de 1975 note que:

> pour retracer, regrouper et protéger la conservation des documents relatant notre histoire [les] documents de valeur historique de la Fédération, de l'Assurance-vie et de l'Institut coopératif Desjardins ont été inventoriés et microfilmés, ainsi que le fonds «Alphonse Desjardins». Des efforts sont actuellement faits pour retrouver les documents historiques des autres institutions. Dans le même sens, les services de monsieur Paul Lacaille ont été retenus pour effectuer des entrevues auprès des personnes ayant vécu l'évolution des Caisses populaires. À date 11 entrevues ont été réalisées et transcrites par le Service de documentation[175].

En fait, les réalisations dont il est fait mention ici découlent d'un projet mené par l'économiste Albert Faucher. Ainsi, à l'approche du cinquantenaire de la Fédération, l'administration souhaite publier une histoire institutionnelle. Dans cette optique, elle engage Albert Faucher afin qu'il entreprenne des recherches historiques dans le but de mieux connaître les origines et l'évolution du Mouvement.

Albert Faucher monte des dossiers à partir des documents fondateurs de l'ensemble institutionnel. Il dépouille les procès-verbaux du conseil d'administration de la Fédération, demande aux unions régionales et aux institutions de compléter les séries documentaires, élabore des dossiers relatifs aux propagandistes et aux collaborateurs ayant travaillé dans l'institution et puise dans la mémoire orale de ses personnalités marquantes. Faucher perçoit les archives comme une mémoire historique vivante, vitale pour le processus organisationnel. Selon lui, son projet ne se limite pas à une histoire définie isolément de la vie administrative:

> Le procédé en marche peut s'avérer plus utile que ne laisse voir la seule idée d'une histoire à long terme du Mouvement Desjardins. Pourquoi est-ce que les Dossiers constitués pour servir l'histoire du Mouvement ne serviraient-ils pas, chemin faisant, aux dirigeants du Mouvement, et pourquoi ne représenteraient-ils pas une dimension nouvelle de la Recherche, si l'on sait admettre que tout problème de recherche actuelle revêt une longueur historique, une dimension spatio-temporelle. C'est mon point de vue que le passé d'une Institution n'a de valeur pour cette institution que si elle a su entretenir de façon permanente le souci et l'effort de reconstruire les vastes contextes de ses problèmes. Je cite un exemple. S'agit-il de la question du crédit à l'agriculture, on aime bien consulter un dossier du crédit agricole qui nous le présente comme un événement long, cheminant avec ses homologues contemporains, en des espaces autres que celui de la province de Québec. Un tel dossier ne s'improvise pas; il se prépare dans une atmosphère d'inquiétude pluridisciplinaire. Et ceci m'amène à conclure par une réflexion sur l'histoire à faire, qui est bien aussi un peu la nôtre[176].

De 1977 à 1981, Albert Faucher et son assistante travaillent activement au projet. Cette dernière écrit en 1980:

> Les archives d'une institution vigoureuse comme le Mouvement Desjardins font partie intégrante de sa structure; elles y jouent

un rôle actif comme instrument de culture et de développement. Le passé y est au service du présent...[177]

Si le projet ne débouche pas sur un livre, il laisse des traces importantes dans les archives: étude sur la pensée du fondateur, série «personnalités marquantes» regroupant une bibliographie analytique, interviews avec des propagandistes et des collaborateurs, recensions de documentation et fonds associés.

À la même époque, le Mouvement Desjardins se dote d'un organe ayant spécifiquement le mandat de diffuser son histoire. C'est ainsi qu'en 1979 la Fédération des caisses populaires Desjardins de Québec fonde la Société historique Alphonse-Desjardins (SHAD) et en assume le financement jusqu'en 1982.

> La mission de cette corporation à but non lucratif: administrer la Maison et les biens d'Alphonse Desjardins, voir à leur conservation et en développer le cachet historique. En outre, la Société verra à faire connaître et à perpétuer dans la mémoire des générations à venir le nom et les réalisations du fondateur du Mouvement des caisses populaires et d'économie Desjardins[178].

En achetant la maison natale d'Alphonse Desjardins, le Mouvement rattache administrativement l'organisme à la Confédération. Comme en réaction à l'importance prioritaire accordée à la gestion documentaire, par suite du développement des besoins organisationnels, en concordance avec la nature de l'essor des interventions documentaires dans les organismes bureaucratisés et, plus concrètement, dans les suites données au rapport Raiffaud, les dirigeants sentent comme un vide. Pour suppléer à cette faible prise en considération de la mémoire historique, ils créent la Société historique Alphonse-Desjardins.

Sa structure administrative est signifiante, parce qu'elle récupère en même temps qu'elle réaffirme pour diffusion des besoins de mémoire longue. Par contre, il y a éclatement de la mission, ce qui provoque des tensions.

Ainsi, en 1986, la SHAD convoque différents intervenants à une table de consultation sur les archives historiques du Mouvement. Depuis un an, elle a un historien d'entreprise à son service et elle désire écrire un guide historique. La SHAD perçoit le service de gestion documentaire comme une activité exclusivement administrative et considère qu'il est de son ressort de mettre en valeur les archives. Cela entraîne un différend qui oblige le service de gestion documentaire à préciser son rôle vis-à-vis des archives et de la SHAD. À cet effet, la responsable du service écrit en 1988 : «un de nos objectifs est de voir à l'organisation et au traitement des documents archivistiques du MCPED afin de permettre la reconstitution de l'histoire[179]».

En fait, chaque service, la SHAD et le service de gestion documentaire, dans une logique intuitive et fondamentale, sent le besoin d'un contrôle élargi sur la documentation. Vu l'impossibilité de confier à la SHAD, directement ou au moyen d'un mandat de diffusion, les archives fonctionnelles et essentielles, c'est le service de gestion documentaire qui réaffirme sa mission de base par l'embauche d'un archiviste dans les années 1980.

Il existe peu d'études sur l'impact de la gestion intégrée sur les archives et, dans bien des cas, la normalisation n'a pas encore atteint les archives historiques. Les documents sont en effet pour la plupart encore aux stades actif et semi-actif. Toutefois, on ne peut que d'ores et déjà prévoir le changement de profil documentaire. De toute évidence, ces archives ressembleront à la génération organisationnelle qui les a produites. À une information de nature, de réalité et de fonction éclatées, se colle un principe archivistique intégrateur. L'unité mémorielle est ainsi préservée. Volumineuses, complexes, les archives formeront un tout articulé, multidimensionnel qui reflétera les regroupements organiques caractérisant la structure organisationnelle des années 1970. Car, à partir de 1975, le MCPED devient une mosaïque coopérative qui agit à la grandeur de la province, même à l'extérieur, dans des secteurs diversifiés, et est un modèle de savoir-faire (pensons au guichet automatique).

Les caisses populaires produisent une masse documentaire accrue dont la gestion est réglementée par les manuels SIC et SOC[180]. Les formulaires et les autres documents communs y sont explicités et les délais de conservation sont fixés. Les services de la Confédération et des fédérations ont élaboré en

collaboration avec les archivistes des calendriers de conservation à cet effet. Ainsi, la gestion des documents des caisses est
encore aux mains des comptables et des juristes.

Si la gestion documentaire met l'accent davantage sur
l'administratif et l'essentiel, l'organisation se dote de moyens
parallèles pour ne pas perdre sa mémoire historique. On peut
penser par exemple qu'une bonne part des dossiers dits «de
support» contiennent des copies qui permettent la rétrospective dans la longue durée. Ceux-ci sont conservés par les bureaux tant et aussi longtemps qu'il est nécessaire. Ainsi, les
unités se construisent-elles des mémoires historiques à la carte.
D'ailleurs, cela se confirme auprès des usagers où «la vocation
du document de support n'a pas été entièrement comprise et
des usagers demandent la conservation de ces documents
comme archives[181]». Pour notre part, nous y avons souvent
retrouvé les «chaînons manquants» quant à l'historique du
service d'archives et du Mouvement en général. Tout ceci
appelle une étude sur les pratiques de consignation qui se
modulent au gré des contraintes et des choix de système. Il
est de plus en plus impensable de traiter les documents manuscrits dans la perspective traditionnelle.

Cela produit par exemple une tendance à utiliser l'imprimé ou à détourner la production documentaire vers le centre de documentation. Il se produit des enclaves à l'intérieur
même des archives. Cette tendance s'est affirmée très tôt et on
note le versement de documents originaux à la bibliothèque du
centre de documentation. L'espace gagné par cette pratique est
la raison qui est évoquée, mais nous croyons que si elle a pu
être appliquée avec succès c'est parce qu'elle répondait aux
besoins. La mémoire historique consignée était ainsi accessible.

Une mémoire organique et consignée omniprésente

Tout au cours de son évolution, le mouvement coopératif a
produit des informations consignées qui attestaient la légitimité de son autorité. De la période fondatrice, il n'y avait au
départ que quelques documents essentiels qui légitimaient
l'institution, comme la *Loi sur les syndicats coopératifs* de 1906. À
toutes fins utiles, la mémoire des années de fondation se con-

fond avec celle du fondateur. Ce sont dans les papiers personnels d'Alphonse Desjardins que l'on reconstitua la mémoire de cette période. Dans ce même mouvement, l'on mettra par écrit ce qui était resté dans la mémoire des principaux agents de l'entreprise.

Très tôt cependant, la conservation de la mémoire essentielle fut une priorité. L'affirmation de l'organisation coopérative comme personne morale à part entière et la protection des droits de ses sociétaires sont des soucis constants. Cette préoccupation se manifeste dès le départ avec la *Loi sur les syndicats coopératifs*. C'est elle qui amène l'organisation à vouloir renforcer les mesures d'inspection et de vérification auprès des caisses en 1925 puis en 1932. C'est encore elle qui module les directives administratives imposées par la Fédération. L'autonomie des caisses s'arrête là où les droits des sociétaires commencent. En conséquence, même si par principe la Fédération ne possède qu'un pouvoir consultatif, en pratique ce pouvoir est très coercitif en ce qui a trait à la gestion de l'information consignée à saveur juridique. Ce mandat de gestion de la mémoire essentielle a toujours été largement entre les mains des inspecteurs de l'institution. Encore aujourd'hui il s'exerce par la confection des manuels de procédures. Le service de gestion documentaire a acquis graduellement un rôle de support à cet égard.

On se rend compte en définitive que la législation et les réglementations tant externes qu'internes auxquelles l'organisation se soumet orchestrent la gestion de cette information et imposent sa conservation. En bout de ligne la mémoire essentielle consigne la réalité matérielle en tant que telle: liste des sociétaires, état du capital social, etc. Elle enregistre les preuves de contrôle des intérêts des sociétaires tant dans l'utilisation des ressources et dans l'intégrité des administrateurs... bref, elle témoigne du respect des règles. Elle retient les informations relatives au territoire d'autorité de l'appareil coopératif: procès-verbaux et actes qui délèguent le pouvoir. Elle engramme les procédures suivies pour assurer la régulation des activités et atteste de la légalité de la cellule coopérative et, ce faisant, lui permet d'être effective.

La mémoire consignée de l'institution ne fut pas cependant qu'une caution juridique. Là encore le mode de fonctionnement artisanal joue. Tant et aussi longtemps que Desjardins contrôle l'ensemble, le besoin de consigner les procédures n'est pas vraiment utile. Ce n'est que lorsque la machine se complexifie qu'il faut élaborer des règles plus formelles, que lorsque le nombre de composantes à harmoniser se multiplie qu'il faut aussi penser à des moyens plus efficaces pour éduquer et former les gens.

La préoccupation de conserver et de gérer la mémoire historique ne fut donc pas immédiate. Ce n'est que lorsque l'organisation procède à une redéfinition de sa structure qu'elle sent le besoin de recourir à sa mémoire historique consignée. Cette situation se produit à la fin des années 1940, au moment de la crise provoquée par une croissance accélérée et une scission idéologique et organisationnelle causée par les besoins nouveaux dans les grandes caisses urbaines.

Les archives personnelles de Desjardins arrivent à la Fédération dans les années 1950. L'institution doit reconsolider ses fondements identitaires. Elle lance une opération de récupération, de conservation et de diffusion de ses documents. Le cri du cœur de l'archiviste annonce cependant l'avenir. Les archives deviennent essentielles à l'entreprise de légitimation historique de redécouverte et de réactualisation des valeurs et des appartenances fondamentales. Au milieu des années 1960, au moment où l'institution obtient sa loi, donc sa reconnaissance entière, les ouvrages d'Yves Roby jouent ce rôle.

Au milieu des années 1970, l'organisation vit une autre phase de restructuration. Tant pour des raisons scientifiques qu'à cause des besoins organisationnels particuliers, et dans la suite logique de l'évolution des entreprises, les archives adoptent une voie de solution bureaucratique, en insistant sur les mémoires administrative et essentielle.

La préservation de la mémoire historique, c'est-à-dire du pouvoir organique servant d'assise à la légitimité de l'institution, n'est pas pour autant oubliée. Mais elle se définit plutôt dans des projets et des interventions périphériques à l'option de gestion documentaire. Ainsi, le centre de documentation assume le rôle de mémoire historique en rendant accessibles les principaux rapports et documents d'orientation du Mouvement. Il se charge également du traitement et de la conservation des archives non textuelles. Ses acquisitions de volumes et de périodiques sur le Mouvement Desjardins en tant que tel, la coopération et l'ensemble des valeurs qui la sous-tendent s'inscrivent dans une perspective de large diffusion de la mémoire auprès de tous les membres de l'organisation:

> La collection de documents de référence comprend environ 35 000 documents traitant du M.C.P.É.D: coopération, gestion, finances, marketing etc. Tous ces documents sont mis à la disposition du personnel pour des périodes de temps limitées. De plus, le prêt entre bibliothèques permet l'accès à de nombreuses autres sources documentaires[182].

Parallèlement, le projet d'Albert Faucher, par sa dimension visionnaire d'un système d'archives, contribue à enrichir la mémoire historique de l'institution. Faucher est engagé dans un projet d'histoire de la Fédération en vue du cinquantenaire. Il propose cependant une mémoire historique vivante où les archives sont la pierre angulaire d'un processus institutionnel. Albert Faucher va chercher dans la mémoire orale des pièces manquantes du puzzle. Il assure également la conservation des documents fondateurs de l'ensemble institutionnel.

Le différend qui oppose, au milieu des années 1980, la Société historique Alphonse-Desjardins et le service de gestion documentaire, illustre l'aboutissement de cette distinction pratique entre les zones de la mémoire de l'institution. Tout se passe comme si chacun agissait de son côté, comme un service autonome, à la poursuite nécessaire malgré tout d'une mémoire intégrée. Il était inévitable que ce cheminement les conduise vers les territoires ou mandats exercés par l'autre et soulève des tensions dans l'effort de délimitation des champs d'application. En effet, on l'a vu, la mémoire d'une institution est complexe et chaque partie interagit sur l'autre dans un système intégré.

Ce qui est plus intéressant de noter toutefois, c'est qu'au-delà des objectifs particuliers de ces services (service de gestion documentaire et SHAD), l'institution, elle, a su préserver l'idée de la mémoire globale et intégrée. Ce n'est d'ailleurs pas trop surprenant. Les dirigeants du Mouvement étaient profondément imprégnés et nourris par ces valeurs régulièrement renforcées par le discours identitaire fondé sur la personnalité même du MCPED et donc sur sa mission.

Quant à la mémoire administrative, elle se réduit au départ au strict minimum pour ce qui est des documents consignés. Elle se sert abondamment des réseaux traditionnels et les connaissances se communiquent verbalement. Elle se sert aussi des journaux, car c'est une voie de communication traditionnelle. Il n'est pas étonnant de la voir apparaître en 1910-1912 avec les brochures de Desjardins, au moment où ce dernier, miné par la maladie, ne peut plus communiquer personnellement ses directives. Comme il devient laborieux de répéter ses règles, alors Desjardins les imprime. Il faut une diffusion de masse, car les gens à rejoindre sont loin et extérieurs à lui. On peut affirmer que, jusque dans les années 1950, la production documentaire administrative maintient cette caractéristique diffusionniste.

Au fur et à mesure que les modes de fonctionnement se normalisent, les services d'éducation concernant les règles et les traditions se rationalisent. Des revues et des imprimés apparaissent, des statistiques se font. On élabore des façons écrites de communiquer avec la base, afin de lui donner les moyens de ne pas perdre la mémoire de son expérience consignée. On s'occupe du microfilmage des excédents. Encore une fois, c'est l'inspection qui s'en charge avec les conseils de l'aide juridique de la Fédération.

Les rapports écrits génèrent alors beaucoup de papiers entre la Fédération et ses composantes. Cela nécessite la mise en place de services bureaucratiques qui auront la charge de conserver la mémoire administrative dans les années 1960-1965.

Les archives n'interviendront que dix ans plus tard dans ce dossier. Si l'on considère que la masse documentaire reste généralement une moyenne de dix années dans les bureaux, il est temps de procéder à la «purge». Cette mémoire est alors trop volumineuse et complexe pour être confiée aux soins du hasard. Il faut des spécialistes. Par ailleurs le mode de consignation est de plus en plus éclaté; la nature de l'information change, il faut confier à des spécialistes le soin d'assurer l'intégrité mémorielle en mettant en place des réseaux de communication écrite efficaces et efficients. Ce sera la préoccupation des archivistes des années 1975. La normalisation de l'écrit fait son apparition.

Dans cette entreprise, le service de gestion documentaire reste en contact étroit avec ceux qui, auparavant, se partageaient le mandat d'accès et de conservation de la mémoire institutionnelle consignée. Il reste associé à la direction du Mouvement à qui il assure l'accès à la mémoire historique. Il demeure également lié au service de l'inspection, notamment par la question de la conservation des dossiers d'inspection et de vérification des caisses. Cette fonction, assumée par les archives dès la création du service dans les années 1950, prend de l'ampleur en 1978 quand, par mesure de sécurité, le service de l'inspection décide de faire microfilmer tous les dossiers «courants» et «permanents» actifs depuis 1970[183]. Cette opération jugée prioritaire exige un investissement important en temps et en ressources. Elle implique également la mise en place de mesures adéquates pour assurer le caractère confidentiel des informations consignées. La question des délais de conservation oblige également le service de gestion documentaire à de fréquents contacts avec le service des affaires juridiques. Le contentieux garde en effet un leadership important dans ce dossier.

En définitive, si l'on fait une brève rétrospective dans le temps, on constate à la fois l'unité de mémoire, en même temps que sa localisation privilégiée dans divers endroits, selon l'évolution de l'entreprise, sa structure organisationnelle et les besoins ressentis. Au fur et à mesure qu'elle se complexifiait et se bureaucratisait, l'organisation Desjardins s'est souciée d'encadrer la constitution de son fonds afin que ses archives soient des preuves indiscutables en regard des normes légales, usuelles et éthiques propres à sa culture; afin qu'elles constituent des instruments d'actions organiquement adaptées à ses besoins administratifs; afin qu'elles fournissent des représentations du passé qui garantissent la cohérence et la continuité de l'institution coopérative; bref, qu'elles constituent une mémoire organique et consignée, fiable, efficace et signifiante.

Notes

1. Rappelons que le concept d'événement-catastrophe ne correspond pas à l'aporie classique du pur commencement. La date du 6 avril 1897 n'est donc pas posée ici comme génitrice dans l'absolu mais comme un lieu déclencheur d'un cycle d'évolution organisationnel. Voir Edgar Morin, *La méthode*, t. 1. *La Nature de la Nature*, Paris, Seuil, 1977, p. 42-45.
2. Yves Roby, *Les caisses populaires. Alphonse Desjardins. 1900-1920*, Lévis, La Fédération de Québec des caisses populaires Desjardins, 1975, p. 10-11. Soulignons qu'une telle argumentation reflète la justification qui sera pendant longtemps à la base du discours des caisses populaires.
3. Alphonse Desjardins, «Mémoire sur l'organisation de l'agriculture dans la province de Québec» [v. 1910-1912], reproduit dans Cyrille Vaillancourt et Albert Faucher, *Alphonse Desjardins. Pionnier de la coopération d'épargne et de crédit en Amérique*, Lévis, Éditions Le Quotidien, 1950, p. 134.
4. Lettre d'Alphonse Desjardins à Omer Héroux, 1er mai 1911, citée dans Yves Roby, *Alphonse Desjardins et les caisses populaires 1854-1920*, Montréal, Fides, 1964, p. 42.
5. A. Desjardins, «Mémoire sur l'organisation de l'agriculture [...]», p. 168.
6. Ce sont des «institutions allemandes [...] présentes surtout dans les campagnes. Elles reposent sur la base extrêmement ferme de la responsabilité solidaire illimitée. Chaque associé répond sur tous ses biens, non seulement de ses propres dettes, mais de celles de ses co-associés ou de l'association elle-même. Les services administratifs sont gratuits, sauf l'indemnité au secrétaire ou trésorier. Le capital social se compose d'actions de faible valeur. Ces caisses recueillent l'épargne agricole et la font fructifier en la prêtant. Le taux d'intérêt est modique». Réal Bertrand, *Alphonse Desjardins*, Montréal, Lidec, coll. «Célébrités canadiennes» 1983, p. 30.

7. Ce sont des «institutions allemandes que l'on retrouve dans les villes. Comme les Caisses Raiffeisen, elles reposent sur le principe de la responsabilité solidaire illimitée. Le capital social provient d'actions de valeur élevée. Elles prêtent aux petits industriels et petits commerçants. Les administrateurs sont rémunérés». R. Bertrand, *Alphonse Desjardins*, p. 30.

8. Il n'est pas dans notre intention de détailler la structure organisationnelle des caisses comme de toute autre composante. Des ouvrages comme ceux d'Yves Roby fournissent moult détails à ce sujet. Voir Y. Roby, *Les caisses populaires. Alphonse Desjardins [...]* et *Alphonse Desjardins et les caisses populaires [...]*.

9. R. Bertrand, *Alphonse Desjardins*, p. 34.

10. C. Vaillancourt et A. Faucher, *Alphonse Desjardins. Pionnier [...]*, p. 32.

11. 6 Ed. VII, c. 33, *Loi concernant les syndicats coopératifs*, sanctionée le 9 mars 1906.

12. Voir Michel Beauchamp, *La communication et les organisations coopératives. Le cas du Mouvement des caisses Desjardins*, Boucherville, Gaëtan Morin éditeur, 1989, p. 56-59.

13. Y. Roby, *Les caisses populaires. Alphonse Desjardins [...]*, p. 67-69. Voir aussi Pierre Poulin, *Histoire du Mouvement Desjardins*, t. 1, *Desjardins et la naissance des caisses populaires*, Québec, La Société historique Alphonse-Desjardins et Québec-Amérique, 1990; annexe 2: Index chronologique des Caisses populaires du Québec du 6 décembre 1900 au 26 septembre 1920, p. 327-348; et annexe 3: Caisses populaires fondées par Alphonse Desjardins en Ontario, p. 349.

14. Y. Roby, *Les caisses populaires. Alphonse Desjardins [...]*, p. 69.

15. *La Vérité* est le principal médium ainsi que *L'Union canadienne* et *Le Devoir*. Voir: P. Poulin, *Histoire du Mouvement Desjardins [...]*, annexe 1.

16. Y. Roby, *Alphonse Desjardins et les caisses populaires [...]*, p. 101.

17. *Ibid.*, p. 112.

18. Y. Roby, *Les caisses populaires. Alphonse Desjardins [...]*, p. 84.

19. Paul-Émile Charron, «Notre plus belle réussite collective. Les Caisses populaires Desjardins», manuscrit, [1969], p. 13. CCPED, 4120-01-22 (F9005) Charron, Paul-Émile, Conférences et écrits divers, 1962-1978.

20. Alphonse Desjardins, «Exposé des motifs. Projet de loi concernant les syndicats coopératifs», reproduit dans C. Vaillancourt et A. Faucher, *Alphonse Desjardins. Pionnier [...]*, p. 110.

21. Y. Roby, *Alphonse Desjardins et les caisses populaires [...]*, p. 125.
22. Alphonse Desjardins, «Discours sur les caisses populaires», Congrès de la jeunesse, Québec juin 1908, reproduit dans C. Vaillancourt et A. Faucher, *Alphonse Desjardins. Pionnier [...]*, p. 77.
23. «Entrevue avec monsieur Rosario Tremblay à Lévis, le 4 novembre 1976 par monsieur Paul Lacaille», Dernière révision retranscrite — mars 1982, p. 9-10. CCPED, 4120-01-04 Personnalités marquantes MCPED, Tremblay, Rosario.
24. A. Desjardins, «Mémoire sur l'organisation de l'agriculture [...]», p. 158.
25. A. Desjardins, «Discours sur les caisses [...]», p. 88. N'oublions pas que Desjardins s'adressait ici à une élite bourgeoise.
26. Y. Roby, *Alphonse Desjardins et les caisses populaires [...]*, p. 127.
27. «Lettre et compte rendu de voyage de Lasdislav de Kovachich à Cyrille Vaillancourt», 17 juin 1960, 11 p. CCPED, 1722-01-09 (F9005) Archives, 1956-1963. L'archiviste de la FQCPD visita ces caisses dans le but de retrouver des documents de fondation écrits par Alphonse Desjardins ou de la correspondance adressée par lui aux gérants des caisses.
28. Y. Roby, *Alphonse Desjardins et les caisses populaires [...]*, p. 112. Cela correspond d'ailleurs à la situation générale de l'époque où les archives d'une entreprise et celles de son responsable étaient souvent confondues.
29. Ce compte rendu comprend la liste des sociétaires existant à la clôture de l'exercice précédent; la liste des sociétaires admis ou sortis durant le dernier exercice; l'état succinct de l'actif et du passif; l'état des opérations de l'année avec une indication des profits et pertes ainsi que tous les autres renseignements exigés par les règlements. 6 Ed. VII, c. 33, article 35.
30. A. Desjardins, «Exposé des motifs [...]», p. 110-111.
31. Selon Francis Leblond, archiviste de la CCPED, certaines caisses ont recherché sans succès leur déclaration de fondation dans les archives municipales. Selon lui, il est probable que des municipalités aient recu les documents et les aient conservés. Toutefois, il semble aussi que le dépôt légal n'ait pas toujours été fait par les caisses. Nous pensons également que dans certaines municipalités ces documents peuvent avoir été perdus ou détruits ultérieurement. Cette situation souligne bien le caractère spécifique du fonds de chaque caisse populaire.

32. A. Desjardins, «Mémoire sur l'organisation de l'agriculture [...]», p. 154-155 et 206.

33. Pour un aperçu de sa correspondance, voir la bibliographie d'Yves Roby dans *Alphonse Desjardins et les caisses populaires [...]*, p. xvii-xxi.

34. Citons à titre d'exemple «Exposé général», *Rapports du comité spécial de la Chambre des Communes auquel a été renvoyé le projet de loi nº 2 concernant les sociétés coopératives et industrielles y compris les minutes des délibérations et les témoignages avec le supplément et l'exhibit nº 1*, Ottawa, Imprimeur de sa très Excellente Majesté le Roi, 1907, p. 129-232, ainsi que «Mémoire sur l'organisation de l'agriculture dans la province de Québec [...]», p. 132-228. On retrouvera une bibliographie complète des écrits d'Alphonse Desjardins dans P. Poulin, *Histoire du Mouvement Desjardins [...]*, annexe 1.

35. «Exposé des motifs-projet de loi concernant les syndicats coopératifs», «Projet de loi concernant les syndicats coopératifs», «Exposé des motifs en vue de l'amendement à la «Loi des syndicats coopératifs» par le bill 1911», «Projet de loi... concernant les sociétés coopératives locales d'épargne et de crédit», Exposé des motifs pour les amendements à la «Loi concernant les syndicats agricoles». Amendement au chapitre 33 des Statuts de Québec 1902. «Loi concernant les syndicats agricoles».

36. Philibert Grondin, *Catéchisme des Caisses populaires, société coopérative d'épargne et de crédit*, s.l., La Propagande des bons livres, 1910, 25 p.

37. Alphonse Desjardins, *La Caisse populaire I*, Montréal, L'École sociale populaire, brochure nº 7, 1912, 32 p. et, *La Caisse populaire II*, Montréal, L'École sociale populaire, brochure nº 12, 1912, 27 p.

38. Au nombre des brochures publiées par Desjardins, notons *Les Caisses populaires. Conférences données devant les délégués de l'Association canadienne française d'éducation d'Ontario le 15 février 1912*, Ottawa, la Cie d'Imprimerie d'Ottawa, 1912, 20 p.; *The Coopérative People's Bank. La caisse Populaire*, New York City, Division of Remedial Loans, Russel Sage Foundation, 1914, 42 p; *La comptabilité des Caisses populaires*, Québec, Laflamme, 1919.

39. Yves Roby rapporte que Desjardins rêvait à ce projet depuis vingt ans. *Alphonse Desjardins et les caisses populaires [...]*, p. 128.

40. Pour le texte intégral de l'amendement, voir: Cyrille Vaillancourt, «Le Mouvement Desjardins-III», *La Revue Desjardins*, janvier 1966, p. 3.

41. Lettre de G.E. Marquis à Cyrille Vaillancourt, 26 avril 1949. CCPED, collection «propangandistes, administrateurs et personnalités marquantes du MCPED», dossier Philibert-Grondin, chemise n° 4.

42. P. Poulin, *Histoire du Mouvement Desjardins [...]*, p. 174-175.

43. *Ibid.*

44. *Ibid.*

45. Lettre circulaire, 3 juillet 1920. Fonds Alphonse Desjardins, C.023.

46. Lettre circulaire, 3 juillet 1920. Cyrille Vaillancourt précise qu'entre 1900 et 1920 Alphonse Desjardins a fondé 131 des 174 caisses québécoises, dont 102 étaient toujours en activité au moment de son décès. De plus, Desjardins avait fondé 18 des 22 caisses ontariennes et 10 caisses américaines. Cyrille Vaillancourt, «Le Mouvement Desjardins», *La Revue Desjardins*, novembre 1965, p. 163. Ces chiffres diffèrent légèrement des données d'Yves Roby citées précédemment.

47. Albert Faucher, La Caisse populaire de demain. La pensée ou vision de la Caisse populaire d'Alphonse Desjardins, avril 1981, texte manuscrit inédit. CCPED, Projet historique Albert Faucher, dossier «Alphonse Desjardins».

48. Gilles Paquet, «Introduction» dans Gilles Paquet (sous la direction de), *La pensée économique du Québec français, Témoignages et perspectives*, Montréal, ACFAS, «Les Cahiers scientifiques», n° 67, 1989, p. 2.

49. Voir Y. Roby, *Alphonse Desjardins et les caisses populaires [...]*, p. 88-90.

50. Lettre de Philibert Grondin à Oscar Gatineau, rédacteur au *Temps*, 28 mars 1944. CCPED, Projet historique Albert Faucher, dossier «Cyrille Vaillancourt».

51. Nous retiendrons la date de 1932 comme terminus de cette période, tout en gardant cependant en mémoire que le mouvement d'unification régionale durera une douzaine d'années.

52. Albert Faucher considère que la période de fondation de la FQCPD «commence en 1917, date à laquelle Alphonse Desjardins lance l'idée et proclame l'intention [...] et se complète en 1944 par l'adjonction des trois dernières unions régionales. Albert Faucher, «Quatrième rapport trimestriel présenté à M. Paul-Émile Charron», 15 septembre 1978, p. 2. CCPED, 1010-01-19 (F9711) Historique, MCPED, projets, 1977-1988. Nous croyons que cette périodisation se rapporte davantage à la genèse de la

Fédération provinciale comme cellule autonome du mouvement coopératif. Dans la mesure où notre démarche entend considérer tous les éléments constitutifs de la macro-structure du MCPED, la spécificité des unions régionales ne peut être ignorée. En conséquence, nous avons retenu quand même les années 1920-1932 comme dates charnières d'une deuxième génération organisationnelle.

53. Lettre circulaire, 3 juillet 1920. Fonds Alphonse Desjardins, C.023.

54. Alphonse Desjardins, «Projet de Fédération des caisses populaires», 3 avril 1917, reproduit dans C. Vaillancourt et A. Faucher, *Alphonse Desjardins. Pionnier [...]*, p. 128.

55. Selon Roger Lemelin, «Trop occupé à inventer l'avenir, Desjardins ne semblait pas voir le monde passer: la guerre des Bœrs, la Première Guerre mondiale, le naufrage du *Titanic*, les deux chutes du pont de Québec, la grippe espagnole... la mort de Victor Hugo.» Roger Lemelin, «Alphonse Desjardins qui étiez-vous?», *Forces*, n° 91, automne 1990, p. 11. Il semble peu probable qu'Alphonse Desjardins ait été ignorant de ce qui se passait dans la société québécoise. Pour qu'il en soit ainsi, il aurait fallu que ces événements n'aient aucune incidence sur son entreprise. Alphonse Desjardins était un homme de la modernité, attentif aux mutations socio-économiques de son époque. Il le fallait, puisque les caisses s'inséraient dans un projet de société. Par ailleurs, ses fonctions professionnelles à Ottawa le maintenaient parfaitement au fait de l'actualité. Dans cette optique, nous croyons que le Commandeur était au contraire très sensible au développement socio-économique national et que son désir d'articuler son mouvement en témoigne.

56. A. Desjardins, «Mémoire sur l'organisation de l'agriculture [...]», p. 206.

57. Paul-André Linteau, René Durocher et Jean-Claude Robert, *Histoire du Québec comtemporain*, t. 1. *De la Confédération à la crise (1867-1929)*, Les éditions du Boréal Express, 1979, p. 463.

58. Elle ne fonctionnera vraiment que vers 1928-1929. Cyrille Vaillancourt, «Le Mouvement Desjardins — III», p. 4.

59. Lettre circulaire, 3 juillet 1920. Fonds Alphonse Desjardins, C.023.

60. La Confédération des caisses populaires et d'économie Desjardins du Québec, *Le Mouvement Desjardins*, Lévis, 1987, p. 5.

61. Il s'agit là d'une caractéristique commune à toutes les entreprises ou bureaucraties. Il s'ensuit que la masse documentaire consignée dans les archives présente deux facettes différentes, et à certains égards opposées, de la mémoire de l'institution. Le contenu des dossiers retient surtout les pratiques déviantes au détriment des fonctionnements normaux, réguliers ou habituels. L'existence même des dossiers réflète, elle, l'importance des fonctions en regard de la consignation de l'information, en même temps que les préoccupations de l'institution et les actions prises pour assurer l'exacte poursuite de ses objectifs et finalités.

62. Voir les articles de Cyrille Vaillancourt, «Le Mouvement Desjardins», *La Revue Desjardins*.

63. Articles 6796 et 6782.

64. Le problème se pose surtout dans la région de Montréal qui compte un plus grand nombre d'inspecteurs laïcs. Ceux-ci doivent se loger lors de leurs visites.

65. Voir les entrevues réalisées avec les premiers inspecteurs de la FQCPD, qui font bien ressortir ces aspects. CCPED, 4120-01-04 Personnalités marquantes MCPED, et Projet historique Albert Faucher.

66. 21, Geo. V, chapitre 96, *Loi modifiant la Loi des syndicats coopératifs de Québec relativement à la création de certains fonds*, sanctionnée le 4 avril 1931.

67. C. Vaillancourt, «Le Mouvement Desjardins», *La Revue Desjardins*, novembre 1965, p. 164.

68. Sur ce concept, voir le chapitre VI, p. 322-324.

69. Le journal *Le Devoir* conserve plusieurs lettres échangées entre Héroux et Desjardins.

70. Serge Courville, «Le développement québécois de l'ère pionnière aux conquêtes postindustrielles», *Le Québec statistique*, Québec, Bureau de la statistique du Québec, 1985-1986, p. 47.

71. Selon des notes d'Isabelle Côté et de Rita Lafresnaye, employées au service des archives, les bureaux de la Fédération étaient situés au départ dans l'édifice Price. En juin 1945, ils déménagent au 180, côte du Passage. En juin 1950, la Fédération aménage à nouveau ses locaux dans l'édifice Desjardins sis au 59, avenue Bégin.

72. Dubois, Ferland, St-Hilaire et associés, conseillers en administration, «La Fédération de Québec des unions régionales des caisses populaires Desjardins. Étude de cadrage administratif», novembre 1972. CCPED, 1000-03-01 (F9005) Structure et restructura-

tion, 1970-1974, et Michel Beauchamp, *La communication et les organisations coopératives [...]*, p. 6.

73. Jean-Paul Deschênes et Gérard Dion, «Structure de la Fédération de Québec des unions régionales des caisses populaires Desjardins», 27 novembre 1961. CCPED, 1000-03-01 (F9005) Structure administrative, rapport et liaison, 1961-1964.

74. Ainsi, la Caisse centrale de Lévis a concentré ses capitaux dans des obligations qu'elle ne peut reconvertir. Quant aux caisses populaires, certaines ont consenti des prêts sans avoir pris les précautions d'usage. À cela s'ajoute la fonte des épargnes ouvrières par suite de la fermeture d'usines, comme ce fut le cas à Chicoutimi.

75. Entente entre le gouvernement de la province de Québec et la Fédération de Québec des unions régionales des caisses populaires Desjardins, 10 août 1932, greffe de Charles Delagrave, minute 13160.

76. Statuts de la Fédération des unions régionales de caisses populaires Desjardins, 1932, article II. CCPED, 1000-03-04 (F9711) Raison d'être et structure organisationnelle, D.G.D.

77. Albert Faucher, «Deuxième rapport trimestriel présenté à Monsieur Paul-Émile Charron», 30 mars 1978, p. 4-6. CCPED, 1010-01-19 (F9711) Historique, MCPED, projets, 1977-1988.

78. Raymond Brulotte, «Un regard d'économiste sur l'histoire de la loi des caisses», *La Revue Desjardins*, 1983, p. 31. Cyrille Vaillancourt précise qu'un amendement à la *Loi des syndicats coopératifs de Québec* fut voté «afin que les caisses populaires ne puissent envoyer de leur argent en dehors de la province de Québec et, partant à l'étranger». C. Vaillancourt, «Le Mouvement Desjardins-IV», *La Revue Desjardins*, février 1966, p. 28.

79. «Entrevue avec Paul-Émile Charron par messieurs Hubert Guindon et Jean Louis Martel», HEC, mai 1979, p. 23. CCPED, 4120-01-04 Personnalités marquantes MCPED, Charron, Paul-Émile.

80. Le fait que l'organisation ne produit aucun organigramme durant cette période renforce cette impression. Une représentation graphique ne sera en effet effectuée qu'en 1961 au moment où des spécialistes analysent l'état de la question administrative. J.-P. Deschênes et G. Dion, «Structure de la Fédération de Québec des unions régionales de caisses populaires Desjardins», 27 novembre 1961, p. 5. CCPED, 1000-03-01 (F9005) Structure administrative, rapport et liaison, 1961-1964.

81. «Entrevue avec Paul-Émile Charron par messieurs Hubert Guindon et Jean Louis Martel», HEC, mai 1979, p. 26. CCPED, 4120-01-04 Personnalités marquantes MCPED, Charron, Paul-Émile.

82. «Entrevue avec monsieur Rosario Tremblay à Lévis, le 4 novembre 1976 par monsieur Paul Lacaille», Dernière révision retranscrite — mars 1982, p. 24. CCPED, 4120-01-04 Personnalités marquantes MCPED, Tremblay, Rosario.

83. «Entrevue de monsieur Rosario Tremblay par messieurs Hubert Guindon et Jean Louis Martel», HEC, mai 1979. Texte révisé par M. Tremblay et retranscrit, février 1982, p. 6. CCPED, 4120-01-04 Personnalités marquantes MCPED, Tremblay, Rosario.

84. «Entrevue avec monsieur Rosario Tremblay à Lévis, le 4 novembre 1976 par monsieur Paul Lacaille», Dernière révision retranscrite — mars 1982, p. 18. CCPED, 4120-01-04 Personnalités marquantes MCPED, Tremblay, Rosario.

85. Michel Beauchamp, *La communication et les organisations coopératives [...]*, 14. Voir aussi, Napoléon Mackay, «L'inspecteur? un éducateur», *La Revue Desjardins*, vol. 18, n° 2, 1952.

86. Commentaire de M. Lacaille, dans «Entrevue avec monsieur Rosario Tremblay à Lévis, le 4 novembre 1976 [...], p. 33. CCPED, 4120-01-04 Personnalités marquantes MCPED, Tremblay, Rosario.

87. «Entrevue avec Paul-Émile Charron par messieurs Hubert Guindon et Jean Louis Martel», HEC, mai 1979, p. 2. CCPED, 4120-01-04 Personnalités marquantes MCPED, Charron, Paul-Émile.

88. «Entrevue avec monsieur Rosario Tremblay à Lévis, le 4 novembre 1976 par monsieur Paul Lacaille», Dernière révision retranscrite — mars 1982, p. 9-10. CCPED, 4120-01-04 Personnalités marquantes MCPED, Tremblay, Rosario.

89. «Entrevue avec monsieur Rosario Tremblay à Lévis, le 4 novembre 1976 par monsieur Paul Lacaille», Dernière révision retranscrite — mars 1982, p. 31. CCPED, 4120-01-04 Personnalités marquantes MCPED, Tremblay, Rosario.

90. Transcription de l'entrevue de M. Charles O. Rouleau, 15 juillet 1976, p. 3-4. CCPED, Projet historique Albert Faucher.

91. Transcription de l'entrevue de M. Charles O. Rouleau, 15 juillet 1976, p. 10-11. CCPED, Projet historique Albert Faucher.

92. Rappelons qu'Alphonse Desjardins préconisait ce moyen dans son projet de fédération.

93. Michel Beauchamp, *La communication et les organisations coopératives [...]*, p. 14.

94. *Ibid.*

95. Lettre d'A. Pelletier de la Caisse populaire de Saint-Marcel, L'Is-let, à la Caisse centrale Desjardins de Lévis, 16 février 1955. CCPED, Fonds Caisse populaire de St-Marcel, l'Islet. Rappelons que Cyrille Vaillancourt est à l'époque non seulement le gérant de la Fédération mais aussi de la Caisse centrale de Lévis.

96. Lettre de Guy Hudon, conseiller juridique de la FQCPD à Rosa-rio Tremblay, inspecteur en chef, 3 mars 1955. CCPED, 1722-01-01 (F9711) Loi, Preuve photographique de documents, 1955-1987.

97. François Adam, «De la construction d'une voûte» *La Revue Des-jardins*, 1946, p. 174.

98. Résumé d'une lettre du 8 octobre [1954] de Guy Hudon à René Croteau. CCPED, 1722-01-03 (F9005) Conservation des docu-ments.

99. [Guy Hudon], «Consultation légale. De la conservation des piè-ces justificatives», *La Revue Desjardins*, vol. XXI, n° 2 mars 1952, p. 39. Cet article fut republié dans le vol. XVIII, n° 3, février 1955, p. 59.

100. Le document de R. Tremblay a d'abord dû recevoir son autorisa-tion. Lettre de Guy Hudon à Rosario Tremblay, 12 février 1957. CCPED, 1722-01-01 (F9711) Loi, Preuve photographique de do-cuments, 1955-1987.

101. Rosario Tremblay, «Conservation des pièces justificatives et des vieux documents», *La Revue Desjardins*, vol. XXIII, n° 3, mars 1957, p. 51-52.

102. Rosario Tremblay, «Conservation des pièces justificatives [...], p. 51.

103. *Ibid.*

104. Lettre de Georges Robitaille, assistant-chef des inspecteurs à l'Hon. Cyrille Vaillancourt, gérant de l'Union régionale de Qué-bec, 2 mai 1962. CCPED, 1722-01-01 (F9711) Loi, Preuve photo-graphique de documents, 1955-1987.

105. Ladislas de Kovachich, «Les archives de la Fédération des Cais-ses populaires Desjardins». *La Revue Desjardins*, vol. XXXVI, n° 8-9, août-septembre 1960, p. 132.

106. Extrait du procès-verbal de la 2e assemblée de la Fédération de Québec des unions régionales, tenue le 17 mars 1932. CCPED, 1000-03-04 (F9711) Raison d'être et structure organisationnelle, D.G.D, 1932-1988.

107. Lettre d'Isabelle Côté à Cyrille Vaillancourt, 1963. CCPED, 1722-01-09 (F9005) Archives [rapports de l'archiviste] 1956-1963.

108. Jean-Paul Deschênes et Gérard Dion, «Structure de la Fédération de Québec des unions régionales de caisses populaires Desjardins, 27 novembre 1961, p. 5. CCPED, 1000-03-01 (F9005) Structure administrative, rapport et liaison, 1961-1964.

109. Rapport de Ladislas de Kovachich à Cyrille Vaillancourt, mai 1957. CCPED, 1722-01-09 (F9005) Archives [rapports de l'archiviste] 1956-1963.

110. Rapport de Ladislas de Kovachich à Cyrille Vaillancourt, mai 1957 et graphique de classification des archives, *circa* 1956-57. CCPED, 1722-01-09 (F9005) Archives [rapports de l'archiviste] 1956-1963.

111. Ladislas de Kovachich, «Les archives de la Fédération [...]», p. 132.

112. *Ibid.*, p. 133.

113. Ladislas de Kovachich, «Les archives de la Fédération des Caisses populaires Desjardins», *La Revue Desjardins*, vol. XXXVI, n° 1, janvier 1960, p. 15-16.

114. Mémoire à M. R. Tremblay de L. de Kovachich au sujet des rapports d'inspection, 26 novembre 1963. CCPED, 1722-01-09 (F9005) Archives, 1956-1963.

115. Lettre de Guy Hudon à Rosario Tremblay, 28 novembre 1963. CCPED, 1722-01-03 (F9711) Conservation des documents, MCPED, Confédération-inspection.

116. Rapport de Ladislas de Kovachich, à P.-É. Charron, 22 mai 1963. CCPED, 1722-01-09 (F9005) Archives, 1956-1963.

117. A. Faucher», Quatrième rapport trimestriel présenté à M. Paul-Émile Charron», 15 septembre 1978. CCPED, 1010-01-19 (F9711) Historique, MCPED, projets, 1977-1988.

118. Le groupe ne réintégrera les rangs qu'en 1978. Paul-André Linteau, René Durocher, Jean-Claude Robert, François Ricard, *Histoire du Québec contemporain, t. 2. Le Québec depuis 1930*, Boréal, 1989, p. 506. En s'appuyant sur les écrits de Desjardins, le discours entourant la création de la Fédération mit beaucoup d'accent sur le fait que Desjardins voulait une fédération provinciale centralisée et non des unions régionales. Ainsi, la nouvelle structure légitimait son autorité sur les composantes en disant reprendre le flambeau où Desjardins l'avait laissé.

119. Pour un exemple, voir: Émile Turmel, «Les origines de la Fédération», *La Revue Desjardins*, vol. XVII, n°s 6-7, juillet 1951, p. 106-107.

120. Albert Faucher, «Alphonse Desjardins (1854-1920)», *Vie française*, vol. 11 a) «Sommaire biographique. Desjardins journaliste», n° 1, août-septembre 1947, p. 32-42; b) «Fonctionnaire et artisan de la coopération», n° 2, octobre 1947, p. 83-91; c) «Devant le Comité de la Chambre des Communes», n° 3, novembre 1947, p. 162-171; d) «Novateur», n° 4, décembre 1947, p. 240-247; e) «Adaptations: Québec et l'Ouest canadien», n°s 5-6, janvier-février, 1948, p. 294-315. L'ensemble est publié sous le titre *Alphonse Desjardins*, Québec, Le comité de la survivance française en Amérique, Université Laval, 1948, 58 p.

121. A. Faucher, *Alphonse Desjardins*, p. 17.

122. C. Vaillancourt et A. Faucher, *Alphonse Desjardins. Pionnier [...]*, 232 p. Préface du Chanoine Philibert Grondin. On y retrouve entre autres le très important *Mémoire sur l'agriculture dans la province de Québec*.

123. Extrait du procès-verbal de la 148e séance du comité exécutif tenue le 27 juin 1961, cité dans Jean-Paul Deschênes et Gérard Dion, «Structure de la Fédération de Québec des unions régionales des caisses populaires Desjardins, 27 novembre 1961, p. 1. CCPED, 1000-03-01 (F9005) Structure administrative, rapport et liaison, 1961-1964.

124. Lettre de Gérard Dion et Jean-Paul Deschênes à l'Honorable Sénateur Cyrille Vaillancourt, explications supplémentaires au rapport officiel, 28 août 1962, p. 4 et 5. CCPED, 1000-03-01 (F9005) Structure administrative, rapport et liaison, 1961-1964.

125. S.R. 1964, c. 293, *Loi des caisses d'épargne et de crédit*.

126. S.R. 1964, c. 293, *Loi des caisses d'épargne et de crédit*.

127. En 1932, la vérification et l'inspection imposées aux caisses avaient accru les responsabilités de la Fédération en la matière.

128. CCPED, 1000-01-05 (F9005) Formation, orientation et planification de la direction, 1973-1974, 1000-02-03 (F9005) Rapport annuel du service du personnel, 1964-1971 et 1010-01-19 (F9005) Historique, écrits divers, 1934-1974.

129. Il reste peu de traces des activités de cette section de classement. Nous avons retrouvé quelques dossiers concernant l'achat d'équipement de microfilmage ainsi que de la correspondance adressée à divers services pour obtenir l'autorisation de détruire des documents entreposés. Le déménagement des bureaux en

1974 et la restructuration de la Fédération à la même époque expliquent en grande partie cette absence de traces. Selon des employées du service de gestion documentaire, beaucoup de dossiers antérieurs à la période 1964-1965 furent alors détruits. En fait, on ne conserva que les dossiers des dix dernières années.

130. Lettre d'Émile Girardin, président-gérant de l'UR de Montréal au sénateur Cyrille Vaillancourt, directeur de la FQCPD, 17 août 1962. CCPED, 1722-01-09 (F9005) Archives, 1963-1965.

131. Yves Roby, « Alphonse Desjardins et les caisses populaires 1854-1920 », thèse (licence), Université Laval, Québec, 1962, 183 p.

132. Y. Roby, *Alphonse Desjardins et les caisses populaires [...]*, 149 p.

133. Lettre de Cyrille Vaillancourt à Jean-Paul Pinsonneault, directeur littéraire des Éditions Fides, 12 mars 1965, et lettre de Virginia A. Hunter, agent de relations publiques de la CUNA à Cyrille Vaillancourt, 1er avril 1965. CCPED, 1722-01-09 (F9005) Archives, 1963-1965.

134. R. Bertrand, *Alphonse Desjardins*, p. 31.

135. Lettre de Cyrille Vaillancourt à René Croteau, 4 janvier 1965. CCPED, 1722-01-09 (F9005) Archives, 1963-1965.

136. Cyrille Vaillancourt, « Alphonse Desjardins et les Caisses populaires. Éditorial », *La Revue Desjardins*, février 1965, p. 23.

137. Y. Roby, *Les caisses populaires. Alphonse Desjardins. 1900-1920*, 113 p. Soulignons qu'il n'y a pas vraiment de changement de fonds entre la première et la seconde version.

138. C. Vaillancourt, « Le mouvement Desjardins », *La Revue Desjardins*, I, novembre 1965, p. 163-165 ; II, décembre 1965, p. 183-186 ; III, janvier 1966, p. 3-5 ; IV, février 1966, p. 27-29 ; V, avril 1966, p. 71-73 ; VI, mai 1966, p. 91-92.

139. Voir CCPED, 4120-01-04 Personnalités marquantes MCPED, Charron, Paul-Émile. Bibliographie des écrits et conférences.

140. Lettre de Cyrille Vaillancourt à Alcide Côté, 31 janvier 1955. Notons qu'Alphonse Desjardins est né le 5 novembre 1854. CCPED, 1010-01-28 (F9005) Timbres-poste, Alphonse Desjardins, 1955-1984.

141. *Le Devoir*, 19 février 1955.

142. Lettre de l'Honorable William Hamilton au sénateur Cyrille Vaillancourt, 8 mars 1961. CCPED, 1010-01-28 (F9005) Timbres-poste, Alphonse Desjardins, 1955-1984.

143. Lettre du sénateur Cyrille Vaillancourt à l'Honorable William Hamilton, 16 mars 1961. CCPED, 1010-01-28 (F9005) Timbres-poste, Alphonse Desjardins, 1955-1984.

144. Lettre de Rosario Tremblay à l'Honorable Eric Kierans, 31 janvier 1969. CCPED, 1010-01-28 (F9005) Timbres-poste, Alphonse Desjardins, 1955-1984.
145. Extrait d'une résolution du conseil d'administration, 15 mai 1970. CCPED, 1010-01-28 (F9005) Timbres-poste, Alphonse Desjardins, 1955-1984.
146. *Le Soleil*, 29 juin 1970.
147. Lettre d'Eric Kierans à Paul-Émile Charron, 10 août 1970. CCPED, 1010-01-28 (F9005) Timbres-poste, Alphonse Desjardins, 1955-1984.
148. Lettre de Jean-Pierre Côté à Camille Fleury, 7 décembre 1970. CCPED, 1010-01-28 (F9005) Timbres-poste, Alphonse Desjardins, 1955-1984.
149. Lettre de G. Milton Mackenzie à Rosario Tremblay, 5 avril 1973, et réponse de R. Tremblay du 18 avril 1973. CCPED, 1010-01-28 (F9005) Timbres-poste, Alphonse Desjardins, 1955-1984.
150. Lettre de Rosario Tremblay à André Ouellet, 15 mars 1974. CCPED, 1010-01-28 (F9005) Timbres-poste, Alphonse Desjardins, 1955-1984.
151. En 1986, on procédait encore à une modification de la macrostructure. Cette date constitue pour nous un terminus aux fins de cette recherche.
152. *Rapport du comité d'étude sur les investissements du Mouvement coopératif Desjardins* — (Rapport Hébert), 20 janvier 1970, p. 8 et 17. CCPED, Centre de documentation, HG 2039 c6 M934, R3, 1970.
153. Dubois, Ferland, St-Hilaire et associés, conseillers en administration, «La Fédération de Québec des unions régionales des caisses populaires Desjardins. Étude de cadrage administratif», novembre 1972. CCPED, 1000-03-01 (F9005) Structure et restructuration, 1970-1974.
154. A. Hervé Hébert. «Intégration des structures du Mouvement coopératif Desjardins», 16 février 1971, p. 1. CCPED, 1000-03-01 (F9005) Structure et restructuration, 1970-1974.
155. Dubois, Ferland, St-Hilaire et associés, conseillers en administration, «La Fédération de Québec des unions régionales des caisses populaires Desjardins. Étude de cadrage administratif», novembre 1972. CCPED, 1000-03-01 (F9005) Structure et restructuration, 1970-1974, p. 20.

156. M. Rompré, «Affiliation de la Fédération des Caisses d'Économie du Québec à la FQCPD», *La Revue Desjardins*, vol. 5, n° 45,
1979, p. 1-3.

157. CCPDEQ, *Le Mouvement Desjardins*, 1987, p. 9.

158. Rapport annuel du service de la documentation 1972-1973, 18
février 1974. CCPED, 1700-01-32 (F9713) Rapport trimestriel,
SGD, 1972-1985.

159. Louise Tremblay, Rapport annuel du service de la documentation 1972-1973, 18 février 1974. CCPED, 1700-01-32 (F9713) Rapport trimestriel, SGD, 1972-1985.

160. Joël Raiffaud et Henriette Grenier, *Gestion documentaire. La Fédération de Québec des caisses populaires Desjardins*, mars 1975, p. 4-
20. CCPED, centre de documentation.

161. *Ibid.*, p. 21-22.

162. Division gestion documentaire, *Le système documentaire à la Confédération des caisses populaires et d'économie Desjardins du Québec*,
février 1985, p. 1. CCPED, 1164-24-01.

163. «Schéma de codification de la CCPED». Notons que chaque série
se décompose en sous-séries, elles-mêmes divisées en sous-sous-
séries.

164. Joël Raiffaud et Henriette Grenier, *Gestion documentaire. La Fédération de Québec des caisses populaires Desjardins*, mars 1975, p. 25-
26.

165. *Ibid.*, p. 26.

166. CCPED, 1700-01-32 (F9713) Rapport trimestriel, Centre de documents, 1975-1985.

167. Adaptation du schéma «Principe de la gestion des documents»
et terminologie, Joël Raiffaud et Henriette Grenier, *Gestion documentaire. La Fédération de Québec des caisses populaires Desjardins*,
mars 1975, p. 29-33.

168. «Rapport d'activités, Centre de document, quatrième trimestre», 1er octobre au 31 décembre 1978, 19 janvier 1979, p. 2.
CCPED, 1700-01-32 (F9713) Rapport trimestriel, Centre de documents, 1975-1985.

169. CCPED, 1722-01-03 (F9711) Comité de conservation des documents, MCPED.

170. «Le système documentaire à la Confédération des caisses populaires et d'économie Desjardins du Québec», février 1985, p. 1.

171. Joël Raiffaud et associés, «Gestion documentaire. Évaluation»,
mars 1980, p. 2. CCPED, 1000-03-04 (F9711) Raison d'être et
structure organisationnelle, D.G.D.

172. *Ibid.*, p. 3-4.

173. *Ibid.*, p. 20.

174. Les compromis proposés par le service de gestion documentaire sont révélateurs à ce sujet. Ainsi, certains dirigeants conservent leurs dossiers sous clé, dans leur bureau; voir les rapports trimestriels dans CCPED, 1700-01-32 (F9713) Rapport trimestriel, Centre de documents, 1975-1985.

175. Louise Tremblay, «Rapport annuel des activités du service de la documentation», 5 février 1976. CCPED, 1700-01-32 (F9713) Rapport trimestriel, SGD, 1972-1985.

176. Albert Faucher, Premier rapport d'étape présenté à la direction de la FQCPD, 29 décembre 1977, p. 5. CCPED, 1010-01-19 (F9711) Historique, MCPED, projets, 1977-1988.

177. Suzanne H. Côté, «Des archives vivantes dans le Mouvement Desjardins», *La Revue Desjardins*, 1980, vol. 46, n° 4, 1980, p. 8.

178. Michel Beauchamp et Roselyne Marquis. «La Société historique Alphonse-Desjardins», *La Revue Desjardins*, 1985, p. 32.

179. Note de Louise Tremblay à Jean Ducharme 3 février 1988. CCPED, 1722-03-01 (F9711) Archives, organisation 1957-1989.

180. SIC: système intégré des caisses; SOC: système organisationnel des caisses.

181. Joël Raiffaud et associés, «Gestion documentaire. Évaluation», mars 1980, p. 2. CCPED, 1000-03-04 (F9711) Raison d'être et structure organisationnelle, D.G.D.

182. Louise Tremblay, «La gestion documentaire, un outil de communication», *La Revue Desjardins*, 1983, p. 42.

183. «Rapport sur le microfilmage des dossiers d'inspection», 10 juillet 1986. CCPED, 1722-02-02 (F9713) *Microfilm, utilisation dans la gestion des documents.*

Chapitre VIII

La mémoire du MCPED

Le contexte fondateur d'une organisation explique sa raison d'être, son système de valeurs, ses principes moteurs. Il établit les «images» par lesquelles l'institution a conscience d'elle-même. Ce même contexte porte aussi les caractères physiques avec lesquels l'organisation doit toujours composer. Il balise ainsi l'espace qu'elle peut occuper. Enfin, le contexte est porteur de l'esprit qui anime l'administration. Il détermine les grandes articulations de l'appareil. Si le sens de ces représentations évolue, se précise, se nuance au fil du temps, les orientations génésiques restent fondamentales à la culture institutionnelle. En conséquence, elles jouent un rôle déterminant sur la mémoire et ne peuvent être ignorées par l'archiviste.

Ce chapitre entend vérifier comment les traits culturels émergents du Mouvement des caisses populaires et d'économie Desjardins se combinent avec les processus mémoriel, informatif et organisationnel pour façonner sa mémoire consignée. Il analyse succinctement le contexte fondateur afin de préciser la nature, les valeurs, l'idéologie, la réalité phénoménale et la structure organique innées de l'institution coopérative. Il explore successivement ses états d'âme, de corps et d'esprit. Il étudie les déterminismes du «pourquoi», du «pour qui» et du «comment» du Mouvement Desjardins et signale leurs effets structurants sur la mémoire consignée. Il constate ensuite sommairement les caractéristiques du «quoi». Enfin, il évalue les facteurs découlant du «par qui» et du «par quoi», sur lesquels le Mouvement a dû s'appuyer pour aménager son

appareil mémoriel à travers ses diverses périodes de regénéra-
tion.

Un constat: la persistance des valeurs

Dans le contexte entourant la question du statut du Québec
comme société distincte et l'évaluation de sa viabilité économique, le président du Mouvement Desjardins, Claude Béland,
déclarait devant des hommes d'affaires rimouskois:

> le regoupement des forces est le meilleur moyen de bâtir, ici, sur
> notre territoire, ce rempart économique qui nous donnera les
> moyens de nous façonner un avenir à notre goût, un avenir qui
> nous ressemble. [...] Ne l'oublions pas: nous ne sommes que 2 %
> de la population d'un continent qui se distingue de nous par une
> culture et une langue qui ne sont pas les nôtres. Nous nous
> sommes toujours distingués par la vulnérabilité de notre culture,
> de notre peuple. Cette vulnérabilité ne laisse pas de place à
> l'individualisme. Nous nous devons de travailler ensemble, de
> nous regrouper dans des entreprises qui nous appartiennent, de
> les appuyer, de les soutenir. [...] Non, il n'y a pas de place au
> Québec pour de l'individualisme. C'est ensemble, et non en nous
> divisant, que nous seront forts. Ne l'oublions pas, l'autonomie
> d'un peuple est souvent proportionnelle à la force de ses moyens
> économiques[1].

Quelque 75 ans plus tôt, Alphonse Desjardins tenait un
discours semblable quant à la place du Québec au sein de la
Confédération canadienne:

> Cette province, si distincte par tant de traits caractéristiques,
> ayant des traditions multiples essentiellement différentes de cel-
> les des autres, ils [tous les esprits réfléchis de la province] vou-
> draient la voir prendre une position plus enviable parmi ses
> sœurs de la Confédération. Ceux qui poussent plus loin l'ambi-
> tion nationale voudraient la voir à la tête du mouvement agricole
> du Canada. C'est là un noble et légitime idéal que nous croyons
> indispensable pour accomplir de grandes choses, car un peuple
> comme un individu dépourvu d'idéal, est privé d'un ressort
> immense, d'une force propre à soutenir ses énergies et à l'amener
> à répéter ses efforts.

Mais les désirs modestes des premiers comme les vœux les plus brillants des seconds seront stériles tant que nos populations agricoles resteront sous le joug de *l'individualisme*, défiant de sa nature, ou en d'autres termes, tant que l'esprit contraire, celui de *l'association*, n'aura pas conquis la majorité des esprits et ne sera pas solidement implanté parmi nos cultivateurs[2].

Il semble y avoir peu de différence entre les propos de Claude Béland et ceux d'Alphonse Desjardins. Pourtant, trois quarts de siècle d'évolution organisationnelle séparent ces deux discours. Est-ce à dire que rien n'a changé au Mouvement Desjardins? Au contraire, petite société artisanale à ses débuts, il est aujourd'hui l'une des institutions financières les plus importantes du Québec:

il nous faut reconnaître que ce mouvement coopératif a maintenant largement dépassé l'ère artisanale et strictement paroissiale. Il est encore plus révélateur de constater que cette réalité est maintenant clairement perçue et reconnue par la plupart des Québécois. [...] L'administration des nombreux et importants portefeuilles, les multiples services quasi-bancaires offerts à sa clientèle par ailleurs sollicitée par les banques à charte ont contraint les caisses coopératives à faire appel à toute une gamme de voies et de moyens. Leurs vitrines pour ainsi dire sont modifiées. Sorties des sous-sols d'églises et des salles paroissiales, les caisses se retrouvent maintenant sous des toits plus modernes (le basilaire de la Place Desjardins) et utilisent l'outillage électronique le plus complexe. L'administration d'un tel réseau [...] exige un personnel important et formé à toutes les branches de l'économie et des sciences de l'administration. En somme, pour les contraintes de la gestion et pour maintenir la fidélité de la clientèle, les «caisses» ont dû considérer ce qui se fait chez les concurrents et offrir au moins les mêmes services et, plus spécialement, garantir les mêmes rendements sur les épargnes confiées, etc. Ainsi, non seulement l'organisation matérielle s'est-elle transformée d'une façon importante mais le comportement des gestionnaires n'est plus tout à fait le même que celui d'autrefois[3].

En marge de ce développement phénoménal, le discours institutionnel est demeuré cohérent. Au début du siècle, Alphonse Desjardins considérait que la maîtrise de l'économie québécoise passait par l'agriculture; en 1990, Claude Béland la pressent maintenant par l'entremise du monde des affaires; toutefois, la philosophie des deux hommes s'ancre sur la même base. Elle s'appuie sur le nationalisme économique et la coopération comme principes moteurs dans la réussite et l'affirmation de la société québécoise. Dans cette optique, l'actuel président reprend la ligne directrice énoncée par le fondateur, afin de faire valoir l'expérience d'une organisation qu'il présente comme un «mouvement précurseur et adapté aux temps modernes». Cette continuité et cette cohérence au Mouvement Desjardins témoignent de la persistance de valeurs dont les assises ont néanmoins évolué au gré des conjonctures et des diverses mutations organisationnelles.

Le «pourquoi»: une organisation nouvelle pour un contexte nouveau

Alphonse Desjardins estime que la valorisation de l'individualisme ne peut mener le Canada français qu'à un état d'infériorité, à une époque où le progrès est sous le signe de l'association. Dans son esprit, la résolution des problèmes passe donc par l'éducation de la base, car il faut d'abord changer la mentalité. À cet effet, il faut confier à une institution particulière le soin d'encadrer l'action économique populaire dans un climat social propice à l'association.

Au tournant du siècle, il n'existe qu'un seul type d'organisme ayant une vocation spécifiquement économique, les entreprises. Par définition, elles sont privées. Dans la mesure où l'association capitaliste telle qu'on l'applique valorise l'individualisme et ne laisse pas de place au «dévouement social», il est normal que la réponse au problème ne provienne pas des entreprises déjà existantes, c'est-à-dire des banques.

> Mais objectera-t-on: Pourquoi des Caisses d'épargne, n'avons-nous pas des banques qui, grâce à leurs succursales, vont partout recueillir l'épargne?

> D'abord, les banques ne sont pas des créations ayant pour objet de faire du bien aux masses populaires ou de solutionner la question sociale sur le terrain économique. Elles n'y ont jamais songé et par bonheur, car elles ne sont nullement outillées pour pareille mission. Elles failliraient donc sûrement à la tâche, tout

en ne réussissant pas aussi bien à enrichir leurs actionnaires, but unique de leur fondation. Laissons à chaque organe la fin qui lui est propre et pour laquelle il est fait, et les choses n'en iront que mieux.

En second lieu, est-on bien fondé à prétendre que nos banques vont partout. Sans nous arrêter au péril économique qui réside dans ce drainage perpétuel de l'épargne locale au seul profit des grands centres, et là, au seul avantage d'une certaine clientèle — n'est-il pas vrai que, malgré la multiplicité inquiétante, surtout depuis quelques années, de ces succursales — la grande majorité de nos paroisses sont privées de ces réservoirs d'épargne. Et la raison en est bien simple, c'est que la banque est une compagnie inventée pour l'unique avantage de ses actionnaires, non une création sociale cherchant d'abord à faire du bien sans compter, ni sans espoirs de bénéfices planturreux. Ce qu'elle veut, ce sont des profits pour grossir le dividende de fin d'année. Voilà la vérité toute nue. Or, il y a foule de paroisses où l'entretien d'une agence ou succursale, serait une source de perte, non de gain. On s'abstient donc. Faut-il s'en étonner ou le déplorer. Loin de le regretter, on a plutôt raison de s'en réjouir; si cette abstention doit avoir pour effet de réveiller les initiatives locales et les amener à créer le réservoir beaucoup plus satisfaisant, beaucoup plus conforme aux besoins de nos paroisses sous forme de Caisses populaires.

Enfin, les banques ne font pas le crédit aux pauvres. Elles prêtent à une clientèle qui recrute principalement dans les grandes industries et le commerce. L'humble ouvrier ou cultivateur qui dépose chez elle n'a que son argent; d'emprunt, jamais. Il n'a que l'usurier pour tout réconfort et Dieu sait ce qu'il en coûte[4].

En marge des entreprises, il existe une autre forme organisationnelle, les institutions. Ces organismes d'initiative publique ou privée participent indirectement au développement économique par leur travail d'encadrement et de régulation de la société.

Dans la pensée économique de l'époque, *business* et administration publique ne logent pas à la même enseigne. L'État est responsable avant tout des institutions politiques, ce qui précise résolument son champ d'intervention. À ce propos, Desjardins déclare devant le comité spécial en 1907: «L'État [...] devait s'en tenir à son rôle de police et favoriser le progrès par des lois généreuses[5].» Les hommes publics doivent cependant légiférer de façon éclairée. C'est dans cette optique que, dans son mémoire sur l'agriculture, il invite les politiciens à changer d'attitude vis-à-vis de la question économique, car il constate que la couleur politique de leurs débats a entravé considérablement leur action. En effet, les changements propres à améliorer la situation ont été lents et peu nombreux, parce que les solutions avaient souvent le caractère «factice et superficiel» d'une propagande électoraliste. La question constituant une source de capital politique non négligeable auprès des électeurs, les politiciens ont engagé le problème sur le terrain des rivalités et, ce faisant, les solutions sont devenues effet de discours ou objet de critique vinaigrée. En politisant les mesures, on a engendré l'indifférence ou même l'hostilité de la population[6] vis-à-vis des quelques améliorations que purent tout de même apporter ces propositions ponctuelles. Desjardins précise de plus que les chances de réussite sont compromises si le parti au pouvoir saupoudre, au moyen du patronage, les bénéfices matériels résultant des mesures. Ces politiques misant sur l'exclusivité et le privilège créent «un manque d'émulation général préjudiciable aux intérêts en jeu[7]».

Capitalisme et intérêts privés allant de pair, pour être viable, l'initiative ne pouvait être gouvernementale. Pour Desjardins, il n'est pas du ressort de l'État d'être entrepreneur. Pour lui, les résultats obtenus par l'intervention étatique en témoignent du reste; cela avait maintenu l'esprit individualiste dans le monde rural tout en engendrant la perte du sens des responsabilités collectives ainsi que l'illusion d'une fausse sécurité:

> cette accoutumance de recourir à la subvention de l'État n'est-elle pas déprimante en soi, n'amène-t-elle pas une anémie redoutable dans l'effort, une quasi somnolence des énergies, par l'espèce de conviction qu'elle crée, que l'État — ce dieu des flasques, des mous, des sans volonté et des êtres sans initiative — doit tout faire, fournir les fonds et les dépenser comme bon lui semble, prenant bien soin de se ménager une petite place sous la gouttière, afin d'être du nombre des faméliques qui profiteront de ces fonds sans souci de l'équivalence à donner. Si nous som-

mes un peu sévère pour ce régime où l'État seul est chargé de tout le fardeau, c'est qu'il a produit cette inertie si déplorable qui, à son tour, a engendré les maux dont nous sommes les témoins et contre lesquels nous voudrions réagir[8].

Il n'y a pas que le caractère économique de l'organisation qui exclut la possibilité d'une intervention étatique. La vocation sociale l'ordonne également, car l'ordre établi veut que l'éducation et la protection des individus relèvent du domaine privé. Une organisation gouvernementale ne peut en ce sens que constituer une ingérence de l'État dans les affaires sociales[9].

Les œuvres sociales, telles que les établissements scolaires ou hospitaliers, sont dirigées par l'Église. Ces institutions privées procurent des bienfaits indéniables, mais Desjardins dresse un constat similaire quant à leur impact à long terme sur la question. La solution ne réside pas dans la perspective philanthropique[10], car elle «n'a rien d'éducatif; et en l'espèce, pas plus que l'État, elle ne pouvait réveiller les énergies populaires, susciter la volonté du *self-help*, dans la mutualité des intérêts associés[11]».

Aucune organisation au pays ne répondant à ses attentes, Alphonse Desjardins regarde ailleurs. En partant des modèles de diverses banques populaires européennes et américaines, il conceptualise un type d'organisation original adapté au contexte canadien-français: la caisse populaire.

> La Caisse populaire n'est pas une société financière ordinaire comme il y en a tant d'autres un peu partout, ce n'est pas une entreprise ayant pour but d'enrichir ses membres aux dépens du public. Elle se base, la Caisse populaire, sur la pensée souverainement juste et féconde de l'union pour la vie, au lieu de la lutte pour la vie. Partant de cette idée, elle adopte et met en pratique un régime tout différent de celui des sociétés à base de lucre qui n'ont qu'un but, enrichir leurs membres[12].

Pour Alphonse Desjardins, il devenait impératif de formuler un projet de société s'inscrivant dans «une orientation nouvelle, plus en harmonie avec les exigences de notre pays et, par conséquent, plus féconde dans son activité»[13]. L'avènement du capitalisme industriel déséquilibre l'ordre établi. La société

ARCHIVISTIQUE: INFORMATION, ORGANISATION, MÉMOIRE

paysanne articulée autour de la famille et du clocher paroissial est projetée dans un système économique nord-américain qui fait éclater ses frontières traditionnelles. En milieu urbain, les conditions de vie déplorables engendrent des tensions. La population connaît seulement une situation économique détestable, mais son sentiment d'insécurité s'accroît face à un système où les rapports sociaux se déshumanisent[14]. L'institution coopérative est la réponse d'Alphonse Desjardins à ce problème. Elle propose un nouveau projet de société devant répondre à un contexte nouveau.

L'essence du Mouvement Desjardins est résolument institutionnelle, économique et nationaliste. Il s'agit bien de ce que nous avons appelé précédemment: une organisation/personnalité puisque sa nature découle des valeurs partagées par l'ensemble de ses adhérents. Elle est à la fois une *business* économique et une œuvre sociale. En conséquence, elle se veut non gouvernementale mais de propriété collective. Elle est un instrument privilégié pour atteindre l'idéal national, un outil pour accéder collectivement au bienfait du capitalisme sans en subir les méfaits, un moyen accessible à tout Canadien français. Tel est le «pourquoi» de la mission du Mouvement Desjardins et ses représentations symbolique, matérielle et fonctionnelle en possèdent les caractéristiques.

Un homme et son œuvre

Chaque déterminisme du «pourquoi» fournit une justification et une représentation de l'essence organisationnelle. Le mythe fondateur répond au «pourquoi je vis», en traduisant symboliquement les croyances et les sentiments d'appartenance de l'institution. Cette perception devient une pierre angulaire sur laquelle s'aligne toute la cohérence organisationnelle. Ainsi, Alphonse Desjardins incarne son œuvre et ses traditions. Saisir son identité équivaut à cerner celle de son organisation. Sa légende est l'expression de la mémoire historique du «pourquoi». Elle est consignée dans les biographies et les écrits historiques que l'institution cautionne officiellement. Elle se retrouve dans les témoignages et anecdotes rapportés par ceux qui ont cotoyé le Commandeur Desjardins. Ces récits écrits ou oraux ne sont pas statiques. Périodiquement revus et corrigés, ils suivent l'évolution organisationnelle. Car le mythe est ancré dans les valeurs fondamentales de l'institution et il évolue avec elles; c'est pourquoi il résiste au temps. À preuve, la figure d'Alphonse Desjardins est demeurée un symbole du Mouvement[15].

Les biographes d'Alphonse Desjardins ont voulu cerner les motivations qui le poussèrent à fonder son œuvre[16]. A-t-il réalisé son projet parce qu'il était un intellectuel en avance sur son temps, un héros vertueux ou un ambitieux pour qui le problème de l'usure représenta un moyen bien légitime de valorisation sociale? En fait, il faut distinguer l'homme et le mythe. Malgré des qualités individuelles remarquables, la personnalité d'Alphonse Desjardins s'inscrit dans une époque donnée. Albert Faucher et Cyrille Vaillancourt le soulignent:

> Desjardins était avant tout l'homme de son milieu, et de son époque. Avant lui, il y avait eu Robitaille et ses collaborateurs de la Société St-Vincent de Paul, les apôtres de l'épargne parmi les classes laborieuses. Les harangues de ces apôtres de la première heure, sur la prévoyance et sur la vertu regénératrice de l'épargne, avaient préfiguré celle d'Alphonse Desjardins jusqu'à la similitude des termes[17].

On peut également penser, comme Yves Roby l'affirme, que sa sensibilité à la question socio-économique canadienne-française vient en partie de son contexte familial et de sa trajectoire socio-professionnelle[18]. Les divers milieux dans lesquels il a évolué ont certainement influencé la façon dont il a appréhendé le problème et conceptualisé la solution. Par son travail au Parlement canadien, il avait accès à l'information de pointe sur le sujet. Il était déjà au fait des discussions sur le sujet lorsqu'il trouva à la Bibliothèque nationale les écrits de Wolf sur les banques populaires européennes. La vie parlementaire lui apportait aussi une vision des mécanismes institutionnels légaux. Ses contacts avec le journalisme et la politique, notamment grâce à son frère Louis-Georges, ont aussi certainement orienté sa réflexion. En effet, Desjardins avait été appelé à analyser la situation politique, économique et sociale des Canadiens français. Ce qui l'amena à participer aux discussions de l'élite nationale sur le développement de la province et à militer en faveur du point de vue des conservateurs. Par ailleurs, ses contacts avec le clergé, dont son travail comme professeur de sténographie au Collège de Lévis, le sensibilisent à la doctrine sociale de l'Église.

Toutefois, pour que les caisses populaires soient viables, il fallait qu'elles s'harmonisent avec leur milieu d'implantation. Au-delà de l'homme, l'audience que la société a accordée au projet a contribué à sa survivance. Les valeurs fondamentales du Mouvement coopératif Desjardins découlent de la symbiose entre le contexte d'une époque, la lecture qu'Alphonse Desjardins en fait et la possibilité de croître comme entité indépendante de son créateur.

La vie d'Alphonse Desjardins n'explique pas à elle seule le «pourquoi» de son organisation.. Toutefois, elle correspond à un aspect majeur, car elle sert de soutien à la représentation symbolique du pouvoir au Mouvement Desjardins. Il n'est pas question de proposer ici une nouvelle vérité au sujet de l'homme, ni de porter un jugement sur ce qu'il a ou n'a pas été ou sur ce que l'on a pu écrire ou dire sur lui. C'est le mythe fondateur que nous voulons souligner car il est l'expression symbolique de son organisation.

Le mythe fondateur prend forme en la personne d'Alphonse Desjardins et sa légende reprend point par point les traits fondamentaux de l'identité de l'organisation. L'organisation entend être un projet de société pour le Canada français. Le portrait généralement dressé d'Alphonse Desjardins insiste sur son statut de Canadien français pure laine. Il en possède tous les attributs.

Issu d'une bonne famille catholique, pauvre et modeste, il est le huitième d'une famille de 15 enfants. Ses parents, d'origine rurale, se sont installés en ville au milieu du XIXe siècle, espérant comme tant d'autres améliorer leur quotidien. Obligé de travailler pour subvenir aux besoins de la famille, il est forcé très tôt d'abandonner ses études. Père d'une famille canadienne-française modèle, catholique fervent, il est bon père et époux, c'est-à-dire tendre mais ferme, aimant et fidèle. Il est assisté par Dorimène, son épouse qui lui apporte soutien et réconfort et qui est la mère de ses six enfants.

Porteuse d'un idéal nationaliste, l'institution mise sur la force naturelle des «lois économiques». Il s'agit de l'idée du *self-made-man* à un niveau collectif. À ce titre, l'organisation coopérative ne pourra jamais renier ses origines modestes. Au contraire, la mesure de son succès tiendra dans cette affirmation. On rejoint ici encore le mythe. Alphonse Desjardins grandit, dans tous les sens du terme, dans la misère. Il ne renie jamais ses humbles origines; au contraire, il en tire une grande fierté. La «légende rapporte l'histoire d'un pauvre petit garçon affamé qui pleure à la boulangerie et, plus tard, rencontre les grands de ce monde, rutilant cordon de commandeur au cou[19]! Pour obtenir un tel succès, il y a mis le prix. Les caisses populaires ne lui apportant pas de salaire, il continue à travailler vaillamment pour subvenir aux besoins de sa famille.

Le système de valeurs d'Alphonse Desjardins et celui de son institution ne font qu'un. Alphonse Desjardins possédait le sens de l'épargne. Certes, il est dépensier, comme tant d'autres Canadiens français, mais il sait qu'il faut épargner et s'en remet à sa femme, son argentière. Bref, il se fait aider par les siens, par sa famille.

Son succès lui vient aussi de ses qualités morales remarquables. Le contexte dans lequel Desjardins grandit est pour lui une source d'édification constante. Il est humble, vaillant, généreux, discipliné et énergique. Le conflit entre lui et Honoré Mercier le révèle honnête et intègre. Son action sociale confirme son altruisme et sa fidélité au devoir patriotique. S'il s'emporte quelquefois, il s'agit de sainte colère. Son dévouement à une œuvre économique et sociale ne saurait donc être mû par le désir de gloire personnelle. La reconnaissance par l'Église, qui lui confère le titre de Commandeur de l'Ordre de Saint-Grégoire-Le-Grand, atteste son sens humanitaire. Par ailleurs, l'officier d'une caisse populaire a par sympathie les mêmes vertus. Desjardins met toute son âme dans cette œuvre et il est aussi important de souligner son ardeur que sa vertu. En expirant, le sort de son œuvre sera, après celui de sa famille, son dernier souci.

Mais Desjardins ne peut être l'unique figure, car la coopération valorise l'association entre les hommes. L'œuvre coopérative ne peut pas être le produit d'un seul. La déclaration du chanoine Raoul Tardif, lors des fêtes du cinquantenaire de fondation en août 1950, est l'une des nombreuses références à cet aspect:

> Parlons franc. Sans un groupe actif de prêtres du collège de Lévis, dont fut l'abbé Irénée Lecours, sans leur travail, jamais rétribué, sans leurs loisirs toujours sacrifiés, sans la belle sympathie des autres, Alphonse Desjardins, traité de fou et d'illuminé par le grand public, aurait-il pu fonder sa première caisse? Aurait-elle vécu? Aurait-elle été la caisse type sur laquelle se sont modelées toutes les caisses du Canada? Non[20].

Dans cette optique, la légende présentera Alphonse Desjardins comme le leader d'un projet mû par une volonté collective. On accordera un grand rôle à tous ceux qui l'ont suivi, qu'il s'agisse de l'élite ou des petites gens. Ce sont eux qui contribuèrent de diverses façons aux succès. Desjardins n'aura été que leur guide.

Si Alphonse Desjardins détient l'autorité, c'est parce qu'il maîtrise mieux que quiconque des principes dont l'universalité ne peut être remise en doute. Encore une fois, l'histoire légendaire le démontre. Desjardins et ses collaborateurs se sont dépensés sans compter pour développer la croyance de préceptes coopératifs. Au départ, ils se butent à l'incrédulité, à l'ironie voire à l'hostilité des cultivateurs qui associent son projet à l'expérience des coopératives agricoles. Desjardins s'évertuera à faire comprendre que ces dernières constituaient une mauvaise application d'un système coopératif. La législation sur laquelle elles reposaient en témoignait du reste. C'est pourquoi Desjardins la critiquera fortement. La formule qu'il prône suivait correctement les règles, c'est pourquoi elle ne pouvait que donner des résultats positifs. Il fallait croire et ceux qui y ont cru s'en sont réjouis car, une fois implantée, la caisse le démontrait concrètement en leur apportant des bénéfices économiques et sociaux. Lorsque la puissance populaire se met en branle, le succès est nécessairement à la clé. On parle moins des caisses qui n'ont pas marché.

L'institution coopérative se personnifie «naturellement» en son fondateur. Elle est ce qu'il est; elle fait ce qu'il fait; elle croit à ce qu'il croit. En d'autres termes: le personnifiant mythique (A. Desjardins) est le dépositaire de la personnalité, du personnage et de la personne du personnifié (Mouvement). La légende d'Alphonse Desjardins situe dans le temps et dans l'espace le Mouvement Desjardins. Elle le désigne d'autorité dans l'accomplissement d'une mission. Elle explique à la collectivité pourquoi ses règles font force de loi et comment elles permettent d'améliorer son sort. Elle exprime une vérité qui prête corps, rapporte la tradition, raconte la raison d'être.

La consécration légale

L'organisation coopérative n'étant pas issue d'une initiative publique ou d'une institution déjà en place, telle que l'Église, il faut donc que sa légitimité soit socialement sanctionnée par un geste particulier. Seule la voie légale offre cette possibilité. La loi précise le «pourquoi dans cet état?» Elle détaille les caractères physiques de l'espèce organisationnelle à laquelle l'institution dit appartenir. Elle prescrit sa morphologie et son écologie. La loi est un lieu de mémoire inhérent à toute institution. Elle proclame la légitimité de ses valeurs, désigne et protège ses responsables en consignant leurs droits et responsabilités, sert d'outil de régulation et d'encadrement. Ce processus législatif est en constante évolution. La mémoire essentielle du «pourquoi» se retrouve dans les textes et les dossiers légaux qui cristallisent l'institution Desjardins, en sanctionnant la naissance de ses générations et en harmonisant leur développement avec les exigences de leur milieu.

Un survol historique du cadre législatif encadrant le Mouvement démontre combien cette dimension est inhérente à l'affirmation du pouvoir organisationnel. Elle leur confère un statut de personne morale et leur permet de s'exprimer matériellement dans son environnement.

Grâce à l'adoption de la *Loi concernant les syndicats coopératifs de Québec* en 1906, l'organisation acquiert un statut physique. À ce sujet, Desjardins écrira: «Toute cause d'hésitation et de timidité étant disparue, notre société peut maintenant prendre son essor, développer ses opérations, étendre ses activités dans le domaine économique[21].» De fait, les caisses populaires se multiplient à partir de ce moment. Cette loi dont Desjardins avait assuré la rédaction procure un cadre réglementaire uniformisé qui assure «l'unicité du modèle coopératif, réduisant ainsi les conflits idéologiques et créant un certain lien de parenté entre toutes les composantes du mouvement coopératif québécois[22]».

En 1915, un amendement à la loi permet «la constitution de fédérations d'envergure provinciale, autorisée à exercer les droits et les pouvoirs conférés aux sociétés coopératives[23]». Cette mesure précède la création des niveaux institutionnels régionaux.

Une nouvelle loi régissant les caisses et les unions régionales est adoptée en 1925, mais elle ne modifie guère le contenu de celle de 1906[24]. Les changements plus importants se réalisent en 1932, au cours de laquelle la *Loi concernant les caisses populaires dites Desjardins organisées en vertu de la Loi des syndicats coopératifs de Québec* autorise la création de la Fédération de Québec des unions régionales des caisses populaires Desjardins. Cette fédération obtient un cadre législatif qui s'adresse spécifiquement à elle en 1963. À partir de ce moment, l'institution Desjardins voit son statut de personne morale pleinement reconnu à l'échelle provinciale. L'adoption de la *Loi concernant la Fédération de Québec des Unions régionales de caisses populaires Desjardins* en 1971 complète ce processus en élargissant le cadre d'intervention de l'organisation. La loi «permet l'intégration sociale et économique des institutions rattachées au Mouvement Desjardins en vue d'une plus grande unité de pensée et d'action[25]».

La loi sera par la suite amendée au gré de l'évolution organisationnelle afin d'adapter la réalité organisationnelle du Mouvement. En 1980, le comité administratif recommande que l'on prenne les mesures nécessaires pour changer les noms des niveaux organisationnels. Les unions deviennent les fédérations et la Fédération, la Confédération[26].

La question légale ne s'arrête pas là. Outre les lois permettant la mise en place des structures, d'autres mesures harmonisent le Mouvement avec ses partenaires économiques et sociaux. La question économique en recouvre évidemment un lot important. Pensons par exemple aux retombées légales engendrées par la création du ministère des Institutions financières, Compagnies et Coopératives en 1967 et à la mise en place de la Régie de l'assurance-dépôts du Québec. De plus, puisqu'elle se situe en marge du régime encadrant les banques, le Mouvement a dû recevoir des autorisations pour répondre aux exigences inhérentes au monde bancaire[27]. Toutefois, les questions sociales et culturelles représentent aussi un large éventail, lequel est trop large pour être détaillé. Notons qu'il touche toutes les dimensions organisationnelles, tant sur le plan de la réalisation de ses activités proprement dites qu'au niveau de ses activités de soutien administratif.

La tradition institutionnelle

La tradition est la réponse au «pourquoi de cette façon?» Elle module les aspects relationnels de l'organisation parce qu'elle est le conservatoire vivant de son expérience. Au Mouvement Desjardins, la mémoire administrative du «pourquoi» n'est pas nécessairement consignée car elle s'exprime subtilement dans le quotidien dans tout ce qui semble aller de soi dans les mœurs organisationnelles. On la perçoit cependant clairement dans l'action de ses leaders. Leurs discours, conférences et exposés officiels en témoignent, de même que les documents d'orientation politique, de planification stratégique et de publicisation de l'image tout au cours de leur mandat.

De par sa configuration charismatique, la tradition du Mouvement Desjardins s'exprime à travers son leader. Il est celui qui représente effectivement l'institution en raison de son entendement des principes fondamentaux. L'intervention politique du Mouvement passe personnellement par lui. C'est là une réalité que l'on retrouve dans toutes les grandes institutions: une religion n'a qu'un pape, un État n'a qu'un premier ministre, une université n'a qu'un recteur, etc. Cela vient du fait qu'aucune personne ou fonction ne peut se substituer au pouvoir des principes fondateurs. Cependant, celui qui en maîtrise l'essentiel et qui possède les qualités pour les faire entendre prête sa voix à l'institution. Il en devient le médiateur auprès du groupe et le guide indispensable à son action.

C'était vrai à l'époque d'Alphonse Desjardins; cela est encore vrai de nos jours. À la suite d'une critique de Claude Béland sur les systèmes économiques et sur la place de la recherche universitaire, Michel Roy écrivait:

> Pour prononcer un pareil réquisitoire en cette année 1990, dans un colloque international de facultés de lettres et de sciences humaines, il fallait justifier ses titres, être à côté ou au-dessus de la mêlée, avoir accompli une œuvre qui donne droit à la critique.
>
> Si l'on excepte les universitaires, qui d'autre que Claude Béland dans la communauté des affaires aurait pu faire une telle intervention, déclarer avec autorité que nous en sommes arrivés à un point «dans le paysage social actuel [qui] commande de remettre en question la source de nos valeurs héritées du socialisme d'une part et du libéralisme économique d'autre part». [...] Nul, mieux que le président du Mouvement Desjardins, n'a qualité pour porter un jugement sur les idéologies et les systèmes économiques. Parce que cette institution d'ici — qui sera centenaire dans dix ans — propose à la société des valeurs de rechange: le coopératisme, l'économie au service de l'homme, la solidarité avec le milieu, l'argent mis au service du développement humain, l'intégrité morale des gestionnaires, l'engagement librement consenti, la primauté de la démocratie et de l'éducation sur la pratique de l'autorité arbitraire et des décrets absolus, la participation volontaire aux grandes entreprises, la fin de toutes les formes d'exploitation de l'homme par l'homme.
>
> Or il suffirait d'énumérer les réalisations de Desjardins depuis sa fondation pour démontrer l'efficacité de ces valeurs et de ces outils, quand les responsables en font bon usage, pour atténuer, limiter, voire éliminer les abus de l'économie de marché[28].

Le leader du Mouvement Desjardins est le chef spirituel de l'organisation et la conduite effective des orientations s'exprime à travers lui. Cela se vérifie à travers les causes et les diverses prises de position que les présidents ont défendues au cours de leur mandat. Le témoignage du conseiller en publicité Jacques Bouchard, relatant les réactions des dirigeants du Mouvement lors de la présentation de la campagne «pop-sac-à-vie-sau-sec-fi-co-pin», démontre bien combien ce rôle est déterminant dans l'orientation de l'image institutionnelle:

> «La campagne que je vous présente aujourd'hui se situe dans l'autre révolution [...], qui celle-là est moins tranquille, celle des bébés d'après-guerre. Je vous annonce l'ère du Verseau, celle des temps nouveaux, des sons et des modes qui nous viennent de la perfide Angleterre. Nous allons mettre les caisses populaires à l'heure d'aujourd'hui, leur faire perdre une certaine odeur de vieux bas de laine et attaquer les grandes banques avec la logique de guerre du marché des 20-30 ans.» Je continuai comme ça pendant quinze minutes, [...] Mais tout ne marchait pas à mon goût. Roland me sembla plus cerné que jamais et ce vaste public ne réagissait pas. Seul Alfred Rouleau, qui ne se départissait pas de son sourire, semblait apprécier ma réthorique. [...] Une voix: «On n'est pas des vendeurs de bière!» Une autre voix plus choquée: «On n'a pas de concurrence, on n'est pas des banques!» Un petit grassouillet au bout de la table: «Les enfants en publicité, c'est de l'exploitation. Et je doute que votre «pop-pop» va rafraîchir ce que vous appelez nos chaussettes malodorantes. Moi c'est non!» [...] Alfred Rouleau mit quelques minutes à rétablir le calme. [...] «Écoutez messieurs [...] je vais lui demander de se retirer dans le petit bureau d'à côté et nous allons passer au vote.» [...]

> Roland vint me sortir de mes idées noires et vertes. Il avait lui-même quelques couleurs ce qui me surprit, et le même certain sourire de son patron. Toute la cohorte affichait d'ailleurs le sourire d'Alfred Rouleau. «Votre campagne me dit-il est acceptée. [...] Félicitations pour vos talents de visionnaire, vous êtes de la trempe des individus que nous aimons recevoir au Mouvement.» Trente-quatre mains joyeuses se tendirent vers moi. Roland me ramena à l'aérogare. Il conduisait calmement. «Une main, un vote! Belle affaire...» dis-je à mon cicérone. Il ne répondit pas tout de suite, profitant d'un virage en S. Puis, comme si rien ne s'était passé: «Le principe est tout entier... sauf que parfois, c'est la main de Dieu lui-même qui vote[29].»

Alphonse Desjardins et ses successeurs seront tour à tour porte-parole officiels auprès de la société, promoteurs des valeurs organisationnelles, maîtres d'œuvre dans la mise en place de l'appareil. Chacun exprime la tradition de l'institution coopérative à une époque donnée. Cyrille Vaillancourt sera l'homme de l'unité qui réalisera la centralisation de l'autorité institutionnelle; Émile Girardin sera l'homme de l'éducation qui définira l'encadrement culturel au moment où le Mouvement se diversifie; Alfred Rouleau sera l'homme de la communication qui œuvrera à la reconnaissance sociale comme organisation financière moderne et concurrentielle; Raymond Blais sera l'homme du virage technologique, à qui le Mouvement devra l'innovation notamment avec l'introduction des guichets automatiques; Claude Béland est aujourd'hui l'homme de l'économie qui mène le Mouvement à prendre une place centrale dans la critique économique actuelle[30]. Lorsque ces hommes parlent, c'est le Mouvement que l'on entend, c'est la tradition qui s'exprime.

Le «pour qui»: une force qui nous appartient

En définissant son projet comme un cadre de réalisation propre à l'épanouissement économique et social de la nation canadienne-française, Alphonse Desjardins cible du même coup ceux pour qui l'institution existera. Il cerne ce groupe à partir d'un certain nombre de principes découlant de la pensée économique et sociale de l'époque.

Desjardins possède une conception individualiste de la nature humaine[31]. Il croit qu'il est de la responsabilité de l'homme de prendre les moyens nécessaires à la conduite de sa destinée.

> *L'homme, à raison de son intelligence, est* «sous la direction de la loi éternelle et sous le gouvernement universel de la Providence divine, en quelque sorte à lui-même et sa loi et *sa providence*». C'est dire que *le bon citoyen doit voir lui-même à l'organisation de sa propre vie* et s'efforcer de prévoir à l'avenir; *il doit compter d'abord sur lui-même, sur ses propres efforts, pour faire sa vie*[32].

Une telle position peut paraître à première vue paradoxale pour quelqu'un qui défend avec tant d'ardeur les vertus de l'association. Il n'en est rien car Desjardins ne dénie pas l'individualisme. Il réprime les attitudes qui valorisent cet état pour satisfaire des ambitions égoïstes et favorise plutôt le *self-help* et la force coopérative qui constituent de bonnes affirmations de la puissance individuelle mise au service de la collectivité.

Alphonse Desjardins place dans le sociétaire la première borne de l'institution coopérative.

> La Caisse populaire est avant tout, une association de personnes et non de capitaux. C'est dire que l'individualité du sociétaire domine, et non pas le montant de sa mise, comme dans la compagnie à fonds social. [...] sept ou huit individus suffisent pour constituer la société[33].

Tous les Canadiens français sont interpellés et ce, quelles que soient leurs conditions sociales et économiques. Chacun est invité à investir ses sous, ses énergies et son âme dans une institution qui sera apte à les faire fructifier en toute légitimité.

Dans la vision de Desjardins, l'individualisme est interprété dans le sens de la liberté morale. Il n'exclut pas la relation aux autres, car l'homme n'est pas solitaire de nature. Sa survie est basée sur l'organisation sociale, la communication et la transformation de son environnement. Parce qu'elle doit rejoindre l'individu dans son milieu de réalisation, son institution est par définition une œuvre sociale.

Le système dans lequel l'individu se réalise constitue un lieu naturel avec lequel toute institution doit s'harmoniser; elle a le devoir de respecter les structures établies. Elle a la responsabilité de protéger les valeurs traditionnelles. Pour ce faire, l'institution doit s'enraciner jusque dans la plus petite cellule sociale et la plus petite unité spatiale. Le territoire de l'institution se calque sur la réalité sociale canadienne-française et s'enracine au cœur de ses bases fondamentales. Cette dimension est la seconde borne du «pour qui»; elle délimite l'institution par la famille et la paroisse rurale et catholique.

> *La famille est la cellule vitale de la société*; c'est par la famille que l'homme s'agrège et s'incorpore à la société civile, *et c'est dans la famille que s'éprouvent les besoins*. Par conséquent, *la vie économique doit être organisée en fonction des besoins des familles: les institutions économiques doivent donc opérer en fonction des familles.*
>
> *Le citoyen*, à raison de l'exiguïté de ses formes, *doit recourir à la coopération de ses semblables* pour faire ce qu'il ne peut faire seul.

D'où, au sein de la société civile, toute une pléiade de sociétés et d'institutions que les citoyens, grâce à leur coopération peuvent créer et opérer pour satisfaire leurs besoins communs.

Si la justice doit présider à l'établissement d'un ordre économique et social, *la charité doit en être l'âme*, puisque c'est elle qui opère le rapprochement des volontés et l'union des cœurs, et qui lubrifie et harmonise les relations humaines[34].

Pour Desjardins, l'économie est l'une des forces que le genre humain doit maîtriser pour s'épanouir. En considérant l'économique comme une des bases de l'ordre naturel au même titre que le civisme et la spiritualité, il circonscrit trois pôles constitutifs de la société. Il faut des institutions pour chacune de ces zones de compétence. L'Église s'attache aux affaires de l'âme, la municipalité voit aux affaires morales et l'institution Desjardins s'occupera des affaires économiques. Ce champ social attribué au mouvement coopératif constitue sa troisième borne.

Dans cette optique, les valeurs de l'épargne se rangent aux côtés des valeurs morales et théologales pour guider la conduite des hommes. Parce que les autorités sociales sont partenaires, les valeurs du Mouvement Desjardins doivent s'harmoniser avec celles des autres.

Ce qui fait une nation heureuse et prospère, a bien noté Monsieur Desjardins, c'est la probité des mœurs, des familles fondées sur des bases d'ordre et de moralité, la pratique de la religion et le respect de la justice, une agriculture florissante, le progrès de l'industrie et du commerce. Par conséquent, *les institutions économiques doivent favoriser le perfectionnement moral de leurs membres* en les incitant dans leurs opérations à la pratique des vertus morales, de façon à ce que *le progrès moral et social des citoyens aille de pair avec leur progrès économique*[35].

Selon Desjardins, la force individuelle est une richesse qui dort à l'état brut dans chaque membre d'une société. À l'instar de la pépite d'or, seul un appareil de production apte à faire du minerai un joyau peut la rendre capitalisable. L'institution coopérative veut être cet instrument et, à ce titre, elle entend travailler à raffiner et à canaliser la force individuelle:

[...] toutes nos préférences vont à la pure initiative individuelle et collective, si belle, si féconde et si puissante, après tout, car avec l'initiative privée, bien dirigée, on peut réaliser des prodiges que jamais les gouvernements ne pourraient même rêver, parce que tout le monde est plus riche que n'importe quel gouvernement[36].

Desjardins affirme que c'est seulement par le réveil de cette force que l'on peut penser à améliorer la situation économique nationale et, de ce fait, conquérir une pleine autonomie sociale. Il est donc primordial que tous les Canadiens français changent leur mentalité de bas de laine pour entrer dans l'ère de l'association capitaliste. Il en va de leur harmonisation avec la nature et avec les desseins divins.

La substance du Mouvement Desjardins correspond donc à la société canadienne-française dans ses bases individuelle, sociale et spatiale. Ainsi, la mémoire consignée de l'institution Desjardins devra se plier aux exigences de ce «pour qui» et adopter son système de valeurs. Celui-ci délimite ce qui sera reflété par la mémoire collective consignée. Il est à la base de ses normes.

L'épargne et les valeurs civiles et morales

Les compétences symboliques du Mouvement Desjardins se justifient par son objet de production. Celui-ci transcende les valeurs institutionnelles. Il constitue la voie par laquelle on peut avoir accès aux bénéfices qu'il présuppose. L'association coopérative proposée par Alphonse Desjardins est une coalition d'individus désirant mettre en commun leurs ressources personnelles afin de profiter au maximum des avantages de «l'incroyable force de la coopération». Celui qui adhère à l'institution Desjardins partage le système de valeurs implicite à la notion de force coopérative et, ce faisant, le légitimise.

Ce système privilégie d'abord les valeurs de l'épargne. Celles-ci se réfèrent à la bonne utilisation des ressources économiques. C'est le «N'achètes pas ce dont tu as envie, achète ce dont tu as besoin». Pour les acquérir, il faut s'associer, mais selon les valeurs de la coopération, c'est-à-dire autour de valeurs civiles et spirituelles saines et constructives.

La mémoire historique du «pour qui» permet d'asseoir la compétence des valeurs institutionnelles. Cette mémoire loge dans la force coopérative elle-même. Elle est plus qu'un objet de production, plus qu'un procédé de fabrication, plus qu'une énergie actionnant un appareil de production. L'action coopérative traduit symboliquement la substance du «pour qui» du Mouvement Desjardins. Elle est la face visible d'un pacte social et elle transcende le système de valeurs qui le sous-tend. Il n'est guère possible d'en conserver des spécimens qui témoigneraient de son évolution. C'est pourquoi la mémoire historique du «pour qui» en consigne les symboles.

Le musée imaginaire du sociétaire est chargé d'épinglettes et de boutons d'honneur, de carnets de caisses scolaires ainsi que de toute une gamme d'objets qui affichent son appartenance au Mouvement. On y trouve également des slogans qui traduisent en quelques mots les valeurs de l'institution. Les «pop-sac-à-vie-sau-sec-fi-co-pin», «C'est profitable pour nous les Québécois», «Parlons d'argent», «On n'est jamais mieux servi que par Desjardins», «L'incroyable force de la coopération», etc., permettent au sociétaire de connaître ce à quoi il participe directement[37].

De par leur existence même, les caisses, unions régionales, corporations ou sociétés coopératives logent au même titre dans la mémoire historique du «pour qui». En effet, qu'il en soit conscient ou non, celui ou celle qui adhère à la caisse populaire ou à un des services financiers coopératifs proclame la légitimité des valeurs que le Mouvement défend. À cet égard, en 1970, les dirigeants de l'institution affirment:

> Dans l'esprit du fondateur et de ceux qui lui ont succédé, l'objectif fondamental était et a toujours été la *libération économique du membre* par la coopération dans le domaine de l'épargne et du crédit. C'était là l'instrument tout désigné pour assurer la dignité personnelle des citoyens et leur indépendance économique.

> Sans doute, on peut dire de nos jours qu'une partie importante des épargnes accumulées dans les Caisses populaires proviennent de la qualité du service offert et de la proximité du local ou autres considérations semblables. Le fait demeure, néanmoins, que l'élément moteur qui a présidé et préside encore de nos jours

à la formation des nouvelles Caisses populaires, ce qui amena les sociétaires des premières heures et beaucoup d'autres par la suite, ce qui maintient l'unité et la cohésion à travers ce vaste réseau d'organisation, c'est encore l'objectif fondamental énoncé par le Commandeur Desjardins lui-même, *la libération économique du membre*[38].

Tout au long de son évolution, l'institution coopérative Desjardins n'a pas pu s'écarter de ses valeurs internes. Certes, leur sens a évolué, mais leur présence est demeurée indispensable à la production de la «force coopérative» et, partant, à la légitimité institutionnelle.

Une institution à la grandeur du territoire canadien-français

Dans la mesure où «la coopération apparaît comme un moyen de restaurer les liens socio-économiques disloqués par les perturbations de l'heure[39]», on comprend qu'Alphonse Desjardins ait choisi la famille et la paroisse comme lieu d'implantation des cellules coopératives. Pour que l'institution réaffirme l'identité nationale, il fallait que ses composantes en revêtent les traits distinctifs.

La famille est responsable de l'individu, de son éducation et de sa protection. De plus, dans une économie rurale de type traditionnel, la famille représente l'unité de production/consommation de base[40]. Par ailleurs la paroisse rassemble les structures religieuses (Église) et civiles (municipalité). Le sociétaire, la famille et la paroisse rurale et catholique correspondent au territoire canadien-français de l'époque:

> La paroisse n'est pas uniquement une institution d'encadrement religieux; elle devient rapidement l'institution de base de toute la société rurale et même de la société québécoise. Elle regroupe un certain nombre de rangs et donne lieu à un phénomène d'identification sociale et spatiale [...]. L'État reconnaîtra rapidement cette réalité et, lors de la promulgation du premier code municipal, on formera dans les campagnes des municipalités de paroisse, c'est-à-dire des institutions locales dont les charges sont électives et qui doivent régir le territoire de la paroisse[41].

Ces bornes institutionnelles ne sont toutefois pas demeurées statiques. Elle se sont accordées à celles de l'espace québécois. À cet égard, le Mouvement Desjardins a dû cependant toujours se baser sur ses niveaux d'identification: la plus petite cellule sociale dans laquelle il se réalise et l'unité spatiale à laquelle il s'identifie.

La première modification se produit lorsque le Québec se régionalise. Au cours des premières décennies du siècle, la croissance du territoire urbanisé dans la province a superposé à certains endroits une dimension régionale à la dimension paroissiale[42]. Pour refléter la société, l'institution coordonne ses zones d'influence organisationnelle avec la réalité sociale et économique des régions où les réseaux urbains se manifestaient. Lancé en 1920, le processus de régionalisation des caisses populaires se poursuit jusqu'en 1944 avec la formation des unions dans les régions moins populeuses. Toutefois, l'institution ne peut délaisser l'aire paroisse/municipalité, car celle-ci demeure un pôle d'articulation dans la vie de ses membres. C'est donc par la superposition de niveaux qu'elle arrive à garder sa cohérence.

Dans les années 1970, le Mouvement Desjardins doit refaire l'exercice. D'une part, les pratiques économiques, sociales et culturelles ont subi de profondes mutations durant les années 1960. La société s'articule désormais dans une autre perspective territoriale. Le «Canadien français pure laine» se dit Québécois avant d'être habitant de telle région et résidant de telle paroisse. Pour être représentatif de ses membres, le Mouvement Desjardins devait pouvoir également affirmer qu'il était une institution aux assises non seulement locales et régionales, mais aussi québécoises.

L'expansion institutionnelle du Mouvement Desjardins est liée au second déterminisme du «pour qui», car la restructuration ne pouvait se faire en inadéquation avec les perceptions de sa base. Le discours des années 1990 semble amorcer un nouveau réajustement. De plus en plus, le cadre référentiel de Desjardins s'ouvre vers l'extérieur du territoire provincial. Le Mouvement se met à l'heure internationale. À cet effet, les interventions de Claude Béland appuyant le concept de société distincte lors du débat constitutionnel du lac Meech ainsi que son offre de service à la présidence de la Commission parlementaire élargie sont des signes avant-coureurs qui en témoignent.

La mémoire essentielle du «pour qui» permet de délimiter la force coopérative dans l'espace social. À cet égard, les actes constitutifs et autres documents fondateurs de chacune des cellules coopératives consignent les bornes de l'ensemble coopératif[43]. Par ailleurs, les documents à saveur juridique, les écritures comptables et autres pièces justificatives issues du travail d'encadrement et contrôle de l'instance centrale attestent la réalisation de l'objet dans le respect de l'intérêt des bénéficiaires[44].

De façon générale, toutes les cellules sont autonomes et possèdent leur propre mémoire. Ces mémoires individuelles sont intimement liées les unes aux autres par le cadre référentiel institutionnel. Une dualité mémorielle s'applique tout aussi bien aux relations entre la société et l'institution qu'à celles entre cette dernière et ses composantes. Ainsi, la mémoire du Mouvement Desjardins est en aval une mémoire individuelle qui s'enracine dans la mémoire nationale. En amont, elle est une mémoire collective qui encadre celle des composantes. Ces dernières sont elles-mêmes mémoires collectives des individus qui la constituent, c'est-à-dire des sociétaires. Ces caractéristiques exigent que la mémoire de l'âme témoigne de la pluralité du «tout» sans aliéner celle de ses composantes. Ce faisant, la mémoire devient un ensemble relationnel qui ne possède pas de contours précis et ne peut être délimitée de façon stricte. Elle est à la fois tout et partie selon l'angle de l'observateur.

De telles considérations sont loin d'être byzantines car cela veut dire que les documents n'ont pas la même signification mémorielle selon que l'on considère le niveau individuel ou collectif. L'implication est majeure sur la configuration du fonds d'archives du Mouvement. Par exemple, l'union régionale devra être considérée comme une composante et non comme un organe central sur le plan du général. Cependant, elle est le dénominateur de tout un ensemble de caisses qui elles-mêmes possèdent une mémoire distincte. La personnalité du Mouvement Desjardins exige donc que sa mémoire consignée soit constituée par des groupes de fonds à la fois organiquement interreliés mais physiquement distincts. Cela veut dire que certains documents détiendront une double citoyenneté. Ainsi, les documents constitutifs des composantes sont fondamentaux pour la mémoire du «pour qui» du Mouvement tout en étant les pièces clés de la mémoire du «pourquoi» et du «comment» des entités qu'ils fondent. Cela semble être du reste une caractéristique propre aux institutions. On retrouve cette même dualité dans les archives de l'Église. Ainsi Rome n'a pas à conserver en mémoire tous les documents paroissiaux. Si par mégarde il s'en retrouvait, cela correspondrait à une unité territoriale marginale. Par contre, les documents établissant les décrets d'érection de paroisse doivent être enregistrés dans la mémoire centrale, car ils témoignent d'une de ses dimensions. On pourrait faire le même exercice dans le cas de commissions scolaires et d'écoles ou encore dans celui d'un centre régional de santé et de services sociaux et un CLSC.

Une institution populaire

Le Mouvement Desjardins est une institution/entreprise où bénéficiaires et clients sont synonymes. Elle est destinée à être pour et par Monsieur-tout-le-monde. Il ne peut être question sous aucun prétexte de l'écarter de la structure de fonctionnement. L'institution repose sur le fait que c'est en participant directement aux activités économiques que les Canadiens français réaliseront les vertus de l'épargne. À cet égard, les sociétaires doivent occuper pleinement les fonctions représentatives, législatives et exécutives au sein de leurs associations. Ils doivent être omniprésents, car ils en sont les rouages fondamentaux. Ils en constituent la substance fonctionnelle. Sans leur présence à tous les niveaux de la structure de fonctionnement, cette organisation nouvelle n'aurait aucun sens. À ce titre, les caisses portent bien leur nom, car elles sont populaires.

L'organisation valorise les qualités individuelles de ses sociétaires. Qu'il s'agisse d'un membre de l'élite ou d'un ouvrier, chacun doit trouver une place pour faire valoir ses compétences et ses habiletés. Certains seront appelés à défendre les intérêts institutionnels sur le plan national, d'autres seront désignés pour être des leaders régionaux; même le simple sociétaire sera appelé à utiliser son jugement et à démontrer ses capacités décisionnelles.

Le niveau supérieur sera une abstraction tout au cours de la période fondatrice. La raison est simple: une configuration régionale ou provinciale n'aurait eu aucune résonance réelle dans l'espace social du Canada français. Dans le contexte du début du siècle, le concept d'une structure institutionnelle de coordination d'un ensemble de cellules socialement autonome était inconcevable. Une telle chose aurait été perçue comme une ingérence impardonnable pour l'ordre social établi. Malgré tout, une telle instance existe d'ores et déjà[45]. Son existence transite par son maître à penser et fondateur, Alphonse Desjardins lui-même. Jusqu'à sa mort, il assumera paternellement la majeure partie de la charge devant échoir à l'organisation centrale.

Les bases des unions régionales sont jetées par le Commandeur avant sa mort. Ainsi même si la structure qui vit le jour ne prit pas la forme qu'il aurait voulu il en demeure l'artisan. On peut dire que les unions régionales répondaient à un besoin de cohérence organisationnelle. S'il était possible au départ de tout faire converger vers un petit groupe informel, cette tâche devenait trop lourde au fur et mesure que l'association coopérative croissait. La création d'instances régionales, responsables de la coordination des activités administratives propres à leur territoire, délestait les propagandistes de tâches visant des réalisations économiques qui dans l'idéologie de l'institution ne leur étaient pas destinées. La région devait gérer son territoire comme la caisse l'avait fait avant elle.

Un nouveau processus d'adaptation en fonction du «pour qui» s'enclenche dans les années 1960 avec la diversification des services financiers. Il trouve son aboutissement en 1970 dans la mise en place d'un organe central organisé qui complète la démarche institutionnelle en intégrant les caisses, les union régionales et institutions Desjardins.

La mémoire administrative du «pour qui» réside dans les traces qui témoignent des actions posées par la force coopérative. À ce titre, les documents décisionnels, les schémas d'orientation retracent et mémorisent les actes. Les bilans, les rapports annuels et autres documents récapitulatifs mémorisent les bénéfices obtenus.

Ainsi, dans la mesure où elle se définit par le principe d'une «force qui nous appartient, avec laquelle nous pouvons réaliser de grandes choses sans rien perdre individuellement», les bénéfices de l'organisation Desjardins doivent être de nature communautaire et se convertir comme tels dans leur milieu d'implantation[46]. L'institution a dû le faire valoir auprès de ses adhérents. Par exemple, dans son rapport présenté à l'assemblée annuelle de l'Union régionale de Montréal des caisses populaires Desjardins, en 1934, le secrétaire général signale ce qui suit:

> *Plus de 75% des bénéfices bruts produits par l'épargne du peuple demeure au service direct du peuple.* La différence représente les frais généraux de toute nature sans y inclure un seul sou de salaires pour les nombreuses heures de travail, et de soucis, et de responsabilités que prodiguent les membres dirigeants de chaque caisse locale, ainsi que les directeurs des unions régionales et de la fédération[47].

En mettant au premier plan les valeurs de l'épargne, l'institution n'a jamais pu privilégier l'accumulation des richesses au détriment de l'amélioration des conditions sociales. À cet égard, la prudence et un certain conservatisme ont toujours été de rigueur. Parce qu'elle repose sur l'ordre social, l'intervention institutionnelle a dû se faire dans le respect des structures traditionnelles. À ce sujet, Fernand Morin constate ceci:

> À titre de gestionnaire du patrimoine d'autrui, le mouvement coopératif des caisses d'épargne et de crédit a dû adopter des attitudes de prudente conservation. Parce qu'il leur faut compter sur une analyse du milieu social pour apprécier les implications actuelles et futures de leurs décisions en matière de placement et de prêt, ces mêmes administrateurs ne peuvent en même temps, souhaiter et encore moins, œuvrer à la transformation rapide de la toile de fonds socio-économique et même politique de la société. [...] La gestion des fonds des sociétaires exige la stabilité et l'équilibre, l'évolution peut-être, mais comprimée dans un

cadre prévisible. [...] ces coopératives tentent de défendre et de préserver l'acquis d'hier et d'aujourd'hui [...][48].

L'institution a dû poser des jalons et utiliser les forces économiques de façon constructive sans jamais mettre en péril la construction de l'organisation sociale. Prudence ne veut toutefois pas dire absence d'innovation. Le Mouvement Desjardins a suivi les besoins et offre maintenant à ses membres bien plus qu'un accès à l'épargne et au crédit de production. « Il est presqu'une institution financière « à rayon »[49]. » La diversification de ses services financiers a exigé une réflexion constante sur ses valeurs fondatrices. Les dirigeants de l'institution se sont appuyés sur elles afin de développer des orientations en harmonie avec la conception initiale de l'objet institutionnel.

L'une des caractéristiques frappantes des archives du Mouvement Desjardins est justement cette constante référence aux valeurs fondatrices. L'étude sur les investissements du Mouvement coopératif Desjardins effectuée en 1970 en constitue une bonne illustration. Ce rapport orienta la réflexion au moment où le Mouvement désirait intégrer et développer davantage ses institutions financières. L'ensemble du document témoigne combien le virage administratif fut consciencieusement articulé en fonction du système de valeurs internes. On peut, entre autres, y lire:

> Durant cette période [les années 1960] les institutions politiques, sociales et culturelles ont évolué rapidement vers des formes nouvelles; les institutions financières ont aussi évolué et subi de profondes transformations; le Mouvement Desjardins n'est pas resté étranger à cette évolution du milieu qu'il sert; il a connu les mêmes progrès dans son invention et dans sa gestion que les autres entreprises nord-américaines. Point n'est besoin ici de faire l'historique du Mouvement coopératif Desjardins puisque vous le connaissez tous, étant les continuateurs de l'œuvre d'Alphonse Desjardins, étant vous-mêmes parmi les fondateurs des institutions qui forment aujourd'hui le Mouvement coopératif Desjardins. » [...]

Au fur et à mesure que les besoins des citoyens en matière d'épargne et de placement deviennent plus nombreux avec la hausse constante du niveau de vie, et que le système financier dans son ensemble devient plus complexe avec la diversification des formes de canalisation de l'épargne pour la faire fructifier, il importe de repenser l'orientation du Mouvement en fonction de cette évolution. [...]

Alphonse Desjardins était profondément conscient de la nécessité de transformer une partie importante de l'épargne de la population en capitaux productifs afin de procurer l'emploi et les revenus qui sont, en définitive, la source première de l'épargne. Cette idée est très clairement exprimée dans une conférence que le fondateur du Mouvement prononçait en 1912: «*Je n'ai pas besoin de vous vanter les bienfaits de l'épargne. C'est grâce à elle que les capitaux se forment et que la richesse nationale d'un peuple grossit. Sans l'épargne, impossible de former des capitaux, et sans capitaux, on reste aussi dépourvu que les sauvages qui habitaient ces pays lorsque nos ancêtres sont venus.*»

Alphonse Desjardins était un économiste lucide. Il était cependant beaucoup plus pragmatique que dogmatique et ne voyait pas dans le système coopératif un système statique et rigide; il voyait la nécessité pour le Mouvement coopératif Desjardins d'être efficace et d'être au diapason des évolutions économique et technique afin de mieux servir ses membres. Dans sa biographie on note encore le passage suivant: «*Desjardins [y] voyait la nécessité d'éduquer les gens à la pratique d'un type supérieur de coopération*, exigé par des besoins nouveaux; la coopération entre les caisses locales, dans le but d'en assurer l'équilibre économique.»

Nous sommes persuadés que ces deux principes fondamentaux, soit la nécessité de canaliser une partie importante des épargnes individuelles vers des «*emplois productifs*» et le *pragmatisme* dans l'évolution des structures coopératives, recèlent les éléments nécessaires pour orienter le développement futur du Mouvement Desjardins.

Par l'ampleur qu'il a pris dans l'accumulation et les canalisations de l'épargne, il n'est peut-être pas exagéré de croire que le Mouvement coopératif Desjardins pourrait théoriquement être un facteur de ralentissement de la croissance économique du Québec s'il encourage systématiquement la consommation plutôt que l'investissement. Une économie régionale, comme une économie nationale, côtoie le suicide économique collectif quand ses propres institutions financières négligent d'alimenter les activités économiques créatrices d'emplois et de revenus[50].

Par ailleurs, le Mouvement Desjardins doit valoriser les qualités morales exemplaires. L'organisation soulignera la parution d'une publication d'intérêt général, encouragera la tenue de fêtes régionales, organisera des concours d'épargnants. De même, le Mouvement Desjardins se fait un devoir de communiquer, lorsqu'il en est informé, les actions méritoires de ses membres, car ils sont des sources d'édification[51]. Enfin, certaines de ces rencontres associatives seront prétexte à se prononcer sur certains sujets d'ordre moral[52]. Il est important, même de nos jours, que l'institution coopérative puisse affirmer qu'elle contribue à instaurer de saines attitudes.

L'harmonisation avec les «autorités sociales» constitue un autre aspect déterminé par le respect du système de valeurs. Le Mouvement Desjardins a le devoir politique de promouvoir auprès des autres institutions des mesures qu'elle juge plus aptes à contribuer au développement national. Il lui faut donc s'harmoniser avec les autres institutions, c'est-à-dire ces autorités sociales responsables des affaires civiles et des affaires morales.

À ce sujet, Alphonse Desjardins considérait qu'il était essentiel que l'institution coopérative ait des rapports étroits avec les curés et les élites locales. Au fil de l'évolution de la société, les interlocuteurs institutionnels se sont multipliés et diversifiés. Par exemple, le président du Mouvement s'adresse aux universités ou encore aux associations d'hommes d'affaires car ces organismes sont les intervenants sociaux d'aujourd'hui[53]. La légitimité de l'intervention du Mouvement dans le débat entourant la question constitutionnelle peut se comprendre dans la même ligne de pensée. Si les contextes ont changé, le principe est demeuré entier: le Mouvement entend être une autorité sociale interactive et présente dans l'orientation de la société québécoise et sa mémoire organique et consignée administrative le reflète.

Le «comment»: une nation forte par la démocratie et la coopération

Alphonse Desjardins considérait que la réussite du Canada français était conditionnelle à celle de son économie. En se référant au concept de la compagnie à fonds social, il fait l'équation suivante: l'association économique a permis les grandes réalisations capitalistes du siècle; l'association est bonne pour l'humanité. Du reste, dans leurs écrits, les papes Léon XIII et Pie XI ont appuyé et reconnu la légitimité de la propriété privée. Le développement du capitalisme industriel constitue donc un élément révolutionnaire pour la société canadienne. Il est la voie de l'avenir. Il s'agit d'une réalité naturelle incontournable[54].

L'association capitaliste engendre toutefois des inégalités dans la distribution des richesses et ouvre la porte aux tensions sociales. À ce propos, Alphonse Desjardins ne croit pas à l'efficacité d'une revendication basée sur la lutte des classes:

> On crut qu'il importait tout d'abord de réunir le nombre afin de lutter contre le capital. De là, ces multiples créations de sociétés faisant irruption dans le domaine du travail et présentant ces cohortes, formidables par le nombre, prêtes à engager la bataille avec le capital. Sous la poussée de souffrances réelles, quelques fois imaginaires, mais stimulées toujours par des meneurs, combien de conflits ne sont-ils pas produits qui auraient dû ou pu être évités? À notre sens, les mesures d'amélioration et de relèvement auraient dû être orientées dans une autre direction. On aurait dû, par l'épargne, se créer le capital au lieu de le combattre[55].

Il faut s'associer mais pas n'importe comment. Desjardins adhère aux idées coopérativistes et associationnistes qui se développent au XIXe siècle. Cette idéologie intègre les principes du libéralisme économique et ceux de la doctrine sociale de l'Église. Elle propose «une troisième voie entre l'ordre capitaliste autoritaire et la révolution sociale, toujours violente[56]». Elle entend organiser l'activité économique d'une société autour de son ordre naturel, c'est-à-dire dans le respect des rapports traditionnels.

L'unité et la collaboration de chacun dans une structure démocratique forte représente pour lui une étape essentielle à l'émancipation nationale.

> Sans doute, l'idéal, ici, doit franchir les bornes d'une simple accumulation de richesses, et ce serait bien mal comprendre ma

pensée que de le lui donner une telle interprétation. Le but suprême ne serait pas de grossir la somme de richesses en rendant plus fécond le travail de nos populations, en multipliant les organismes destinés à combattre l'imprévoyance et à créer des richesses par l'épargne, mais bien de s'appuyer sur cette même richesse accumulée pour accroître le prestige de notre race, la force et l'influence de notre patrie. Si par la pensée l'homme a la tête dans les cieux, but de ses suprêmes aspirations, ses pieds n'en reposent pas moins sur la terre. L'œuvre sociale économique que je viens de vous signaler,[..] sans parler de toutes celles qui, plus tard viendront se greffer sur elle, servant d'organes à une foule d'activités fécondes, et formant un tout complet, peut, par ses progrès, amener une profonde et bienfaisante évolution dans notre pays. Multiplier les ressources de chacun, centupler les moyens d'action dont nous disposons déjà et permettre une exploitation plus intense du riche patrimoine dont la Providence nous a gratifié, n'est-ce pas là un programme digne de vos énergies? Le jour où cette pensée serait réalisée, votre idéal serait bien près, lui aussi d'être atteint, car l'influence et le prestige que vous rêvez pour notre commune patrie seraient presque assurés. La richesse est si fascinatrice![57]

À cet égard, sa proposition vise à susciter l'altruisme et la solidarité dans l'action économique par l'institutionnalisation des valeurs de la coopération. En accédant à la paix sociale et à la puissance économique, les Canadiens français pouvaient devenir des leaders au niveau pancanadien[58].

Alphonse Desjardins établit le «comment» organisationnel: son idéal est celui d'une nation canadienne-française pouvant accéder à la puissance économique même en partant de rien, pourvu qu'elle souscrive aux idées coopératives et se dote démocratiquement des outils conséquents[59]. Les méthodes du Mouvement Desjardins s'établissent autour des valeurs de la coopération et de la démocratie. Ces méthodes sont désignées pour régir les pratiques par lesquelles la société canadienne-française s'émancipera.

Dans la mesure où elles sont intrinsèquement liées à l'accomplissement d'un projet de société, les méthodes de l'organisation Desjardins doivent être saisies dans la perspective institutionnelle. Elles n'attestent pas d'un «comment lutter contre l'usure?» ou d'un «comment développer des habitudes d'épargne?» Certes, ces questions ont été des points de départ dans la mise en place du réseau coopératif; cependant, elles ne représentent pas la finalité ultime de l'organisation qu'Alphonse Desjardins créa[60]. Elles expriment des principes moteurs dépassant le cadre strict des composantes coopératives. Elles sont les moyens découlant du «comment respecter les lois économiques».

L'infaillibilité scientifique

Les méthodes de production des biens ou des services sont bien plus qu'une simple procédure encadrant la réalisation effective des opérations. Elles correspondent aux principes moteurs de la démarche organisationnelle et leur choix repose sur l'idéologie qui sous tend celle-ci.

Le Mouvement coopératif justifie son idéologie par l'expertise d'Alphonse Desjardins. L'institution peut affirmer avoir les meilleures méthodes pour mener à bien les desseins institutionnels parce que son concepteur était l'un des plus grands spécialistes de la coopération. Les recherches sur les banques populaires européennes, ses réflexions sur la société canadienne-française et ses échanges scientifiques sur la coopération, ont fait de Desjardins un des plus grands penseurs de la question. Sa reconnaissance par le réseau international des spécialistes de la coopération et par les «autorités sociales» concernées atteste sa maîtrise des aspects cognitifs. Dans sa biographie de Desjardins, Yves Roby souligne l'envergure de cette renommée:

> Tout ce labeur incessant, entrepris depuis 1906, valut très tôt à Desjardins d'être regardé comme le grand spécialiste de la coopération en Amérique. [...] Le Saint-Siège reconnaît son mérite pour la promotion des œuvres sociales au Canada, et lui confère, en avril 1913, le titre de Commandeur de l'ordre de Saint-Grégoire-Le-Grand. Le 14 mai 1913, il apprend du cardinal Bégin qu'on l'a nommé membre du Comité permanent de l'Action Sociale Catholique. [...] En Europe [...] ses maîtres et amis consacrent de larges extraits de leurs discours lors des congrès internationaux, à décrire les progrès de la coopération d'épargne et de

crédit en terre canadienne. Trois grandes associations américaines, *The American Economic Association, The American Academy of Political and Social Science* et *The Permanent American Commission of Agricultural Finance, Production, Distribution, Rural Life*, admettent le brillant coopérateur québécois. En 1912, en raison de son emploi, il dut malheureusement décliner une invitation du président des États-Unis (Taft) de se rendre à la Maison Blanche pour assister à une conférence sur le crédit agricole.

De partout affluent les demandes de renseignements. Des Canadiens français d'Ontario, de la Saskatchewan et du Manitoba désirent implanter la Caisse Populaire parmi leurs compatriotes. Des personnalités d'Argentine, de Jamaïque et de vingt-deux états américains partagent la même ambition[61].

Desjardins est l'ingénieur qui a érigé une entreprise à la mesure de ses propres connaissances. Son autorité en la matière ne peut être mise en doute. Le sceau scientifique confère un savoir incontestable à l'institution. Sa parole devient celle de l'expert qui maîtrise des principes universels ou divins.

En tant que gardien de son savoir-faire scientifique, Alphonse Desjardins est le principal détenteur de la mémoire historique du «comment». On retrouve ici des motifs similaires à ceux qui dans l'organisation/personne faisait du patron-ingénieur son grand prêtre. Il n'est donc pas surprenant que Desjardins ait été choisi comme symbole de son Mouvement. Tout au long de sa vie, il livre sa pensée en diverses occasions[62]. Ses écrits constituent en quelque sorte la «bible» de la mystique Desjardins. Ils jettent la base conceptuelle à partir de laquelle le développement idéologique s'articule par la suite.

La conceptualisation et l'établissement des caisses populaires ont exigé qu'Alphonse Desjardins fasse des recherches approfondies. Il ne devait pas seulement se documenter sur les théories économiques et sociales, il lui fallait les maîtriser. Ceci nécessitait des lectures spécialisées, des contacts avec les spécialistes de certaines questions, une analyse de la société canadienne-française. Cyrille Vaillancourt et Albert Faucher soulignent à cet égard que Desjardins était un intellectuel qui «voulut comprendre avant tout; il voulut définir le problème, et d'une façon concrète, en préparant «tout un dossier»[63]».

Dans le contexte de modernité, ce «dossier» reflète un mode d'accès et un mode de diffusion traditionnel aux champs du savoir scientifique. Ses relations épistolaires avec les coopérateurs européens Wolff, Luzzatti, Durand, Rayneri et plusieurs autres doivent être comprises en ce sens. Il en va de même des ouvrages qu'il consulte, des réflexions qu'il consigne. Cette démarche scientifique ne s'arrête pas lorsque les caisses sont établies. Desjardins continue de diffuser ses idées et ses méthodes. À cet égard, les voyages qu'il effectue et les conférences qu'il prononce sur la coopération constituent des moyens de diffusion. Ainsi, à une époque où le savoir ne loge pas totalement dans les institutions de formation, ses notes, ses livres de référence[64] et sa correspondance témoignent des pratiques scientifiques d'un étudiant, d'un chercheur, d'un maître.

Pour préserver cette autorité après le décès de Desjardins, le Mouvement se devait de respecter ses principes fondateurs. Tout au cours de son évolution, la mise à jour des connaissances s'est poursuivie dans la même tradition. L'organisation a accordé une bonne place à la question dans ses priorités organisationnelles. Elle a alloué des ressources pour la recherche et la diffusion scientifiques tant à l'interne qu'à l'externe[65]. De plus, elle s'est engagée dans le développement de systèmes coopératifs à l'échelle internationale.

Les documents des périodes subséquentes, issus des interventions de propagande ainsi que ceux produits par les recherches fondamentales et appliquées, menées ou encouragées par l'institution, viennent enrichir la mémoire symbolique du «comment».

« Une loi pour implanter les caisses »

La législation a permis au Mouvement Desjardins d'instaurer des structures organisationnelles propres à son établissement physique. Toutefois, ce même processus législatif a tardivement reconnu le caractère institutionnel distinct du Mouvement Desjardins. Dans ce contexte, on peut comprendre la bataille menée par Desjardins et ses successeurs pour l'obtention d'un cadre légal.

Alphonse Desjardins estimait qu'une loi confirmant un statut distinct aux caisses populaires constituait un diktat. Il investit beaucoup d'énergie à l'obtenir et s'appliqua activement à défendre ce point, en le présentant d'abord aux politiciens :

> Dès octobre 1900, avant même la fondation de la première caisse, celle de Lévis, il expose son projet au ministre fédéral de la Justice, David Mills. Il recherche et obtient la collaboration du député Némèse Garneau (homme d'affaires, futur conseiller législatif et ministre de l'Agriculture durant vingt-trois jours en 1905), du solliciteur général Henry George Carroll, des députés fédéraux Robert Borden (futur Premier ministre canadien) et Louis-Julien Demers (de la circonscription de Lévis, marchand et ancien élève aussi du collège de Lévis)[66].

Desjardins utilisa divers moyens de pression allant même jusqu'à songer à se faire élire à Ottawa[67]. L'Action populaire économique, créée le 21 septembre 1904, s'inscrit dans cette foulée. Une brochette de noms imposants y sont réunis afin de diffuser les idées coopératives auprès de l'élite nationale et de la convaincre du bien-fondé de la démarche. «Ses objectifs, [...] visent à faire connaître la Caisse populaire et à en favoriser l'expansion, notamment par la publicité.» Concrètement l'Action économique populaire fut constituée afin de faire du lobbying auprès du gouvernement[68]. À ce propos, en 1905, Desjardins écrivait aux évêques : «Elle [L'Action populaire économique] s'est tout d'abord assigné pour mission d'intervenir auprès des pouvoirs publics dans le but d'obtenir la législation qui donnera l'existence juridique à ces sociétés populaires d'épargne et de crédit[69]».

Cette conviction se trouvait du reste renforcée par l'influence du milieu parlementaire où Desjardins évoluait. À ce propos, Cyrille Vaillancourt et Albert Faucher affirment que Desjardins entretenait certaines illusions quant aux pouvoirs de la loi :

> À Lévis, on avait pris l'habitude de dire : «une loi pour implanter ces caisses». Aux États-Unis, comme au Canada d'ailleurs, on était porté à croire que la promulgation des lois amenait nécessairement ou fatalement l'éclosion de la réalité que l'on voulait

atteindre. Comme l'avait noté H.W. Wolff, cette tendance était d'origine *continentale*. Les Britanniques, par contre, pouvaient mieux se prévaloir du régime de droit commun, sachant que la réalité juridique sans la réalité sociale n'est qu'une pure fiction. Dans la province de Québec, l'héritage continental soutenait le prestige d'une pléthore d'avocats plus habiles à traduire l'énergie sociale en chaleur électorale qu'à orienter vers des œuvres concrètes. Et Desjardins lui-même, qui subissait comme les autres l'influence du milieu souffrait un peu de cet engouement pour la profession légale. Pour employer une expression qu'il empruntait à Le Play, les avocats représentaient, à ses yeux, «les autorités sociales»[70].

Quelles que soient les attentes de Desjardins, il est compréhensible qu'il ait accordé une grande importance à la question. La loi est une convention entre les individus et leurs institutions. Elle exprime un consensus social minimal pour assurer la réalisation des desseins institutionnels. La loi définit non seulement la nature du pouvoir, mais elle en établit les limites. Elle habilite une forme donnée à exercer une autorité selon certaines méthodes.

La loi de 1906 était calquée sur la loi de 1902 concernant les syndicats agricoles. Toutefois, en refusant de différencier les deux types d'organisations, «la loi donnait droit de cité aux coopératives de consommation, de production et de crédit. La législature refusait cependant au rédacteur du projet de loi de la reconnaissance de la mutualité[71]». En 1925, le législateur distingua les sociétés de coopératives agricoles et les syndicats coopératifs. Ces modifications étaient conséquentes à la création de la Coopérative fédérée de Québec et visaient à mettre en place la *Loi concernant les sociétés coopératives agricoles*. Pour sa part, le Mouvement restait soumis à une nouvelle loi, reprenant les grandes lignes de celle de 1906, et continuait à atténuer sa portée idéologique. Les modifications de 1932 permirent la création d'une instance centrale, mais confinait plutôt le nouvel organisme à un rôle de coordination.

La reconnaissance fut enfin accordée au Mouvement Desjardins au début des années 1960.

La loi de 1963 établissait enfin un régime distinct pour les caisses et les coopératives engagées dans d'autres secteurs d'activités.

Les caisses sont régies par la *Loi des caisses d'épargne et de crédit* et une loi d'application générale, la *Loi des associations coopératives* régit les autres types de coopérative[72].

Le «comment» dans son acceptation matérielle a forcé le Mouvement Desjardins à mener des pressions constantes pour habiliter ses pratiques. Sans ce droit, l'institution ne pouvait s'affirmer à part entière. Tant que l'organisation fonctionna sur une base artisanale, ce ne fut pas une trop grande entrave à son développement[73]. Toutefois avec la complexification organisationnelle, le problème devient entier car sans reconnaissance légale l'organisation coopérative était vouée à devenir une entreprise financière comme tant d'autres.

La mémoire essentielle du «comment» se retrouve donc dans les textes de loi ainsi que dans les projets et autres documents ayant servi à élaborer les lois. Les composantes ont de par la loi des statuts et règlements qui donnent lieu à des documents constitutifs et aux procès-verbaux d'assemblée. Si ces ensembles documentaires consignent une part de la mémoire institutionnelle, ils se rapportent toutefois à des organisations autonomes. Le Mouvement en tant qu'organisation/personnalité n'a pas de telles balises avant 1932. On peut considérer dans ce contexte que les règlements et les procès-verbaux issus de la Fédération constituent une source de mémoire essentielle du «comment».

Une autorité effective

Le pouvoir au Mouvement Desjardins ne peut s'exercer de façon autoritaire, car, de par ses valeurs démocratiques, il est détenu à part égale par tous les membres de la coalition organisationnelle. Malgré tout, l'harmonie coopérative exige une certaine centralisation de l'autorité. Il faut accorder à une instance supérieure la capacité de trancher les divergences d'opinions sur les orientations à suivre. Cela constitue une nécessité, puisque l'atteinte des objectifs généraux requiert la cohésion dans l'action.

Ce commandement institutionnel repose sur des préceptes que les dirigeants doivent continuellement observer, car ils traduisent la pensée fondatrice, seule autorité indiscutable dans l'organisation.

> Le rôle des dirigeants [d'une structure coopérative] consiste à assurer le gouvernement de l'organisation avec l'aide de l'ensemble des collaborateurs qui se présentent comme des forces de proposition, de discussion, de négociation ou d'antagonisme, et qui participent pleinement à la préparation et à la prise de décision. Cette structure s'offre comme la modalité par laquelle peut se briser l'antique séparation entre pensée et exécution, l'appropriation du savoir et du pouvoir par des catégories spécifiques, et peut croître, à tous les niveaux, la capacité à poser les problèmes, à en découvrir les dimensions véritables et à les résoudre[74].

Puisque le pouvoir s'exerce par le partage des valeurs, l'organisation doit avoir un réseau de communication vigoureux. La base doit être formée à l'exercice du pouvoir démocratique. Par ailleurs, le principe de transparence des actions administratives exige que les dirigeants rendent compte de leurs actions à leurs sociétaires.

Pour répondre à ce besoin, le Mouvement Desjardins a recours, comme toute institution, à divers moyens d'information pour initier ses dirigeants aux pratiques coopératives traditionnelles et diffuser leurs politiques. À cet effet, toute une gamme d'outils textuels et non textuels est mis en place afin de rejoindre tous les niveaux organisationnels: catéchisme des caisses populaires, *Revue Desjardins*, revue *Ma Caisse*, émissions de radio et de télévision, manuels de gestion SIC et SOC, lettres circulaires, rapports annuels, etc.[75]

Ainsi, le «comment» s'articule en fonction de l'idéologie institutionnelle. Si le «pourquoi» trouve une représentation fonctionnelle dans la tradition charismatique, le «comment» en prescrit l'exercice par les modes de transmission idéologique. La mémoire fonctionnelle du «comment» loge à cet effet dans les documents de propagande et d'éducation qui expliquent les préceptes, détaillent les règles et prescrivent le bon usage. On la retrouve également dans l'éventail documentaire présentant aux sociétaires les politiques et les orientations institutionnelles formulées par les dirigeants.

De par le mode de communication privilégié tout au cours de la période artisanale, une grande part de cette mémoire administrative du «comment» a laissé peu de traces. Les processus de transmission nous sont connus mais non le contenu des messages. Par exemple, les rencontres de Desjardins, à la veille d'une réunion de fondation et le prône incitant les paroissiens à assister à la réunion ne sont pas du domaine de l'écrit. Ce n'est qu'avec la complexification de l'organisation et l'accroissement de la tâche que certaines directives et procédures administratives durent être consignées pour faciliter leur diffusion.

La mémoire consignée du «comment» s'adresse à un vaste auditoire. En conséquence, elle requiert une large diffusion et est consignée selon des modes permettant une large reproduction. Il s'agit d'une constante que l'on retrouve tout au cours de l'histoire du Mouvement. Par ailleurs, les liens mémoriels existant entre la mémoire du Mouvement et celle des autres font déborder la mémoire hors des cadres institutionnels proprement dits. De par sa nature même, le Mouvement Desjardins exige les interrelations mémorielles entre des organismes qui par définition sont autonomes. En outre, sa mémoire se retrouve dans divers autres fonds non institutionnels[76]. Les témoignages critiques des spécialistes qui s'interrogent sur la coopération deviennent lourds de signification. Ces travaux, qui se présentent sous diverses formes: article, livre, thèse de doctorat, rapport, reportage, etc., viennent alimenter la mémoire. Les textes légaux ainsi que les publications officielles issus des appareils gouvernementaux constituent des connaissances essentielles qui vont au-delà de la simple documentation de soutien administratif. La mémoire est éclatée parmi de multiples fonds de collaborateurs, de communicateurs, de propagandistes, etc., qui contribuent à publiciser son idéologie[77].

Le «quoi»

Sur le plan matériel, le Mouvement Desjardins se caractérise par deux niveaux organisationnels: une instance centrale représentant l'institution et des composantes possédant des objectifs particuliers quant à la réalisation de son idéal coopératif.

La mémoire du «quoi» parle d'autorité. Elle atteste le caractère phénoménal de la mission organisationnelle. Elle consigne les connaissances qui permettront de faire reconnaître l'entité morale et physique à part entière et de faire respecter ses droits. À ce titre, elle renferme les informations consignées descriptives qui détaillent l'institution sur le plan de ses ressources et de la logistique de celles-ci. Elle regroupe les documents constitutifs ainsi que les conventions qui établissent les composantes coopératives: actes de fondation de caisses, charte d'incorporation de société, règlements, listes des membres, procès-verbaux d'assemblées, rapports annuels, etc.

La mémoire du «quoi» prouve que l'organisation remplit ses devoirs institutionnels envers ses ayants droit. Elle conserve les documents afférents au capital, financier et physique: états financiers, obligations, prêts, titres de propriété, biens mobiliers, immobiliers et équipements, etc.

Le «par qui et par quoi»: association volontaire et engagement social

Selon Alphonse Desjardins, l'organisation coopérative doit fondamentalement être une initiative privée — par opposition à gouvernementale — afin de développer un sentiment d'appartenance et de responsabilité au sein de ses adhérents. Par ailleurs, elle doit agir de façon pratique sur le «terrain économique», afin d'appliquer les valeurs de la coopération, ce qui aurait une «influence énorme pour la transformation des procédés et la mentalité des populations[78]».

Diffuser les valeurs de la coopération et encourager le ralliement ne sont toutefois pas suffisants. Il faut que la force populaire s'exprime d'elle-même à travers tout un outillage capable de mettre à profit sa puissance. Par la mise en pratique des principes théoriques diffusés par la propagande, la base populaire doit participer activement aux activités coopératives. Desjardins croit que c'est ainsi que la population canadienne-française s'épanouira.

Pour Alphonse Desjardins, il est important que la participation soit bénévole. À ce sujet il déclare à la jeunesse canadienne-française:

Les fonctions des officiers sont gratuites. L'idée de Lucre doit être bannie de ces associations. Voici apparaître le dévouement social pour les cœurs généreux, que l'égoïsme hideux n'a pas atteints et avilis. Celui qui n'a pas assez de charité pour son semblable pour lui consacrer quelques heures de son temps, heures dont il est si prodigue quand il s'agit de futilité ou d'amusement, celui-là ne comprendra jamais le rôle social et ne sera jamais digne de le remplir en acceptant des fonctions comme celles dont nous parlons[79].

Cela ne veut pas dire que tout sera fait gratuitement. Desjardins prévoit que des frais administratifs pourront être perçus afin «d'indemniser au moins la personne qui a la responsabilité du maniement des fonds et qui tient les écritures[80]».

La mission de l'institution coopérative définit les orientations générales de son personnage. Le processus de fonctionnement aura deux grands objectifs. Le premier vise l'éducation par la diffusion des idées coopératives et le second a pour but de favoriser la poursuite de cette formation par des applications pratiques. Le système de valeurs inhérent au Mouvement Desjardins distribue les rôles des acteurs. Pour réaliser son projet, Desjardins privilégie deux champs d'action organisationnelle: la propagande et la participation active. Enfin, l'idéologie détermine comment la réalisation des activités s'effectue. Les ressources physiques et la source d'énergie requises pour faire fonctionner l'appareil de production doivent être issues d'une association volontaire et être mues par un désir d'engagement social.

La personnalité Desjardins influence le personnage en formulant les objectifs généraux qui doivent guider l'intervention organisationnelle. La nature du Mouvement coopératif commande une configuration charismatique. De même, sa matière conditionne un bas degré de spécialisation des fonctions représentatives, législatives et exécutives. Enfin, sa logique exige que l'autorité s'exerce de façon autoritaire dans un cadre démocratique.

De par sa nature coopérative, le Mouvement Desjardins ne peut mesurer le rendement de son appareil de production de la même façon qu'une organisation capitaliste pourrait le faire.

L'exploitation coopérative se définit comme une association de personnes qui se propose d'assurer essentiellement à ses membres, et éventuellement à des éléments étrangers, le service le meilleur et le plus régulier au plus bas prix. Cette définition permet de distinguer l'exploitation coopérative de l'entreprise capitaliste:

— Son but n'est pas la recherche du profit maximum, mais la meilleure répartition du maximum d'avantages entre ses membres.

— Sa structure se caractérise par une «libre réunion personnelle de sujets économiques» (Sombart) qui se proposent notamment d'abolir la séparation des facteurs de production et la gestion par le capital, facteur de production différencié. La coopérative est une forme communautaire de l'économie. Elle n'élimine pas le profit comme revenu fonctionnel qui rémunère la fonction de combinaison de facteurs et d'assomption de risques, mais comme «revenu social de catégorie» (F. Perroux).

— Ses fonctions ne sont pas purement économiques: la coopérative n'est pas seulement une exploitation économique, mais une institution d'éducation sociale et d'intérêt commun (contrôle moral et social de ses directeurs)[81].

Ces caractéristiques permettent d'établir un premier trait caractéristique du personnage Desjardins. Comme toute institution, ses objectifs sont «complexes, souvent conflictuels et difficilement quantifiables». Ainsi le personnage Desjardins a deux grands objectifs: éducation économique et intervention pratique. Ils sont aussi importants l'un que l'autre et l'organisation ne peut les hiérarchiser dans l'allocation des ressources nécessaires à leur réalisation.

Pour déterminer ses priorités administratives, les dirigeants de l'institution doivent endosser les préoccupations qui reçoivent le plus d'audience parmi ses sociétaires. Le débat entourant la question des services éducatifs au début des années 1970 illustre bien ce fait. Au moment de la rationalisation des services de la Fédération, il fallut reconsidérer la pertinence d'appuyer financièrement l'Institut coopératif Desjardins alors que la Fédération possédait déjà un service d'éducation.

L'évaluation et le contrôle du rendement de l'appareil coopératif demeurent importants. Il faut bâtir sa crédibilité et, par la suite, la maintenir. À cet effet, l'institution ne peut évaluer l'efficience de son action; sa culture organisationnelle tend donc à concentrer les énergies sur l'efficacité.

Parce qu'elle opère dans le secteur tertiaire, l'organisation présuppose au départ une production bureaucratique plus ou moins importante. Le domaine des échanges économiques présuppose la présence de normes et de formes, notamment en ce qui concerne le point de vue comptable. Pour pouvoir évaluer et contrôler ses actions, l'entreprise économique doit avoir un certain souci dans la tenue des «écritures» et de la garde des fonds. Il s'agit là d'une preuve non seulement du point de vue légal, mais aussi du point de vue social. Pour rassurer et obtenir la confiance des épargnants, la caisse doit prouver ses succès financiers. La question fut d'autant plus importante au moment de l'établissement, car les langues allaient bon train: «Cela ne marchera pas», disait-on.

Parce qu'il s'agit d'une œuvre sociale, il faut aussi pouvoir évaluer l'atteinte de ses objectifs. C'est du reste très important, car c'est la seule façon de vérifier la réussite de sa mission.

De par leur nature, les activités bancaires, à l'instar des affaires judiciaires, constituent un domaine où la réglementation et la procédure engendrent des pratiques administratives normalisées et formalisées. Au cours de la période fondatrice, il y avait peu de besoins consignés dans le fonctionnement de la caisse proprement dit. Le fonctionnement est artisanal et se fait sur une base paroissiale où tout le monde se connaît. Bref, les écritures comptables s'en tiennent le plus souvent au strict minimum. Rosario Tremblay rapporte en outre le cas d'une reconstitution de grand livre à l'aide des livrets de caisse.

La façon de respecter l'idéologie tout en répondant aux exigences organisationnelles est de mettre en place «des poches de démocratie[82]»:

> Cette association en une confédération est à la fois libre et obligatoire: elle est libre car il appartient aux Caisses populaires en nombre majoritaire d'accepter que leur Union Régionale ou une corporation qu'elle contrôle directement ou indirectement fasse

partie de La Fédération, comme il appartient aux membres de La Fédération d'accepter ou non l'affiliation d'une Union Régionale ou d'une corporation donnée. Elle est obligatoire pour toute Union régionale ou corporation faisant partie du complexe financier intégré que constitue le Mouvement Coopératif Desjardins[83].

L'esprit organisationnel du Mouvement exige que les sociétaires délèguent des pouvoirs prépondérants à une structure de commandement et de contrôle. Celle-ci se doit de gouverner l'ensemble coopératif dans la ligne idéologique sur laquelle elle repose. Ce principe démocratique commande également que cette instance reste en étroite relation avec ses ayants droit. Au départ, cette responsabilité fut assumée par Alphonse Desjardins lui-même. À sa mort, le Mouvement manqua cependant d'unité à sa direction. Les propangadistes assumèrent tout au plus un certain intérim sur la place publique. Entre 1920 et 1932, les unions traversent des périodes difficiles[84]. Les difficultés engendrées par la crise économique font sentir l'urgence de centraliser certains pouvoirs et certaines fonctions. Il en allait de la crédibilité de l'institution sinon de sa survie de se doter d'une instance supérieure forte, capable de diriger l'action collective[85]. Un nouveau processus d'adaptation s'enclenche dans les années 1960 avec la diversification des services financiers. Il trouve son aboutissement en 1970 dans la mise en place d'un organe central organisé qui complète la démarche institutionnelle en intégrant l'ensemble des composantes du Mouvement Desjardins.

Mutations sociales et croissance organisationnelle

La restructuration organisationnelle est une mesure qui apparaît périodiquement inévitable pour rétablir l'harmonie avec le milieu. Ce n'est qu'en connaissant son «pourquoi» qu'un polysystème complexe peut comprendre sa mission; qu'en suivant son «comment» qu'il peut orienter son existence; qu'en respectant son «pour qui» qu'il peut assurer sa survivance; qu'en se modulant sur ses «par qui et par quoi» qu'il peut réussir de façon efficace et efficiente; qu'en assumant son «quoi» qu'il peut se développer de façon cohérente. Ces questions éclairent son identité. Elles précisent la conscience qu'un organisme a de lui-même, la réalité matérielle par laquelle il se perçoit, les comportements qu'il adopte et les capacités qu'il met en œuvre.

En répondant à ces questions, on constate que le Mouvement coopératif Desjardins est une institution économique non gouvernementale mais d'envergure nationale; un système de valeur privilégiant les valeurs économiques, civiques et morales ainsi qu'un idéal social fondé sur la démocratie et la coopération. Par sa nature, l'organisation est novatrice car les concepts d'institution capitaliste ou d'entreprise sans but lucratif ont encore peu de sens pour l'époque qui la voit naître[86]. Par sa raison d'être, son intervention reçoit une audience sociale car ses valeurs sont rassurantes. Par ses principes moteurs, elle permet à la société canadienne-française de s'adapter aux effets catastrophiques du capitalisme industriel, tout en renforçant son identité.

Ces traits ont été permanents tout au cours de l'évolution du Mouvement Desjardins mais leur définition s'est modulée au gré du temps. Ainsi, dans le contexte idéologique prévalant au moment de sa fondation, ils se définissent à l'intérieur de la doctrine sociale de l'Église. Ordre social et intervention économique allant de pair, l'organisation Desjardins s'associe alors à d'autres institutions pour lutter contre les effets néfastes du capitalisme concurrentiel et éviter les affres du socialisme[87].

> L'idéal proposé se réduisait à une société organique dirigée par l'Église et la petite bourgeoisie, fondée sur la suprématie des valeurs spirituelles, sur la primauté de l'agriculture et de la petite production, la permanence des traditions, la paix sociale par la collaboration des classes, les relations de type familial, le repli sur soi; le refus de la richesse matérielle, de l'industrialisation, de l'urbanisation; la peur des autres, des Anglais, des Juifs et de tout ce qui est nouveau. Les principaux leitmotiv de cette idéologie sont: l'essentiel c'est le ciel, nous sommes pauvres, nous sommes catholiques et français, l'Anglais exerce sur nous un pouvoir économique écrasant et est responsable de notre subordination et de notre déchéance nationale[88].

Avec la modernisation de la société québécoise, la mise en pratique des théories keynésiennes a pour effet, d'une part, de modifier le rôle de l'État dans les champs économique et social. Désormais, l'État devenait un intervenant actif dans le soutien et le développement des entreprises capitalistes. Par ailleurs, avec l'instauration de l'appareil bureaucratique gouvernemental, l'État, qui légiférait déjà en matière de droit du travail, devenait aussi un employeur important. Ce changement idéologique polarise la question de la condition ouvrière. Alors que les revendications syndicales s'inscrivent dans un cadre social plus large, l'intervention économique doit s'adapter à de nouvelles règles du jeu. D'autre part, la diversification des intervenants économiques modifie la circulation du capital. Le réseau des échanges se transforme. Les agents économiques se multiplient et la concurrence est forte. En outre, les clientèles se diversifient et la satisfaction de leurs besoins et attentes exige dorénavant des interventions beaucoup plus spécialisées en matière de gestion financière. Chez Desjardins, cela accroît graduellement la nécessité de modifier la réalité administrative et d'offrir des services conformes aux nouvelles exigences du marché.

Pour affirmer son autorité, le Mouvement Desjardins resserre les liens entre ses composantes institutionnelles. Les caisses s'unissent sur une base régionale, puis au niveau provincial. Cette croissance change ses réalités matérielles et modifie le discours de ses dirigeants. On assiste alors au développement technologique des activités coopératives qui deviennent de plus en plus contrôlées. Les pratiques de Desjardins en viennent graduellement à se bureaucratiser en même temps que le concept de mouvement prend tout son sens sur le plan institutionnel.

L'adaptation à ces nouveaux contextes amena le mouvement à une croisée de chemin. Tour à tour, ses générations ont redéfini sa mission en tenant compte d'un nouvel environnement. Il leur fallait adopter une nouvelle trajectoire afin d'assurer au Mouvement une croissance dans la fidélité à ses principes fondateurs. La régénération ne pouvait se faire au détriment de sa personnalité. Car il est bien question ici de régénération et non de faire table rase de son passé. Il s'agissait pour Desjardins de se métamorphoser. Il fallait changer ses façons de faire sans dénier pour autant son identité. En rejetant ses valeurs fondamentales, le Mouvement Desjardins se serait confondu dans la multitude de banques, trusts, sociétés d'investissement et autres entreprises financières. Tout au cours de sa croissance, son système mémoriel a donc veillé à lui garantir une identité forte en assurant l'adéquation entre son image externe et ses valeurs internes. Ce processus a opéré directement au niveau de la culture organisationnelle en précisant le sens des valeurs qui la sous-tendaient[89].

La mémoire historique, clé de voûte dans la construction de l'identité organisationnelle, lui a garanti la cohérence et la continuité de sa nature, de sa matière et de ses facultés. La mémoire essentielle a fondé l'existence phénoménale de la mission organisationnelle. Elle a consigné les connaissances primordiales à sa reconnaissance comme une entité morale et physique à part entière et a fait respecter ses droits. Quant à la mémoire administrative, elle a constitué l'appareil nécessaire à l'assimilation des connaissances, à leur ré-actualisation et à leur transmission. Toutes ces facettes ont été indispensables à la régénération et à la réalisation effective de Desjardins. Elles ont éclairé sa personnalité, sa personne et son personnage et ont permis de répondre à ses questions identitaires (voir figure 17).

La mémoire organique et consignée historique de Desjardins est porteuse du mythe fondateur articulé autour du Commandeur. Fournissant des représentations de l'objet institutionnel, elle délimite le territoire d'autorité de chaque génération. De plus, elle consacre les savoir-faire en établissant les principes scientifiques à la base de la coopération. Omniprésente, cette mémoire se manifeste à travers les décisions et directives. Elle dévoile le passé de Desjardins en fondant des preuves authentiques de son évolution normale. L'importance d'Alphonse Desjardins dans les archives du Mouvement rend bien compte de ce rôle actif. Une multitude de références aux propos du fondateur est essaimée à travers les documents de gestion et d'exploitation. Si elle se fait plus discrète dans les

Figure 17
Mémorisation de l'identité du Mouvement Desjardins

Niveaux d'identité	fournit un éclairage sur	question identitaire	affirme		mémorisé par
Personnalité	conscience de soi: essence substance logique	Pourquoi	croyances nature traditions	H	mythe fondateur
				E	lois et coutumes
				A	interventions représentants
		Pour qui	valeurs objet structures	H	objet produit
				E	documents constitutifs
				A	documents d'orientation
		Comment	science règles principes	H	recherches et modélisation
				E	réglementations
				A	politiques administratives
Personne	réalité matérielle	Quoi	substance normes ressources	H	titres de propriété
				E	pièces justificatives
				A	inventaires des ressources
Personnage	appartenance comportement capacité	Par quoi	stratégies activités procédures	H	décisions et directives
				E	bilans et outils d'évalutions
				A	manuels et guides
		Par qui	logique compétence fonctions	H	plan directeur et organigrammes
				E	officiers et personnel
				A	définition des tâches

Note :
H : historique   E : essentielle   A: administrative

documents d'opération courante, elle reste à la base de justifi-
cations de ressources qui ne toléreraient pas d'être appauvries.
Elle joue un rôle clé en permettant au polysystème Desjardins
d'avoir conscience de lui-même en tant qu'institution, que
structure de fonctionnement et qu'organisation matérielle. Impossible donc de détruire le fonds d'Alphonse Desjardins ou

encore ceux des propangandistes et des dirigeants, car ils témoignent d'une vérité: celle du Mouvement Desjardins.

La mémoire organique administrative de Desjardins véhicule la tradition, articule les structures, applique les principes. Ressource technologiquement créée par les structures de chaque génération, elle a hérité des codes de ses créateurs. Elle respecte leurs liens d'autorité. Elle s'organise en accord avec l'autonomie des cellules organisationnelles dans le pouvoir d'administrer, de prévoir, d'organiser, de commander, de coordonner et de contrôler leur mission. Elle reflète la répartition des tâches exécutives, représentatives et législatives entre les divers experts. Ses supports et ses formes se conforment aux capacités de production de chaque époque. Des propos échangés oralement à la sortie de l'ordinateur, elle a suivi un cheminement semblable à toutes les organisations québécoises. Elle s'est lentement sophistiquée, formalisée et normalisée. En fait ses procès-verbaux, ses rapports ou ses politiques témoignent toujours d'orientations en accord avec l'identité institutionnelle. Il ne pourrait en être autrement, car la mémoire organique et consignée administrative parle la langue de ses créateurs et est issue de leurs pratiques culturelles.

La mémoire organique et consignée essentielle de Desjardins fonde des normes légales, ontologiques et techniques. Ces dernières influencent fortement la production documentaire. D'autant plus que le Mouvement Desjardins appartient à un monde financier où la bureaucratisation a accentué le degré de formalisme et de normalisation des activités de gestion. Cette mémoire légitime le projet de société de Desjardins, elle assure l'identification de ses ressources constitutives et confirme la pertinence de ses règles. Elle renferme les connaissances essentielles pour se représenter la réalité matérielle au Mouvement et pour préciser à ses agents les comportements qu'ils se doivent d'adopter. À cet égard, les documents de fondation, les listes de sociétaires, les rapports d'inspection, les règlements, la liste des dirigeants, les procès-verbaux des instances de direction, etc., sont autant de preuves de l'intégrité du Mouvement Desjardins.

En définitive, les archives du Mouvement Desjardins ont consigné les traits culturels de l'institution. La mémoire organique et consignée de Desjardins ne peut donc être appréhendée que de façon globale. Il n'est pas question de limiter sa compréhension à un seul aspect. Elle est à la fois un moyen, un outil, un pouvoir d'affirmation de l'identité.

Notes

1. *Le Soleil*, 21 avril 1990.
2. Alphonse Desjardins, «Mémoire sur l'organisation de l'agriculture dans la province de Québec» [v. 1910-1912], reproduit dans Cyrille Vaillancourt et Albert Faucher, *Alphonse Desjardins. Pionnier de la coopération d'épargne et de crédit en Amérique*, Lévis, Éditions Le Quotidien, 1950, p. 132.
3. Fernand Morin, «Divergence ou convergence du Mouvement syndical et du Mouvement Coopératif des caisses Desjardins», *Relations industrielles*, vol. 32, n° 2, 1977, p. 264-265.
4. Alphonse Desjardins, «Discours sur les caisses populaires», Congrès de la jeunesse, Québec, juin 1908, reproduit dans C. Vaillancourt et A. Faucher, *Alphonse Desjardins. Pionnier [...]*, p. 85-86.
5. Alphonse Desjardins, «Témoignages devant le Comité spécial», 1907, p. 186, cité dans C. Vaillancourt et A. Faucher, *Alphonse Desjardins. Pionnier [...]*, p. 49.
6. Desjardins pointe particulièrement la génération des 40 à 50 ans en 1910-1912.
7. A. Desjardins, «Mémoire sur l'organisation de l'agriculture [...]», p. 143.
8. *Ibid.*, p. 157-158.
9. Paul-André Linteau, René Durocher et Jean-Claude Robert, *Histoire du Québec comtemporain*, t. 1. *De la Confédération à la crise (1867-1929)*, Les éditions du Boréal Express, 1979, p. 606.
10. Ce constat sur l'impact des œuvres philanthropiques est probablement fait dans la perspective de l'action de la Société Saint-Vincent-de-Paul dans le domaine de l'épargne.
11. C. Vaillancourt et A. Faucher, *Alphonse Desjardins. Pionnier [...]*, p. 49.
12. Réal Bertrand, *Alphonse Desjardins*, Montréal, Lidec, 1983, p. 2.

13. A. Desjardins, «Mémoire sur l'organisation de l'agriculture [...]», p. 148.

14. Jean Daigle, *Une force qui nous appartient. La Fédération des caisses populaires acadiennes, 1936-1986*, Moncton, Éditions d'Acadie, 1990, p. 17. Les éléments contextuels sont les mêmes que ceux que Jean Daigle a observés au moment de l'implantation du mouvement coopératif en Acadie.

15. Dans la campagne publicitaire du Mouvement en 1988, une annonce télévisée mettait en évidence un portrait géant d'Alphonse Desjardins. Une comédienne installée simplement à l'avant-plan présentait le Mouvement comme étant une organisation économique d'avant-garde qui nous appartient et nous ressemble.

16. Voir les travaux d'Albert Faucher, Cyrille Vaillancourt, Yves Roby, Réal Bertrand, Jacques Lamarche, Pierre Poulin.

17. C. Vaillancourt et A. Faucher, *Alphonse Desjardins. Pionnier [...]*, p. 62. À ce sujet voir: Yves Roby, *Alphonse Desjardins et les caisses populaires 1854-1920*, Montréal, Fides, 1964, p. 53-54.

18. Yves Roby, *Les caisses populaires. Alphonse Desjardins. 1900-1920*, Lévis, La Fédération de Québec des caisses populaires Desjardins, 1975, p. 15-16.

19. R. Bertrand, *Alphonse Desjardins*, p. 4.

20. Témoignage du chanoine Raoul Tardif, supérieur du Collège de Lévis lors des fêtes du cinquantenaire de fondation de la première caisse, août 1950, cité dans R. Bertrand, *Alphonse Desjardins*, p. 34-35.

21. Extrait du rapport que présenta Alphonse Desjardins à l'Assemblée spéciale des sociétaires, tenue le 27 septembre 1906. Cité dans Y. Roby, *Alphonse Desjardins et les caisses populaires [...]*, p. 77. Il faut préciser que Desjardins refusait de permettre l'établissement de caisses populaires sans la caution de la loi.

22. Raymond Brulotte, «Un regard d'économiste sur l'histoire de la loi des caisses», *La Revue Desjardins*, 1983, p. 31. La loi était calquée sur la loi de 1902 concernant les syndicats agricoles.

23. *Ibid.*, p. 31.

24. Nous reviendrons plus loin sur cet aspect.

25. Dubois, Ferland, St-Hilaire et associés, conseillers en administration, «La Fédération de Québec des unions régionales des caisses populaires Desjardins. Étude de cadrage administratif», novembre 1972, p. 2. CCPED, 1000-03-01 (F9005) Structure et restructuration, 1970-1974.

26. Dans ce même document on parle de la *Loi de la Confédération*. Voir l'annexe au document du comité administratif concernant les responsabilités de la Confédération. CCPED, 1000-02-02 (F9100) Réunion des directeurs généraux, documents soumis, 1980.

27. Cela porte surtout sur la question de la gestion comptable. Par exemple, en 1962, la Fédération demande d'ajouter les caisses Desjardins au nombre des organismes bénéficiant des privilèges de *La loi sur la preuve photographique*. Celle-ci permettait de détruire des pièces justificatives, principalement des chèques, après microfilmage.

28. Michel Roy, «La critique du capitalisme», *Le Soleil*, 18 juillet 1990, p. A8.

29. Jacques Bouchard, «pop-sac-à-vie-sau-sec-fi-co-pin», *Forces*, nº 91, automne 1990, p. 80.

30. Pour un aperçu biographique, voir: Danielle Ouellet, «La tradition Desjardins. Quelques chefs de file», *Forces*, nº 91, automne 1990, p. 24-29.

31. Le scientisme et l'individualisme sont des conceptions propres à cette époque. Voir chapitre VI.

32. Paul-Émile Charron, «Conférence sur la pensée du fondateur des caisses populaires», s.d., p. 18-19. CCPED, 4120-01-22 (F9005) Charron, Paul-Émile, Conférences et écrits divers, 1962-1978.

33. A. Desjardins, «Discours sur les caisses [...]», p. 80.

34. Paul-Émile Charron, «Conférence sur la pensée du fondateur des caisses populaires», s.d., p. 18-19. CCPED, 4120-01-22 (F9005) Charron, Paul-Émile, Conférences et écrits divers, 1962-1978.

35. Paul-Émile Charron, «Conférence sur la pensée du fondateur des caisses populaires», s.d., p. 18-19. CCPED, 4120-01-22 (F9005) Charron, Paul-Émile, Conférences et écrits divers, 1962-1978.

36. A. Desjardins, «Mémoire sur l'organisation de l'agriculture [...]», p. 158.

37. Voir à ce sujet l'analyse de Michel Beauchamp, *La communication et les organisations coopératives. Le cas du Mouvement des caisses Desjardins*, Boucherville, Gaëtan Morin éditeur, 1989, p. 21-26.

38. A. Hervé Hébert, Rapport du comité d'étude sur les investissements du Mouvement Coopératif Desjardins (Rapport Hébert),

20 janvier 1970, p. 1, 7, 10-11. CCPED, Centre de documentation, HG 2039 c6 M934, R3, 1970.

39. J. Daigle, *Une force qui nous appartient. [...]*, p. 18.

40. P.-A. Linteau, R. Durocher et J.-C. Robert, *Histoire du Québec contemporain, [...]*, p. 124.

41. *Ibid.*

42. *Ibid.*, p. 408-427.

43. Dans la mémoire de chacun, ces documents se placent en avant-plan pour attester leurs «pourquoi» et «comment». Ils permettent l'établissement du pouvoir et l'exercice de l'autorité fonctionnelle. Au niveau de la mémoire collective, ces mêmes documents ne sont pas tant les témoins de la nature et des méthodes de l'appareil institutionnel que de la composition de l'ensemble.

44. Les documents légaux, et livres comptables ainsi que les pièces justificatives des composantes ont moins d'intérêt au niveau général.

45. Nous appellerons l'instance centrale «Mouvement» sous réserve de cette nuance.

46. Il serait intéressant de voir si par hasard les caisses n'ont pas contribué à des constructions d'édifices municipaux ou à d'autres projets de ce genre.

47. CCPED, Rapport présenté à la neuvième assemblée annuelle de l'Union régionale de Montréal des caisses populaires Desjardins, par le secrétaire général, M. Wilfrid Guérin, 1934, p. 9.

48. Fernand Morin. «Divergence ou convergence du mouvement syndical [...]», p. 264-265.

49. A. Hervé Hébert, *Rapport du comité d'étude sur les investissements du Mouvement Coopératif Desjardins* (Rapport Hébert), 20 janvier 1970, p. 16. CCPED, Centre de documentation, HG 2039 c6 M934, R3, 1970.

50. *Ibid.*, p. 1, 7, 11-14.

51. La revue *Ma Caisse*, ainsi que le journal interne de la Confédération.

52. À titre d'exemple, voir l'allocution du sénateur Maurice Lamontagne: «Société d'abondance, ses conséquences sociales et économiques», 1970, 20 p., ainsi que les écrits de Paul-Émile Charron, dont son texte: «Le sens social, faculté de connaissance», s.d. 5 p. CCPED, 4120-01-22 (F9005) Charron, Paul-Émile, Conférences et écrits divers, 1962-1978.

53. La participation de Claude Béland au colloque de la Faculté des lettres de l'Université Laval en est un bel exemple. Voir: *Les institutions québécoises, leur rôle, leur avenir, colloque du cinquantième anniversaire de la Faculté des sciences sociales de l'Université Laval* (sous la direction de Vincent Lemieux), Québec, Presses de l'Université Laval, 1990.

54. A. Desjardins, «Mémoire sur l'organisation de l'agriculture [...]», p. 88.

55. *Ibid.*, p. 78.

56. Eugène Enriquez, «Structures d'organisation et contrôle social», dans Jean M. Guiot et Alain Beaufils, *Théories de l'organisation*, Montréal, Gaëtan Morin éditeur, 1987, p. 130.

57. A. Desjardins, «Discours sur les caisses [...]», p. 90.

58. Toutefois comme Yves Roby l'a noté, aussi nationaliste qu'elle puisse paraître, cette pensée s'harmonise avec la conception politique conservatrice de Desjardins sur la nation canadienne. Dans son mémoire sur l'agriculture, Desjardins dira: «Tendons à être les premiers dans la Confédération, comme nous avions été les premiers à prendre possession de son sol [...]. Par là, nous accroîtrons notre influence sur la marche des affaires générales du pays infiniment plus que par des revendications bruyantes ou de vaines déclamations.» Y. Roby, *Les caisses populaires. Alphonse Desjardins [...]*, p. 66.

59. Cet objectif général conditionne la formulation d'objectifs spécifiques dont la réalisation sera confiée, comme on le verra plus loin, à diverses cellules, issues de l'institution coopérative (caisses populaires, caisses scolaires, etc.).

60. Nous divergeons d'opinion avec Jean Daigle qui écrit que les caisses Desjardins furent créées pour cette fin alors qu'au contraire en Acadie il s'agissait de restaurer l'équilibre social. J. Daigle, *Une force qui nous appartient. [...]*, p. 14.

61. Y. Roby, *Alphonse Desjardins et les caisses populaires [...]*, p. 99.

62. Ainsi, dans son mémoire sur l'agriculture dans la province de Québec, il n'analyse pas seulement un secteur d'activité économique donné mais la société en général.

63. C. Vaillancourt et A. Faucher, *Alphonse Desjardins. Pionnier [...]*, p. 47.

64. Albert Faucher constate que plusieurs ouvrages ayant servi à l'élaboration de la pensée d'Alphonse Desjardins sont annotés de sa main et que cette littérature serait à reconsidérer «en fonction d'une œuvre à *fonder*». Albert Faucher, «Deuxième rapport

trimestriel présenté à M. Paul-Émile Charron», 30 mars 1978, p. 2-3. CCPED, 1010-01-19 (F9711) Historique, MCPED, projets, 1977-1988. Pour un aperçu des lectures de Desjardins, voir: Pierre Poulin, *Histoire du Mouvement Desjardins*, t. 1, *Desjardins et la naissances des caisses populaires*, Québec, La Société historique Alphonse-Desjardins et Québec-Amérique, 1990, p. 71.

65. La Fondation Desjardins distribue annuellement des bourses d'études de maîtrise et de doctorat à des étudiants travaillant sur la question. De même, le Mouvement s'est financièrement engagé dans la mise en place de la chaire d'étude sur la coopération.

66. R. Bertrand, *Alphonse Desjardins*, p. 32.

67. *Ibid.*, p. 35.

68. À cet égard, l'Action économique populaire peut être considérée comme une composante dans la mesure où elle possède une raison d'être accessoire en regard de l'objectif général à atteindre.

69. R. Bertrand, *Alphonse Desjardins*, p. 41.

70. C. Vaillancourt et A. Faucher, *Alphonse Desjardins. Pionnier [...]*, p. 41-42.

71. Alphonse Desjardins à J.-P. Archambault, cité dans Y. Roby, *Alphonse Desjardins et les caisses populaires [...]*, p. 77.

72. Raymond Brulotte, «Un regard d'économiste [...]», p. 32.

73. Dans une thèse intitulée «Les caisses populaires et la réglementation bancaire au Canada», l'économiste Raymond Brulotte constate: «Les caisses n'ont eu que très tard un cadre législatif qui leur soit propre. Par ailleurs, il y a absence dans la législation québécoise d'un processus de révision périodique comme c'est le cas dans la *Loi des banques*. Nous pensons que cet état de fait a engendré une rigidité de la législation et a empêché les caisses de s'adapter de façon optimale aux conditions économiques changeantes du milieu ainsi qu'aux changements qui s'opéraient au sein du mouvement. En fait, ceci a eu comme conséquence de ne pas inciter pendant longtemps les caisses à exiger des modifications législatives. Dans ce contexte, toute revision législative ne pouvait être qu'une décision spéciale du gouvernement.» Raymond Brulotte, Les caisses populaires et la réglementation bancaire au Canada, thèse de maîtrise, Québec, Université Laval, 1983, cité dans «Un regard d'économiste [...]», p. 32.

74. E. Enriquez, «Structures d'organisation [...]», p. 130.

75. Voir Michel Beauchamp, *La communication et les organisations coopératives. [...]*, 190 p.

76. Le terme de fonds institutionnel englobe ici tous les fonds de l'organisation Desjardins, celui de l'organe central comme ceux des composantes.

77. À cet égard, les fonds personnels des présidents du Mouvement sont les premiers sur la liste.

78. A. Desjardins, «Mémoire sur l'organisation de l'agriculture [...]», p. 162 et 164.

79. A. Desjardins, «Discours sur les caisses [...]», p. 80.

80. *Ibid.*

81. Raymond Barre, *Économie politique*, t. 1, Paris, Presses universitaires de France, coll «Thémis», 1975, p. 430.

82. E. Enriquez, «Structures d'organisation [...]», p. 130.

83. A. Hervé Hébert, *Rapport du comité d'étude sur les investissements du Mouvement Coopératif Desjardins* (Rapport Hébert), 20 janvier 1970, p. 1. CCPED, Centre de documentation, HG 2039 c6 M934, R3, 1970.

84. «Entrevue de monsieur Rosario Tremblay par messieurs Hubert Guindon et Jean Louis Martel», HEC, mai 1979. Texte révisé par M. Tremblay et retranscrit, février 1982, p. 13. CCPED, 4120-01-04 Personnalités marquantes MCPED, Tremblay, Rosario. «L'expérience coopérative.» M. Tremblay fut chef des inspecteurs à la FQCPD de 1942 à 1967.

85. «La Fédération», s.d., p. 1, CCPED, 1010-01-19, (F9005), Historiques et écrits divers 1934-1974.

86. Bien sûr on pourrait répliquer que le concept de banques populaires existait déjà en Europe. Soulignons toutefois que la formule de Desjardins est originale justement par son caractère plus capitaliste.

87. Denis Monière, *Le développement des idéologies au Québec*, p. 290.

88. *Ibid.*

89. Dans une analyse sur la divergence entre le mouvement syndical et le Mouvement coopératif Desjardins, Fernand Morin a observé que ces deux organismes, issus de même souche, possédant des caractéristiques organisationnelles similaires, avaient suivi des trajectoires différentes et ce, sous la contrainte du même contexte. En fait, on constate que les finalités de chacun étaient viscéralement divergentes. F. Morin, «Divergence ou convergence du Mouvement syndical [...]».

Conclusion

Pour être en mesure de relever les défis de l'ère de l'information, l'archivistique doit aujourd'hui affirmer son identité et réactualiser sa mission. À cet égard, certains théoriciens et praticiens considèrent que l'archivistique doit demeurer une science de l'homme. Ils croient toujours en sa mission traditionnelle orientée vers la préservation des témoignages historiques. D'autres croient que la discipline devrait se détacher de l'histoire pour se positionner dans le champ des sciences de l'information. Intermédiaire entre des sources productrices et des destinataires, elle viserait à assurer la fiabilité et l'économie des informations organiques et consignées échangées dans les organisations. Un autre groupe situe l'archivistique dans les sciences administratives. Spécialiste des systèmes d'information organisationnels, le gestionnaire de documents aurait pour objectif de modéliser la structure de production de l'information organique et consignée afin d'assurer une bonne gestion des ressources documentaires.

Privilégiant la perspective scientifique de la complexité, nous croyons, pour notre part, que les finalités de l'archivistique résident plutôt au carrefour de ces trois champs disciplinaires. Comme science de la culture, la discipline a pour but de constituer une mémoire organique et consignée qui assure la survie organisationnelle, explique les orientations institutionnelles et multiplie les capacités administratives.

L'observation de la constitution du fonds d'archives du Mouvement Desjardins constitue un exemple probant de cette finalité mémorielle. Au gré de cinq générations, les archives du

Mouvement Desjardins ont retenu les connaissances fondamentales à l'affirmation de son identité. La mémoire essentielle
a consigné les preuves de son autorité morale et physique. La
mémoire historique a fourni les représentations qui attestaient
la cohérence et la continuité de sa mission Quant à la mémoire
administrative, elle a harmonisé les connaissances nécessaires
à son développement et à sa ré-actualisation. Clé de voûte dans
la construction de l'identité organisationnelle, le fonds d'archives du Mouvement Desjardins fut donc au cœur du processus
de régénération et de réalisation effective.

Tout au cours de la période fondatrice, la mémoire organique et consignée de l'institution fut essentielle, plus qu'historique ou administrative. Pour s'établir, l'œuvre d'Alphonse Desjardins devait d'abord affirmer ses spécificités culturelles tout
en démontrant qu'elle répondait aux exigences de son environnement. À cet effet, la loi concernant les syndicats coopératifs
concrétise la personnalité de l'organisation Desjardins. Elle légitime sa raison d'être, son système de valeurs et ses principes
fondamentaux en les exprimant dans une forme acceptable par
la collectivité. Ce statut juridique normalise le «pourquoi», le
«pour qui» et le «comment» des caisses. Il établit leurs cadres
de réalisation et mène à la production et à la conservation des
données primordiales qui définissent le «quoi» et précisent les
«par qui» et «par quoi» des caisses populaires.

Cette valeur essentielle trouve un sens dans les mémoires
du fondateur et des populations locales où l'institution se développe. D'une part, la mémoire des caisses est directement
reliée aux représentations symbolique et fonctionnelle exprimées par Alphonse Desjardins. Celui-ci écrit à ses amis, à ses
proches, aux dirigeants locaux, leur précisant ce qu'il voulait
faire et ce que le mouvement coopératif peut devenir. Ainsi, le
fondateur répond aux principales questions identitaires de
l'institution coopérative. Par ses diverses interventions, il justifie, explique et formalise les croyances, les traditions et les
valeurs à la base son œuvre. Par les lois qu'il rédige, la correspondance qu'il échange et la propagande qu'il publie, il transmet le savoir-faire, oriente les comportements, définit les procédures, évalue les performances des activités coopératives,

etc. En conséquence, la création, l'utilisation et la conservation d'information organique et consignée à des fins symbolique et fonctionnelle se relient directement à Alphonse Desjardins tout au cours de cette période. Les mémoires historique et administrative logent donc dans le fonds d'archives du fondateur. Si cette production documentaire constitue une mémoire vivante pour Alphonse Desjardins, elle n'est cependant pas encore intégrée aux archives de son organisation.

Par ailleurs, de par la personnalité de l'institution, chaque cellule coopérative doit se définir sur le plan local. À ce titre, la mémoire des caisses s'inscrit dans les fonds d'archives des populations fondatrices. La loi affirme cette appartenance en confiant la garde des archives essentielles des caisses aux municipalités dans lesquelles elles se situent. De même, le système laisse aux dirigeants locaux la responsabilité des mémoires historique et administrative générées par leurs caisses. Dans ce processus, on constate un sous-développement de la mémoire organique et consignée administrative. Cela n'a rien d'étonnant. L'oral est un mode de communication privilégié dans la direction des caisses. De plus, les opérations courantes ont volontairement été simplifiées par Desjardins. Dans la mesure où les caisses utilisent peu la consignation comme mode de réalisation, l'information organique et consignée n'est pas un outil de fonctionnement primordial. Tout au plus sert-elle à mettre en relation le fondateur de l'œuvre avec les cellules locales. En ce sens, on peut considérer la correspondance comme l'une des composantes de la mémoire organique et consignée administrative des caisses. De même, les publications d'Alphonse Desjardins constituent des instruments d'action organique et consignée.

La constitution de la mémoire de la génération ancêtre se réalise donc dans la dynamique des liens unissant tous ceux qui expliquent, mettent en œuvre et établissent l'institution, soit le fondateur, les populations locales fondatrices et la collectivité canadienne-française.

La deuxième génération de 1920 à 1932 s'inscrit en continuité avec l'ère fondatrice. L'organisation élargit son territoire en affirmant sa présence au niveau régional. La mémoire organique et consignée essentielle s'enrichit et se consolide dans cette optique. Elle reflète toujours le processus culturel animant l'ensemble institutionnel, formalisé par Alphonse Desjardins avant son décès, réalisé effectivement par des populations locales et régionales, et normalisé par un cadre juridique donné.

Malgré les efforts de resserrement des pratiques coopératives, les activités des caisses et des unions restent artisanales. Elles génèrent peu de documents, hormis ceux qui sont prescrits par la loi. Tout au plus la mémoire de la structure de fonctionnement conserve-t-elle quelques traces des activités des têtes dirigeantes. Ainsi, des procès-verbaux témoignent de leurs actions conjointes. De même, la correspondance relate les stratégies mises en œuvre pour communiquer avec la base et avec les élites nationales. Une grande part de cette documentation demeure néanmoins dans les fonds des dirigeants. La chose est compréhensible puisque ceux-ci, anciens collaborateurs d'Alphonse Desjardins, portent de façon vivante l'histoire et la tradition de l'institution coopérative. Au surplus, les représentations symboliques et fonctionnelles des caisses et des unions ont largement été publiées et diffusées par le fondateur lui-même: catéchisme des caisses populaires, brochures, articles de propagande, lettres circulaires, etc. En l'absence d'une direction centrale, de telles publications prennent encore plus de force dans la mémoire organique et consignée de l'institution.

La mémoire de la deuxième génération suit donc la même dynamique que la période précédente. Le rôle essentiel des archives reste prédominant. Des changements ne se produisent qu'en 1932, au moment où la Fédération des unions régionales change le discours institutionnel et favorise le développement technologique. L'arrivée d'un chef et l'émergence de spécialistes contribuent à modifier le rôle des archives.

Avec la mise en place d'une instance de direction centrale, le besoin de mémoire organique et consignée historique se fait sentir. La FQCPD a besoin de renforcer son autorité institutionnelle. Dans les années 1950, elle embauche un archiviste ayant pour mandat de recueillir les papiers personnels d'Alphonse Desjardins. La constitution de ce fonds semble indispensable pour fournir le cadre explicatif nécessaire à la justification des nouvelles orientations. Ce processus est significatif car, pour compléter la mémoire du fondateur, l'archiviste recherche aussi la correspondance de Desjardins aux dirigeants locaux et il collige ses publications. Il cherche manifestement à reconstituer la mémoire organique et consignée de la première génération.

Tout au cours de cette période, l'inspecteur et le conseiller juridique se situent au cœur des pratiques coopératives. Ils encadrent la constitution de la mémoire des caisses en imposant des normes et des procédures de consignation. Les pièces justificatives qu'ils y établissent et les rapports d'inspection ainsi que les avis de consultation légale qu'ils déposent aux archives de la Fédération sont autant de traces de leurs actions dans la mémoire organique et consignée de Desjardins. De même, ils interviennent sur la question du microfilmage des archives des caisses. Leurs actions témoignent des efforts et des énergies investies par Desjardins pour préserver sa mémoire essentielle.

La mémoire administrative reste malgré tout relativement faible au niveau de l'instance centrale. La tradition de Desjardins fait en sorte que la mémoire organique et consignée administrative de cette génération se confond avec celles de ses experts. En outre, Cyrille Vaillancourt, que l'histoire désignera comme le «second fondateur» du Mouvement, consigne ses souvenirs, les collaborateurs écrivent toujours des articles de propagande, les inspecteurs et le conseiller juridique dictent leurs directives quant aux pratiques à adopter. Le tout est diffusé au moyen d'une revue, organe de liaison officiel avec la base. La correspondance de ces experts reste l'outil principal de consignation sur le plan administratif.

La période 1963-1973 marque un changement. La structure se complexifie et divers services administratifs se mettent en place. Graduellement, le Mouvement Desjardins devient une organisation complexe où la consignation s'inscrit dans les stratégies de fonctionnement bureaucratique. Cette production documentaire multiplie les capacités des agents de Desjardins.

Elle accroît la résistance de l'information face au bruit administratif et recycle la mémoire historique en la reformulant selon des modes actuels.

La mémoire organique et consignée administrative affirme les pratiques qui animent la structure de fonctionnement, et développent l'organisation matérielle. Si elle entre dans les mœurs de l'institution, sa gestion pose cependant encore peu de problèmes mémoriels. Les archivistes n'en sont pas encore responsables. Par ailleurs, la culture bureaucratique conduit à diriger la mémoire consignée historique vers d'autres voies. Graduellement, les archives deviennent les sources d'une histoire institutionnelle scientifique. Desjardins investit également dans la production de symboles.

Période de transition donc, que cette génération 1963-1973. Elle annonce une mutation importante du rôle de la mémoire organique et consignée. En effet, les archivistes de la génération suivante sont responsables de la mémoire consignée administrative. Dès 1973, le rôle du service de gestion documentaire est de faire en sorte que la mémoire organique et consignée soit un outil qui répond aux besoins fonctionnels. Il veille à ce que la mémoire administrative soit fiable et économique. Il classifie et filtre l'information courante pour ne laisser en circulation que les documents pertinents. Il travaille aussi à la diffusion et à la référence à cette mémoire administrative et s'assure que sa conservation se réalise dans des conditions adéquates.

En visant à rendre la mémoire organique et consignée historique la plus signifiante possible, les archivistes s'associent avec tous ceux qui désormais travaillent à construire l'image du Mouvement Desjardins. Tout au cours de la période, les rapports avec ceux-ci furent tantôt définis dans la complémentarité, tantôt engagés dans des guerres de territoire. Par ailleurs, par des activités périphériques à la gestion documentaire, les archivistes enrichissent le fonds du fondateur, la mémoire des collaborateurs et se préoccupent de rassembler les documents sur la genèse des composantes du Mouvement. Ces fonctions commémoratives mènent à des publications dans *La Revue Desjardins*, à l'enrichissenent du centre de documentation. Elles se perçoivent également dans la facilité avec laquelle le Mouvement ouvre ses archives à la recherche.

En définitive, si les finalités mémorielles des archives furent permanentes au MCPED, les fonctions des archives, elles, se sont constamment redéfinies au gré du processus culturel qui animait l'identité polysystémique. Elles se sont adaptées aux aménagements de sa mémoire, ont suivi ses pratiques informationnelles et ont été modifiées en fonction de ses normes organisationnelles. Bref, le rôle des archives comme mémoire organique et consignée s'est défini en accord avec l'évolution des traits inhérents à la personnalité, au personnage et à la personne du Mouvement Desjardins.

Comme mémoire essentielle, les archives ont été utilisées comme des preuves authentiques parce qu'elles étaient conformes aux lois et aux coutumes, parce qu'elles traitaient d'objets connus et parce qu'elles étaient issues d'un système de production normalisé. Cette mémoire essentielle a contribué à établir et à faire respecter l'ordre établi dans le polysystème Desjardins. Comme mémoire historique les archives ont justifié le présent de Desjardins en expliquant son évolution dans le temps et l'espace. Médiatrices du passé, elles ont été utilisées comme des sources véridiques qui témoignaient de la persistance et de la continuité des croyances, des valeurs et des idéologies. Comme mémoire administrative, les archives ont permis de changer la trajectoire de l'appareil polysystémique tout en respectant sa nature et sa mission. Les documents ont été utilisés et utilisables parce qu'ils respectaient les principes moteurs et traitaient de sujets actuels.

L'exemple du Mouvement Desjardins souligne bien les enjeux présents dans la quête d'identité de l'archivistique. Dans le large cadre mémoriel, les archives sont tantôt ressources, tantôt outil, tantôt pouvoir. Leur rôle dépend de la dynamique culturelle en place. Même si elles adoptent les formes et le sens des valeurs du présent, les archives possèdent toujours la même finalité: constituer une mémoire organique et consignée qui permettra à leur producteur d'affirmer son identité. Pour bien comprendre sa mission, l'archivistique ne doit donc pas perdre de vue cette finalité mémorielle. Ce n'est qu'à ce prix que la discipline se développera en cohérence avec son identité et, partant, assurera son devenir.

Si elle veut offrir des réponses valables aux organisations modernes, l'archivistique doit évacuer sa vision passéiste de la mémoire et revoir ses concepts dans la perspective de complexité. Il faut admettre que la valeur des documents dépasse les fonctions administratives et que les cycles documentaires trouvent leur pertinence dans un contexte donné. De même, ses pratiques doivent constamment saisir le fonds d'archives en tenant compte de l'évolution de sa raison d'être, des processus inhérents à la création et au recyclage de ses contenus et de ses contenants ainsi que des normes imposées par les lois et les technologies propres à la culture organisationnelle.

En définitive, les spécialités de l'archivistique ne peuvent se limiter à un simple découpage théorique entre des documents historiques et administratifs. Il est également impossible de réduire l'archivistique à un concept de mémoire simplifié. On ne peut en effet ignorer les effets structurants des systèmes informationnel et organisationnel c'est pourquoi la mémoire organique et consignée possède de multiples facettes : *essentielle*, elle recouvre les réalités légales, techniques et normatives ; *administrative*, elle rejoint des pratiques traditionnelles, pragmatiques et systémiques ; *historique*, elle préside à l'entendement symbolique, fonctionnel et matériel de l'univers polysystémique complexe. La finalité de l'ensemble est de constituer un cadre de référence intègre, efficace et signifiant. Dans cette optique, s'il y a des spécialisations en archivistique, je les dirais essentielle, administrative et historique.

Bibliographie

Sources manuscrites

1. *Lévis, Confédération des caisses populaires et d'économie Desjardins,* «*Fonds Confédération des caisses populaires et d'économie Desjardins*».

1000	Administration du MCPED
1000-01-05 (F9005)	Formation, orientation et planification de la direction, 1973-1974
1000-02-02 (F9100)	Réunion des directeurs généraux, documents soumis, 1980
1000-02-03 (F9005)	Rapport annuel du service du personnel, 1964-1971
1000-02-32 (F9005)	Commission permanente de planification et d'étude des fonctions au sein du MCPED, comité provisoire chargé de définir le mandat, Procès-verbaux, 1972
1000-03-01 (F9005)	Comité d'étude de la microstructure, Généralité, 1973
1000-03-01 (F9005)	Organigramme, 1966-1974
1000-03-01 (F9005)	Structure administrative, rapport et liaison, 1961-64
1000-03-01 (F9005)	Structure et restructuration, 1970-1974
1000-03-01 (F9711)	Organigramme, CCPEDQ, 1980-1986
1000-03-01 (F9711)	Organigramme, DGD, 1987
1000-03-04 (F9711)	Raison d'être et structure organisationnelle, D.A.
1000-03-04 (F9711)	Raison d'être et structure organisationnelle, D.G.D, 1932-1988
1000-03-04 (F9713)	Raison d'être et structure organisationnelle, D.A., 1979

1010-01-00 (F9005) Fondation, projet 1920-1932
1010-01-19 (F9005) Historique, écrits divers, 1934-1974
1010-01-19 (F9005) Historique, MCPED, 1975-1979
1010-01-19 (F9711) Historique, MCPED, projets, 1977-1988
1010-01-28 (F9005) Timbres-historiques, Alphonse Desjardins, 1959-82
1010-01-28 (F9005) Timbres-poste, Alphonse Desjardins, 1955-84
1090-05-05 (F9005) Formation, réunions des cadres et professionnels, 1973-1974
1170-01-02 (F9005) Dossier du personnel,
1310-01-01 (F9005) Immeubles, MCPED, 1971
1700-01-32 (F9713) Rapport trimestriel, Centre de documents, 1975-1985
1700-01-32 (F9713) Rapport trimestriel, SGD, 1972-1985
1710-01-01 (F9711) Manuel des instructions intégrées, 1981
1721-02-02 (F9711) Information et publication, échange, 1982-1988
1722-01-01 (F9711) Loi, Preuve photographique de documents, 1955-87
1722-01-02 (F9711) Documents de valeur permanente au MCPED, liste, 1989
1722-01-03 (F9711) Comité de conservation des documents, MCPED
1722-01-03 (F9005) Conservation des documents,
- 1958-1964
- 1970-1974
- Microfilms généralités, 1970-1974
1722-01-03 (F9713) Conservation des documents, durée et forme, CCPEDQ
- Confédération — Approvisionnement
- Confédération — Assurances
- Confédération — Formation
- Confédération — Inspection, 1963
- Confédération — Personnel
- Confédération — Placements
- Confédération — Publication
- Documents comptables
- États financiers
1722-01-03 (F9711) Conservation des documents, MCPED
- Caisses: 1964-1979
- Caisses: 1979-19
- Calendrier de conservation des documents, 1989

- Confédération
- Fédérations, opinions juridiques et autorisation des ministères
- Généralités, 1971-1987
- Inventaire Rapports informatiques, 1985
- Règlement de régie interne

1722-01-04 (F9711)   Conservation des documents, Loi, 1982
1722-01-09 (F9005)   Archives
- [rapports de l'archiviste] 1956-1963
- [publication thèse Yves Roby] 1963-1965

1722-01-10 (F9711)   Conservation des documents archivistiques, normes, 1988
1722-01-11 (F9711)   Archivistique, Thèse sur la dynamique, 1988-1989
1722-02-01 (F9711)   Traitement de l'image dans la gestion de l'information, 1983
1722-02-02 (F9713)   Microfilm, utilisation dans la gestion des documents
- Général
- Immeubles, 1979-1983
- Inspection

1722-03-01 (F9711)   Archives, Acquisition, 1975-1986
1722-03-01 (F9711)   Archives, Organisation 1957-1989
1722-03-01 (F9711)   Archives, Généralités, 1969
1722-03-06 (F9711)   Congrès international des archives, 1988-1989
1722-03-09 (F9711)   Archives, consultation, 1986-1987

4000   Communications
4120-01-04   Personnalités marquantes MCPED, Charron, Paul-Émile
4120-01-04   Personnalités marquantes MCPED, Tremblay, Rosario
4120-01-22 (F9005)   Charron, Paul-Émile, Conférences et écrits divers, 1962-1978

5000   Inspections et vérifications
5000-01-22 (F9201)   Rapport portant sur le rôle, l'organisation et le fonctionnement du secteur de «l'inspection et de la vérification», octobre 1980
5000-01-61 (F9201)   Mandats d'inspection et de vérification, origine, 1985

2.   Lévis, *Confédération des caisses populaires et d'économie Desjardins*, «*Fonds Projet historique Albert Faucher*».

3. *Lévis, Confédération des caisses populaires et d'économie Desjardins,*
    «*Fonds Caisse populaire de St-Marcel, l'Islet*».

Imprimés

a. Études générales

BARRE, Raymond. *Économie politique*. t. 1, collection Thémis, Paris,
    Presses universitaires de France, 1975. 727 p.

BARROW, R.H. *Les Romains*. Paris, Payot, 1962. 187 p.

BRAUDEL, Fernand et Ernest LABROUSSE (sous la direction de). *Histoire
    économique et sociale de la France*. Paris, Presses universitaires de
    France, 1976. 779 p.

COURVILLE, Serge. «Le développement québécois de l'ère pionnière
    aux conquêtes postindustrielles», *Le Québec statistique*. Québec,
    Bureau de la statistique du Québec, 1985-1986. p. 37-55.

DUCHESNE, Raymond. «Historiographie des sciences et des techni-
    ques au Canada», *Revue d'histoire de l'Amérique française*, vol. 35,
    n° 2, septembre 1981, p. 193-215.

EHRARD, Jean et Guy PALMADE. *L'histoire*. Collection U, New York, St.
    Louis, San Francisco, McGraw-Hill/Armand Collin, 1964. 406 p.

Guide du chercheur en histoire canadienne. Québec, Presses de l'Universi-
    té Laval, 1986. 808 p.

GUERRIEN, Bernard. *La théorie néo-classique. Bilan et perspectives du
    modèle d'équilibre général*. Paris, Économica, 1985. 427 p.

JASPERS, Karl. *Introduction à la philosophie*. Paris, Plon, 1965, 190 p.

JOLIVET, Régis. *Vocabulaire de la philosophie*. Lyon, Emmanuel Vitte,
    éditeur, 1966. 235 p.

LE GOFF, Jacques (sous la direction de). *Encyclopédie du savoir moderne,
    La nouvelle histoire*.

LE GOFF, Jacques et Pierre NORA (sous la direction de). *Faire de l'his-
    toire*, Paris, Gallimard, NRF, 1974. 3 t.

LINTEAU, Paul-André *et al. Histoire du Québec contemporain*. Boréal,
    1979-1989. 2 t.

MONIÈRE, Denis. *Le développement des idéologies au Québec*. Ottawa,
    Québec/Amérique, 1977. 381 p.

PAQUET, Gilles (sous la direction de). *La pensée économique au Québec
    français. Témoignages et perspectives*. Les cahiers scientifiques
    n° 67, ACFAS, 1989. 364 p.

TOURBERT, Hélène. *L'art dirigé*. Paris, Les éditions du cerf, 1990.

TREMBLAY, Rodrigue. *L'économique. Introduction à l'analyse des problèmes
    économiques de toute société*. Édition révisée, Montréal-Toronto,
    Holt, RineHart et Winston, 1971. 682 p.

b. Réflexions méthodologiques et épistémologiques

BACHELARD, Gaston. *Essai sur la connaissance approchée*. Paris, Bibliothèque des textes philosophiques, Librairie philosophique J.Vrin, 1987. 310 p.

BOUGNOUX, Daniel, Jean-Louis LE MOIGNE et Serge PROULX (sous la direction de). *Colloque de Cerisy. Arguments pour une méthode (Autour d'Edgar Morin)*. Paris, Seuil, 1990. 267 p.

MATHIEU, Jacques. «L'objet et ses contextes», *Bulletin d'histoire de la culture matérielle*, vol. 26, automne 1987, p. 7-18.

MATHIEU, Jacques (sous la direction de). *Les dynamismes de la recherche au Québec*. Sainte-Foy, Presses de l'Université Laval, 1991. 272 p.

MORIN, Edgar. *Communication et complexité. Introduction à la pensée complexe*. Paris, ESF éditeur, 1990. 158 p.

MORIN, Edgar. *La méthode*. Paris, Seuil, 1977-1986. 3 t.

MORIN, Edgar. *Le paradigme perdu: la nature humaine*. Paris, Seuil, 1973. 246 p.

MORIN, Edgar. *Science avec conscience*. Paris, Fayard, 1990. 315 p.

THUILLIER, Pierre. «Contre le scientisme» dans «*Le petit savant illustré*», Paris, Seuil, 1980, p. 92-97.

c. Identité et culture

BERQUE, Jacques. «Identité collective et sujets de l'histoire», dans G. Michaud (éd.), *Identités collectives et relations interculturelles*, Bruxelles, 1978, p. 11-18.

BERTRAND, Yves. *La culture organisationnelle*. Sillery, Presses de l'Université du Québec, Télé-université, 1991. 211 p.

BOUVIER, J. C. et al. *Tradition orale et identité culturelle*. Paris, CNRS, 1980.

DARDY, Claudine. *Identité de papiers*. Paris, Lieu commun, 1990. 188 p.

DUMONT, Fernand et Fernand HARVEY. «La recherche sur la culture», *Recherches sociographiques*, vol. XXVI, nos 1-2, 1985, p. 85-118.

LIPIANSKY, Edmond-Marc. «Identité, communication et rencontres interculturelles», *Cahiers de sociologie économique et culturelle*, vol. 5, juin 1986, p. 7-49.

MATHIEU, Jacques et Jacques LACOURSIÈRE. *Les mémoires québécoises*. Sainte-Foy, Presses de l'Université Laval, 1991, 383 p.

SIMARD, Jean-Jacques. «Vers une typologie des objets et des formes de l'intervention culturelle étatique», *Recherches sociographiques*, vol. XXIII, no 3, 1982.

VERNANT, J.-P. *Mythe et Société en Grèce ancienne*, Paris, LD/Fondations, 1988. 250 p.

d. Mémoire

ANDRÉ, Jacques. «De la preuve à l'histoire», *Traverses*, n° 36, 1986, p. 22-33.

ARON-SCHNAPPER, Dominique *et al. Histoire orale ou archives orales? Rapport d'activité sur la constitution d'archives orales pour l'histoire de la Sécurité sociale.* Paris, Association pour l'étude de l'histoire de la Sécurité sociale, 1980. 114 p.

AUZIAS, Claire. «La mémoire est-elle disciplinaire?», *Pénélope, pour l'histoire des femmes. Mémoires de femmes*, n° 12, printemps 1985, p. 7-12.

BACZKO, Bronislaw. *Les imaginaires sociaux. Mémoires et espoirs collectifs.* Paris, Payot, 1984.

BASTIDE, Roger. «Mémoire collective du bricolage», *L'Année sociologique*, IIIe série, 1970.

CASTORIADIS, Cornélius. *L'institution imaginaire de la société.* Paris, Seuil, 1975. 162 p.

CITRON, Suzanne. *Enseigner l'histoire aujourd'hui. La mémoire perdue et retrouvée.* Paris, Les éditions ouvrières, 1984. 157 p.

HALBWACHS, Maurice. *La mémoire collective.* Paris, Presses universitaires de France, 1950.

HAMON, Maurice et Félix TORRES (sous la direction de). *Mémoire d'avenir. L'histoire dans l'entreprise.* Paris, Économica, 1987. 261 p.

JACOB, Christian. «La mémoire graphique en Grèce ancienne», *Traverses*, n° 36, janvier 1986, p. 61-66.

JEAN, George. *L'écriture mémoire des hommes.* Collection La découverte, Paris, Gallimard, 1987. 224 p.

JEWSIEWICKI, Bogumil (sous la direction de). *Récits de vie et mémoires, vers une anthropologie historique du souvenir.* Paris, L'Harmattan, SAFI. 344 p.

KAMMEM, Michael. «La mémoire américaine et sa problématique», *Le Débat*, vol. 30, 1984, p. 112-127.

LE GOFF, Jacques. *Histoire et mémoire.* Paris, Gallimard, 1988. 409 p.

LE MOIGNE, Jean-Louis et Daniel PASCOT, édit. *Les processus collectifs de mémorisation (Mémoire et organisation). Actes du colloque d'Aix-en-Provence GRASCE — Faculté d'économie appliquée — (juin 1979).* Aix-en-Provence, Librairie de l'Université, 1979, 249 p.

MAJASTRE, Jean Olivier. «Oublieuse mémoire», *Le monde alpin et rhodanien, Revue régionale d'ethnologie*, vol. 10, n° 1-4, 1982, p. 123-126.

MATHIEU, Jacques (sous la direction de). *Étude de la construction de la mémoire collective des Québécois au XXe siècle*, approches multidisciplinaires. Québec, Cahiers du CÉLAT n° 5, 1986. 320 p.

NORA, Pierre. «Entre mémoire et histoire. La problématique des lieux», *Les lieux de mémoire I — La République*, collection «bibliothèque illustrée des histoires. Paris, Gallimard, 1985, p. xvii-xlii.

NORA, Pierre. «Mémoire collective», *Encyclopédie du savoir moderne. La nouvelle histoire*. Paris, CELP, 1978, p. 399-400.

NORA, Pierre. «Quatre coins de la mémoire», *H-Histoire*, vol. 2, juin 1979, p. 9-31.

POLLACK, Michael. «Encadrement et silence: le travail de la mémoire», *Pénélope, pour l'histoire des femmes. Mémoires de femmes*, n° 12, printemps 1985, p 35-39.

PONCHELET, Hervé. «Les Secrets de la mémoire», *Le Point*, n° 811, 4 avril 1988, p. 43-48.

RICOEUR, Paul. *Temps et récit III. Le temps raconté*. Paris, Seuil, 1985.

RIOUX, Jean-Pierre. «La mémoire collective en France depuis 1945; propos d'étape sur l'activité d'un groupe de travail», *Bulletin de l'Institut d'histoire du temps présent*, n° 6, 1981.

ROUSSO, Henri et Félix TORRES. «Quand le business s'intéresse à l'histoire», *L'Histoire*, n° 55, avril 1983, p. 70-75.

SMITH, George David et Laurence E. STEADMAN. «L'histoire de votre entreprise un capital», *Havard-L'Expansion*, vol. 24, printemps 1982, p. 83-93.

THÉVENET, Maurice. «Voyage d'un entreprenaute dans la tribu. Mode d'emploi à usage de diagnostic. Quels sont les outils d'identification d'une culture d'entreprise?», *Le culte de l'entreprise*, Autrement Revue, n° 100, septembre 1988, p. 42-48.

VANSINA, Jan. «Memory and Oral Tradition», *African Past Speaks*, Folkestone-Hamden, Dawson-Aichen, 1980, p. 262-279.

ZAVALLONI, Marisa et Christianne LOUIS-GUÉRIN. *Identité sociale et conscience. Introduction à l'égo-écologie*. Toulouse, Privat, 1984.

e. Archivistique

Archives nationales du Québec. *Manuel des normes et procédures*. Québec, 1991.

Association des archivistes du Québec. *Actes du XVIIIe congrès*. Sainte-Adèle, juin 1989.

Association des archivistes du Québec. «Code d'éthique», *La Chronique*, vol. XXI, n° 8, février 1992, p. 2.

Association des archivistes français. *Manuel d'archivistique: théorie et pratiques des Archives publiques en France*. Paris, S.E.V.P.E.N., 1970. 805 p.

BAUTIER, Robert-Henri. «Les archives», *L'Histoire et ses méthodes. Recherche, conservation et critique des témoignages*, Paris, Encyclopédie de la Pléiade, Gallimard, 1961, p. 1120-1166.

BEARMAN, David A. et Richard H. LYTLE. «The Power of Principle of Provenance», *Archivaria*, n° 21, hiver 1985-1986, p. 14-27.

BÉLISLE, France. «Les documents essentiels à la ville de Québec», *Archives*, vol. 22, n° 1, été 1990, p. 44-47.

BENEDON, William. «La gestion de l'information:une approche multi-disciplinaire», *Archives*, vol. 17, n° 3, p. 3-10.

BENEDON, William. *Records Management*. Englewood Cliffs, N.J., Prentice Hall, 1969. 272 p.

BIRON, Michel. «Le principe du respect des fonds et les divers milieux archivistiques», *Archives*, vol. 22, n° 3, hiver 1991, p. 53-57.

BOUDREAU, Claude (sous la direction de Serge Courville). *L'analyse de la carte ancienne, essai méthodologique. La carte du Bas-Canada de 1831 de Joseph Bouchette*. Québec, Rapport et mémoires de recherche n° 7, CÉLAT, 1986. 169 p.

BOUDREAU, Claude, «Comment analyser et commenter la carte ancienne», dans Jocelyn Létourneau, *Le coffre à outils du chercheur débutant*, Toronto, Oxford University Press, 1989, p. 101-114.

BROWN, Gerald F. «The Archivist and the Records Manager: A Records Manager's Viewpoint», *ARMA Quartely*, vol. 5, janvier 1971, p. 21-35.

Bureau canadien des archivistes. *Manuel des normes de description des archives*. Ottawa, 1990.

CARDINAL, Louis *et al. Les instruments de recherche pour les archives*. La Pocatière, Documentor, 1984. 126 p.

CHAMPAGNE, Michel et Denys CHOUINARD. *Le traitement d'un fonds d'archives*. La Pocatière, Documentor/Université de Montréal, Secrétariat général, Service des archives, 1987. 176 p.

CHARLAND, Diane. «Le respect des fonds et le milieu municipal», *Archives*, vol. 22, n° 3, hiver 1991, p. 59-62.

Conseil canadien des archives. *Manuel de conservation des documents d'archives*. Ottawa, 1990, 130 p.

COUTURE, Carol, Jacques DUCHARME et Jean-Yves ROUSSEAU. «L'archivistique a-t-elle trouvé son identité?, *Argus*, vol. 17, n° 2, juin 1988, p. 51-60.

COUTURE, Carol et Jean-Yves ROUSSEAU. *Les archives au XXᵉ siècle. Une réponse aux besoins de l'administration et de la recherche*. Montréal, Université de Montréal, Secrétariat général, Service des archives, 1982. 491 p.

COUTURE, Carol. «La formation en archivistique [Université de Montréal] philosophie et développement», *Archives*, vol. 20, n° 3, hiver 1989, p. 3-9.

DELMAS, Bruno. *La formation des archivistes — analyse des programmes d'études de différents pays et réflexion sur les possiblités d'harmonisation*, Paris, Unesco, 1979. 75 p.

DOYLE, Murielle. «Peut-on sérieusement croire à l'interdépendance des archives et de la gestion des documents en Amérique du Nord?», *Archives*, vol. 12, n° 4, mars 1981, p. 77-82.

DOYLE, Murielle. «Le respect des fonds et la vie des documents», *Archives*, vol. 22, n° 3, hiver 1991, p. 63-65.

DUCHARME, Jacques et Jean-Yves ROUSSEAU. «L'interdépendance des archives et de la gestion des documents: une approche globale de l'archivistique», *Archives*, 1980, vol. 12, n° 1, p. 5-28.

DUCHARME, Jacques, «Les archivistes ont-ils oublié les chercheurs? Le travail et les attentes de l'archiviste», *Archives*, vol. 11, n° 2, 1979, p. 9-16.

DUCHEIN, Michel. «Le respect des fonds en archivistique. Principes théoriques et problèmes pratiques», *La Gazette des archives*, 1977, vol. 97, p. 71-96.

ÉTHIER, Guylaine. *Introduction à la gestion des documents*. Ottawa, Éditions G. Vermette, 1989. 193 p.

EVANS, Frank B. *et al.* «A Basic Glossary for Archivists, Manuscript Curators, and Records Managers», *American Archivist*, vol. 37, juillet 1974, 417 p.

EVANS, Frank B. «Les méthodes modernes de classement d'archives aux États-Unis», *The American Archivist*, n° 29, 1966, p. 241-263.

FAVIER, Jean. *Les archives*. Que sais-je n° 805, Paris, Presses universitaires de France, 1975. 124 p.

GARON, Robert. «Ce que la technique ne remplace pas: l'information», *Archives*, vol. 15, n° 4, 1984, p. 5-12.

GARON, Louis. «Des archives gouvernementales aux Archives nationales du Québec: De l'indifférence aux luttes de pouvoir», *Archives*, vol. 18, n° 4, mars 1987, p. 22-40.

GRACY, David B. *Archives & manuscripts: arrangement & description*. Chicago, Society of American Archivists, 1977, 49 p.

GRIMARD, Jacques. «Les programmes de formation en archivistique [Université Laval]; philosophie et développement», *Archives*, vol. 20, n° 3, hiver 1989, p.11-18.

Groupe de travail canadien sur les normes de description en archivistique. *Les normes de description en archivistique: une nécessité.*
Ottawa, Bureau canadien des archivistes, 1986. 203 p.

GUINCHAT, Claire et Michel MENOU. *Introduction générale aux sciences et
techniques de l'information et de la documentation.* Paris, Unesco,
1990. 543 p.

GUINCHAT, Claire et Yolande SKOURI. *Guide pratique des techniques documentaires.* Vol. 1, *Traitement et gestion des documents.* Paris,
EDICEF, 1989. 271 p.

HÉON, Gilles. «L'article dans les répertoires: élément de cotation ou
élément de rangement», *Archives*, vol. 18, n° 2, septembre 1986,
p. 3-14.

HÉON, Gilles. «Une régionalisation sans décentralisation. Les centres
régionaux des Archives nationales du Québec», *La Gazette des
archives*, vol. 121-122, 2ᵉ et 3ᵉ trimestres 1983, p. 131-138.

JENKINSON, Hilary. *A Manual of Archives Administration.* Réédition de la
seconde édition révisée, Londres, Percy Lund, Humphries, 1968.
225 p.

«L'affaire des manuscrits», *Archives*, vol. 73.2, 1973, p. 42-106.

L'HUILLIER, Hervé. «Archives, témoignages oraux et histoire des entreprises. Quelques réflexions à la lecture de deux ouvrages
récents», *La Gazette des archives*, vol. 139, 4ᵉ trimestre, 1987,
p. 256-260.

LAJEUNESSE, Marcel. «L'archivistique: une science de l'information à
la recherche d'un milieu de formation», *Archives*, vol. 18, n° 3,
décembre 1986, p. 35-47.

LALONDE, Michel. «Archivistique et histoire; quelques idées pour une
approche systémique», *Archives*, vol. 12, n° 4, 1981, p. 33-37.

LAMBERT, James. «Vers une politique de référence à la Division des
archives de l'Université Laval», *Archives*, vol. 21, n° 3, 1990, p.15-
34.

LEROY DE PUY. «Archivists and Records Managers — A Partnership»,
The American Archivist, vol. 23, janvier 1960, p. 49-55.

LESSARD, Rénald. «L'intendant Hocquart et la protection des archives
en Nouvelle-France», *Cap-aux-Diamants*, vol. 2, n° 3, automne
1986, p. 47.

LYTLE, Richard H. «The Relationship between Archives and Records
Management: An Archivist's View», *ARMA Quartely*, avril 1968.

MATHIEU, Jacques et Martine CARDIN. «Jalons pour le positionnement
de l'archivistique», *Symposium en archivistique: La place de l'archivistique dans la gestion de l'information: perspectives de recherche.*

février 1990, Montréal, Groupe interdisciplinaire de recherche en archivistique/Archives nationales du Québec à Montréal, 1990, p. 101-126.

MATHIEU, Jacques. «Les archives du Québec», *Annuaire du Québec*, 1970, p. 311-321.

MAYGENE, F. Daniels et Timothy WALCH, éd. *A Modern Archives Reader: Basic Readings on Archival Theory and Pratice*. Washington D.C., National Archives and Records Service, US General Services Administration, 1984.

NORMAN, Christian. «Business Archives and Business History», *The History and Social Sciences Teacher*, décembre 1982, vol. 18, n° 2, p. 91-98.

POSNER, Ernst. *Archives in the Ancient World*. Cambridge, Harvard University Press, 1972. 283 p.

RACINE, Pierre. «Les archives au présent», *Au courant*, juin-juillet-août 1988, p. 14-17.

«Règlement du Conseil supérieur de la Nouvelle-France au sujet des registres tenus par les curés pour les baptêmes, mariages, sépultures et autres actes que peuvent faire les d. curés comme fiançailles et publications de bans (juin 1727)», *Bulletin des recherches historiques*, vol. 39, n° 7, juillet 1933, p. 415-416.

RICKS, Artel. «Records Management as an Archival Function», *Actes du 8e Congrès international des archives*. Washington, 27 septembre — 1er octobre 1976. *Archivum*, 1976, XXVI, p. 29-36.

RIDGE, Allan D. «Records Management: The Archival Perspective», *Records Management Quarterly*, vol. 9, n° 1, janvier 1975, p. 11-25.

RIVARD, Jean-Paul. «Un projet de réseau documentaire québecois», *Archives*, vol. 12, n° 3, décembre 1980, p. 15-22.

ROBERGE, Michel. *L'expertise québécoise en gestion des documents administratifs, bibliographie thématique et chronologique. 1962-1987*. En collab. avec Alban Boudreau et Elyse Tremblay. Saint-Augustin, GESTAR. 1987. 1 vol. (non paginé).

ROBERGE, Michel. *La classification universelle des documents administratifs*. Coll. Accès à l'information, La Pocatière, Documentor, 1985. 247 p.

ROBERGE, Michel. *La gestion des documents administratifs*. Coll. Accès à l'information. La Pocatière, Documentor, 1983. 216 p.

ROBERGE, Michel. «Le certificat de premier cycle en gestion des documents administratifs et des archives [UQAM]; philosophie et développement», *Archives*, vol. 20, n° 3, hiver 1989, p. 19-24.

ROUSSEAU, Jean-Yves. «L'archivistique et la gestion des documents: évolution, différenciation et intégration», *Archives*, vol. 11, nᵒ 3, décembre 1979, p. 3-7.

ROUSSEAU, Jean-Yves. «La protection des archives essentielles. Comment assurer la survie d'une organisation», *Archives*, vol. 20, nᵒ 1, été 1988, p. 43-54.

SCHELLENBERG, Théodore R. *Management of archives*. New York, Columbia University Press, 1964. 397 p.

SCHELLENBERG, Théodore R. *Modern Archives. Principles and Techniques*. Chicago, The University of Chicago Press, 1956. 247 p.

SCOTT, P.J. «The Record Group Concept: a Case for Abandonment», *The American Archivist*, vol. 29, nᵒ 4, octobre 1966, p. 493-504.

SÉNÉCAL, Sylvain. «Une réflexion sur le concept de fonds d'archives. Comment tenir compte du principe de provenance dans un contexte dynamique», *Archives*, vol. 22, nᵒ 3, hiver 1991, p. 41-52.

SMITH, Collin. «A Case for Abandonment of «Respect», *Archives and Manuscripts*, vol. 14, nᵒ 2, novembre 1986, p. 154-168 et vol. 15, nᵒ 1, mai 1987, p. 20-28.

Symposium en archivistique. La place de l'archivistique dans la gestion de l'information: perspectives de recherche. Montréal, Groupe interdisciplinaire de recherche en archivistique et Archives nationales du Québec à Montréal, 1990. 292 p.

TREMBLAY, Hélène, Claire LAPLANTE et Thérèse FRIGON. «L'utilisation des archives dans les causes de béatification et de canonisation», *Archives*, vol. 17, nᵒ 3, décembre 1985, p. 17-35.

WEILBRENNER, Bernard. «Les archives provinciales du Québec et leurs relations avec les archives fédérales, 1867-1920», *Archives*, vol. 15, nᵒ 3, décembre 1983, p. 37-55.

WEILBRENNER, Bernard. «Les archives provinciales du Québec et leurs relations avec les archives fédérales, 1867-1920», *Archives*, vol. 16, nᵒ 2, septembre 1984, p. 3-26.

WEILBRENNER, Bernard. «Les archives provinciales du Québec et leurs relations avec les archives fédérales, 1867-1920», *Archives*, vol. 18, nᵒ 3, décembre 1986, p. 3-25.

WEILBRENNER, Bernard. «Les archives provinciales du Québec et leurs relations avec les archives fédérales, 1867-1920», *Archives*, vol. 18, nᵒ 4, mars 1987, p. 3-21.

f. Information

ATTALAH, Paul. *Théories de la communication. Histoire, contexte, pouvoir*. Sillery, Presses de l'Université du Québec, Télé-université, 1989. 320 p.

ATTALAH, Paul. *Théories de la communication. Sens, sujets, savoirs.* Sillery, Presses de l'Université du Québec, Télé-université, 1991. 326 p.

BATESON, Gregory et Jurguen RUESCH. *Communication et société.* Paris, Seuil, 1988. 347 p.

BERTALANFFY, *Ludwig von. General System Theory : Foundations, Development, Applications.* New York, Braziller, 1968 (trad. fr.: *Théorie générale des systèmes: physique, biologie, psychologie, sociologie, philosophie.* Paris, Dunod, 1973.)

CHARRON, Danielle. *Une introduction à la communication.* Québec, Presses de l'Université du Québec, Télé-université, 1989. 271 p.

DIONNE, Pierre et Gilles OUELLET. *La communication interpersonnelle et organisationnelle: l'effet Palo Alto.* Boucherville, Gaëtan Morin éditeur et Les éditions d'organisation, 1990. 144 p.

EISENSTEIN, Elizabeth L. *La révolution de l'imprimé dans l'Europe des premiers temps modernes.* Paris, Éditions la découverte, 1991. 354 p.

ESCARPIT, Robert. *L'écrit et la communication,* collection «Que sais-je?» nº 1546, Paris, Presses universitaires de France, 1973. 125 p.

GINGRAS, Lin, Nadia MAGNENAT-THALMANN et Louis RAYMOND. *Systèmes d'information organisationnels.* Chicoutimi, Gaëtan Morin, 1986. 307 p.

«L'informatisation: mutation technique, changement de société?», *Sociologie et Société.* Québec, Presses de l'Université Laval, vol. XVI, nº 1, avril 1984, 155 p.

LE MOIGNE, Jean-Louis. «Communication, information et culture: «le plus étrange des problèmes»...», *Technologies de l'information et société,* vol. 1, nº 2, 1989, p. 11-33.

MARTIN, Jean-Henri. *Histoire et pouvoir de l'écrit.* Paris, Librairie académique Perrin, 1988. 518 p.

MCLUHAN, Marshall. *La galaxie Gutenberg. La genèse de l'homme typographique.* Paris, 1967

MŒGLIN, Pierre. «Considérations sur la genèse et le développement des systèmes d'information et de communication», *Info-Révolution. Usages des technologies de l'information,* série Mutation nº 113, mars 1990, p. 36-49.

OUTWATER, Christopher et Eric VAN HAMERSVELD. *Holographie, L'histoire, la théorie et la réalisation de l'hologramme.* Montréal/Paris, L'étincelle, 1989, 89 p.

RENOUARD, Yves. «Information et transmission des nouvelles», *L'histoire et ses méthodes. Recherche, conservation et critique de témoignages.* Paris, Encyclopédie de la Pléiade, Gallimard, 1961, p. 95-142.

RIGAUD, Louis. *La mise en place des systèmes d'information pour la direction des organisations.* Paris, Dunod, 1982. 232 p.

RUYER, Raymond. *La cybernétique et l'origine de l'information.* Rééd. 1968. Paris, Flammarion, 1954, 253 p.

SCHAFF, Adam. *Langage et connaissance.* Paris, Seuil, 1969. 248 p.

SHANNON, Claude E. et Warren WEAVER. *The Mathematical Theory of Communication.* Urbana-Champaign (Ill.), University of Illinois Press, 1949.

TREMBLAY, Diane (sous la direction de). *Diffusion des nouvelles technologies. Stratégies d'entreprises et évaluation sociale.* Montréal, interventions économiques, hors série, 1987. 304 p.

WIENER, Norbert. *Cybernetics, or Control and Communication in the Animal and the Machine,* Paris, Hermann, 1948.

WINKIN, Yves (textes recueillis et présentés par). *La nouvelle communication,* Paris, Seuil, 1981, 373 p.

g. Organisation

BERNOUX, Phillipe. *La sociologie des organisations.* Paris, Seuil, 1985. 363 p.

CROZIER, Michel. *Le phénomène bureaucratique.* Paris, Seuil, 1963. 413 p.

DE ROSNAY, Joël. *Le Macroscope. Vers une vision globale.* Paris, Seuil, 1975, 295 p.

ETCHEGOYEN, Alain. *Les entreprises ont-elles une âme?,* Paris, François Bourin, 1990. 292 p.

GAGNON, Paul-Dominique, *et al. L'entreprise: son milieu, sa structure et ses fonctions.* Chicoutimi, Gaëtan Morin, 1986. 370 p.

GUIOT, Jean M. et Alain BEAUFILS. *Théories de l'organisation.* Montréal, Gaëtan Morin, 1987. 260 p.

HAFSI, Taïeb et Christiane DEMERS. *Le changement radical dans les organisations complexes. Le cas d'Hydro-Québec.* Boucherville, Gaëtan Morin, 1989. 310 p.

HERZBERG, Fr. *Le travail et la nature de l'homme.* 2ᵉ éd., Paris, Entreprise moderne d'édition, 1971. 1972.

MASLOW, A.H. *Motivation and Personality.* New York, Harper and Row, 1954.

MC GREGOR, Douglas. *La Dimension humaine de l'entreprise.* 2ᵉ éd. 1971, Paris, Gauthier-Villars, 1969.

MORGAN, Gareth. *Images de l'organisation.* Québec/Ottawa, Presses de l'Université Laval /ESKA, 1989. 556 p.

TAYLOR, F.W. *La Direction scientifique des entreprises.* Paris-Verviers, Bibliothèque Marabout. 1957-1967.

TOURAINE, Alain. *L'évolution du travail ouvrier aux usines Renault*. Paris, CNRS, 1955.

TOUSSAINT, Didier. «États d'âme», *Le culte de l'entreprise*, Autrement Revue, n° 100, septembre 1988, p. 196-199.

VIEUX, Alex-Serge. «Le «diktat» des consultants», *Le culte de l'entreprise*, Autrement Revue, n° 100, septembre 1988, p. 85-89.

WEBER, Max. *L'éthique protestante et l'Esprit du capitalisme*. Paris, Plon, 1964.

h. Mouvement Desjardins

ADAM, François, «De la construction d'une voûte», *La Revue Desjardins*, 1946, p. 174.

BEAUCHAMP, Michel et R. MARQUIS. «La Société historique Alphonse-Desjardins», *La Revue Desjardins*, 1985, p. 32.

BEAUCHAMP, Michel. *La communication et les organisations coopératives. Le cas du Mouvement des caisses Desjardins*. Boucherville, Gaëtan Morin, 1989. 190 p.

BÉLAND, Claude. «Pour comprendre l'entreprise: l'histoire», *La Revue Desjardins*, n° 6, 1991, p. 2-3.

BERTRAND, Réal. *Alphonse Desjardins*. Coll. Célébrités canadiennes, Montréal, Lidec, 1983. 64 p.

BOUCHARD, Jacques. «Pop-sac-à-vie-sau-sec-fi-co-pin», *Forces*, vol. 91, automne 1990, p. 80.

BRULOTTE, Raymond. Les caisses populaires et la réglementation bancaire au Canada. Thèse de maîtrise, Québec, Université Laval, 1983.

BRULOTTE, Raymond. «Un regard d'économiste sur l'histoire de la loi des caisses», *La Revue Desjardins*, 1983.

Confédération des caisses populaires et d'économie Desjardins du Québec. *Le Mouvement Desjardins*. Lévis, 1987. 32 p.

CÔTÉ, Suzanne H. «Des archives vivantes dans le Mouvement Desjardins», *La Revue Desjardins*, vol. 46, n° 4, 1980, p. 8-9

DAIGLE, Jean. *Une force qui nous appartient. La Fédération des caisses populaires acadiennes, 1936-1986*. Moncton, Éditions d'Acadie, 1990. 298 p.

DE KOVACHICH, Ladislas. «Les archives de la Fédération des caisses populaires Desjardins», *La Revue Desjardins*, vol. XXXVI, n° 1, janvier 1960, p. 15-16.

DE KOVACHICH, Ladislas. «Les archives de la Fédération des caisses populaires Desjardins», *La Revue Desjardins*, vol. XXXVI, n°s 8-9, août-septembre 1960, p. 132-133.

DE KOVACHICH, Ladislav. «Réflexions en marge de l'histoire», *La Revue Desjardins*, vol. XXXVI, n° 3, mars 1960, p.15-16.

FAUCHER, Albert. *Alphonse Desjardins*. Québec, Le comité de la survivance française en Amérique, Université Laval, 1948. 58 p.

GRONDIN, Philibert. *Catéchisme des Caisses populaires, société coopérative d'épargne et de crédit*, s.l., La Propagande des bons livres, 1910. 25 p.

HUDON, Guy. «Consultation légale. De la conservation des pièces justificatives», *La Revue Desjardins*, vol. XXI, n° 2, mars 1952, p. 39.

LAMARCHE, Jacques-A. *La saga des caisses populaires*. Montréal, Les Éditions La Presse ltée, 1985.

LEMELIN, Roger. «Alphonse Desjardins qui étiez-vous?», *Forces*, n° 91, automne 1990, p. 5-11.

LEMIEUX, Vincent (sous la direction de). *Les institutions québécoises, leur rôle, leur avenir, colloque du cinquantième anniversaire de la Faculté des sciences sociales de l'Université Laval*, Québec, Presses de l'Université Laval, 1990.

MACKAY, Napoléon. «L'inspecteur? un éducateur», *La Revue Desjardins*, vol. 18, n° 2, 1952.

MARQUIS, Roselyne. «Un communiqué de la Société historique Alphonse-Desjardins», *La Revue Desjardins*, n° 1, 1986, p. 36.

MORIN, Fernand. «Divergence ou convergence du Mouvement syndical et du Mouvement Coopératif des caisses Desjardins», *Relations industrielles*, vol. 32, n° 2, 1977, p. 262-268.

OUELLET, Danielle. «La tradition Desjardins. Quelques chefs de file», *Forces*, n° 91, automne 1990, p. 24-29.

POULIN, Pierre. *Histoire du Mouvement Desjardins, t. 1 Desjardins et la naissance des caisses populaires*. Québec, La Société historique Alphonse-Desjardins et Québec/Amérique, 1990. 376 p.

ROBY, Yves. «Alphonse Desjardins et les caisses populaires 1854-1920», Thèse (licence), Université Laval, Québec, 1962, 183 p.

ROBY, Yves. *Alphonse Desjardins et les caisses populaires 1854-1920*. Montréal, Fides, 1964. 149 p.

ROBY, Yves. *Les caisses populaires. Alphonse Desjardins. 1900-1920*. Lévis, La Fédération de Québec des caisses populaires Desjardins, 1975. 113 p.

ROMPRÉ, M., «Affiliation de la Fédération des Caisses d'Économie du Québec à la FQCPD», *La Revue Desjardins*, vol. 5, n° 45, 1979, p. 1-3.

Roy, Michel. «La critique du capitalisme», *Le Soleil*, 18 juillet 1990, p. A8.

Tremblay, Louise. «La gestion documentaire, un outil de communication», *La Revue Desjardins*, 1983, p. 41-43.

Tremblay, Rosario. «Conservation des pièces justificatives et des vieux documents», *La Revue Desjardins*, vol. XXIII, n° 3, mars 1957, p. 51-52.

Turmel, Émile. «Les origines de la Fédération», *La Revue Desjardins*, vol. XVII, n° 6 et 7, juillet 1951, p. 106-107.

Vaillancourt, Cyrille et Albert Faucher. *Alphonse Desjardins. Pionnier de la coopération d'épargne et de crédit en Amérique*. Lévis, Le Quotidien, 1950. 232 p.

Vaillancourt, Cyrille. «Alphonse Desjardins et les Caisses populaires. Éditorial», *La Revue Desjardins*, février 1965, p. 23.

Vaillancourt, Cyrille. «Le mouvement Desjardins — I», *La Revue Desjardins*, novembre 1965, p. 163-165.

Vaillancourt, Cyrille. «Le mouvement Desjardins — II», *La Revue Desjardins*, décembre 1965, p. 183-186.

Vaillancourt, Cyrille. «Le mouvement Desjardins — III», *La Revue Desjardins*, janvier 1966, p. 3-5.

Vaillancourt, Cyrille. «Le mouvement Desjardins — IV», *La Revue Desjardins*, février 1966, p. 27-29.

Vaillancourt, Cyrille. «Le mouvement Desjardins — VI», *La Revue Desjardins*, avril 1966, p. 71-73.

Vaillancourt, Cyrille. «Le mouvement Desjardins — VII», *La Revue Desjardins*, mai 1966, p. 91-92.

Liste des figures

Liste des tableaux

Liste des sigles et abréviations

AAQ: Association des archivistes du Québec
ANQ: Archives nationales du Québec
CCPED: Confédération des caisses populaires et d'écono-
             mie Desjardins
CUNA: Credit Unions National Association
FQCPD: Fédération de Québec des unions régionales des
             caisses populaires Desjardins
MCPED: Mouvement des caisses populaires et d'économie
             Desjardins
SGD: Service de gestion documentaire
SHAD: Société historique Alphonse-Desjardins

Table des matières

Deuxième partie

La constitution d'une mémoire organique et consignée: le cas du Mouvement coopératif Desjardins, 1900-1990

Chapitre VII
Le Mouvement Desjardins et sa mémoire consignée   263